AS SETE MORTES DE EVELYN HARDCASTLE

TRADUÇÃO
Hilton Lima

2ª EDIÇÃO
2ª IMPRESSÃO

Porto Alegre   São Paulo • 2022

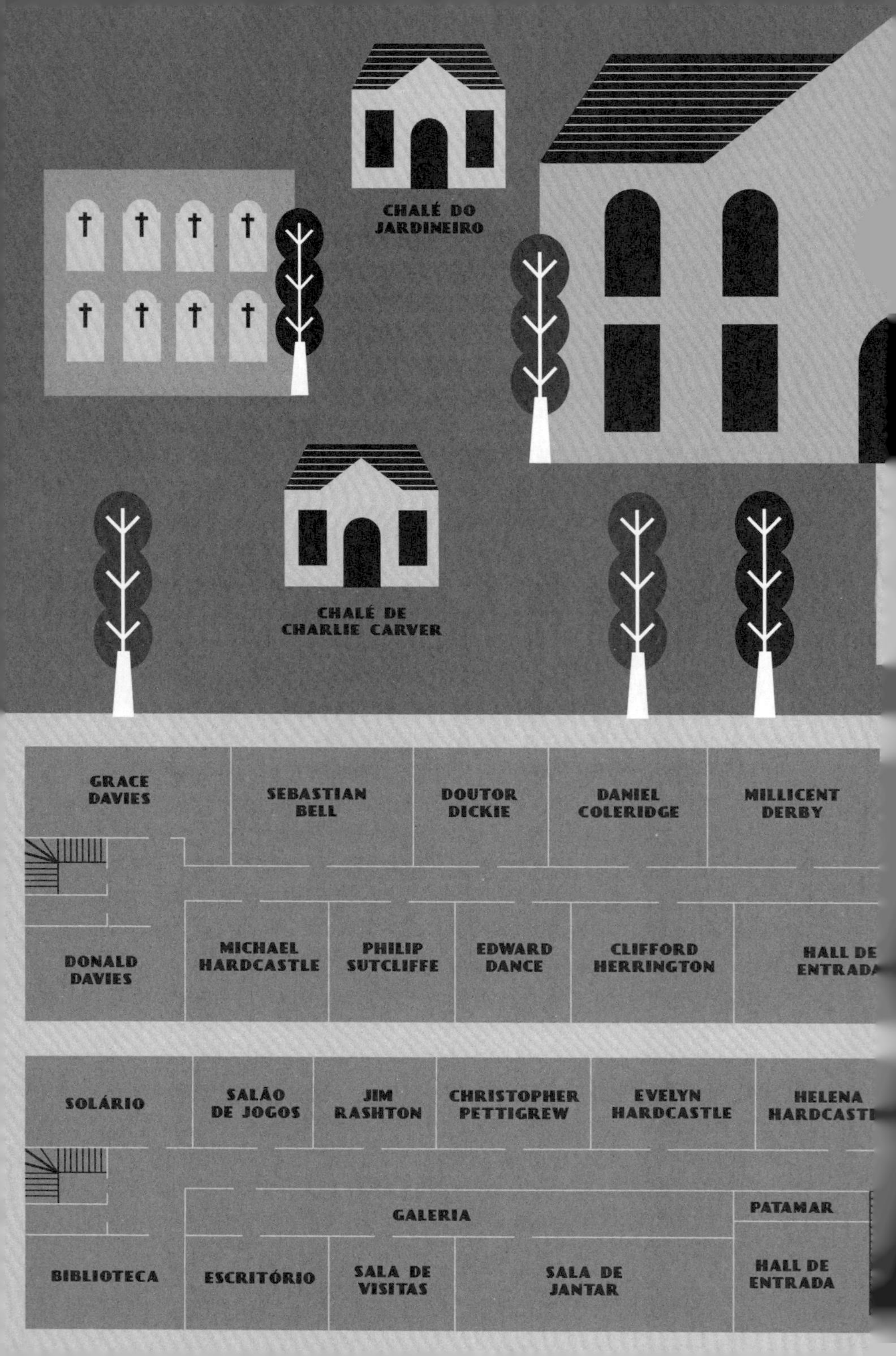

CHALÉ DO JARDINEIRO

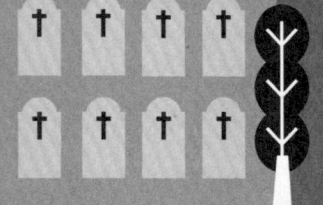
CHALÉ DE CHARLIE CARVER

GRACE DAVIES	SEBASTIAN BELL	DOUTOR DICKIE	DANIEL COLERIDGE	MILLICENT DERBY
DONALD DAVIES	MICHAEL HARDCASTLE	PHILIP SUTCLIFFE	EDWARD DANCE	CLIFFORD HERRINGTON	HALL DE ENTRADA

SOLÁRIO	SALÃO DE JOGOS	JIM RASHTON	CHRISTOPHER PETTIGREW	EVELYN HARDCASTLE	HELENA HARDCASTLE
		GALERIA			PATAMAR
BIBLIOTECA	ESCRITÓRIO	SALA DE VISITAS	SALA DE JANTAR		HALL DE ENTRADA

ESTÁBULOS

NATHAN DERBY	SALA DE AULA	QUARTO INFANTIL	TED STANWIN
	GABINETE DO QUARTO PRINCIPAL	QUARTO PRINCIPAL	CAMARIM
LORD RAVENCOURT	GABINETE DE LORD RAVENCOURT		DEPÓSITO
	SALÃO DE BAILE		

PORTARIA

CASA DE BARCOS

Copyright © 2018 Stuart Turton
Título original: *The seven deaths of Evelyn Hardcastle*

CONSELHO EDITORIAL Eduardo Krause, Gustavo Faraon, Luísa Zardo, Rodrigo Rosp e Samla Borges
TRADUÇÃO Hilton Lima
PREPARAÇÃO Samla Borges
REVISÃO Bruno Palavro e Natasha Centenaro
CAPA E PROJETO GRÁFICO Luísa Zardo
FOTO DO AUTOR Charlotte Graham

DADOS INTERNACIONAIS DE
CATALOGAÇÃO NA PUBLICAÇÃO (CIP)

T962s Turton, Stuart
As sete mortes de Evelyn Hardcastle / Stuart Turton; trad. Hilton Lima. — 2. ed. — Porto Alegre: Dublinense, 2020.
480 p. ; 21 cm.

ISBN: 978-65-5553-007-0

1. Literatura Inglesa. 2. Romance Policial.
I. Lima, Hilton. II. Título.

CDD 823.91

Catalogação na fonte:
Ginamara de Oliveira Lima (CRB 10/1204)

Todos os direitos desta edição reservados à Editora Dublinense Ltda.

Av. Augusto Meyer, 163 sala 605
Auxiliadora • Porto Alegre • RS
contato@dublinense.com.br

Aos meus pais, que me deram tudo sem pedir nada em troca. À minha irmã, minha primeira e mais feroz leitora desde a infância. E à minha esposa, cujo amor, encorajamento e lembretes para olhar por sobre o teclado de vez em quando fizeram deste livro muito mais do que poderia ter sido.

*Você está sendo
cordialmente convidado
à Mansão Blackheath para*

O BAILE DE MÁSCARAS

Apresentando seus anfitriões, a família Hardcastle
Lord Peter Hardcastle & Lady Helena Hardcastle
&
Seu filho, Michael Hardcastle
Sua filha, Evelyn Hardcastle

- Convidados ilustres -
Edward Dance, Christopher Pettigrew &
Phillip Sutcliffe, advogados da família
Grace Davies & seu irmão, Donald Davies, socialites
Comandante Clifford Herrington,
oficial da Marinha (da reserva)
Millicent Derby & seu filho, Jonathan Derby, socialites
Daniel Coleridge, jogador profissional
Jim Rashton, policial
Lord Cecil Ravencourt, banqueiro
Dr. Richard (Dickie) Acker
Dr. Sebastian Bell
Ted Stanwin

- Principais empregados da casa -

O mordomo, Roger Collins

A cozinheira, Sra. Drudge

A chefe das empregadas, Lucy Harper

O cavalariço, Alf Miller

O artista residente, Gregory Gold

O valete de Lord Ravencourt,
Charles Cunningham

A camareira de Evelyn Hardcastle,
Madeline Aubert

Solicitamos gentilmente a todos os convidados que se abstenham de comentar sobre Thomas Hardcastle e Charlie Carver, uma vez que os trágicos acontecimentos os envolvendo ainda trazem grande pesar à família.

1
DIA UM

Eu me esqueço de tudo entre meus passos.

— Anna! — eu acabo de gritar, calando num estalo a minha boca, surpreso.

Minha mente ficou em branco. Não sei quem é Anna ou por que estou chamando pelo seu nome. Não sei nem como cheguei aqui. Estou parado numa floresta, protegendo meus olhos da chuva que começa a cair. Meu coração está batendo. Estou fedendo a suor e minhas pernas estão trêmulas. Eu devo ter corrido, mas não lembro por quê.

— Como é que... — sou interrompido pela visão das minhas mãos. São ossudas, feias. As mãos de um estranho. Não as reconheço nem por um momento.

Sentindo o primeiro acesso de pânico, tento recordar algo mais a meu respeito: um familiar, o meu endereço, a minha idade, qualquer coisa, mas nada vem. Todas as lembranças que eu tinha segundos atrás sumiram.

Minha garganta fica apertada, a respiração sai ruidosa e rápida. A floresta está rodopiando, manchas pretas pintam a minha visão.

Tenha calma.

— Não consigo respirar — eu me engasgo, o sangue retumba em meus ouvidos enquanto desabo no chão, com meus dedos fincando na terra.

Você pode respirar, só precisa se acalmar.

Há conforto nessa voz interior, uma fria autoridade.

Feche os olhos, ouça a floresta. Controle-se.

Obedecendo à voz, aperto os olhos, fechando-os, mas só o que ouço é o chiado da minha própria respiração em pânico. Por um tempo enorme, ela esmaga todos os outros sons, mas devagar, bem devagar, encontro um buraco em meu medo, permitindo que outros ruídos penetrem. As gotas da chuva tateiam as folhas e os galhos balançam logo acima. Há um riacho mais à minha direita e corvos nas árvores, suas asas raspando o ar ao levantarem voo. Há algo que corre sorrateiramente pela vegetação, a batida das patas de um coelho que passa perto o suficiente para encostar nele. Uma a uma, vou costurando essas lembranças até ter cinco minutos de passado para me envolver. É o suficiente para estancar o pânico, pelo menos por enquanto.

Eu me levanto desajeitadamente, surpreso com quão alto estou, com o quão longe do chão pareço estar. Bamboleando um pouco, tiro as folhas molhadas das minhas calças, observando pela primeira vez que estou vestindo um smoking, a camisa respingada de lama e vinho tinto. Devia estar numa festa. Meus bolsos estão vazios e não tenho um casaco, então não devo ter me afastado demais. Isso é reanimador.

A julgar pela luz, é manhã, então provavelmente estive aqui fora a noite toda. Ninguém se arruma para passar uma noite sozinho, o que significa que alguém deve saber que estou desaparecido a esta altura. Certamente, por trás dessas árvores, uma casa está despertando em alerta, com equipes de busca saindo para me encontrar? Meus olhos percorrem as árvores, meio que esperando ver os meus amigos emergirem da folhagem, com tapinhas nas costas e piadas amáveis, me acompanhando na volta para a casa, mas devaneios não me livrarão dessa floresta, e não posso me demorar aqui à espera de um resgate. Estou tremendo de frio, com os dentes batendo. Preciso começar a caminhar, nem que seja para me esquentar, mas não consigo ver nada a não ser árvores. Não há como saber se estou me movendo na direção da ajuda, ou se estou errando para longe dela.

Perdido, eu retorno para a última preocupação do homem que fui.

— Anna!

Seja quem for esta mulher, é claramente a razão por eu estar aqui fora, mas não consigo visualizá-la. Talvez seja minha esposa, ou minha filha? Nenhuma das duas coisas parece certa e ainda assim há uma atração neste nome. Posso sentir que ele tenta levar a minha mente para algum lugar.

— Anna! — eu grito, mais por desespero do que por esperança.

— Socorro! — uma mulher grita de volta.

Eu rodopio, procurando a voz, tendo tonturas, vislumbrando a mulher por entre as árvores distantes, uma mulher de vestido negro correndo pela sua sobrevivência. Segundos depois, identifico o seu perseguidor romper a vegetação atrás dela.

— Você aí, pare — eu grito, mas minha voz é fraca e cansada; eles a pisoteiam sob seus pés.

O pavor me deixa plantado em meu lugar, e os dois quase somem da minha vista no momento em que começo a persegui-los, disparando atrás deles com uma pressa que nunca julguei ser possível com o meu corpo dolorido. Mesmo assim, não importa o quanto eu corra, eles estão sempre um pouco mais à frente.

O suor pinga do meu cenho, e minhas pernas já enfraquecidas ficam mais pesadas até cederem, fazendo com que eu caia estatelado na terra. Me arrastando pelas folhas, eu me levanto com esforço, a tempo de reconhecer o grito dela. Ele inunda a floresta, agudo e cheio de terror, e é cortado por um barulho de tiro.

— Anna! — eu grito desesperadamente. — Anna!

Não há resposta, apenas o efêmero eco do estrépito da pistola.

Trinta segundos. Foi o tempo que hesitei quando a vi pela primeira vez e a distância em que me encontrava quando ela foi assassinada. Trinta segundos de indecisão, trinta segundos para abandonar alguém completamente.

Há um galho grosso ao lado do meu pé e, ao pegá-lo, dou sacudidas experimentais, reanimado pelo seu peso e pela textura áspera da casca. Não vai adiantar muito contra uma pistola, mas é melhor do que investigar essa floresta com as mãos abanando. Sigo ofegando, sigo tremendo depois de correr, mas a culpa me empurra em direção ao grito de Anna. Tendo cautela para não fazer barulho demais, afasto os galhos mais baixos, procurando por algo que não quero ver de fato.

Pequenos ramos estalam à minha esquerda.

Eu paro de respirar, ouvindo energicamente.

O ruído se repete, passos triturando folhas e galhos, circulando atrás de mim.

Meu sangue gela, fico petrificado no lugar. Não me atrevo a olhar por sobre meu ombro.

O estalar dos galhos se aproxima, uma respiração suave está a apenas uma pequena distância das minhas costas. Minhas pernas fraquejam, e o galho cai das minhas mãos.

Eu rezaria, mas não lembro as palavras.

Um hálito quente toca o meu pescoço. Sinto cheiro de álcool e cigarro, o odor de um corpo mal lavado.

— Leste — um homem diz, arranhando a voz e largando algo pesado no meu bolso.

A presença retrocede, os seus passos recuam ao interior da floresta enquanto eu desabo, apertando minha testa contra a terra, inalando o cheiro de folhas molhadas e de decomposição, com lágrimas escorrendo pelas minhas faces.

Meu alívio é digno de pena, minha covardia é lamentável. Não consegui nem olhar meu algoz nos olhos. Que tipo de homem *eu sou*?

Passam-se alguns minutos antes do meu medo degelar suficientemente para que eu possa me movimentar e, mesmo assim, sou forçado a me apoiar em uma árvore para descansar. O presente do assassino balança em meu bolso e, temendo o que posso encontrar, mergulho a minha mão dentro dele, retirando uma bússola prateada.

— Ah! — digo com surpresa.

O vidro está partido e o metal arranhado, as iniciais SB gravadas na parte de baixo. Não entendo o que significam, mas as instruções do assassino foram claras. Devo usar a bússola e seguir a leste.

Eu olho a floresta com culpa. O corpo de Anna deve estar próximo, mas me apavora a reação que o assassino terá caso eu chegue até ele. Talvez seja por isso que estou vivo, porque não cheguei mais perto. Será que realmente quero testar os limites de sua misericórdia?

Supondo que seja isso mesmo.
Por um tempo enorme, fico parado olhando para a agulha trêmula da bússola. Não há muita coisa da qual ainda tenho certeza, mas sei que assassinos não demonstram misericórdia. Seja qual for o jogo que ele está jogando, não posso confiar no seu conselho e não deveria segui-lo, mas se não seguir... Eu procuro pela floresta novamente. Todas as direções parecem a mesma, infinitas árvores sob um céu repleto de ódio.

O quão perdido é preciso estar para deixar o diabo levá-lo para a casa?

Perdido assim, eu decido. Precisamente assim.

Afastando-me da árvore, ponho a bússola na palma da minha mão. Ela anseia pelo norte, então me posiciono na direção leste, contra o vento e o frio, contra o próprio mundo.

A esperança me abandonou.

Sou um homem no purgatório, cego para os pecados que me perseguiram até aqui.

2

O vento uiva, a chuva apertou e pingos martelam pelas árvores até quicarem na altura dos meus tornozelos enquanto eu sigo a bússola.

Observando um lampejo colorido em meio ao breu, vou caminhando até ele, chegando a um lenço vermelho pregado a uma árvore — o resquício de uma brincadeira de criança esquecida há tempos. Eu procuro por outro e o encontro a alguns metros de distância, então outro e mais outro. Indo aos tropeços entre eles, abro caminho em meio às trevas até chegar ao limite da floresta, as árvores dando lugar aos jardins de uma espaçosa mansão georgiana, com a fachada de tijolos vermelhos enterrada em hera. Até onde posso ver, está abandonada. O longo caminho de cascalho até a porta de entrada está coberto de ervas daninhas, e os gramados retangulares em ambos os lados são pântanos com flores murchando nas bordas.

Eu procuro algum sinal de vida, meu olhar percorrendo as janelas escuras até que percebo uma luz tênue no andar térreo. Deveria ser um alívio, mas ainda assim eu hesito. Tenho a sensação de ter tropeçado em algo que dorme, aquela luz incerta como a batida do coração de uma criatura enorme e perigosa e imóvel. Por que outro motivo um assassino iria me presentear com esta bússola, se não para me guiar até as mandíbulas de um mal maior?

É o pensamento em Anna que me faz dar o primeiro passo. Ela perdeu a vida por causa daqueles trinta segundos de indecisão e agora eu estou vacilando novamente. Controlando meus nervos, enxugo a chuva dos meus olhos e atravesso o gramado, subindo os degraus arruinados que levam até a porta da frente. Eu a golpeio com a fúria de uma criança, lançando minhas últimas forças na madeira. Algo terrível aconteceu na floresta, algo que ainda pode ter uma punição se eu conseguir despertar os residentes da casa.

Infelizmente, não consigo.

Apesar de me debater contra a porta até ficar prostrado, ninguém vem para atendê-la.

Colocando minhas mãos em concha, pressiono meu nariz contra os janelões em ambos os lados, mas o vidro martelado está impregnado de sujeira, reduzindo tudo lá dentro a um borrão amarelado. Eu bato nelas com a palma da mão, recuando para procurar, na frente da casa, outra forma de entrar. É quando percebo o puxador de um sino, uma corrente enferrujada envolta em hera. Arrancando-a, dou uma boa puxada e sigo mexendo até que algo se altera atrás das janelas.

A porta é aberta por um sujeito sonolento com uma aparência tão extraordinária que, por um momento, nós simplesmente ficamos lá parados, nos entreolhando boquiabertos. Ele é baixo e encurvado, retorcido pelo fogo que cicatrizou metade do seu rosto. Pijamas folgados caem soltos em sua silhueta de cabide, um roupão marrom cor de rato envolve os seus ombros desiguais. Ele mal parece humano, um remanescente de uma espécie ancestral perdida nas dobras da nossa evolução.

— Ah, graças a Deus, eu preciso da sua ajuda — digo, me recompondo.

Ele olha para mim com a boca aberta.

— Você tem um telefone? — tento novamente. — Precisamos chamar as autoridades.

Nada.

— Não fique parado aí, diabo — eu exclamo, sacudindo-lhe pelos ombros, antes de passar por ele rumo ao hall de entrada, meu queixo caindo conforme meu olhar percorre a sala. Toda superfície está brilhando, o chão quadriculado de mármore reflete um candelabro de cristal com uma dúzia de velas. Espelhos emoldurados estão perfilados nas paredes, e uma ampla escadaria com balaústres ornados sobe até uma galeria, um tapete vermelho descendo os degraus como o sangue de um animal abatido.

Uma porta bate nos fundos da sala, e meia dúzia de criadas surgem de dentro da casa, seus braços cheios de flores rosas e púrpuras, um aroma que quase cobre o cheiro de cera quente. Todas as conversas cessam quando elas percebem o pesadelo ofegante que está à porta. Uma por uma, elas viram-se até mim, o hall todo prendendo a respiração. Em pouco tempo, o único som vem das minhas roupas pingando no seu lindo assoalho.

Plinc.

Plinc.

Plinc.

— Sebastian?

Um belo sujeito loiro vestindo um suéter de críquete e calças de linho desce a escada a trote, dois degraus de cada vez. Parece ter cinquenta e poucos anos, embora a idade o tenha deixado com um aspecto decadentemente amassado, em vez de cansado e desgastado. Mantendo as mãos nos bolsos, ele cruza a extensão do piso em minha direção, traçando uma linha reta em meio às criadas silenciosas, que se afastam diante da sua presença. Duvido que ele sequer as perceba, tão atentos são seus olhos pousados em mim.

— Meu caro, mas o que é que aconteceu com você? — ele pergunta, a preocupação franzindo seu cenho. — Da última vez que vi...

— Precisamos chamar a polícia — eu digo, apertando seu antebraço. — Anna foi assassinada.

Sussurros sobressaltados surgem ao nosso redor.

Ele faz uma careta para mim, lançando um rápido olhar para as criadas, que deram todas um passo à frente.

— Anna? — ele pergunta com uma voz sussurrante.

— Sim, Anna, ela estava sendo perseguida.

— Por quem?

— Por uma pessoa de preto, temos que trazer a polícia aqui!.

— Daqui a pouco, daqui a pouco, vamos lá em cima no seu quarto primeiro — ele tranquiliza, me conduzindo para a escadaria.

Não sei se é o calor da casa ou o alívio de encontrar um rosto amistoso, mas começo a me sentir fraco e tenho que usar o balaústre para evitar que vá tropicando enquanto subo as escadas.

Somos recebidos por um velho relógio no topo, com o mecanismo enferrujado, os segundos virando pó em seu pêndulo. É mais tarde do que imaginei, quase dez e meia.

As passagens em ambos os nossos lados levam às alas opostas da casa, embora a passagem da ala leste esteja bloqueada por uma cortina de veludo, pregada apressadamente ao teto, com uma pequena placa fixada ao material, declarando a área "em decoração".

Ansioso para me livrar do peso do trauma da manhã, tento novamente levantar a questão de Anna, mas meu samaritano me silencia com uma conspiratória sacudida de cabeça.

— Essas criadas malditas vão distorcer as suas palavras pela casa toda em poucos segundos — ele diz, com uma voz tão baixa que poderia raspar o chão. — É melhor falarmos em particular.

Ele se afasta de mim com duas passadas, mas eu mal consigo caminhar em uma linha reta, quanto mais acompanhar o seu passo.

— Meu caro, você está com uma aparência terrível — ele diz, percebendo que eu fiquei para trás.

Apoiando o meu braço, ele me conduz ao longo da passagem, sua mão nas minhas costas, os dedos pressionados contra minha coluna. Ainda que seja um gesto simples, posso sentir sua urgência ao me conduzir por um corredor sombrio com quartos dos dois lados, onde empregadas tiram o pó. As paredes devem ter sido pintadas recentemente, pois os vapores fazem meus olhos lacrimejar, mais uma evidência de uma restauração às pressas enquanto progredimos ao longo da passagem. Uma mancha que destoa foi salpicada nas tábuas do piso, tapetes foram estendidos para tentar abafar o ranger das juntas. Poltronas foram posicionadas a fim de esconder rachaduras nas paredes, enquanto pinturas e vasos de porcelana tentam fazer desviar o olhar das cornijas deterioradas. Considerando a extensão da degradação, tal disfarce parece um gesto inútil. Eles acarpetaram uma ruína.

— Ah, esse é o seu quarto, não? — diz o meu companheiro, abrindo uma porta mais ao fim do corredor.

O ar gelado bate em meu rosto, reavivando-me um pouco, mas ele vai em frente para fechar a janela aberta por onde entra o ar. Seguindo atrás, entro em um quarto agradável, com uma cama de dossel ocupando o centro da peça, cujo porte majestoso é apenas ligeiramente frustrado pelo dossel flácido e pelas cortinas puídas, com pássaros bordados se depenando nas costuras. Um biombo foi estendido no lado esquerdo do quarto e uma banheira de ferro pode ser vista pelas frestas dos painéis. Fora isso, o mobiliário é escasso — há apenas um criado-mudo e um grande guarda-roupa próximos à janela, ambos lascados e desgastados. O único item pessoal que posso ver é uma bíblia sobre o criado-mudo, a capa gasta e as páginas com orelhas dobradas.

Enquanto meu samaritano briga com a janela emperrada, eu me posiciono ao lado dele, com a vista momentaneamente expulsando todo o resto da minha mente. A floresta densa nos cerca, as copas verdes das árvores sem a interrupção de uma vila ou estrada. Sem aquela bússola, sem a gentileza de um assassino, eu jamais teria encontrado este lugar, e ainda assim não consigo me livrar da sensação de que fui atraído para uma armadilha. Afinal, por que matar Anna e me poupar, se não há um plano maior por trás? O que esse demônio quer de mim que não poderia obter na floresta?

Fechando a janela com força, meu companheiro gesticula para uma poltrona próxima a um fogo brando e, me alcançando uma toalha branca felpuda do armário, senta-se no canto da cama, jogando uma perna sobre a outra.

— Comece do início, meu querido — diz.

— Não temos tempo — digo, apertando o braço da cadeira. — Vou responder todas as suas perguntas no momento oportuno, mas temos primeiro que ligar para a polícia e fazer uma busca nesse bosque! Um maníaco está à solta.

Seus olhos cintilam na minha direção, como se a verdade da questão pudesse ser encontrada nas dobras das minhas roupas sujas.

— Infelizmente, não podemos ligar para ninguém, não temos linha aqui — ele diz, coçando o pescoço. — Mas podemos fazer uma busca no bosque e mandar um criado até a vila se encontrarmos algo. Quanto tempo você vai levar para se trocar? Precisamos que você nos mostre onde foi que aconteceu.

— Bom... — estou torcendo a toalha em minhas mãos. — É difícil, eu estava desorientado.

— Descrições, então — ele diz, erguendo a calça, revelando a meia cinza no seu tornozelo. — Que aparência tinha o assassino?

— Eu nem cheguei a ver o rosto dele, ele usava um casaco preto pesado.

— E essa Anna?

— Ela também estava de preto — digo, com o calor subindo às minhas faces ao perceber o tamanho da minha informação. — Eu... bem, eu só sabia o nome dela.

— Perdão, Sebastian, eu deduzi que ela era uma amiga sua.

— Não... — eu gaguejo. — Quer dizer, talvez. Eu não tenho como ter certeza.

Com as mãos suspensas entre os joelhos, meu samaritano se inclina para frente com um sorriso confuso.

— Perdi uma parte da história, acho. Como você sabe o nome dela, mas não tem certeza se...

— Eu perdi a memória, droga — eu interrompo, a confissão caindo no piso entre nós dois. — Não consigo lembrar nem meu próprio nome, quanto mais o nome dos meus amigos.

O ceticismo se avoluma por trás dos seus olhos. Não posso culpá-lo; mesmo para os meus ouvidos tudo isso soa absurdo.

— Minha memória não tem peso nenhum no que eu testemunhei — eu insisto, me agarrando aos farrapos da minha credibilidade. — Vi uma mulher sendo perseguida, ela gritou e foi calada por um tiro. Temos que fazer uma busca pelo bosque!

— Entendi — ele hesita, roçando o tecido da sua calça. Suas próximas palavras são como oferendas, escolhidas com cuidado e apresentadas diante de mim com um cuidado ainda maior.

— Existe alguma chance das pessoas que você viu serem amantes? Fazendo uma brincadeira no bosque, talvez? O barulho pode ter sido um galho quebrando, ou mesmo um tiro de festim?

— Não, não, ela gritou pedindo socorro, estava com medo —

digo, minha agitação me fazendo dar pulos na cadeira, derrubando a toalha suja no chão.

— Claro, claro — ele diz, me tranquilizando, enquanto me vê caminhar pelo quarto. — Eu acredito em você, meu caro, mas a polícia é tão precisa com essas coisas que eles se refestelam em fazer gente melhor que eles parecerem uns idiotas.

Eu olho para ele sem ação, afogando-me num mar de banalidades.

— O assassino dela me deu isso — digo, me lembrando subitamente da bússola, que retiro do bolso. Está suja de lama, o que me obriga a limpá-la com a manga da camisa. — Há letras no verso — digo, apontando um dedo trêmulo a elas.

Ele observa a bússola com os olhos apertados, virando-a de forma metódica.

— SB — ele diz lentamente, me olhando.

— Sim!

— Sebastian Bell — ele hesita, examinando a minha confusão. — É o seu nome, Sebastian. São as suas iniciais. Esta é a sua bússola.

Minha boca abre e fecha, nenhum som sai dela.

— Devo ter perdido — digo, finalmente. — Talvez o assassino tenha pego.

— Talvez — ele concorda.

É a cordialidade dele que me derruba. Ele pensa que sou meio louco, um bêbado idiota que passou a noite na floresta e voltou delirando. Todavia, em vez de ter raiva, ele tem pena de mim. Essa é a pior parte. A raiva é sólida, tem peso. Você pode mostrar os punhos contra ela. A pena é uma névoa para entrar e se perder.

Eu me deixo cair na poltrona, a cabeça embalada em minhas mãos. Há um assassino à solta e eu não tenho como convencê-lo do perigo.

Um assassino mostrou o caminho de casa para você?

— Eu sei o que eu vi — digo.

Você nem sabe quem você é.

— Sei que você sabe — diz o meu companheiro, confundindo a natureza da minha reclamação.

Eu olho para o nada, pensando apenas em uma mulher chamada Anna que está deitada na floresta, morta.

— Olhe, fique aqui descansando — ele diz, levantando-se. — Vou perguntar pela casa, ver se alguém não está. Talvez isso revele alguma coisa.

O tom dele é conciliador, mas casual. Do jeito que está sendo gentil comigo, não posso confiar que a dúvida dele vá conseguir qualquer coisa. Assim que ele fechar a porta ao sair, vai disparar uma meia dúzia de perguntas pouco entusiasmadas para os empregados, enquanto Anna segue abandonada.

— Eu vi uma mulher ser assassinada — digo, me colocando em pé, exausto. — Uma mulher que eu deveria ter ajudado e, se eu tiver que procurar cada centímetro desse bosque para provar, vou fazer isso.

Ele avalia meu olhar por um segundo, seu ceticismo fraquejando diante da minha certeza.

— Vai começar por onde? — ele pergunta. — São milhares de hectares de floresta lá fora, e por melhores que sejam as suas intenções, você mal conseguiu subir as escadas. Seja quem for essa Anna, ela já está morta e o assassino dela fugiu. Me dê uma hora para reunir uma equipe de busca e fazer as perguntas. Alguém nesta casa deve saber quem ela é e para onde foi. Vamos encontrá-la, eu prometo, mas temos que fazer isso do jeito certo.

Ele aperta o meu ombro.

— Pode me dar o que eu pedi? Uma hora, por favor.

As objeções me sufocam, mas ele está certo. Eu preciso descansar para recuperar minhas forças e, por mais culpado que eu me sinta pela morte de Anna, não quero sair à espreita naquela floresta sozinho. Eu mal consegui sair de lá da primeira vez.

Eu cedo com um dócil aceno com a cabeça.

— Obrigado, Sebastian — ele diz. — Mandei preparar um banho. Por que você não se lava? Vou chamar o médico e mandar o meu valete trazer umas roupas para você. Descanse um pouco, nos encontramos na sala de visitas na hora do almoço.

Eu deveria perguntar sobre este lugar antes dele sair, sobre meu propósito aqui, mas estou ansioso para que ele comece a fazer as perguntas dele, de tal forma que possamos dar início às buscas. Só uma pergunta parece importante agora e ele já havia aberto a porta quando consegui colocá-la em palavras.

— Tenho algum familiar nesta casa? — pergunto. — Alguém que possa estar preocupado comigo?

Ele olha por sobre o ombro, cauteloso com a empatia.

— Você é solteiro, meu velho. Não tem família, a não ser uma tia meio maluca que controla o seu dinheiro. Você tem amigos, é claro, eu sou um deles, mas quem quer que seja essa Anna, você nunca me falou dela. Para dizer a verdade, até hoje eu nunca tinha ouvido você falar nesse nome.

Constrangido, ele vira as costas para a minha decepção e desaparece no corredor frio, com o fogo tremulando incerto enquanto a porta se fecha atrás dele.

3

Saio da minha poltrona antes da corrente de ar sumir, abrindo as gavetas do meu criado-mudo, procurando alguma citação a Anna nas minhas posses, qualquer coisa para provar que ela não é produto de uma mente desequilibrada. Infelizmente, o quarto está se revelando notavelmente lacônico. Além de uma carteira com algumas libras, o único outro item pessoal que encontro é um convite com selo em alto-relevo dourado, uma lista de convidados no anverso e uma mensagem no verso, escrita com uma elegante caligrafia:

> *Lord e Lady Hardcastle solicitam o prazer de sua companhia no baile de máscaras em comemoração ao retorno da sua filha Evelyn de Paris. As celebrações realizar-se-ão na Mansão Blackheath durante a segunda semana de setembro. Devido ao isolamento de Blackheath, o transporte até a mansão será providenciado para todos os nossos convidados a partir do vilarejo próximo de Abberly.*

O convite é endereçado ao Doutor Sebastian Bell, um nome que demoro alguns instantes para reconhecer como meu. O meu samaritano o mencionara mais cedo, mas vê-lo escrito, junto com a minha profissão, é uma questão muito mais inquietante. Não me sinto como um Sebastian, e muito menos como um médico.

Um sorriso irônico passa pelos meus lábios.

Eu me pergunto quantos dos meus pacientes continuarão fiéis quando eu me aproximar deles com o estetoscópio de ponta-cabeça.

Jogando o convite de volta à gaveta, volto minhas atenções à bíblia no criado-mudo, folheando suas páginas bastante manuseadas. Parágrafos estão sublinhados, palavras aleatórias circuladas com tinta vermelha, mas nem com muito esforço eu consigo entender o significado delas. Esperava encontrar uma anotação ou uma carta dentro dela, mas a bíblia está carente de sabedoria. Segurando-a com as duas mãos, faço uma desastrada tentativa de prece, tentando reacender a fé que algum dia eu possuí, mas todo o esforço parece uma tolice. Minha religião me abandonou assim como todo o resto.

O guarda-roupa é o próximo e, ainda que os bolsos das minhas roupas não revelem nada, acho um baú soterrado por uma pilha de cobertores. É uma coisa linda e velha, com o couro gasto envolto em tiras manchadas de ferro e um sólido fecho protegendo o conteúdo de olhares curiosos. Um endereço em Londres — meu endereço, supostamente — está escrito na etiqueta, embora não desperte nenhuma recordação.

Tirando meu casaco, carrego o baú até o chão destapado e o conteúdo vai tilintando com cada sacudida. Deixo escapar um murmúrio de excitação quando aperto o botão do fecho, que vira um grunhido quando descubro que essa coisa desgraçada está trancada. Eu puxo a alça, uma, duas vezes, mas ela não cede. Procuro as gavetas abertas e o aparador novamente, até mesmo colocando a barriga ao chão para olhar debaixo da cama, mas não há nada a não ser bolas de veneno para rato e poeira.

A chave não está em lugar nenhum.

O único lugar em que não procurei foi a área em torno da banheira, e faço a volta pelo biombo como um endemoninhado, quase dando um pulo para trás ao ver uma criatura de olhos insanos do outro lado.

É um espelho.

A criatura de olhos insanos parece tão desconcertada quanto eu com essa revelação.

Dando um passo hesitante em frente, examino meu corpo pela primeira vez, com a decepção crescendo dentro de mim. Somente agora, olhando para esse ser assustado, com calafrios, é que percebo que tinha expectativas quanto a mim mesmo. Mais alto, baixo, magro, gordo, eu não sei, mas não essa figura sem graça no espelho. Cabelo castanho, olhos castanhos e nenhum queixo, sou como qualquer rosto na multidão; tão somente a maneira do Senhor de preencher as lacunas.

Rapidamente me cansando do meu próprio reflexo, sigo procurando pela chave do baú, mas, além de alguns itens de higiene e um jarro de água, não há nada aqui atrás. Quem quer que eu tenha sido, parece que me arrumei antes de desaparecer. Estou prestes a dar um uivo de frustração quando sou interrompido por uma batida na porta, toda uma personalidade se apresentando em cinco toques calorosos na porta.

— Sebastian, você está aí? — diz uma voz rude. — Meu nome é Richard Acker, sou médico. Fui chamado para lhe examinar.

Eu abro a porta e encontro um enorme bigode cinza do outro lado. É uma imagem notável, com as pontas enrolando-se nos limites de um rosto onde estão supostamente afixados. O homem atrás dele já passou dos sessenta anos, é perfeitamente careca, tem um nariz bulboso e olhos injetados. Ele cheira a conhaque, mas de um jeito alegre, como se cada gota tivesse descido acompanhada de um sorriso.

— Meu Deus, você está com uma aparência terrível — ele diz. — E essa é minha opinião profissional.

Aproveitando-se da minha confusão, ele passa por mim, atirando sua maleta de médico preta na cama e dando uma boa olhada no quarto, prestando atenção especial ao meu baú.

— Eu tinha um desses — ele diz, passando a mão afetuosa sobre a alça. — Lavolaille, não é? Foi minha companhia no Oriente na ida e na volta quando eu estava no Exército. Dizem que não se deve confiar num francês, mas eu não podia ficar sem as bagagens deles.

Ele dá um pontapé experimental, contorcendo o rosto quando seu pé é rechaçado pelo couro obstinado.

— Você deve ter tijolos aí dentro — ele diz, empertigando a cabeça na minha direção em expectativa, como se houvesse uma resposta para tal declaração.

— Está trancado — digo gaguejando.
— Não consegue achar a chave, hein?
— Eu... não. Doutor Acker, eu...
— Pode me chamar de Dickie, todo mundo me chama assim — ele diz abruptamente, indo até a janela para olhar lá fora. — Nunca gostei do nome, para dizer a verdade, mas não consigo me livrar disso. Daniel disse que você sofreu um infortúnio.
— Daniel? — pergunto, agarrando-me apenas o suficiente à conversa enquanto ela foge do meu alcance.
— Coleridge. O camarada que lhe encontrou hoje pela manhã.
— Certo, sim.
O Doutor Dickie fica radiante com a minha estupefação.
— Perda de memória, não? Bom, não é motivo para se preocupar. Vi casos desses na guerra e tudo voltou depois de um ou dois dias, independentemente do paciente querer ou não.
Ele me leva até o baú e me faz sentar no topo dele. Inclinando a minha cabeça para frente, ele examina meu crânio com a ternura de um açougueiro, sacudindo-o enquanto eu estremeço.
— Ah, sim, você tem um belo galo aqui atrás — Ele hesita, analisando-o. — Provavelmente bateu a cabeça em algum momento na noite passada. Imagino que foi quando tudo vazou, por assim dizer. Algum outro sintoma, dores de cabeça, náusea, esse tipo de coisa?
— Há uma voz — digo, um pouco constrangido pela confissão.
— Uma voz?
— Na minha cabeça. Acho que é a minha voz, mas é que, bom, ela tem muita certeza das coisas.
— Entendo — ele diz, pensativo. — E essa... voz, o que ela diz?
— Ela me aconselha. Às vezes, comenta sobre o que eu estou fazendo.
Dickie fica caminhando atrás de mim, mexendo no bigode.
— Esse conselho, ele é, como posso dizer, algo que não levante suspeitas? Nada violento, nada perverso?
— Não, de modo algum — digo, irritado com a insinuação.
— E você está ouvindo agora?
— Não.

— Trauma — ele diz abruptamente, erguendo um dedo no ar.
— É o que seria isso. Muito comum, na verdade. A pessoa bate a cabeça e todo um conjunto de coisas estranhas começam a acontecer. Ela vê cheiros, sente gosto nos sons, ouve vozes. Sempre passa em um ou dois dias, no máximo em um mês.
— Um mês! — digo, girando sobre o baú para olhá-lo. — Como vou lidar com isso durante um mês? Talvez fosse melhor eu ir para o hospital?
— Meu Deus, não, são coisas terríveis, esses hospitais — ele diz, aterrorizado. — A doença e a morte são varridas para os cantos, a doença se encolhe nas camas junto com os pacientes. Siga meu conselho e vá passear, examine seus pertences, fale com os amigos. Vi você e Michael Hardcastle dividir uma garrafa no jantar ontem à noite. Várias garrafas, na verdade. Foi uma noite e tanto, pelo que me disseram. Ele deve servir de ajuda, e você pode escrever: assim que sua memória voltar, essa voz será coisa do passado.

Ele faz uma pausa, fazendo um muxoxo.

— Estou mais preocupado com esse braço.

Somos interrompidos por uma batida na porta, e Dickie a abre antes que eu possa protestar. É o valete de Daniel entregando as roupas passadas que prometeu. Pressentindo a minha indecisão, Dickie pega as roupas, despacha o valete e as deixa na cama para mim.

— Pois bem, onde estávamos mesmo? — ele diz. — Ah, sim, esse braço.

Sigo o olhar dele até encontrar desenhos de sangue na manga da minha camisa. Sem cerimônia, ele a arregaça para revelar cortes feios e pele dilacerada. Parecem ter criado casca, mas meus recentes esforços devem ter reaberto as feridas.

Depois de dobrar meus dedos rígidos um por um, ele pega um frasco marrom e algumas bandagens da sua maleta, limpando meus ferimentos antes de molhá-los com iodo.

— Isto são ferimentos de faca, Sebastian — ele diz, com uma voz preocupada, com todo o seu bom humor transformado em cinzas. — Recentes, também. Parece que você usou seu braço para se defender, desse jeito.

Ele demonstra com um conta-gotas da sua maleta, golpeando violentamente o antebraço, que ele ergueu diante do seu rosto. A reconstituição dele é suficiente para revirar meu estômago.

— Você se lembra de alguma coisa da noite passada? — ele diz, amarrando o meu braço com uma firmeza tal que dou um silvo de dor. — Qualquer coisa?

Forço meus pensamentos para as horas perdidas. Ao acordar, eu havia presumido que tudo se perdera, mas agora percebo que não é o caso. Posso sentir minhas lembranças fora do meu alcance por pouca coisa. Elas têm peso e forma, como móveis na penumbra em um quarto escuro. Eu apenas errei o lugar da luz que os ilumina.

Com um suspiro, balanço a cabeça.

— Nada aparece — digo. — Mas hoje de manhã eu vi uma...

— Mulher ser assassinada — interrompe o médico. — Sim, Daniel me contou.

A desconfiança mancha cada palavra dele, mas ele dá um nó na minha bandagem sem expressar nenhuma objeção.

— De qualquer forma, você precisa informar a polícia imediatamente — ele diz. — A pessoa que fez isso estava tentando lhe causar um mal significativo.

Erguendo sua maleta da cama, ele aperta desajeitadamente a minha mão.

— Retirada estratégica, meu rapaz, é isso que se faz necessário aqui — ele diz. — Fale com o cavalariço, ele deve conseguir transporte até a vila, e de lá você pode alertar a polícia. Por enquanto, provavelmente é melhor que você fique com os olhos bem atentos. São vinte pessoas que vão ficar em Blackheath neste fim de semana, e mais trinta vão chegar para o baile hoje à noite. A maior parte delas não é incapaz desse tipo de coisa, e se você andou ofendendo essas pessoas... bom... — ele balança a cabeça — tome cuidado, é o meu conselho.

Ele se deixa ir e eu pego às pressas a chave do aparador para trancar a porta assim que ele sai, as mãos trêmulas fazendo com que eu erre o buraco mais de uma vez.

Há uma hora, eu teria me imaginado como um joguete do

assassino, atormentado, mas livre de qualquer ameaça física. Cercado de pessoas, eu me senti suficientemente seguro para insistir que tentássemos recuperar o corpo de Anna da floresta e, com isso, estimular a busca pelo assassino dela. Não é mais o caso. Alguém já tentou tirar a minha vida, e não tenho nenhuma intenção de ficar aqui tempo o bastante para que tentem novamente. Os mortos não podem esperar uma dívida dos vivos, e o que eu devo a Anna precisará ser pago a distância. Assim que eu me encontrar com meu samaritano na sala de visitas, vou seguir o conselho de Dickie e providenciar o transporte de volta para a vila.

É hora de voltar para casa.

4

A água se derrama pelas beiradas da banheira enquanto eu rapidamente esfrego a segunda pele de lama e folhas que me cobre. Examino meu corpo róseo esfregado buscando marcas de nascença ou cicatrizes, qualquer coisa que possa acionar uma lembrança. Devo descer em vinte minutos, e não sei nada mais de Anna do que sabia quando cheguei tropeçando nos degraus de Blackheath. Dar de cara com o muro da minha mente foi frustrante o bastante quando pensei que ajudaria na busca, mas agora a minha ignorância pode pôr abaixo toda a empreitada.

Quando termino de me lavar, a água da banheira está mais turva que meu ânimo. Sentindo um desalento, eu me seco com a toalha e examino as roupas passadas que o valete trouxe mais cedo. A sua seleção de trajes me parece um tanto formal, mas, observando as alternativas no guarda-roupa, imediatamente entendo o seu dilema. As roupas de Bell — pois, em verdade, ainda não consigo uma reconciliação entre nós dois — consistem em diversos ternos idênticos, dois smokings, uma dúzia de camisas e alguns poucos coletes. Estão em tons de cinza e preto, o uniforme sem graça do que parece ser uma vida extraordinariamente anônima. A ideia de que este homem possa ter inspirado violência em alguém está se tornando a parte mais mirabolante dos acontecimentos desta manhã.

Eu me visto rapidamente, mas meus nervos estão tão esfarrapados que preciso respirar fundo e dizer uma palavra firme para convencer o meu corpo a ir até a porta.

O instinto me incita a encher os bolsos antes de sair, com a mão se lançando ao aparador apenas para pairar inutilmente sobre ele. Tento recolher posses que não estão lá e das quais não consigo mais me lembrar. Essa deve ser a antiga rotina de Bell, uma sombra da minha vida anterior que segue me assombrando. O ímpeto é tão forte que me sinto esquisito demais ao voltar com as mãos vazias. Infelizmente, a única coisa que consegui trazer de volta da floresta foi aquela abominável bússola, mas não a vejo em lugar nenhum. Meu samaritano — o homem que Dickie chamou de Daniel Coleridge — deve ter levado.

A agitação me atormenta quando ponho o pé no corredor.

Só tenho uma manhã de lembranças e não consigo manter nem mesmo essas.

Um criado que passava me dá as direções para a sala de visitas, que vem a ser no lado distante da sala de jantar, algumas portas passando o hall de mármore por onde entrei hoje de manhã. É um lugar desagradável, a madeira escura e as cortinas escarlates lembram um imenso caixão, o fogo do carvão sopra uma fumaça oleosa no ar. Uma dúzia de pessoas está reunida ali e, embora, uma mesa tenha sido posta com frios, a maioria dos convidados estão atirados em poltronas de couro ou parados diante das janelas gradeadas, olhando pesarosos para o clima assustador, enquanto uma empregada, com manchas de geleia no avental, movimenta-se discretamente entre eles, recolhendo pratos usados e copos vazios e os colocando em uma enorme travessa de prata que ela mal consegue segurar. Um sujeito roliço com roupas verdes de tweed para caça se ocupou do piano no canto e toca uma música libidinosa que ofende apenas pela inaptidão da performance. Ninguém presta muita atenção nele, embora ele faça o melhor que pode para retificar isso.

É quase meio-dia, mas Daniel não deu as caras, então eu me ocupo examinando os diversos decânteres no armário de bebidas sem fazer nenhuma ideia do que são ou do que me agrada. No fim, me sirvo de algo marrom e me viro para olhar os demais convidados, esperando por um lampejo de reconhecimento. Se uma dessas pessoas é responsável pelos ferimentos em meu braço, a irritação dela ao me ver robusto e saudável deveria ser óbvia. E, certamente, a minha mente não vai conspirar para manter a identidade deles em segredo caso escolham se revelarem? Considerando, é claro, que minha mente poderá encontrar uma forma de dizer quem é quem. Quase todos os homens são valentões relinchantes de rosto vermelho em trajes de caça, enquanto as mulheres estão vestidas com saias, blusas de linho e cardigãs. Ao contrário dos maridos ruidosos, elas se movimentam em tons silenciosos, localizando-me pelo canto dos olhos. Tenho a impressão de ser sub-repticiamente observado, como uma ave rara. É terrivelmente inquietante, ainda que, suponho, compreensível. Daniel não poderia ter feito suas perguntas sem revelar a minha condição no processo. Sou agora parte do entretenimento, quer eu goste ou não.

Embalando a minha bebida, tento me distrair escutando as conversas ao meu redor, uma sensação semelhante a enfiar a cabeça em um arbusto de rosas. A metade está se queixando, a outra metade está ouvindo queixas. Eles não gostam da acomodação, da comida, da indolência dos ajudantes, do isolamento ou do fato de que não puderam eles próprios se deslocar até aqui (embora sabe-se lá como iriam encontrar este lugar). Para a maioria, no entanto, a ira está reservada à falta de boas-vindas de Lady Hardcastle, que ainda está por aparecer, apesar de muitos terem chegado a Blackheath na noite passada — um fato que parecem ter interpretado como um insulto pessoal.

— Com licença, Ted — diz a empregada, tentando abrir passagem por um homem de cinquenta e poucos anos. Ele tem o peito largo e está queimado pelo sol sob seus ralos cabelos curtos. Os trajes de caça em tweed se apertam em torno de um corpo que se perde rumo à obesidade, seu rosto é iluminado por olhos azuis brilhantes.

— Ted? — ele diz com raiva, agarrando o pulso dela e apertando com força suficiente para fazê-la se contorcer. — Você acha que está falando com quem, Lucy? Para você é Sr. Stanwin, não estou mais no andar de baixo com os ratos.

Ela concorda com a cabeça, chocada, procurando auxílio em nossos rostos. Ninguém se mexe, até o piano se cala. Estão todos apavorados com este homem, percebo. Para a minha vergonha, não estou em situação melhor. Estou petrificado em meu lugar, assistindo ao diálogo com o canto dos olhos, desesperadamente torcendo para que essa vulgaridade não se volte em minha direção.

— Solte a garota, Ted — diz Daniel Coleridge da porta. Sua voz é firme, fria. Ressoa com repercussões.

Stanwin respira pelo nariz, encarando Daniel com os olhos apertados. Não deveria haver essa disputa. Stanwin é atarracado e forte e está cuspindo veneno. Mas há algo na forma de Daniel ficar lá parado, com as mãos no bolso, com a cabeça inclinada, que faz Stanwin hesitar. Talvez esteja receoso de ser atingido pelo trem que Daniel parece esperar.

Um relógio toma coragem e faz um tique.

Com um grunhido, Stanwin solta a empregada e quase encosta em Daniel ao sair, murmurando algo que não consigo entender direito.

A sala respira, o piano volta a tocar, o heroico relógio segue trabalhando como se nada tivesse acontecido.

Os olhos de Daniel nos avaliam, um por um.

Incapaz de encarar seu escrutínio, eu olho meu reflexo na janela. Há repugnância em meu rosto, repulsa pelas infinitas fraquezas de meu caráter. Primeiro o assassinato na floresta e agora isso. Quantas injustiças eu permitirei que saiam impunes antes de reunir coragem para intervir?

Daniel se aproxima, um fantasma na vidraça.

— Bell — ele diz suavemente, pousando uma mão em meu ombro. — Tem um minuto?

Encurvado pela minha vergonha, eu o acompanho até o escritório ao lado, com cada par de olhos voltados às minhas costas. É ainda mais sombrio aqui, a hera não aparada cobre as paredes gradeadas e as pinturas a óleo em tons escuros absorvem o pouco da luz que conseguiu penetrar o vidro. Uma escrivaninha foi posicionada diante de uma vista para o gramado e parece ter sido desocupada recentemente, com uma caneta tinteiro vazando o pigmento sobre um papel mata-borrão rasgado, com um abridor de cartas ao lado. Pode-se apenas imaginar as missivas redigidas num ambiente tão opressor assim.

No canto oposto, próximo a uma segunda porta do escritório, um rapaz vestindo trajes de caça olha para o alto-falante de uma vitrola, claramente se perguntando por que o disco que gira não está emitindo som no local.

— Um semestre em Cambridge e ele acha que é Isambard Kingdom Brunel — diz Daniel, fazendo o rapaz desviar os olhos do seu enigma. Ele não tem mais de vinte e quatro anos, com cabelo escuro e traços longos e achatados que passam a impressão de que seu rosto foi amassado contra uma vidraça. Ao me olhar, ele dá um largo sorriso, o menino dentro do homem se mostrando como se estivesse em uma janela. — Belly, seu idiota, aí está você — ele diz, apertando minha mão e dando um tapa nas minhas costas ao mesmo tempo. É como ser pego num vício afetuoso.

Ele examina meu rosto em expectativa, seus olhos verdes se apertam diante da minha incapacidade de reconhecê-lo.

— Então é verdade, você não consegue se lembrar de nada — ele diz, lançando um rápido olhar a Daniel. — Que sortudo dos infernos! Vamos para o bar, vou lhe apresentar a uma ressaca.

— As novidades se espalham rápido em Blackheath — digo.

— O tédio é um campo aberto — ele diz. — Meu nome é Michael Hardcastle. Somos velhos amigos, embora eu ache que uma definição melhor agora seria que acabamos de nos conhecer.

Não há traços de decepção no comentário. Na verdade, ele parece se divertir com isso. Mesmo no primeiro encontro, fica claro que Michael Hardcastle vai se divertir com a maioria das coisas.

— Michael estava sentado ao seu lado no jantar ontem à noite — diz Daniel, que assumiu a inspeção que Michael fazia na vitrola. — Pensando bem, é provavelmente por isso que você foi lá fora e tomou uma pancada na cabeça.

— Leve na brincadeira, Belly. Estamos esperando pelo dia em que ele vai dizer algo engraçado acidentalmente — diz Michael.

Há uma pausa instintiva para minha tréplica, o ritmo do momento desabando sob o peso da sua ausência. Pela primeira vez desde que acordei de manhã, sinto uma ânsia pela minha antiga vida. Sinto falta de conhecer esses homens, sinto falta da intimidade dessa amizade. Minha tristeza é refletida nos rostos dos meus companheiros, um silêncio desconfortável cava uma trincheira entre nós. Esperando recuperar pelo menos um pouco da confiança que compartilhamos um dia, eu arregaço a manga para mostrar a eles os curativos que cobrem o meu braço, o sangue já começando a passar por eles.

— Queria era ter dado uma pancada na minha cabeça — digo.
— O Doutor Dickie acha que alguém me atacou ontem à noite.
— Meu amigo — engasga-se Daniel.
— Isso é por causa daquele bilhete maldito, não? — diz Michael, os seus olhos percorrendo os meus ferimentos.
— Do que você está falando, Hardcastle? — pergunta Daniel, erguendo as sobrancelhas. — Você está dizendo que sabe alguma coisa sobre isso? Por que não falou antes?
— É muito simples — Michael diz, encabulado, mexendo no grosso tapete com o pé. — Uma empregada trouxe o bilhete à mesa durante nossa quinta garrafa de vinho. Quando fui ver, Belly estava dando desculpas e tentando lembrar como uma porta funcionava — Ele me olha, envergonhado. — Eu queria ir com você, mas você foi inflexível quanto a ir sozinho. Deduzi que você ia se encontrar com uma ou outra mulher, então não insisti no assunto, e essa foi a última vez que eu vi você até agora.
— O que dizia a mensagem? — pergunto.
— Não faço a mínima ideia, meu velho, eu não vi.
— Lembra-se da empregada que trouxe, ou se Bell mencionou uma mulher chamada Anna? — Daniel pergunta.

Michael encolhe os ombros, envolvendo todo o rosto na memória. — Anna? Não me remete a nada, infelizmente. Quanto à empregada, bom... — Ele enche as bochechas, dando um longo sopro. — Roupa preta, avental branco. Ah, que inferno, Coleridge, seja razoável. Tem dezenas delas, como que alguém vai registrar o rosto de todas?

Ele lança um olhar de impotência para cada um de nós, e Daniel responde balançando a cabeça com repulsa.

— Não se preocupe, meu velho, nós vamos desvendar isso — ele me diz, apertando meu ombro. — E eu tenho uma ideia de como vamos fazer. — Ele gesticula em direção a um mapa da mansão emoldurado e pendurado na parede. É um desenho arquitetônico, manchado pela chuva e amarelado nos cantos, mas muito belo na sua descrição da casa e dos jardins. Segundo consta, Blackheath é uma enorme propriedade com um cemitério familiar a oeste e um estábulo a leste, uma trilha fazendo voltas até um lago com uma casa de barcos grudada à ribanceira. Com exceção do caminho da entrada, que é, na verdade, uma estrada teimando em ir até a vila, todo o resto é floresta. Como sugere a vista das janelas de cima, estamos bastante sozinhos entre as árvores.

O suor frio formiga a minha pele.

Eu deveria ter desaparecido naquela vastidão, como aconteceu com Anna hoje de manhã. Estou procurando a minha própria sepultura.

Percebendo minha inquietação, Daniel olha para mim.

— É um lugar solitário, não é? — ele murmura, tirando um cigarro solto de um estojo de prata, que fica pendurado no seu lábio inferior enquanto ele procura nos bolsos por um isqueiro.

— Meu pai nos trouxe aqui quando a carreira política dele afundou — Michael diz, acendendo o cigarro de Daniel e pegando um para si. — O velho se via como um fidalgo rural. Não se saiu da forma que ele esperava, é claro.

Eu levanto a sobrancelha, questionando.

— Meu irmão foi assassinado por um sujeito chamado Charlie Carver, um dos nossos jardineiros — diz Michael calmamente, como se anunciasse os resultados de um páreo.

Apavorado por ser capaz de esquecer algo tão horrendo, eu começo a gaguejar um pedido de desculpas.

— Eu... Eu sinto muito, deve ter sido...

— Há uma eternidade — interrompe Michael, com um quê de impaciência na sua voz. — Dezenove anos, na verdade. Eu tinha só cinco anos quando aconteceu e, sinceramente, mal consigo me lembrar.

— Ao contrário da maior parte da imprensa marrom — Daniel acrescenta. — Carver e um outro sujeito beberam até delirar e pegaram Thomas perto do lago. Ele foi meio afogado lá e depois terminaram o serviço com uma faca. Tinha em torno de sete anos. Ted Stanwin veio correndo e espantou os dois com uma espingarda, mas Thomas já estava morto.

— Stanwin? — eu pergunto, sofrendo para conter o choque em minha na voz. — O palhaço do almoço?

— Ah, eu não falaria isso tão alto por aí — diz Daniel.

— Ele é muito benquisto pelos meus pais, tratado como velho Stanwin — diz Michael. — Era um guarda-caça modesto quando tentou salvar Thomas, mas meu pai deu a ele uma das nossas plantações na África em agradecimento e o ordinário fez fortuna.

— O que aconteceu com os assassinos? — pergunto.

— Carver foi enforcado — disse Daniel, largando cinzas no carpete.

— A polícia encontrou a faca que ele usou debaixo das tábuas na cabana dele, junto com uma dúzia de garrafas de conhaque roubadas. O parceiro de crime dele nunca foi pego. Stanwin diz que acertou um tiro de raspão nele, mas ninguém apareceu no hospital da região com esse ferimento e Carver se recusou a denunciá-lo. Lord Hardcastle e Lady Hardcastle estavam dando uma festa naquele fim de semana, então poderia ser um dos convidados, mas a família foi categórica quanto a nenhum deles conhecer Carver.

— Foi um negócio do arco da velha, tudo aquilo — Michael diz impassível, sua expressão facial negra como as nuvens que se amontoam nas janelas.

— Então o parceiro ainda está solto? — digo, com um pavor subindo pela minha espinha. Um assassinato dezenove anos atrás e um assassinato hoje de manhã. Certamente não pode ser coincidência.

— Faz você pensar para que serve a polícia, não é? — Daniel diz, calando-se.

Meus olhos encontram Michael, que olha para a sala de visitas. Ela começa a esvaziar conforme os convidados caminham em direção ao hall de entrada, levando consigo suas conversas. Mesmo daqui, posso ouvir a venenosa e vertiginosa revoada de insultos que toca em tudo, desde o estado dilapidado da casa à embriaguez de Lord Hardcastle e o comportamento frio de Lady

Hardcastle. Pobre Michael, não imagino como deve ser ouvir a família sendo ridicularizada tão abertamente, ainda por cima em sua própria casa.

— Olhe, não viemos aqui para lhe entediar com história antiga — Daniel diz, rompendo o silêncio. — Eu perguntei por aí sobre Anna. Não tenho boas notícias, infelizmente.

— Ninguém sabe quem ela é?

— Não há ninguém com esse nome entre os convidados ou entre os empregados — Michael diz. — Para ser mais direto, ninguém está ausente em Blackheath.

Abro minha boca para protestar, mas Michael levanta a mão para me calar. — Você nunca me deixa terminar, Belly. Eu não posso formar uma equipe de busca, mas os rapazes vão sair para caçar daqui uns dez minutos. Se você me der uma vaga noção de onde acordou hoje de manhã, eu posso lhe garantir que vamos seguir naquela direção e ficar atentos. Quinze dos nossos vão sair, então há uma boa chance de encontrarmos algo.

Meu peito se enche de gratidão.

— Obrigado, Michael.

Ele sorri para mim através de uma nuvem de fumaça de cigarro. — Nunca lhe considerei alguém que gostasse de fazer tempestade em copo d'água, Belly, não acho que você esteja fazendo isso agora.

Eu olho para o mapa, ansioso por fazer minha parte, mas não faço ideia de onde vi Anna. O assassino me apontou para o leste e a floresta me desembocou em frente a Blackheath, mas eu só posso adivinhar por quanto tempo caminhei ou de onde posso ter partido. Respirando fundo e confiando na providência, eu toco o vidro com o dedo enquanto Daniel e Michael pairam por sobre meu ombro.

Michael gesticula com a cabeça, coçando o queixo.

— Vou falar para os rapazes — Ele me olha de cima a baixo. — É melhor você se trocar. Vamos sair daqui a pouco.

— Eu não vou — digo, minha voz estrangulada pela vergonha. — Eu tenho que... Eu não posso....

O jovem se mexe, desconfortável. — Vamos lá...

— Use a cabeça, Michael — interrompe Daniel, batendo a mão no meu ombro. — Olha o que fizeram com ele. O coitado do Bell mal conseguiu sair daquela floresta, por que iria querer voltar lá?

Seu tom de voz diminui.

— Não se preocupe, Bell, vamos achar sua desaparecida e o assassino dela. Está nas nossas mãos agora. Fique o mais longe que puder dessa confusão.

5

Eu fico parado em frente à janela gradeada, parcialmente escondido pelas cortinas de veludo. Lá fora, no pátio de entrada, Michael está socializando com os outros homens. Estão fazendo esforço sob os seus casacos pesados, as espingardas sobre os ombros, rindo e conversando, o ar gelado escapando dos lábios. Livres da casa e com uma matança para desfrutar parecem quase humanos.

As palavras de Daniel foram consoladoras, mas não podem me absolver. Eu deveria estar lá fora com eles, procurando pelo corpo da mulher com quem fracassei. Ao invés disso, estou fugindo. O mínimo que posso fazer é aguentar a vergonha de vê-los indo embora sem mim.

Os cães passam pela janela, puxando as guias que seus mestres lutam para segurar. Os dois tropéis se juntam e partem atravessando o gramado rumo à floresta, precisamente na direção que indiquei a Daniel, ainda que eu não possa ver o meu amigo entre eles. Ele deve integrar o grupo mais tarde.

Espero até o último deles desaparecer entre as árvores antes de retornar ao mapa na parede. Se ele estiver correto, os estábulos não ficam muito longe da casa. Certamente é lá que vou encontrar o cavalariço. Ele pode aprontar uma carruagem para a vila e de lá posso pegar um trem para casa.

Eu me viro para a sala de visitas e encontro a porta aberta bloqueada por um enorme corvo preto.

Meu coração pula, e eu também, indo direto para o aparador, derrubando ruidosamente fotos de família e bibelôs no chão.

— Você não precisa ter medo — diz a criatura, dando meio passo à frente e saindo da escuridão.

Não é um pássaro de forma alguma. É um homem vestido como um médico medieval da peste negra. Suas penas são um casacão preto, o bico pertence a uma máscara de porcelana, reluzindo à luz de um abajur próximo. Presumivelmente é a fantasia dele para o baile de hoje à noite, embora isso não explique o porquê de ele estar vestindo um traje tão sinistro em pleno dia.

— Você me assustou — digo, apertando meu peito e rindo de constrangimento enquanto tento me recuperar do susto. Ele empertiga a cabeça, me examinando como se eu fosse um animal perdido que encontrou sentado no carpete.

— O que você trouxe? — ele pergunta.

— Perdão?

— Você acordou com uma palavra nos lábios, o que era?

— Nós nos conhecemos? — pergunto, lançando um olhar para a sala de visitas pela porta, esperando ver outro convidado.

Infelizmente, estamos sozinhos, o que quase certamente era a sua intenção, eu percebo com crescente agitação.

— Eu conheço você — ele diz. — Por enquanto isso basta. Qual era a palavra, por favor?

— Por que não tirar a máscara para podermos conversar cara a cara? — pergunto.

— Minha máscara é a menor das suas preocupações, Doutor Bell — ele diz. — Responda a pergunta.

Ainda que ele não tenha dito nada ameaçador, a porcelana abafa sua voz, acrescentando um ronco baixo e animalesco a cada frase.

— Anna — eu digo, agarrando minha perna com a mão para que ela pare de sacudir.

Ele suspira. — É uma pena.

— Você sabe quem ela é? — digo, esperançoso. — Ninguém na casa ouviu falar dela.

— Eu me admiraria se tivessem — ele diz, desconsiderando a pergunta com um aceno de sua mão enluvada. Descendo-a em seu casaco, ele tira um relógio de bolso dourado e lamenta o horário. — Vamos ter alguns trabalhos para fazer em pouco tempo, mas não hoje e não enquanto você estiver neste estado. Vamos falar de novo em breve, quando tudo ficar mais claro. Por enquanto, eu lhe aconselho a se familiarizar com Blackheath e com os outros convidados. Aproveite enquanto puder, Doutor, o lacaio vai lhe encontrar em breve.

— O lacaio? — pergunto, o nome soando familiar em algum lugar no fundo da minha alma. — Ele é o responsável pela morte de Anna ou pelos ferimentos em meu braço?

— Duvido muito — diz o Médico da Peste. — O lacaio não ia se dar por satisfeito só com seu braço.

Há um tremendo baque atrás de mim, e me viro para o ruído. Um pequeno respingo de sangue mancha a janela, com um pássaro moribundo dilacerando os estertores da sua vida entre a hera e as flores murchas logo abaixo. O coitado deve ter voado contra a vidraça. Fico espantado com a pena que sinto, uma lágrima à espreita em meu olho pela sua vida desperdiçada. Decidindo enterrar o pássaro antes de fazer qualquer outra coisa, eu me volto com a pretensão de pedir licença ao meu enigmático companheiro, mas ele já saiu.

Olho para as minhas mãos. Estão apertadas tão firmemente que minhas unhas começam a cavoucar as palmas.

— O lacaio — eu repito para mim mesmo.

O nome não significa nada, mas a sensação que ele evoca é inconfundível. Por algum motivo, essa pessoa me apavora. O medo me carrega até a escrivaninha e o abridor de cartas que vi mais cedo. É pequeno, mas suficientemente afiado para tirar uma gota de sangue do meu polegar. Lambendo o ferimento, eu guardo a arma em meu bolso. Não é muita coisa, mas é o bastante para não me forçar a montar uma barricada neste escritório.

Sentindo-me um pouco mais confiante, sigo para o meu quarto. Sem os convidados para criar uma distração à decoração, Blackheath é de fato um amontoado de melancolia. Com exceção do magnífico hall de entrada, as outras peças cheiram a mofo, estão repletas de bolor e apodrecimento. Os chumbinhos de veneno de rato estão empilhados nos cantos, a poeira cobre qualquer superfície demasiadamente alta para o alcance do braço de uma empregada. Os tapetes estão surrados, o mobiliário está arranhado, a manchada prataria está organizada atrás do vidro sujo das cristaleiras. Por mais desagradável que os convidados pareçam ser, sinto falta do burburinho de suas conversas. Eles são a alma deste lugar, preenchendo os espaços onde o silêncio tenebroso iria de outra forma pairar. Blackheath só está viva enquanto houver pessoas aqui dentro. Sem elas, torna-se uma ruína deprimente esperando pela misericórdia de uma bola de demolição.

Pego o casaco e o guarda-chuva no meu quarto e sigo meu caminho até lá fora, onde os pingos da chuva quicam sobre o chão e o ar está impregnado pelo odor de folhas mortas. Sem saber ao certo contra qual janela o pássaro se chocou, sigo o canteiro até localizar o seu corpo e, usando o abridor de cartas como uma pá improvisada, enterro-lhe em uma cova rasa, ensopando minhas luvas no processo.

Já tremendo de frio, avalio a minha rota. A estrada de pedras para os estábulos margeia o limite inferior do gramado. Eu poderia atalhar pela grama, mas meus sapatos parecem inadequados para a empreitada. Em vez disso, escolho a opção mais segura, seguindo o caminho de cascalho até que a estrada apareça à minha esquerda. Sem surpresa, ela está num terrível estado de conservação. As raízes das árvores viraram as pedras, e os galhos crescidos pendem como dedos surrupiantes. Ainda transtornado pelo meu encontro com o estranho fantasiado de médico da peste, seguro firme o abridor de cartas e caminho devagar, cauteloso para não perder o equilíbrio, receoso do que pode saltar da floresta caso isso aconteça. Não sei qual é o jogo dele, vestindo-se daquele jeito, mas não consigo deixar de lado os avisos que ele deu.

Alguém assassinou Anna e me deu uma bússola. É de se duvidar que essa mesma pessoa tenha me atacado ontem à noite apenas para me salvar hoje de manhã, e agora preciso lutar contra esse lacaio. Quem devo ter sido para reunir tantos inimigos? No fim da estrada há um arco alto de tijolos vermelhos com um relógio de vidro estilhaçado no centro e, depois disso, um pátio com estábulos e outras dependências organizadas ao seu redor. Os cochos transbordam de aveia, e as carruagens estão alinhadas roda com roda, cobertas por lonas verdes para protegê-las das intempéries.

A única coisa que falta são os cavalos. Todos os estábulos estão vazios.

— Olá? — eu grito, hesitante, minha voz ecoando pelo pátio, mas sem receber resposta.

Uma coluna de fumaça preta escapa da chaminé de uma pequena cabana. Ao encontrar a porta destravada, dou minhas saudações em alto tom lá dentro. Ninguém está em casa, o que é curioso, já que há fogo ardendo na lareira, mingau e torrada sobre a mesa. Tirando minhas luvas encharcadas, penduro-as no ferro sobre o fogo, esperando me poupar um pouco do desconforto na volta.

Ao tocar na comida com o dedo, percebo que está morna, logo, não foi abandonada há muito tempo. Uma sela está atirada perto de uma tira de couro, indicando um conserto interrompido. Só posso presumir que quem mora aqui saiu correndo para tratar de uma emergência e cogito esperar pelo retorno dessa pessoa. Não é um refúgio desagradável, embora o ar esteja tomado pelo carvão em brasa e tenha um cheiro um tanto forte de graxa e pelo de cavalo. Uma preocupação maior é o isolamento da cabana. Até que eu saiba quem me atacou na noite passada, todos em Blackheath devem ser tratados com cautela, incluindo o cavalariço. Não o encontrarei a sós, se puder.

Uma lista de tarefas está pendurada em um prego próximo à porta, com um lápis suspenso em um barbante ao lado. Ao pegá-la, viro a folha com a intenção de deixar uma mensagem requisitando transporte até a vila, mas já há um recado anotado ali.

Não saia de Blackheath, há outras vidas além da sua que dependem de você. Encontre-me ao lado do mausoléu no cemitério da família às 22:20 e eu explicarei tudo. Ah, e não esqueça as suas luvas. Elas estão queimando.

Com amor, Anna.

A fumaça enche minhas narinas e eu me viro para ver minhas luvas ardendo sobre o fogo. Atirando-as ao chão, apago as cinzas com o pé, os olhos arregalados e o coração batendo enquanto

procuro pela cabana uma explicação de como esse truque pode ter acontecido.
Por que não pergunta a Anna quando encontrá-la hoje à noite?
— Porque eu a vi morrendo — digo rosnando à casa vazia, passando vergonha.

Recobrando a calma, leio o bilhete mais uma vez, a verdade dele ainda muito longe em minhas mãos. Se Anna sobreviveu, ela teria que ser uma criatura cruel para fazer uma brincadeira dessas comigo. É mais provável que, depois da notícia da desventura matinal ter se espalhado pela casa, alguém tenha resolvido pregar uma peça em mim. Por que outro motivo escolheriam local e horário tão sinistros para o encontro?
Seria este alguém um vidente?
— É um tempo horroroso, qualquer pessoa poderia prever que eu secaria minhas luvas assim que chegasse.

A cabana escuta educadamente, mas mesmo para os meus ouvidos esse raciocínio é desesperado. Quase tão desesperado quanto meu ímpeto de desautorizar a mensagem. Meu caráter é tão deficiente que abandonaria com prazer qualquer esperança de Anna estar viva para fugir deste lugar com uma consciência tranquila.

Sentindo-me infeliz, coloco minhas luvas chamuscadas. Preciso pensar, e caminhar parece ajudar.

Ao andar ao redor dos estábulos, chego a um pequeno pasto coberto de mato, com a grama atingindo a altura da cintura e cercas tão apodrecidas que só faltam desabar. Longe, do outro lado, duas pessoas encolhem-se debaixo de um guarda-chuva. Devem estar trilhando um caminho encoberto, pois se movimentam tranquilamente, de braços dados. Só Deus sabe como um dos dois conseguiu me ver, pois levanta a mão numa saudação. Eu gesticulo em resposta, despertando um rápido momento de familiaridade antes que ambos desapareçam na escuridão das árvores.

Abaixando a mão, tomo uma decisão.

Falei para mim mesmo que uma mulher morta não pode reivindicar nada de mim, por isso estava livre para partir de Blackheath. Era a motivação de um covarde, mas pelo menos havia um elemento de verdade nisso.

Se Anna estiver viva, não é mais o caso.

Eu fracassei com ela hoje pela manhã, e essa é a única coisa que penso desde então. Agora que tenho uma segunda chance, não posso virar as costas. Ela está em perigo e eu posso ajudá-la, logo, devo. Se isso não for o suficiente para me manter em Blackheath, eu não mereço a vida que tenho tanto medo de perder. Aconteça o que acontecer, preciso estar no cemitério às dez e vinte da noite.

6

— Alguém quer me matar.

Parece estranho dizer isso em voz alta, como se eu estivesse chamando o destino para mim. Precisarei enfrentar este medo. Eu me recuso a passar um minuto a mais acovardado em meu quarto. Não enquanto houver tantas perguntas por responder.

Vou caminhando de volta para a casa, percorrendo as árvores em busca de qualquer sinal de perigo, a minha mente indo e voltando aos acontecimentos da manhã. A toda hora me questiono sobre os cortes em meu braço, o homem fantasiado de médico da peste, o lacaio e essa misteriosa Anna, que agora parece estar sã e salva e deixando bilhetes enigmáticos para que eu a encontre.

Como ela sobreviveu à floresta?

Suponho que ela poderia ter escrito o bilhete mais cedo, antes de ser atacada, mas então como ela saberia que eu estaria na cabana, secando as minhas luvas ao fogo? Não contei meus planos a ninguém. Será que falei em voz alta? Ela poderia estar vendo?

Balançando a minha cabeça, recuo deste emaranhado em específico.

Estou olhando muito adiante quando precisaria olhar para trás. Michael me disse que uma empregada entregou um bilhete à mesa no jantar ontem à noite, e que essa foi a última vez em que ele me viu.

Tudo começou aí.

Você precisa encontrar a criada que trouxe o bilhete.

Eu mal passo pela porta em Blackheath quando vozes me levam à sala de visitas, que está vazia a não ser por algumas jovens empregadas recolhendo os detritos do almoço em duas grandes bandejas. Elas trabalham lado a lado, suas cabeças curvadas fofocando em sussurros, alheias à minha presença na porta.

— ...Henrietta disse que ela ficou louca — diz uma garota, cachos castanhos caindo soltos de sua touca branca.

— Não é certo dizer isso de Lady Helena, Beth — a garota mais velha a repreende. — Ela sempre foi boa conosco, nos tratou bem, não é?

Beth examina esse fato diante da riqueza das suas fofocas.

— Henrietta me disse que ela ficou alucinada — ela continua. — Gritava com Lord Peter. Disse que foi provavelmente por ter voltado a Blackheath depois do que aconteceu com o Sr. Thomas. Isso causa coisas estranhas na pessoa, foi o que ela disse.

— Ela diz muita coisa, essa Henrietta, você não deveria dar ouvidos. Não é como se nós nunca tivéssemos escutado os dois brigando antes, não é? Além do mais, se fosse sério, Lady Helena iria contar para a Sra. Drudge, não iria? Ela sempre conta.

— A Sra. Drudge não conseguiu falar com ela — Beth diz, triunfante, provando muito bem o caso contra Lady Helena. — Não a viu durante toda a manhã, mas...

Minha entrada espalha as palavras no ar, as empregadas tentando reverências desajeitadas que rapidamente se desdobram em um emaranhado de braços, pernas e rubores faciais. Escusando a confusão delas com um gesto, pergunto pelas criadas que atenderam o jantar ontem à noite, recebendo apenas olhares pasmos e murmúrios de desculpas. Estou à beira da desistência quando Beth toma a liberdade de dizer que Evelyn Hardcastle está entretendo as damas no jardim de inverno nos fundos da casa e certamente saberia mais.

Depois de uma breve conversa, uma delas me leva até a porta contígua ao escritório onde encontrei Daniel e Michael na manhã de hoje. Há uma biblioteca em seguida, a qual atravessamos rapidamente, saindo em um corredor mal iluminado. A escuridão se agita para nos receber, um gato preto saindo de baixo de uma pequena mesinha de telefone, sua cauda espanando o piso de madeira. Sobre as patas silenciosas, ele tateia o corredor, escapulindo por uma porta que foi deixada ligeiramente entreaberta ao final do corredor. Uma cálida luz laranja se infiltra pela abertura, com vozes e música do outro lado.

— A Srta. Evelyn está lá, senhor — a empregada diz.

O tom dela é uma descrição sucinta tanto do jardim quanto de Evelyn Hardcastle, nenhum dos dois ela parece ter em alta estima especificamente.

Deixando de lado o desprezo dela, eu abro a porta, o calor da peça me atingindo em cheio no rosto. O ar é abafado, adocicado de perfume, agitado apenas pelo arranhar de uma música que sobrevoa, que desliza e que se debate contra as paredes. Grandes vidraças com esquadrias dão para o jardim aos fundos da casa, nuvens cinzas se aglomeram sobre o domo. Cadeiras e chaise longues foram organizadas ao redor do fogo, mulheres jovens drapeadas sobre elas como orquídeas murchas, fumando cigarros e se abraçando às suas bebidas. O clima no local é de inquieta agitação em vez de celebração. Praticamente o único sinal de vida vem de uma pintura a óleo em uma parede distante, na qual uma mulher velha com olhos negros como carvão senta-se julgando o lugar, sua expressão transmitindo de forma bastante eloquente o seu desgosto por esta reunião.

— Minha avó, Heather Hardcastle — diz uma mulher atrás de mim. — Não é uma foto muito elogiosa, mas ela não era uma mulher elogiosa, em todo o caso.

Eu me viro para conhecer a voz, corando ao ver doze rostos emergirem do tédio para me examinar. Meu nome dá voltas pelo local, um repentino zumbido excitado o persegue como um enxame de abelhas.

Sentada num dos lados de uma mesa de xadrez está uma mulher que presumo ser Evelyn Hardcastle e um senhor velho e extremamente gordo usando um terno de um tamanho menor do que o seu. Evelyn está beirando os trinta anos e, de certa forma, lembra uma ponta de vidro com seu magro e angular corpo e elevadas maçãs do rosto, o cabelo loiro preso no alto da cabeça, longe do rosto. Ela usa um vestido verde de corte elegante e acinturado, as linhas precisas combinando com a expressão severa em seu rosto.

Quanto ao gordo, não pode ter menos de sessenta e cinco anos, e só posso imaginar as contorções que devem ter sido necessárias para convencer seu enorme corpanzil a ocupar o outro lado da mesa. A cadeira é pequena demais para ele, rígida demais. Ele é um mártir em cima dela. O suor reluz em sua testa, o lenço encharcado que sua mão esmaga é testemunha da duração de seu sofrimento. Ele me olha de um jeito esquisito, com uma expressão que fica entre a curiosidade e a gratidão.

— Peço desculpas — digo. — Eu estava...

Evelyn desliza um peão sem olhar para o tabuleiro. O gordo volta sua atenção ao jogo, pegando o cavalo com um dedo carnudo.

Eu me surpreendo ao gemer com o erro dele.

— Sabe jogar xadrez? — Evelyn pergunta com os olhos ainda fixos no tabuleiro.

— Parece que sim — digo.

— Então talvez você queira jogar depois de Lord Ravencourt?

Ignorando meu aviso, o cavalo de Ravencourt marcha até a armadilha de Evelyn apenas para ser derrubado por uma torre dela à espreita. O pânico toma conta do seu jogo enquanto Evelyn impulsiona suas peças para frente, apressando-lhe quando ele deveria ser paciente. O jogo está terminado em quatro lances.

— Obrigado pelo divertimento, Lord Ravencourt — diz Evelyn quando ele deita o próprio rei. — Agora, acho que o senhor tinha outro lugar para ir.

É uma dispensa ríspida. Dando uma flexão desajeitada, Ravencourt se livra da mesa e sai do jardim coxeando, dirigindo a mim o menor dos gestos de cabeça no caminho.

A repulsa de Evelyn o afugenta até a porta, mas evapora assim que ela gesticula para que eu tome o assento oposto.

— Por favor — ela diz.

— Infelizmente não posso — digo. — Estou procurando a empregada que trouxe um bilhete para mim na mesa do jantar ontem à noite, mas não sei mais nada sobre ela. Eu esperava que você pudesse me ajudar.

— O nosso mordomo pode — ela diz, resgatando as peças do seu exército esfarrapado de volta para a formação. Cada uma é posicionada precisamente no centro das casas com a face virada para o inimigo. Claramente não há lugar para covardes neste tabuleiro.

— O Sr. Collins sabe de cada passo que cada criado dá nesta casa, ou pelo menos ele faz com que acreditem nisso — ela diz. — Infelizmente, ele foi agredido hoje de manhã. O Doutor Dickie o transferiu para a portaria para que ele pudesse ter mais conforto para descansar. Eu na verdade queria fazer uma visita pessoal para ele. Talvez eu possa lhe acompanhar.

Eu momentaneamente hesito, considerando o perigo. Só se pode supor que, se Evelyn Hardcastle tencionasse me machucar, não anunciaria nossa intenção de irmos juntos em frente a uma sala repleta de testemunhas.

— Seria muita gentileza — eu respondo, recebendo de volta um lampejo de sorriso.

Evelyn se levanta, não percebendo ou fingindo não perceber os olhares curiosos que nos tocam. Há portas duplas para o jardim, mas nós as evitamos, saindo pelo hall de entrada para que possamos pegar os casacos e chapéus em nossos quartos primeiramente. Evelyn ainda está ajeitando o dela quando saímos de Blackheath rumo à tarde fria e ventosa.

— Posso perguntar o que aconteceu com o Sr. Collins? — pergunto, pensando se talvez o ataque que ele sofrera pudesse ter alguma ligação com o que eu sofri na noite passada.

— Aparentemente ele foi espancado por um dos nossos convidados, um artista chamado Gregory Gold — ela diz, amarrando o grosso cachecol. — Foi uma agressão sem provocação, pelo que todos disseram, e Gold conseguiu dar uma surra muito convincente nele antes de alguém intervir. Eu devo lhe avisar, Doutor, que o Sr. Collins está sob forte sedação, então não sei o quanto ele vai poder ajudar.

Seguimos o caminho de cascalho que leva até a vila e, mais uma vez, sou arrebatado pela peculiaridade da minha condição. Em algum momento nos últimos dias, devo ter chegado por esta mesma estrada, feliz e entusiasmado ou talvez irritado pela distância e pelo isolamento. Será que entendi o perigo que eu corria ou isso aconteceu depois, durante a minha estadia? Tanta coisa minha se perdeu, as lembranças voaram para os lados como as folhas no chão e, mesmo assim, aqui estou eu, refeito. Me pergunto se Sebastian Bell aprovaria este homem em que me transformei. Será que nos daríamos bem?

Sem dizer nada, Evelyn põe seu braço em volta do meu, um sorriso caloroso transformando seu rosto. É como se um fogo tivesse sido aceso de dentro, os olhos dela faíscam com vida, banindo a mulher velada de outrora.

— É tão bom sair daquela casa — ela exclama, erguendo o rosto para receber a chuva. — Graças a Deus você veio naquele momento, Doutor. Sinceramente, fosse um minuto depois, você teria me encontrado com a cabeça na lareira.

— Que sorte que eu passei por lá então — digo, um tanto sobressaltado pela sua mudança de ânimo. Pressentindo a minha confusão, Evelyn ri com leveza.

— Ah, não se preocupe comigo — ela diz. — Eu tenho pavor de conhecer pessoas, então, sempre que conheço alguém de quem gosto, aceito amizade imediata. Poupa um tempo e tanto a longo prazo.

— Eu entendo o encanto disso — digo. — Posso saber o que eu fiz para merecer uma impressão favorável?

— Só se me permitir dar uma resposta franca.

— Não está sendo franca agora?

— Estava tentando ser educada, mas você está certo. Nunca consigo ficar do lado certo — ela diz com um arrependimento simulado. — Bom, *para ser franca,* gosto do seu ar pensativo, Doutor. Você me parece alguém que gostaria muito de estar em outro lugar, um sentimento com o qual eu consigo simpatizar de coração.

— Devo concluir que você não está gostando da sua festa de boas-vindas?

— Ah, há muito tempo eu não me sinto bem-vinda aqui — ela diz, saltando uma grande poça. — Eu morei em Paris nos últimos dezenove anos, desde que meu irmão foi morto.

— E quanto àquelas mulheres que eu vi junto com você no jardim de inverno, elas não são suas amigas?

— Elas chegaram hoje de manhã e, verdade seja dita, não reconheci sequer uma delas. As crianças que eu conheci trocaram de pele e rastejaram para a sociedade. Sou tão estranha aqui quanto você.

— Pelo menos não é uma estranha para *si*, Srta. Hardcastle — eu digo. — Certamente isso pode lhe servir de consolo?

— Muito pelo contrário — ela diz, olhando para mim. — Imagino que seria uma coisa esplêndida poder me afastar de mim por um tempo. Tenho inveja de você.

— Inveja?

— Por que não? — ela diz, secando a chuva do rosto. — Você é uma alma despida, Doutor. Não tem arrependimentos, não tem marcas, nada das mentiras que contamos a nós mesmos para poder encarar o espelho de manhã. Você é — ela morde o lábio, procurando a palavra — honesto.

— Outra palavra para isso é *exposto* — eu digo.

— Devo concluir que você não está gostando da *sua* festa de boas-vindas?

Há uma dobra no sorriso dela, uma leve contorção nos lábios que poderia facilmente ser recriminadora, mas que ainda assim parece conspiratória.

— Não sou o homem que eu esperava ser — digo calmamente, surpreso com a minha própria candura. Há algo nessa mulher que me deixa à vontade, ainda que, por mais que me esforce, eu não consiga dizer o que é.

— Como assim? — ela pergunta.

— Sou um covarde, Srta. Hardcastle — suspiro. — Quarenta anos de lembranças apagadas e é isso que eu encontro escondido debaixo de tudo. É o que sobra para mim.

— Ah, pode me chamar de Evie, assim eu posso lhe chamar de Sebastian e dizer para não se remoer com suas falhas. Todos nós temos falhas, e se eu tivesse recém nascido neste mundo, talvez também tomasse cuidado — ela diz, apertando meu braço.

— Você é muito gentil, mas isso é algo mais profundo, instintivo.

— Bom, e daí se você é? — ela pergunta. — Tem coisas piores para ser. Pelo menos você não é mal intencionado ou cruel. E agora você pode escolher, não pode? Em vez de se moldar no escuro como nós, e um dia acordar sem ideia de como se tornou esta pessoa, você pode olhar para o mundo, para as pessoas ao seu redor e escolher as partes da sua personalidade que vai querer. Você pode dizer "Eu vou ter a honestidade daquele homem, o otimismo daquela mulher" como se estivesse comprando um terno em Saville Row.

— Você transformou a minha situação numa dádiva — digo, sentindo meu ânimo se elevar.

— O que mais você chamaria de uma segunda chance? — ela pergunta. — Não gosta do homem que era, ótimo, seja outro. Não existe nada que lhe impeça, não mais. Como eu disse, tenho inveja de você. O restante de nós está preso aos nossos erros.

Não tenho resposta para isso, embora não se exija uma imediatamente. Chegamos a dois gigantescos postes de uma cerca, com anjos fraturados soprando suas trombetas silenciosas no topo. A portaria fica em meio às árvores na nossa esquerda, com vislumbres de suas telhas vermelhas aparecendo através das frondosas copas. Uma trilha leva até uma porta verde com a tinta descascando, que inchou com a idade e se encheu de rachaduras. Ignorando-a, Evelyn me puxa pelos dedos para os fundos da casa, abrindo caminho por galhos tão crescidos que já encostam a alvenaria dilapidada.

A porta dos fundos é mantida fechada com um simples trinco e, ao abri-la, somos levados a uma cozinha úmida, com uma camada de poeira cobrindo os armários e as panelas ainda na lateral da lareira. Após entrar, ela para, escutando atenta.

— Evelyn? — pergunto.

Gesticulando por silêncio, ela dá um passo se aproximando do corredor. Transtornado por essa súbita cautela, meu corpo tensiona, mas ela quebra o feitiço com uma risada.

— Perdão, Sebastian, estava tentando escutar meu pai.

— Seu pai? — pergunto, perplexo.

— Ele tem ficado aqui — ela diz. — É para ele estar lá fora caçando, mas não queria correr o risco de dar de cara com ele caso ele se atrasasse. Infelizmente nós não gostamos um do outro tanto assim.

Antes que eu tenha a chance de fazer mais perguntas, ela acena para que eu a siga por um corredor azulejado e por uma estreita escadaria, os degraus de madeira rangendo sob nossos pés. Eu sigo o andar dela, olhando para trás pouco a pouco entre os passos. A portaria é estreita e tortuosa, as portas foram colocadas nas paredes em ângulos estranhos, como dentes que crescem desordenadamente em uma boca. O vento assovia pelas janelas, trazendo o cheiro da chuva, o lugar todo parecendo chacoalhar sobre sua fundação. Tudo nesta casa parece ter sido desenhado para descontrolar os nervos.

— Por que colocar o mordomo aqui tão longe? — pergunto a Evelyn, que tenta escolher entre as portas em nossos lados. — Deve ter algum lugar mais confortável.

— Todos os quartos na casa principal estão ocupados, e Doutor Dickie recomendou paz e sossego, além de uma boa lareira. Acredite se quiser, este pode ser o melhor lugar para ele. Vamos lá, vamos tentar esta aqui — ela diz, batendo suavemente em uma porta à nossa esquerda e abrindo após não obter resposta.

Um sujeito alto vestindo uma camisa suja de carvão está amarrado pelos pulsos e pendurado em um gancho no teto, com os pés mal encostando o chão. Ele está inconsciente, a cabeça cheia de uma cabeleira escura encaracolada caída sobre o peito, o sangue salpicando seu rosto.

— Não, deve ser a outra porta — diz Evelyn, sua voz monocórdia e despreocupada.

— Mas que diabos? — digo, dando um passo para trás em alerta. — Quem é este homem, Evelyn?

— Este é Gregory Gold, o sujeito que agrediu o nosso mordomo — Evelyn responde, olhando para ele como quem olha uma borboleta afixada no quadro de um colecionador. — O mordomo foi ordenança do meu pai na guerra. Parece que meu pai levou a agressão um pouco para o lado pessoal.

— Para o lado pessoal? — digo. — Evie, ele foi pendurado como um porco!

— Meu pai nunca foi um homem sutil, nem particularmente inteligente — ela dá de ombros. — Suspeito que as duas coisas andam lado a lado.

Pela primeira vez desde que acordei meu sangue está fervendo. Seja qual for o crime deste homem, a justiça não pode ser feita com uma corda em um quarto trancado.

— Não podemos deixá-lo assim — eu protesto. — É desumano.

— O que ele fez foi desumano — diz Evelyn, sua tranquilidade me tocando pela primeira vez. — Minha mãe contratou Gold para retocar alguns retratos da família, nada mais. Ele nem conhecia o mordomo e mesmo assim hoje de manhã saiu atrás dele com um atiçador de lareira e o surrou até ele ficar à beira da morte. Pode acreditar em mim, Sebastian, ele merece coisa pior do que está recebendo aqui.

— O que vai acontecer com ele? — pergunto.

— Um policial está a caminho da vila — diz Evelyn, me conduzindo para fora do pequeno quarto e fechando a porta, com o ânimo imediatamente reavivado. — Meu pai quer que Gold conheça o desprazer que ele causou, neste meio-tempo, só isso. Ah, esta aqui deve ser a que nós queríamos.

Ela abre outra porta, do outro lado do corredor, e entramos em um quarto pequeno com paredes brancas pintadas com cal e uma única janela, ofuscada pela sujeira. Ao contrário do resto da casa, não há correntes de ar aqui e há um bom fogo na lareira, com muita lenha empilhada para alimentá-lo. Há uma cama de ferro no canto, onde está o mordomo disforme sob um cobertor cinza. Eu reconheço esse sujeito. É o homem com queimaduras que me deixou entrar na casa hoje de manhã.

Evelyn tinha razão, ele recebeu um tratamento cruel. Seu rosto está horrorosamente machucado e violáceo pelos cortes, com sangue seco manchando o travesseiro. Poderia tê-lo confundido com um morto, não fossem seus murmúrios constantes, a aflição envenenando seu sono.

Uma empregada está sentada ao lado dele em uma cadeira de madeira, com um livro grande aberto em seu colo. Ela não deve ter mais de vinte e três anos, é pequena o bastante para caber num bolso, com cabelo loiro saindo para fora da touca. Ela nos olha quando entramos, fechando o livro e levantando-se prontamente quando percebe quem somos, ajeitando apressadamente o avental.

— Srta. Evelyn — ela gagueja, os olhos para baixo. — Não sabia que a senhorita viria.

— Meu amigo aqui precisava ver o Sr. Collins — Evelyn diz.

Os olhos castanhos da empregada se voltam rápidos na minha direção antes de novamente se fixarem no chão.

— Perdão, senhorita, ele não se mexeu a manhã toda — diz a empregada. — O médico deu comprimidos para ajudá-lo a dormir.

— E ele não pode ser acordado?

— Não tentei, senhorita, mas a senhorita fez uma barulheira subindo as escadas e ele nem pestanejou. Não sei o que mais fazer, se isso não ajudou. Ele está apagado.

Os olhos da empregada me encontram novamente, permanecendo tempo bastante para sugerir alguma forma de familiaridade antes de retornarem para a sua contemplação do piso.

— Perdão, mas por acaso nos conhecemos? — eu pergunto.

— Não, senhor, na verdade não, é só que... eu servi o senhor no jantar ontem à noite.

— Você me trouxe um bilhete? — pergunto entusiasmado.

— Eu não, senhor, foi Madeline.

— Madeline?

— Minha camareira — interrompe Evelyn. — A casa estava com falta de pessoal e eu a mandei descer para ajudar na cozinha. Bom, tivemos sorte — ela olha o relógio de pulso —, ela está levando as bebidas para os caçadores, mas vai retornar por volta das três da tarde. Podemos perguntar quando ela retornar.

Eu volto minha atenção à empregada.

— Você sabe alguma coisa sobre esse bilhete? — pergunto. — O conteúdo talvez?

A empregada balança a cabeça, apertando as mãos. A pobre criatura parece estar falando toda a verdade. Sentindo pena dela, presto meus agradecimentos e saio.

7

Estamos seguindo pela estrada para a vila, as árvores se aproximando a cada passo. Não é exatamente o que eu antecipara. O mapa no escritório invocou imagens de uma grande obra, um bulevar costurando a floresta. A realidade é um pouco mais do que uma trilha de chão batido, repleta de buracos e galhos caídos. A floresta não foi domada, mas fez um acordo, e os Hardcastle ganharam as menores das concessões da sua vizinha em retorno.

Não sei qual é o nosso destino, mas Evelyn acredita que podemos interceptar Madeline na sua volta da caçada. Secretamente, suspeito que ela esteja apenas arrumando uma desculpa para prolongar sua ausência da casa. Não que qualquer subterfúgio seja necessário. Essa última hora na companhia de Evelyn foi a primeira vez, desde que acordei, que me senti como uma pessoa por inteiro ao invés dos restos de alguém. Aqui fora, no vento e na chuva, com uma amiga ao meu lado, estou mais feliz do que estive o dia todo.

— O que acha que Madeline pode lhe contar? — Evelyn pergunta, pegando um galho da trilha e atirando-o de volta à floresta.

— O bilhete que ela me trouxe ontem à noite me atraiu até a floresta para que alguém pudesse me atacar — digo.

— Atacar! — interrompe Evelyn, chocada. — Aqui? Por quê?

— Eu não sei, mas espero que Madeline possa me dizer quem enviou o bilhete. Ela pode até ter espiado a mensagem.

— A questão não é *pode* — diz Evelyn. — Madeline estava comigo em Paris. Ela é leal e me faz rir, mas é uma empregada tenebrosa. Provavelmente considera espiar as correspondências dos outros como um benefício do trabalho.

— É muito permissivo da sua parte — digo.

— Eu tenho que ser, não posso pagar muito — ela diz. — E depois que ela revelar o conteúdo da mensagem, o que vai acontecer?

— Vou contar para a polícia — digo. — E espero dar um fim nesse assunto.

Virando à esquerda após uma placa entortada, seguimos por uma pequena trilha adentrando a floresta, com faixas de terra se entrecortando até ser impossível discernir o caminho de volta.

— Você sabe onde estamos indo? — pergunto nervoso, afastando um galho baixo do meu rosto. Da última vez que entrei nesta floresta minha mente nunca mais voltou.

— Estamos seguindo essas coisas aqui — ela diz, puxando o fragmento de um material amarelo pregado em uma árvore. É similar ao pano vermelho que encontrei quando fui aos tropeços até Blackheath na manhã de hoje, uma lembrança que só serve para me deixar ainda mais perturbado.

— São marcadores — ela diz. — Os jardineiros usam para se orientar pelo bosque. Não se preocupe, não vou levar você para muito longe.

As palavras mal saem da sua boca quando entramos em uma pequena clareira com um poço de pedras ao centro. A cobertura de madeira desabou e a roldana de ferro que um dia ergueu o balde foi deixada para enferrujar sob a lama, quase soterrada pelas folhas no chão. Evelyn bate palmas encantada, pousando a mão afetuosamente na pedra coberta de musgos. Ela claramente espera que eu não tenha percebido o pedaço de papel escondido entre as rachaduras ou a forma como seus dedos agora o cobrem. A amizade me incita a fingir e eu rapidamente desvio minha atenção quando ela olha novamente para mim. Ela deve ter um pretendente na casa, e estou envergonhado de dizer que tenho ciúmes desta correspondência secreta e da pessoa do outro lado.

— É aqui — ela diz, fazendo um gesto teatral com o braço. — Madeline vai passar por esta clareira quando estiver voltando para a casa. Não deve demorar muito. Ela precisa estar em casa às três horas para ajudar a terminar os preparativos do salão de baile.

— Onde nós estamos? — pergunto, olhando ao redor.

— É um poço dos desejos — ela diz, se inclinando na borda para olhar o breu. — Michael e eu costumávamos vir aqui quando éramos crianças. Nós fazíamos nossos desejos com pedrinhas.

— E quais eram as coisas que a jovem Evelyn Hardcastle desejava? — pergunto.

Ela franze o cenho. A questão a deixa desconcertada.

— Sabe, por mais que eu me esforce, não consigo me lembrar — ela diz. — O que deseja uma criança que tem tudo?

Mais, como todos os outros.

— Não acho que eu poderia contar para você mesmo quando tinha minhas memórias — digo sorrindo.

Limpando a poeira das mãos, Evelyn me olha, interrogativa. Posso ver a curiosidade arder dentro dela, a alegria de encontrar algo desconhecido e inesperado num lugar onde tudo é familiar. Estou aqui fora porque eu a fascino, percebo num instante de decepção.

— Você já pensou o que vai fazer se a sua memória não voltar? — ela pergunta, suavizando a questão com a docilidade do seu tom.

Agora é a minha vez de ficar desconcertado.

Como minha confusão inicial passou, tentei não me debruçar sobre a minha condição. Na verdade, perder a memória se revelou uma frustração em vez de uma tragédia, minha incapacidade de me lembrar de Anna sendo um dos poucos momentos no qual me pareceu mais do que uma inconveniência. Até agora, na escavação de Sebastian Bell, desenterrei dois amigos, uma bíblia com anotações e um baú trancafiado. Uma ninharia para quarenta anos nesta terra. Não tenho uma esposa chorando pelo nosso tempo juntos que se perdeu, não tenho uma criança preocupada porque o pai que ela amava pode não retornar. A essa distância, a vida de Sebastian Bell parece uma vida fácil de perder e difícil de lamentar.

Um galho se parte em algum lugar da floresta.

— Lacaio — Evelyn diz, meu sangue imediatamente gelando quando recordo o aviso do Médico da Peste.

— O que você disse? — pergunto, examinando freneticamente a floresta.

— Este barulho, é um lacaio — ela diz. — Eles estão juntando madeira. É vergonhoso, não é? Não temos criados suficientes para abastecer todas as lareiras, assim nossos convidados estão enviando seus próprios lacaios para fazer o serviço.

— Eles? Quantos estão aqui?

— Um para cada família em visita, e mais alguns estão vindo — ela diz. — Diria que já são sete ou oito na casa.

— Oito? — digo com a voz sufocada.

— Meu querido Sebastian, está tudo bem com você? — Evelyn pergunta, percebendo meu nervosismo.

Em circunstâncias diferentes eu teria recebido bem essa preocupação, esse afeto, mas aqui e agora o seu escrutínio me deixa apenas constrangido. Como posso explicar que um sujeito estranho fantasiado de médico da peste me aconselhou a tomar cuidado com um tal lacaio — um nome que não significa nada para mim e, mesmo assim, me enche de um medo incapacitante toda vez que ouço?

— Perdão, Evie — digo balançando a cabeça, melancólico. — Existem mais coisas que eu preciso lhe contar, mas não aqui e não agora.

Incapaz de encarar seu olhar questionador, observo ao redor da clareira buscando uma distração. Três trilhas se cruzam antes de bater a floresta, uma delas corta um caminho reto pelas árvores em direção à água.

— Aquilo ali é...

— Um lago — Evelyn diz, olhando atrás de mim. — O lago, acho que você ia dizer. É onde meu irmão foi assassinado por Charlie Carver.

Um estremecimento de silêncio nos separa.

— Sinto muito, Evie — digo finalmente, constrangido pela pobreza do sentimento.

— Você vai achar que sou terrível, mas isso aconteceu há tanto tempo que quase não parece real — ela diz. — Nem me lembro do rosto de Thomas.

— Michael compartilhou um sentimento semelhante — digo.

— Não me surpreende, ele era cinco anos mais novo que eu quando aconteceu — Ela está se abraçando, seu tom de voz é distante. — Eu deveria estar cuidando de Thomas naquela manhã, mas queria andar a cavalo e ele estava sempre me incomodando, então eu organizei uma caça ao tesouro para as crianças e deixei Thomas para trás. Se eu não tivesse sido tão egoísta, ele nunca teria estado no lago, para início de conversa, e Carver não teria posto aquelas mãos imundas nele. Você não imagina o que aquele pensamento faz com uma criança. Eu não dormia, mal comia. Não sentia nada que não fosse raiva ou culpa. Eu era um monstro com qualquer pessoa que tentasse me consolar.

— O que mudou?

— Michael — ela sorri, saudosa. — Eu fui odiosa com ele, absolutamente terrível, mas ele ficou do meu lado, não importava o que eu dissesse. Ele viu que eu estava triste e queria fazer com que eu me sentisse melhor. Nem acho que ele soubesse o que estava acontecendo, não necessariamente. Ele só estava sendo legal, mas evitou que eu me perdesse completamente.

— É por isso que você foi para Paris, para fugir de tudo?

— Eu não decidi ir embora, meus pais me mandaram para lá alguns meses depois do acontecido — ela diz, mordendo o lábio. — Eles não conseguiam me perdoar e jamais iriam permitir que eu me perdoasse se tivesse ficado. Eu sei que a ideia era dar um castigo, mas o exílio foi uma gentileza, eu acho.

— E mesmo assim você voltou?

— Você faz parecer uma escolha — ela diz amargamente, apertando o cachecol enquanto o vento retalha as árvores. — Meus pais me deram ordens para voltar, eles até ameaçaram retirar meu nome do testamento caso eu recusasse. Quando isso não funcionou, eles ameaçaram tirar o nome de Michael também. Então, aqui estou eu.

— Não entendo, por que eles se comportariam de maneira tão desprezível e depois dariam uma festa para você?

— Uma festa? — ela diz, balançando a cabeça. — Ah, querido, você não faz a menor ideia do que está acontecendo aqui, não?

— Talvez se você...

— Amanhã vai fazer dezenove anos que meu irmão foi assassinado, Sebastian. Eu não sei por que, mas meus pais decidiram marcar a ocasião reabrindo a casa onde isso aconteceu e convidando exatamente as mesmas pessoas que estavam aqui naquele dia.

A raiva cresce em sua voz, uma vibração grave de dor que eu faria qualquer coisa para fazer desaparecer. Ela virou a cabeça para olhar o lago, os olhos azuis umedecidos.

— Estão disfarçando de festa um memorial e me colocaram como convidada de honra, o que eu só posso presumir que significa que algo tenebroso me aguarda — ela continua. — Isso não é uma comemoração, é um castigo, e vão ser cinquenta pessoas nos seus melhores trajes assistindo a tudo acontecer.

— Seus pais são mesmo tão rancorosos assim? — pergunto, chocado. Sinto-me como quando aquele pássaro bateu na janela, mais cedo pela manhã, um grande turbilhão de pena misturado a uma sensação de injustiça às repentinas crueldades da vida.

— Minha mãe mandou um recado para mim hoje de manhã me pedindo para encontrar com ela no lago — ela diz. — Ela nunca apareceu, e não acho que tinha essa intenção. Ela só queria que eu ficasse lá parada onde aconteceu, relembrando. Isso responde sua pergunta?

— Evelyn... Eu... Eu não sei o que dizer.

— Não há nada a dizer, Sebastian. A riqueza é um veneno para a alma e meus pais são ricos há muito tempo — assim como os outros convidados desta festa — diz Evelyn. — Os modos deles são uma máscara, é bom que você se lembre disso.

Ela sorri da minha dolorosa expressão, tomando minha mão. Os seus dedos são frios, o seu olhar é caloroso. Ela tem a coragem vacilante de um prisioneiro dando seus últimos passos em direção ao cadafalso.

— Ah, não fique nervoso, coração — ela diz. — Eu já me virei na cama tudo quanto pude. Não vejo vantagem em você perder o sono por isso também. Se quiser, pode fazer um desejo no poço em meu nome, embora eu entenda se você tiver outras preocupações mais urgentes.

Do bolso, ela tira uma moeda.

— Aqui — ela diz, entregando para mim. — Acho que nossas pedrinhas não foram muito úteis.

A moeda viaja por um longo trajeto, acertando a pedra em vez da água ao fundo. Apesar do conselho de Evelyn, não deposito expectativas para mim na superfície. Ao invés disso, rezo pela sua libertação deste lugar, por uma vida feliz e pela liberdade das maquinações de seus pais. Como uma criança, fecho os olhos na esperança de que, ao abri-los novamente, a ordem natural terá uma reviravolta, o impossível se tornando plausível apenas pelo desejo.

— Você mudou tanto — Evelyn murmura, com um franzir de emoções afetando seu rosto, o mais leve indicativo de desconforto surgindo quando ela percebe o que acabou de dizer.

— Você me conhecia antes? — pergunto, surpreso. De alguma forma, jamais me ocorreu que Evelyn e eu poderíamos ter um relacionamento antes deste.

— Eu não devia ter dito nada — ela diz, se afastando de mim.

— Evie, eu estive na sua companhia por mais de uma hora, o que a torna a minha melhor amiga neste mundo — digo. — Por favor, seja sincera comigo. Quem sou eu?

Seus olhos cruzam meu rosto.

— Não sou a pessoa certa para falar — ela protesta. — Nós nos conhecemos dois dias atrás, e muito brevemente. A maioria do que eu ouvi é insinuação ou boato.

— Estou sentado numa mesa vazia. Aceito qualquer migalha que me servirem.

Seus lábios estão apertados. Ela está puxando as mangas para baixo, desajeitadamente. Se ela tivesse uma pá, cavaria um túnel de fuga. Os feitos dos homens bons não são relatados com tanta relutância, e já começo a me apavorar com o que ela tem a me dizer. Mesmo assim, não posso deixar isso passar.

— Por favor — eu imploro. — Você me disse antes que eu poderia escolher quem eu queria ser, mas não posso fazer isso sem saber quem eu era.

Sua obstinação vacila e ela olha para mim por sob seus cílios.

— Você tem certeza de que quer saber? — ela pergunta. — A verdade nem sempre é gentil.

— Gentil ou não, eu preciso entender o que foi perdido.
— Não muito, na minha opinião — ela suspira, apertando minha mão nas suas. — Você era um traficante, Sebastian. Você ganhava a vida aliviando o tédio dos ricos ociosos, e que vida era, se seu consultório na Rua Harley servir de exemplo.
— Eu sou um...
— Traficante — ela repete. — O láudano é a moda, eu acho, embora, pelo que entendi, seu baú dos segredos tem coisas para todos os gostos.

Eu desabo por dentro. Não teria acreditado que eu poderia ser tão ferido pelo passado, mas a revelação da minha antiga profissão faz um buraco dentro de mim. Ainda que minhas falhas fossem numerosas, diante delas sempre estava o pequeno orgulho de ser médico. Havia nobreza nesse curso, ou mesmo honra. Mas não, Sebastian Bell pegou o título e o distorceu para seus próprios fins egoístas, tornando-o perverso, anulando o pouco de bem que lhe restara.

Evelyn tinha razão, a verdade nem sempre é gentil, mas homem nenhum deveria se descobrir dessa forma, como uma casa abandonada encontrada ao acaso na escuridão.

— Eu não deveria me preocupar com isso — diz Evelyn, empertigando a cabeça para captar o meu olhar desviado. — Vejo pouco daquela criatura odiosa no homem que está na minha frente.

— É por isso que estou nesta festa? — pergunto calmamente. — Para vender minhas mercadorias?

O seu sorriso é solidário. — Desconfio que sim.

Estou paralisado, dois passos atrás de mim mesmo. Todo olhar estranho ao longo do dia, todo sussurro e agitação ao entrar em uma sala estão explicados. Achei que as pessoas estavam preocupadas com o meu bem-estar, mas estavam se perguntando quando meu baú seria reaberto para negócios.

Eu me sinto tão tolo.

— Eu tenho que...

Estou em movimento antes de entender como a frase termina, meu corpo me carregando de volta pela floresta num ritmo cada vez mais acelerado. Estou quase correndo no momento em que chego à estrada. Evelyn segue meus passos, lutando para me acompanhar. Ela tenta me ancorar com palavras, me lembrando do meu desejo de encontrar Madeline, mas estou impenetrável à razão, consumido pelo meu ódio pelo homem que eu era. As falhas dele eu posso aceitar, talvez até superá-las, mas isso é traição. Ele cometeu os seus erros e fugiu, me deixou segurando os farrapos da sua vida incendiada.

A porta de Blackheath está aberta e subo a escadaria em direção ao quarto tão depressa que o cheiro da terra molhada ainda se prende em mim, enquanto permaneço ofegante sobre o baú. Foi isso que me levou à floresta ontem à noite? Foi por isso que eu derramei meu sangue? Bom, vou arrebentá-lo todo e, com isso, qualquer conexão com o homem que eu era.

Evelyn chega e me encontra revirando o quarto à procura de algo suficientemente pesado para quebrar o cadeado. Intuindo o meu objetivo, ela sai para o corredor, retornando com o busto de um imperador romano qualquer.

— Você é um tesouro — digo, usando-o para martelar o cadeado. Quando tirei o baú do armário hoje de manhã, ele era tão pesado que precisei de toda minha força para erguê-lo, mas agora ele pula para trás a cada golpe. Novamente Evelyn vem ao resgate, sentando sobre o baú para mantê-lo no lugar, e, depois de três enormes batidas, o cadeado tomba no chão.

Jogando o busto na cama, levanto o pesado tampo.

O baú está vazio.

Ou pelo menos predominantemente vazio.

Em um canto escuro há uma peça de xadrez solitária com o nome de Anna gravado na base.

— Acho que está na hora de você me contar o resto da sua história — Evelyn diz.

A escuridão aperta a janela do meu quarto, seu hálito frio depositando geada no vidro. O fogo sibila em resposta, suas chamas dançantes são minha única luz. Passos se apressam no corredor por trás da minha porta fechada, uma algaravia de vozes a caminho do baile. Em algum lugar distante, ouço a vibração de um violino que desperta.

Estendendo meus pés ao fogo, aguardo o silêncio. Evelyn pediu para que eu fosse tanto ao jantar como à festa, mas eu não posso me misturar com essas pessoas sabendo quem eu sou e o que elas realmente querem de mim. Estou cansado desta casa, dos jogos deles. Vou me encontrar com Anna às dez e vinte da noite no cemitério e então vou providenciar um empregado dos estábulos para nos levar até a vila, longe desta insanidade.

Meu olhar volta para a peça de xadrez que encontrei no baú. Eu a seguro contra o fogo na esperança de acionar alguma lembrança a mais. Até aqui ela se manteve em silêncio, e há muito pouco nesta peça para iluminar a minha memória. É um bispo esculpido à mão e marcado de tinta branca; muito aquém dos dispendiosos jogos de marfim que vi pela casa, e ainda assim... significa algo para mim. Independentemente de qualquer lembrança, há um sentimento associado a ela, quase uma sensação de conforto. Segurá-la me dá coragem.

Há uma batida na porta. Minha mão aperta a peça de xadrez enquanto dou um salto na cadeira. Quanto mais perto chego do encontro no cemitério, mais sobressaltado me sinto, praticamente pulando pela janela toda vez que o fogo estala na lareira.

— Belly, você está aí? — Michael Hardcastle pergunta.

Ele bate novamente. É insistente. Um educado aríete medieval. Colocando a peça de xadrez sobre o lintel da lareira, eu abro a porta. O corredor se inunda de pessoas fantasiadas. Michael usa uma roupa laranja brilhante e mexe nas alças de uma gigantesca máscara de sol.

— Aí está você — ele diz, franzindo o cenho para mim. — Por que não está vestido?

— Eu não vou — digo. — Foi...

Um aceno passa pela minha cabeça, mas minha linguagem de sinais é muito vaga para ele.

— Está sentindo que vai desmaiar? — ele pergunta. — Quer que eu chame Dickie? Acabei de vê-lo...

Tenho que agarrar o braço de Michael para impedi-lo de sair correndo pelo corredor atrás do médico.

— Eu apenas não me sinto disposto — digo.

— Tem certeza? — ele diz, relutante, com uma voz tão cabisbaixa quanto o seu rosto. — Lamento que tenha tido um dia tão infeliz, Belly. Espero que amanhã seja melhor, com menos mal-entendidos, pelo menos.

— Mal-entendidos? — pergunto.

— A garota assassinada? — Ele sorri confuso. — Daniel me contou que foi tudo um grande engano. Eu me senti um tremendo bobalhão cancelando a busca na metade. Mas não tem problema.

Daniel? Como seria possível ele saber que Anna estava viva?

— Foi um engano, não foi? — ele pergunta, percebendo meu espanto.

— É claro — digo inteligentemente. — Sim, um engano terrível. Peço desculpas por ter lhe incomodado com isso.

— Não se preocupe — ele diz. — Não dê importância para isso.

Suas palavras se estendem até afinarem, como um elástico esticado. Posso ouvir a sua dúvida, não apenas no relato, mas no homem parado à sua frente. Afinal, não sou a pessoa que ele conhecia e penso que ele já percebe que não desejo mais ser. Na manhã de hoje, eu teria feito praticamente qualquer coisa para consertar a ruptura entre nós dois, mas Sebastian Bell era um contrabandista de drogas e um covarde, o companheiro de cobras venenosas. Michael era amigo deste homem, então como ele poderia ser meu amigo?

— Bom, é melhor eu ir — ele diz, limpando a garganta. — Estimo as melhoras, meu velho.

Dando uma pancadinha no batente da porta com o punho, ele se vira, seguindo o restante dos convidados a caminho da festa.

Eu o observo sair, digerindo as novidades. Praticamente havia me esquecido da fuga de Anna durante a manhã, nosso encontro iminente no cemitério exaurindo boa parte do terror daquela minha primeira lembrança. Mesmo assim, algo claramente grave aconteceu, mesmo que Daniel venha falando às pessoas que não. Tenho certeza do que testemunhei, o tiro e o medo. Anna foi perseguida por uma pessoa de preto, que agora devo supor ser o lacaio. De alguma forma ela sobreviveu, assim como eu depois de ter sido atacado ontem à noite. É sobre isso que ela quer falar? Sobre o nosso inimigo em comum e o porquê de ele nos querer mortos? Talvez ele esteja atrás das drogas? Elas certamente são valiosas. Talvez Anna seja minha parceira e as retirou do meu baú para mantê-las longe do alcance dele? Isso iria pelo menos explicar a presença da peça de xadrez. Talvez seja uma espécie de cartão de visitas?

Depois de pegar meu casaco no guarda-roupa, amarro um longo cachecol e coloco as mãos num grosso par de luvas, metendo o abridor de cartas e a peça de xadrez no bolso ao sair. Sou retribuído com uma noite gélida e fresca. Enquanto meus olhos se ajustam ao escuro, respiro o ar fresco, ainda úmido da tempestade, e sigo o caminho de pedras ao redor da casa em direção ao cemitério.

Meus ombros estão tensos, meu estômago está embrulhado.

Tenho medo desta floresta, mas tenho ainda mais medo deste encontro.

Quando acordei pela primeira vez, eu só queria me redescobrir, mas a desventura da noite passada agora parece uma bênção. O ferimento me deu a chance de começar de novo, mas e se o encontro com Anna trouxer de volta todas as minhas lembranças antigas em uma enxurrada? Será que este quiproquó de personalidades que reuni ao longo do dia pode sobreviver a tal dilúvio ou vai ser varrido por inteiro?

Será que eu vou ser varrido?

O pensamento é quase suficiente para me pegar pelos ombros e me fazer dar a volta, mas não posso enfrentar o homem que eu era fugindo da vida que ele construiu. É melhor marcar território aqui, confiante de quem quero me tornar.

Rangendo os dentes, sigo a trilha pelas árvores, chegando à pequena cabana de um jardineiro, com janelas escuras. Evelyn está inclinada contra a parede, fumando um cigarro, com um lampião queimando a seus pés. Ela usa um longo casaco bege e galochas, um visual de certa forma em desacordo com o vestido de baile azul que está por baixo e a tiara de diamantes que brilha em seus cabelos. Ela está realmente muito bela, embora tenha um porte desajeitado.

Ela repara que estou reparando.

— Não tive tempo para me trocar depois do jantar — ela diz defensivamente, jogando o cigarro fora.

— O que está fazendo aqui, Evie? — pergunto. — Você deveria estar no baile.

— Eu fugi. Você achou que eu iria perder toda a diversão? — ela diz, esmagando o cigarro sob o calcanhar.

— É perigoso.

— Então seria burrice sua vir sozinho. Além do mais, eu trouxe ajuda.

De dentro da bolsa, ela puxa um revólver preto.

— Mas onde você encontrou isso? — pergunto, sentindo-me chocado e levemente culpado. A ideia de que o meu problema pôs uma arma nas mãos de Evelyn me parece uma traição, de certa forma. Ela deveria estar no calor e na segurança de Blackheath, não aqui diante do perigo.

— É da minha mãe, então uma pergunta melhor seria onde ela a encontrou.

— Evie, você não pode...

— Sebastian, você é meu único amigo neste lugar pavoroso, e eu não vou deixar você passear num cemitério sozinho sem saber o que lhe aguarda. Alguém já tentou te matar uma vez. Não tenho nenhuma intenção de permitir que tentem de novo.

Um nó de gratidão fica trancado em minha garganta.

— Obrigado.

— Não seja bobo. Ou eu faço isso ou tenho que ficar naquela casa com todo mundo me olhando — ela diz, erguendo o lampião no ar. — Eu é que deveria agradecer. Enfim, vamos? Vai ser um inferno se eu não voltar a tempo para os discursos.

A escuridão da noite pesa sobre o cemitério, a cerca de ferro se dobra, as árvores envergam-se sobre as lápides tortas. Pilhas espessas de folhas mortas afogam os túmulos, as tumbas rachadas e dilapidadas levam os nomes dos mortos consigo.

— Falei com Madeline sobre o bilhete que você recebeu ontem à noite — diz Evelyn, abrindo o portão rangente e me conduzindo para dentro. — Espero que você não se importe.

— Claro que não, eu não me importo — digo, olhando nervoso ao redor. — Eu tinha me esquecido disso, para ser sincero. O que ela falou?

— Apenas que quem entregou o bilhete para ela foi a Sra. Drudge, a cozinheira. Falei com ela em particular, e ela me disse que deixaram na cozinha, mas que ela não sabia dizer quem foi. Muita gente entrava e saía.

— E Madeline leu? — pergunto.

— Claro — diz Evelyn, mordaz. — Ela sequer ficou corada quando admitiu. A mensagem era muito breve, pedia para você ir imediatamente ao local de sempre.

— Só isso? Não estava assinado?

— Infelizmente, não. Lamento, Sebastian, eu esperava ter notícias melhores.

— Chegamos ao mausoléu nos fundos do cemitério, uma grande caixa de mármore vigiada por dois anjos quebrados. Um lampião pende da mão de um deles e, embora brilhe na escuridão, não há mais nada para iluminar. O cemitério está vazio.

— Talvez Anna tenha se atrasado um pouco — diz Evelyn.

— Então quem deixou o lampião aceso? — pergunto.

Meu coração está correndo, a umidade penetra em minhas

calças enquanto caminho por folhas que vão na altura dos tornozelos. O relógio de Evelyn nos certifica do horário, mas Anna não está em lugar algum. Só há aquele maldito lampião rangendo ao balançar na brisa. Por quinze minutos ou mais, ficamos parados imóveis debaixo dele, com a luz drapejada sobre nossos ombros e olhos procurando por Anna e a encontrando em todos os lugares: nas sombras em movimento, nas folhas que se mexem, nos galhos baixos agitados pela brisa. Volta e meia um de nós toca o ombro do outro, chamando atenção para um barulho repentino ou para um animal assustado correndo em disparada sob a vegetação.

Quanto mais tarde fica, mais difícil é impedir que os pensamentos se aventurem em lugares mais assustadores. O Doutor Dickie acreditava que os ferimentos em meu braço eram de natureza defensiva, como se eu estivesse me protegendo de um ataque com faca. E se Anna não for uma aliada, mas uma inimiga? Seria talvez por isso que o seu nome está fixado na minha mente? Até onde sei, ela escreveu o bilhete que recebi na mesa de jantar, e agora me atraiu até aqui para concluir o trabalho que começou ontem à noite.

Esses pensamentos se espalham como rachaduras pela minha já quebradiça coragem, o medo se infiltra no vazio que está por trás. Só a presença de Evelyn me mantém em pé, sua própria coragem me pregando ao lugar.

— Acho que ela não vem — diz Evelyn.

— Não, creio que não — digo, falando baixo para disfarçar o meu alívio. — Talvez devêssemos voltar.

— Acho que sim — ela diz. — Lamento, coração.

Com a mão vacilante, pego o lampião do braço do anjo e sigo Evelyn até o portão. Demos apenas alguns passos quando ela agarra meu braço, abaixando a chama em direção ao chão. A luz salpica as folhas, revelando sangue respingado em sua superfície. Ajoelhando-me, esfrego a substância viscosa entre meu polegar e meu indicador.

— Aqui — Evelyn diz calmamente.

Ela seguiu os respingos até uma lápide próxima, onde algo reluz atrás das folhas. Afastando-as, encontro a bússola que me tirou da floresta na manhã de hoje.

Está suja de sangue e estilhaçada, mas ainda inabalável em sua devoção ao norte.

— Esta é a bússola que o assassino lhe deu? — diz Evelyn sussurrando.

— É — digo, sentindo seu peso na palma da mão. — Daniel Coleridge tirou de mim hoje de manhã.

— E então parece que alguém a tirou dele.

Seja de qual perigo Anna desejava me alertar, ele parece ter chegado antes dela, e Daniel Coleridge estava envolvido de alguma forma.

Evelyn põe a mão em meu ombro ao desviar o olhar cautelosamente para a escuridão, longe do luzir do lampião.

— Acho que é melhor tirarmos você de Blackheath — ela diz. — Vá para seu quarto, mandarei uma carruagem lhe buscar.

— Eu tenho que encontrar Daniel — protesto, sem forças. — E Anna.

— Tem alguma coisa terrível acontecendo aqui — ela sussurra. — Os cortes no seu braço, as drogas, Anna e agora esta bússola. São peças de um jogo que nem eu, nem você sabemos jogar. Você precisa ir embora, por mim, Sebastian. Deixe a polícia lidar com isso.

Eu concordo com a cabeça. Não tenho vontade de lutar. Anna era a única razão por eu ter ficado, em primeiro lugar, os farrapos da minha coragem me convencendo de que havia honra a conquistar em obedecer a um pedido feito de forma tão obscura. Sem essa obrigação, as amarras que me mantêm preso a este lugar foram cortadas.

Voltamos a Blackheath em silêncio, Evelyn indo na frente, e o seu revólver tateando a escuridão. Eu sigo atrás quieto, não mais do que um cão aos seus pés, e, quando me dou conta, estou me despedindo da minha amiga e abrindo a porta do meu quarto.

Nem tudo está como deixei.

Há uma caixa repousando sobre a cama, enrolada em uma fita vermelha que se solta com uma única puxada. Deslizando a tampa, meu estômago se revira e a bile sobe à minha garganta. Dentro há um coelho morto com uma faca de cozinha cravada em seu corpo. O sangue coagulou ao fundo, manchando o seu pelo e quase cobrindo o bilhete preso à sua orelha:

Do seu amigo,

o lacaio.

A cor preta inunda os meus olhos.
Um segundo depois, eu desmaio.

9
DIA DOIS

Uma barulheira ensurdecedora me faz levantar num sobressalto, minhas mãos voando para os ouvidos. Estremecendo, procuro ao redor a origem do barulho e descubro que me mudaram de lugar durante a noite. Em vez do espaçoso quarto com a banheira e o fogo acolhedor, estou num quarto estreito com paredes pintadas a cal e uma única cama de ferro, uma luz turva atravessando uma pequena janela. Há uma cômoda na parede em frente e, ao seu lado, um roupão esfarrapado pendurado em uma porta.

Ao balançar minhas pernas na cama, meus pés tocam a pedra fria, um arrepio percorrendo a minha espinha. Depois do coelho morto, eu imediatamente suspeito que o lacaio está fazendo um novo ato diabólico, mas o barulho incessante torna a concentração impossível.

Eu visto o roupão, quase sufocando com o cheiro de colônia barata, e coloco a cabeça no corredor atrás da porta. Azulejos trincados cobrem o piso, paredes pintadas de cal se incham de umidade. Não há janelas, apenas luminárias manchando tudo com uma luz amarela suja que parece nunca parar de tremer. O barulho é mais alto aqui. Tapando os ouvidos, sigo o ruído até chegar ao pé de uma escadaria de madeira lascada que sobe para o interior da casa. Dezenas de sinos grandes de latão estão afixados a um painel na parede, cada um com uma placa logo abaixo nomeando uma parte da casa. O sino da porta da frente está balançando com tanta força que fico preocupado com a possibilidade de abalar as fundações.

Com as mãos pressionando meus ouvidos, eu olho para o sino, mas, com a exceção de arrancá-lo da parede, não há nenhuma forma óbvia de silenciar o clamor a não ser atendendo a porta. Apertando o roupão contra meu corpo, subo correndo as escadas, emergindo aos fundos de um hall de entrada. É muito mais tranquilo aqui, as criadas circulam numa calma procissão, seus braços cheios de buquês de flores e outras decorações. Só posso deduzir que estão ocupadas demais limpando os detritos da festa de ontem à noite para ter ouvido o barulho.

Com uma irritada sacudida de cabeça, abro a porta e sou confrontado pelo Doutor Sebastian Bell.

Está com olhos loucos e pingando água, tremendo de frio.

— Preciso da sua ajuda — ele diz, vertendo pânico.

Meu mundo se esvazia.

— Você tem um telefone? — ele continua, um desespero terrível nos olhos. — Precisamos chamar as autoridades.

Isso é impossível.

— Não fique aí parado, seu diabo! — ele exclama, me sacudindo os ombros, o frio de suas mãos penetrando em meu pijama.

Não querendo aguardar por uma resposta, ele entra no hall, passando por mim, em busca de ajuda.

Eu tento compreender o que estou vendo.

Este sou eu.

Este sou eu ontem.

Alguém está falando comigo, puxando a minha manga, mas não consigo me concentrar em nada a não ser no impostor pingando água no chão.

Daniel Coleridge aparece ao topo da escadaria.

— Sebastian? — ele diz, descendo com uma mão no balaústre.

Eu o observo para vislumbrar o truque, algum meneio de ensaio, de brincadeira, mas ele desce as escadarias exatamente como fez ontem, com a mesma leveza no passo, com a mesma confiança e admiração.

Há outro puxão em meu braço, e uma empregada se posiciona na minha linha de visão. Ela me olha com preocupação, seus lábios se movem.

Piscando para afastar a minha confusão, eu me concentro nela, finalmente escutando o que ela está dizendo.

— ... Sr. Collins, o senhor está bem, Sr. Collins?

Seu rosto é familiar, embora eu não consiga identificá-lo.

Olho por sobre a cabeça dela para as escadas, onde Daniel já está levando Bell para o quarto. Tudo está acontecendo precisamente da mesma forma que ontem.

Livrando-me da empregada, corro para o espelho na parede. Eu mal posso olhar. Estou gravemente queimado, a pele sarapintada e áspera ao toque como uma fruta deixada tempo demais sob o sol escaldante. Eu conheço esse homem. De alguma forma, acordei como o mordomo. Com o coração martelando, eu me viro para a empregada.

— O que está acontecendo comigo? — eu gaguejo, apertando a minha garganta, surpreso pela rouca voz com sotaque do norte que sai de mim.

— Senhor?

— Como é que...

Mas estou perguntando à pessoa errada. As respostas estão endurecidas pela lama e se arrastando pelas escadas em direção ao quarto de Daniel.

Erguendo a barra do roupão, eu corro atrás deles, seguindo um rastro de folhas e lama da chuva. A empregada chama o meu nome. Estou na metade do caminho quando ela passa correndo por mim e fica plantada à minha frente, as duas mãos pressionadas contra o meu peito.

— O senhor não pode subir lá, Sr. Collins — ela diz. — Vai ser um inferno se Lady Helena vir o senhor correndo por aí de calças curtas.

Eu tento passar por ela, mas ela dá um passo para o lado, me bloqueando novamente.

— Me deixe passar, garota! — eu exijo, imediatamente me arrependendo. Não é assim que costumo falar, ríspido e autoritário.

— O senhor teve um daqueles seus sustos, Sr. Collins, é só isso — ela diz. — Venha até a cozinha, vou fazer chá para nós dois.

Seus olhos são azuis, sinceros. Eles pairam constrangidos sobre meu ombro, e olho atrás de mim para ver as demais criadas reunidas no pé da escada. Estão nos observando, seus braços ainda carregados de flores.

— Um dos meus sustos? — pergunto, a dúvida abrindo a boca e me engolindo.

— Por conta das suas queimaduras, Sr. Collins — ela diz calmamente. — Às vezes, o senhor diz coisas ou vê coisas que não são verdade. Uma xícara de chá é só o que precisa, em poucos minutos o senhor vai estar firme e forte.

A gentileza dela é esmagadora, calorosa e pesada. Eu recordo os pedidos de Daniel ontem, sua maneira delicada de falar, como se eu pudesse quebrar caso me apertassem com muita força. Ele achou que eu estava louco, como essa empregada agora. Considerando o que está acontecendo comigo, o que eu *acho* que está acontecendo comigo, não posso ter certeza se estão falando a verdade.

Eu dou a ela um olhar desamparado e ela pega o meu braço, descendo os degraus, a aglomeração se dividindo para nos deixar passar.

— Um chá, Sr. Collins — ela diz, me reconfortando. — É só o que o senhor precisa.

Ela me conduz como uma criança perdida, o toque suave da sua mão calejada tão tranquilizador como o tom de voz. Juntos, nós deixamos o hall de entrada, descendo a escada dos criados e seguindo pelo corredor escuro até a cozinha.

O suor brota em meu cenho, o calor correndo dos fornos e fogões, as panelas borbulhando sobre as chamas. Sinto cheiro de molho, carnes, bolos assados, açúcar e suor. São muitos convidados e poucos fornos funcionando, esse é o problema. Tiveram que começar a preparar o jantar agora para ter certeza de que tudo sairá a tempo mais tarde.

O conhecimento me deixa desnorteado.

É verdade, eu estou certo disso, mas como poderia saber a menos que eu realmente fosse o mordomo?

As empregadas estão correndo, carregando o café da manhã: ovos mexidos com arenque defumado em recipientes de prata. Uma mulher idosa de quadris largos e rosto corado está em pé ao lado do forno berrando instruções, o avental coberto de farinha. Jamais um general usou um casaco cheio de medalhas com tamanha convicção. De alguma forma, ela nos vê em meio à agitação, seu olhar férreo marcando primeiro a empregada e depois eu.

Limpando as mãos no avental, ela dá longas passadas até nós.

— Você com certeza tinha que estar em outro lugar, não é, Lucy? — ela diz com um olhar severo.

A empregada hesita, avaliando o quão sábio é fazer uma objeção.

— Sim, Sra. Drudge.

A sua mão se desprende de mim, deixando uma marca de vazio no meu braço. Um sorriso simpático e ela vai embora, perdendo-se no barulho.

— Pode sentar, Roger — diz a Sra. Drudge com um tom de voz que quer ser gentil. Ela tem o lábio rachado, um hematoma que começa a aparecer ao redor da boca. Alguém deve ter batido nela. Ela estremece quando fala.

Há uma mesa de madeira no centro da cozinha, sua superfície coberta de pratos de língua, frangos assados e presuntos empilhados. Há sopas e ensopados, bandejas com hortaliças reluzentes, com mais sendo acrescentado o tempo todo pelos acossados empregados da cozinha, a maioria dos quais parece ter passado uma hora dentro do forno.

Puxando uma cadeira, eu me sento.

A Sra. Drudge retira uma travessa de bolinhos do forno, colocando um deles num prato com manteiga enrolada por cima. Ela o traz, colocando-o na minha frente e tocando a minha mão. Sua pele é dura como couro velho.

O seu olhar permanece, uma gentileza envolta em espinhos, antes dela desaparecer, berrando ao retornar à multidão. O bolinho é delicioso, a manteiga derrete pelos lados. Só consigo dar uma mordida antes de ver Lucy de novo, finalmente lembrando por que ela me parece familiar. Essa é a empregada que estará na sala de visitas na hora do almoço — a que vai ser maltratada por Ted Stanwin e resgatada por Daniel Coleridge. Ela é ainda mais bonita do que eu me recordava, com sardas e grandes olhos azuis, cabelo ruivo solto atrás da touca. Ela tenta abrir um pote de geleia, o rosto contorcendo-se pelo esforço.

Ela tinha manchas de geleia no avental.

Acontece quadro a quadro: o pote resvalando das suas mãos e caindo ao chão, o vidro se espalhando pela cozinha, o avental sendo manchado pelos respingos de geleia.

— Ah, que diabos, Lucy Harper — alguém grita com desânimo.

Minha cadeira cai no chão quando saio em disparada da cozinha, correndo pelo corredor e voltando para cima. Estou numa pressa tal que, ao dobrar a curva que leva ao corredor de hóspedes, eu me choco com um sujeito magricelo, de cabelo encaracolado caído sobre o cenho e camisa branca manchada de carvão. Pedindo desculpas, olho para o rosto de Gregory Gold. A fúria o envolve como um manto, seus olhos esvaziados de qualquer juízo. Ele está lívido, trêmulo de raiva, e é tarde demais quando percebo o que vem depois, o estado do mordomo depois que este monstro fez o seu trabalho.

Eu tento recuar, mas ele agarra meu roupão com seus dedos longos.

— Você não precisa...

Minha visão embaralha, o mundo é reduzido a um borrão de tinta e a um clarão de dor quando me arrebento contra a parede e depois caio no chão com sangue gotejando da cabeça. Ele paira sobre mim, um atiçador de lareira na sua mão.

— Por favor — digo, tentando me arrastar para trás, para longe dele. — Eu não...

Ele me dá um pontapé no lado do corpo, esvaziando os meus pulmões.

Eu estendo a mão, tentando falar, implorar, mas isso apenas o deixa mais furioso. Ele me chuta cada vez mais rápido, até que não há nada que eu possa fazer a não ser me encolher em uma bola enquanto ele despeja seu ódio em mim.

Mal posso respirar, mal posso enxergar. Estou soluçando, soterrado em minha dor.

Para o meu alívio, eu desmaio.

10
DIA TRÊS

Está escuro, a rede na janela treme ao sopro de uma noite sem luar. Os lençóis são macios, a cama é confortável e coberta por um dossel.
 Segurando o edredom, eu dou um sorriso.
 Foi um pesadelo, só isso.
 Lentamente, a cada batida, o meu coração se acalma, o gosto de sangue desaparece junto com o sonho. Levo alguns segundos para lembrar onde estou e mais um para reconhecer a escura silhueta de um homem grande parado no canto do quarto.
 Minha respiração fica presa na garganta.
 Correndo minha mão pelos cobertores em direção à mesa de cabeceira, eu tento alcançar os fósforos, mas eles parecem escapar dos meus dedos.
 — Quem é você? — pergunto para a escuridão, incapaz de evitar o tremor em minha voz.
 — Um amigo.
 É a voz de um homem, profunda e abafada.
 — Amigos não se escondem na penumbra — digo.
 — Eu não disse que era o seu amigo, Sr. Davies.
 Meu tatear cego quase derruba a lamparina a óleo da mesa de cabeceira. Ao tentar equilibrá-la, meus dedos encontram os fósforos se escondendo na sua base.
 — Não se preocupe com a luz — diz a escuridão. — Vai ser de pouca utilidade para você.
 Eu risco o fósforo com a mão trêmula, encostando-o na lamparina. A chama explode atrás do vidro, afastando as sombras para

os cantos e iluminando o meu visitante. É o homem com a fantasia de médico da peste que encontrei mais cedo, a luz revelando detalhes que perdi na penumbra do escritório. Sua sobrecasaca é arranhada e esfarrapada nas pontas, e uma cartola e uma máscara de porcelana cobrem todo o seu rosto, com exceção dos olhos. As mãos enluvadas apoiam-se em uma bengala preta com uma inscrição gravada em letras prateadas reluzentes no lado, embora a escrita seja muito pequena para ler nessa distância.

— Observador, muito bem — comenta o Médico da Peste. Passos soam em algum lugar da casa, e me pergunto se minha imaginação é suficiente para invocar os detalhes mundanos de um sonho tão extraordinário.

— Mas o que você está fazendo no meu quarto, droga? — eu questiono, surpreso com esse rompante.

A máscara com bico interrompe a exploração do quarto, fixando o olhar em mim mais uma vez.

— Temos um trabalho a fazer — ele diz. — Tenho um enigma que exige uma solução.

— Acho que você me confundiu com outra pessoa — digo com raiva. — Sou um médico.

— Você foi um médico — ele diz. — Então um mordomo, hoje um *bon-vivant,* amanhã um banqueiro. Nenhuma dessas pessoas é a sua verdadeira face ou a sua verdadeira personalidade. Essas coisas foram tiradas de você quando veio a Blackheath e não serão devolvidas até você ir embora.

Colocando a mão no bolso, ele pega um espelhinho e o atira na cama.

— Veja você mesmo.

O vidro treme na minha mão, revelando um homem jovem com impressionantes olhos azuis e quase nenhuma sabedoria por trás deles. O rosto no espelho não é o de Sebastian Bell ou do mordomo queimado.

— O nome dele é Donald Davies — diz o Médico da Peste. — Ele tem uma irmã chamada Grace e um melhor amigo chamado Jim, e ele não gosta de amendoins. Davies será seu hospedeiro hoje, e quando você acordar amanhã, terá outro. É assim que funciona.

Não era um sonho, afinal, isso realmente aconteceu. Eu vivi o mesmo dia duas vezes no corpo de duas pessoas diferentes. Falei comigo mesmo, me repreendi e me examinei pelos olhos de outra pessoa.

— Estou ficando louco, não é? — digo, olhando para ele por cima do espelho.

Posso ouvir minha voz fraquejar.

— Claro que não — diz o Médico da Peste. — A loucura seria uma fuga e só há uma forma de fugir de Blackheath. É por isso que estou aqui, tenho uma proposta para você.

— Por que fez isso comigo? — eu o interpelo.

— Isso é uma ideia lisonjeira, mas eu não sou responsável pelos seus apuros, nem pelos apuros de Blackheath, neste caso.

— Então quem é?

— Ninguém que você queira ou precise conhecer — ele diz, ignorando a ideia com um aceno de mão. — O que me leva novamente à minha proposta...

— Preciso falar com eles — digo.

— Falar com quem?

— Com a pessoa que me trouxe aqui, com quem puder me libertar — digo rangendo os dentes, lutando para controlar meu ânimo.

— Bom, o primeiro já se foi há muito tempo, e o segundo está na sua frente — ele diz batendo no peito com as duas mãos. Talvez seja a fantasia, mas o movimento parece um tanto teatral, quase ensaiado. Subitamente tenho a sensação de estar fazendo parte de uma peça na qual todos sabem suas falas, exceto eu.

— Só eu sei como você pode escapar de Blackheath — ele diz.

— Sua proposta? — pergunto com desconfiança.

— Precisamente, embora "charada" talvez seja uma definição mais verdadeira — ele diz, erguendo um relógio de bolso e conferindo as horas. — Uma pessoa vai ser assassinada no baile hoje à noite. Não vai se parecer com um assassinato e, por isso, o assassino não será pego. Retifique essa injustiça e eu vou lhe mostrar a saída.

Eu endureço, apertando os lençóis.

— Se pode me libertar, por que não o faz de uma vez, seu maldito?! — digo. — Por que fazer esses jogos?

— Porque a eternidade é maçante — ele diz. — Ou talvez porque jogar é a parte importante. Vou deixar para você especular. Apenas não fique procrastinando por muito tempo, Sr. Davies. O dia vai se repetir oito vezes, e você vai vê-lo pelos olhos de oito hospedeiros diferentes. Bell foi o primeiro, o mordomo foi o segundo e o Sr. Davies é o terceiro. Isso quer dizer que o senhor só tem mais cinco hospedeiros para descobrir. Se eu fosse você, agiria rápido. Quando tiver uma resposta, traga ao lago, junto com a prova, às onze horas da noite. Estarei esperando por você.

— Não vou entrar nesses jogos para o seu divertimento — eu digo rosnando, me inclinando em direção a ele.

— Então fracasse por causa do seu rancor, mas fique sabendo: se não resolver esse problema até a meia-noite em seu hospedeiro final, vamos retirar suas memórias, retorná-lo ao corpo do Doutor Bell e tudo isso vai começar de novo.

Ele confere o relógio, largando-o de volta no bolso com uma interjeição de irritação.

— O tempo foge das nossas mãos. Colabore e vou responder mais perguntas suas da próxima vez que nos encontrarmos.

Uma brisa penetra pela janela, apagando a luz e nos envolvendo na escuridão. No momento em que encontro os fósforos para reacendê-la, o Médico da Peste sumiu.

Confuso e amedrontado, salto da cama como se tivesse levado uma ferroada, escancarando a porta do quarto e pisando no frio. O corredor é um breu. Ele poderia estar a cinco passos de distância que eu jamais conseguiria vê-lo.

Fechando a porta, eu corro até o guarda-roupa, vestindo a primeira coisa que encontro. Quem quer que eu esteja vestindo, é magricela e baixo, com uma propensão para o extravagante: quando termino, estou mergulhado em calças roxas, uma camisa laranja e um colete amarelo. Há um casaco e um cachecol nos fundos do armário, e eu pego ambos antes de sair. Assassinato de manhã e fantasias à noite, bilhetes enigmáticos e mordomos queimados; seja lá o que estiver acontecendo aqui, eu *não* serei

jogado de um lado para o outro como uma marionete sob cordas.
Preciso fugir desta casa.

O relógio no topo das escadarias aponta os seus ponteiros cansados para as três horas e dezessete minutos da manhã, desaprovando a minha pressa. Embora eu esteja relutante em acordar o cavalariço numa hora tão medonha, não vejo outra escolha se quero sair desta insanidade, então desço as escadas, dois degraus de cada vez, quase tropeçando nos pés ridiculamente pequenos deste pavão.

Não era assim com Bell e o mordomo. Eu me sinto pressionado às paredes deste corpo, forçando as costuras. Estou atrapalhado, quase bêbado.

Folhas se espalham dentro de casa quando abro a porta. Um vendaval sopra do lado de fora, a chuva rodopia no ar, a floresta estala e se agita. É uma noite medonha, com cor de fuligem. Precisarei de mais luz se quero encontrar o meu caminho sem cair e quebrar o pescoço.

Recuando para dentro de casa, desço pela escadaria dos criados ao fundo do hall de entrada. A madeira do balaústre é áspera ao toque, e os degraus são frágeis. Felizmente, as lâmpadas seguem largando a sua luz rançosa, embora as chamas queimem baixas e sossegadas, num tremeluzir indignado. O corredor é mais longo do que eu me lembrava, as paredes pintadas a cal suando pela condensação, o cheiro da terra espalhando-se pelo reboco. Tudo é úmido, apodrecido. Já vi boa parte dos cantos imundos de Blackheath, mas nenhum tão propositalmente negligenciado como esse. Estou surpreso que o local tenha algum pessoal, considerando a pouca estima que seus mestres parecem demonstrar por eles.

Na cozinha, eu percorro as estantes até encontrar uma lâmpada de querosene e fósforos. Duas riscadas para acendê-la e subo as escadas, saindo pela porta e indo à tempestade.

A lâmpada corta a escuridão, a chuva dá ferroadas em meus olhos.

Sigo o caminho para a estrada de pedras que leva aos estábulos, a floresta arquejando ao meu redor. Escorregando sobre as pedras irregulares, eu forço meus olhos procurando a cabana do cavalariço, mas a lâmpada é forte demais, ocultando boa parte do que deveria revelar. Já passei do arco quando me dou conta, escorregando em esterco de cavalo. Como anteriormente, o local é uma aglomeração de carruagens, cada uma coberta por uma lona ondulada. Diferentemente de antes, os cavalos estão nos estábulos, resfolegando em seu sono.

Sacudindo o esterco dos meus pés, me lanço à misericórdia da cabana, batendo a argola na porta. A luz aparece após alguns minutos, a porta abrindo uma fresta para revelar o rosto sonolento de um homem velho de ceroulas.

— Preciso ir embora — digo.

— A esta hora, senhor? — ele pergunta dubiamente, esfregando os olhos e olhando para o céu escuro como breu. — O senhor vai se gripar.

— É urgente.

Ele suspira, observando o cenário, e então gesticula para que eu entre, abrindo a porta por inteiro. Vestindo calças, ele puxa os suspensórios por sobre os ombros, movimentando-se naquele torpor lerdo característico de alguém que foi inexplicavelmente despertado do seu sono.

Pegando o paletó do gancho, ele se arrasta para o lado de fora, fazendo sinal para que eu fique onde estou.

Preciso confessar que faço isso alegremente. A cabana pulsa de calor e simplicidade, o cheiro de couro e sabão é uma presença sólida e reconfortante. Sinto a tentação de verificar a lista ao lado da porta para ver se a mensagem de Anna já está escrita lá, mas eu mal estendo minha mão e já ouço uma balbúrdia terrível, com luzes me cegando pela janela. Saindo na chuva, me deparo com o velho cavalariço sentado em um automóvel verde, a coisa toda engasgando e estremecendo, como se atacada por uma terrível doença.

— Aí está, senhor — ele diz, saindo. — Dei a partida para o senhor.

— Mas...

Fico sem palavras, horrorizado com a geringonça em minha frente.

— Não temos carruagens? — pergunto.

— Temos, mas os cavalos ficam ariscos quando tem trovão, senhor. — ele diz, estendendo a mão por debaixo da camisa para coçar a axila. — Com todo o respeito, o senhor não iria conseguir controlá-los.

— Eu não consigo controlar é isso — digo, olhando para o tenebroso monstro mecânico, o pavor sufocando a minha voz. A chuva pinga no metal e forma um lago no para-brisa.

— É fácil como respirar — ele diz. — Pegue o volante e aponte para onde quer ir, então pise no pedal no chão. O senhor vai entender num piscar de olhos.

A sua confiança me empurra para dentro tão firme quanto uma mão, a porta se fechando num suave estalo.

— Siga esta estrada de pedras até o fim, então vire à esquerda na estrada de terra — ele diz, apontando para a escuridão. — Assim o senhor vai chegar à vila. Ela é longa e reta, um pouco esburacada, veja. Leva entre quarenta minutos e uma hora, dependendo do cuidado que o senhor tiver ao dirigir, mas não tem como errar, senhor. Se não se importa, deixe o automóvel em um lugar à mostra e vou mandar um dos meus rapazes buscá-lo na primeira hora da manhã.

Com isso, ele se vai, desaparecendo para dentro da cabana, a porta batendo ao entrar.

Pegando o volante, olho para as alavancas e os marcadores, tentando encontrar alguma semelhança lógica nos controles. Eu hesitantemente piso no pedal, a tenebrosa geringonça dá uma guinada para frente e, aplicando um pouco mais de força, impulsiono o automóvel pelo arco rumo à acidentada estrada de pedras, até chegarmos à curva à esquerda que o cavalariço mencionou.

A chuva acoberta o vidro, me forçando a pôr a cabeça para fora da janela para ver aonde estou indo. Os faróis brilham sobre uma estrada de terra repleta de folhas e galhos quebrados, a água formando cascatas na sua superfície. Apesar do perigo, mantenho o pedal do acelerador cravado ao chão, a exultação substituindo minha apreensão. Depois de tudo o que aconteceu, finalmente estou fugindo de Blackheath, cada quilômetro desta estrada esburacada me levando para longe da sua loucura.

A manhã chega com um borrão, uma meia-luz cinzenta que ofusca mais do que ilumina, embora pelo menos traga um fim à chuva. Conforme prometido, a estrada continua em linha reta, e a floresta segue interminável. Em algum lugar nestas árvores, uma garota está sendo assassinada e Bell está acordando para assistir. Um assassino vai poupar sua vida com uma bússola de prata que aponta para um local que não faz sentido e, como um tolo, ele vai se achar a salvo. Mas como posso estar nesta floresta e neste carro — com um mordomo no meio? Minhas mãos se apertam em torno do volante. Se eu pude falar com o mordomo quando era Sebastian Bell, então presumivelmente quem eu for amanhã já está andando por Blackheath. Posso até ter me encontrando com ele. E não só o de amanhã, mas o homem que serei no dia seguinte e no outro dia. Se este for o caso, o que isso faz de mim? Ou deles? Será que somos fragmentos da mesma alma, responsáveis pelos pecados uns dos outros, ou pessoas completamente diferentes, cópias apagadas de um original perdido há muito tempo?

O medidor de combustível toca o vermelho enquanto um nevoeiro vem rolando das árvores, espesso sobre o chão. Minha sensação anterior de triunfo minguou. Eu deveria ter chegado à vila há muito tempo, mas não há nenhuma fumaça de chaminé na distância e nenhum fim à floresta.

Finalmente, o carro estremece e morre, o seu último suspiro é um guincho de peças esmerilhando-se umas às outras no momento em que ele para a alguns metros do Médico da Peste, cuja sobrecasaca preta é um contraste completo à nevoa branca de onde ele aparece. Minhas pernas estão tensas e minhas costas estão doloridas, mas a raiva me impulsiona para fora do carro.

— Já tirou essa tolice da sua cabeça? — pergunta o Médico, as duas mãos repousando sobre a bengala. — Você podia ter feito tanto com esse hospedeiro; ao invés disso, você o desperdiça nesta estrada, sem realizar nada. Blackheath não vai deixar você ir embora, e enquanto você fica aí puxando uma coleira, seus rivais estão levando as suas investigações adiante.

— E *agora* eu tenho rivais — digo com desprezo. — Você tem

um truque atrás do outro, não é? Primeiro me diz que estou preso aqui, e agora é uma competição para escapar.

Eu caminho na direção dele com a plena intenção de achar uma saída na base da agressão.

— Você ainda não entendeu? — digo. — Estou pouco me importando com suas regras, porque não vou jogar. Ou você me deixa ir embora, ou vou fazer você se arrepender por eu ter ficado.

Estou a dois passos de distância quando ele aponta a bengala para mim. Embora ela pare a centímetros do meu peito, jamais um canhão foi tão ameaçador. A inscrição prateada na lateral está pulsando, um brilho pálido erguendo-se da madeira, consumindo o nevoeiro. Posso sentir o seu calor nas minhas roupas. Se ele desejasse, tenho certeza de que este bastão de aparência benigna poderia atravessar meu corpo fazendo um buraco.

— Donald Davies é sempre o mais infantil dos hospedeiros — ele lamenta, observando enquanto dou um passo para trás. — Mas você não tem tempo para satisfazê-lo. Há outras duas pessoas presas nesta casa, usando o corpo de convidados e criados, exatamente como você. Apenas um de vocês vai poder sair, e será quem me trouxer a resposta primeiro. Entendeu agora? A fuga não está no final desta estrada de terra, ela está comigo. Então corra, se precisar. Corra até não poder mais ficar em pé, e quando acordar em Blackheath várias e várias vezes, faça isso sabendo que nada aqui é arbitrário, nada é ignorado. Você vai ficar aqui até que eu decida o contrário.

Abaixando a bengala, ele pega o seu relógio de bolso.

— Vamos nos falar de novo em breve, quando você estiver um pouco mais calmo — ele diz, guardando o relógio. — Tente usar os hospedeiros com mais sabedoria de agora em diante. Seus rivais são mais espertos do que você imagina, e eu lhe garanto que não vão ser tão levianos assim com o próprio tempo.

Eu quero investir contra ele a socos, mas agora que o nevoeiro avermelhado passou, posso ver que a ideia é um disparate. Mesmo tirando o tamanho da sua fantasia, ele é um homem grande, mais do que capaz de conter o meu ataque. Em vez disso, eu o contorno, e o Médico da Peste volta em direção a Blackheath, enquanto eu me embrenho no nevoeiro em frente. Pode não haver um fim a essa estrada, nenhuma vila a ser encontrada, mas não posso desistir até saber ao certo.

Não vou retornar voluntariamente para o jogo de um louco.

11
DIA QUATRO

Eu acordo ofegante, esmagado pelo monumento tremendo que é a barriga do meu novo hospedeiro. A última coisa que lembro é de tombar exausto na estrada depois de caminhar por horas, uivando de desespero para uma vila onde não pude chegar. O Médico da Peste falava a verdade. Não há como fugir de Blackheath.

Um relógio ao lado da cama me diz que são dez e meia da manhã, e estou prestes a me levantar quando um homem alto entra por uma porta adjacente carregando uma bandeja de prata, que ele põe sobre o aparador. Ele tem trinta e poucos anos, creio. Tem cabelos escuros, barba feita e é levemente atraente sem ser particularmente notável em nenhum sentido. Os óculos escorregaram do seu pequeno nariz, seus olhos estão fixados nas cortinas para onde ele caminha. Sem dizer nada, ele as abre e empurra as janelas, revelando a vista do jardim e da floresta.

Eu o observo com fascínio.

Há algo estranhamente preciso neste homem. Suas ações são moderadas e rápidas, sem desperdiçar qualquer esforço. É como se ele estivesse poupando energia para um grande trabalho que está por vir.

Por cerca de um minuto, ele fica em pé diante da janela, de costas para mim, deixando o quarto respirar o ar frio. Sinto como se esperassem algo de mim, como se essa pausa tivesse sido forjada para meu benefício, mas não consigo de jeito nenhum adivinhar o que eu deveria fazer. Certamente pressentindo a minha indecisão, ele deixa a sua vigília, colocando a mão sob minhas axilas e me erguendo à posição sentada.

Eu pago pelo seu auxílio, envergonhado.

Meu pijama de seda está ensopado de suor, e o odor que exala do meu corpo é tão pungente que faz meus olhos lacrimejarem. Alheio ao meu constrangimento, meu companheiro pega a bandeja de prata do aparador e a põe sobre o meu colo, erguendo a tampa arredondada. A travessa está empilhada de ovos e bacon, uma porção de costeletas de porco, um bule de chá e uma jarra de leite. Uma refeição assim deveria intimidar, mas estou esfomeado e a devoro feito um animal, enquanto o homem alto — que posso apenas presumir ser o meu valete — desaparece por trás de um biombo oriental, o som de água correndo soando.

Parando para respirar, aproveito esta oportunidade para examinar os meus arredores. Em contraste com os confortos frugais do quarto de Bell, este lugar é inundado de riqueza. Cortinas vermelhas de veludo caem sobre as janelas, formando pilhas sobre um felpudo carpete azul. Obras de arte decoram as paredes, o mobiliário envernizado de mogno está lustrado até brilhar. Seja quem eu for, sou alguém que goza de alta estima na família Hardcastle.

O valete retorna e me encontra limpando a gordura dos meus lábios com um guardanapo, ofegante pelo esforço de comer. Ele deve estar com nojo. Eu estou com nojo. Sinto-me como um porco em um cocho. Mesmo assim, não há nenhum vislumbre de emoção em seu rosto quando ele retira a bandeja e põe o meu braço em volta do seu ombro para melhor me ajudar a sair da cama. Só Deus sabe quantas vezes ele passou por esse ritual ou o quanto ele é pago para fazê-lo, mas uma vez é o bastante para mim. Como um soldado ferido, ele meio que caminha, meio que me arrasta para trás do biombo, onde um banho com água quentíssima foi preparado.

É quando ele começa a me despir.

Não tenho dúvida que tudo isso é parte da rotina, mas é vergonha demais para suportar. Ainda que este não seja meu corpo, sou humilhado por ele, fico chocado com as ondas de carne que se arrebentam contra os meus quadris, com a forma como minhas pernas se esfregam ao caminhar.

Eu enxoto o meu companheiro, mas é inútil...

— Senhor, não pode... — Ele hesita, reunindo as palavras cuidadosamente. — O senhor não vai conseguir sair do banho sozinho.

Quero mandá-lo passear, me deixar em paz, mas ele está, é claro, correto.

Fechando os olhos, eu gesticulo com a cabeça a minha submissão.

Com movimentos treinados, ele desabotoa a parte de cima do pijama e abaixa a parte inferior, erguendo meu pé, um de cada vez, para que eu não me enrole com a roupa. Em poucos segundos, estou nu, com o meu companheiro em pé a uma distância respeitável.

Abrindo meus olhos, eu me vejo refletido em um espelho de corpo inteiro na parede. Lembro uma caricatura grotesca do corpo humano. Minha pele é amarelada e inchada, um pênis flácido aparece por trás de uma massa desgrenhada de pelos pubianos. Tomado pelo nojo e pela humilhação, eu deixo escapar um soluço. A surpresa brilha no rosto do valete e então, apenas por um segundo, brilha o prazer. É um fragmento de crua emoção, que some tão logo quanto surge.

Apressando-se, ele me ajuda a entrar na banheira.

Lembro a euforia que senti ao entrar na água quente como Bell, mas não há nada disso agora. Meu peso imenso significa que a alegria de entrar num banho quente é eclipsada por certa humilhação de sair novamente.

— O senhor vai precisar das informações hoje de manhã, Lord Ravencourt? — meu companheiro pergunta.

Sentado rigidamente na banheira, balanço a minha cabeça na expectativa de que ele saia do quarto.

— A casa preparou algumas atividades para o dia de hoje: uma caçada, um passeio na floresta, pediram...

Eu balanço a cabeça novamente, com o olhar fixo na água. Quanto mais terei que aguentar?

— Muito bem, então temos apenas os compromissos.

— Cancele — digo calmamente. — Cancele tudo.

— Mesmo com Lady Hardcastle, senhor?

Eu fito os seus olhos verdes pela primeira vez. O Médico da Peste alegou que eu precisava solucionar o assassinato para partir desta casa, e quem melhor que a dona da casa para me ajudar a investigar os seus segredos?

— Não, este não — digo. — Lembre-me, onde vamos nos encontrar de novo?

— Na sua antessala, senhor. A não ser que queira que eu mude o lugar.

— Não, isso vai ser suficiente.

— Certo, senhor.

Com o último dos nossos assuntos concluído, ele parte com um aceno de cabeça, me deixando chafurdar em paz, sozinho em minha desgraça.

Fechando os olhos, deixo a mão repousar na borda da banheira, tentando entender o sentido da situação. Encontrar a alma separada do corpo significaria a morte para alguns, mas, no fundo, sei que isso não é uma vida após a morte. O inferno teria menos criados e um mobiliário melhor, e despir um homem de seus pecados parece uma forma ruim de dar um julgamento a ele.

Não, eu estou vivo, ainda que não em um estado que eu reconheça. Isso é algo próximo da morte, algo mais diabólico, e não estou sozinho. O Médico da Peste alegou que havia três de nós competindo para escapar de Blackheath. Será que o lacaio que deixou um coelho morto para mim está tão preso quanto eu? Isso explicaria por que ele está tentando me assustar. Afinal, é difícil vencer uma corrida quando se tem medo de alcançar a linha de chegada. Talvez isso seja o que o Médico da Peste considera entretenimento, lançar-nos uns contra os outros como cães subnutridos numa rinha.

Talvez você devesse confiar nele.

— Lá se foi o trauma — murmuro à voz. — Achei que eu tinha deixado você com Bell.

Sei que é uma mentira mesmo quando falo. Estou ligado a essa voz da mesma forma que estou ligado ao Médico da Peste e ao lacaio. Posso sentir o peso da nossa história, mesmo não conseguindo me lembrar dela. São parte de tudo o que está acontecendo comigo, peças de um quebra-cabeça que estou lutando para resolver. Se são amigos ou inimigos, eu não posso ter certeza, mas seja qual for a natureza da voz, ela não me fez perder o rumo até aqui.

Mesmo assim, confiar no meu captor me parece ingenuidade, na melhor das hipóteses. A ideia de que tudo isso irá acabar se eu resolver um assassinato parece um disparate. Seja qual for a intenção do Médico da Peste, ele veio ocultado por uma máscara à meia-noite. Tem medo de ser visto, o que significa que há algo a ganhar arrancando aquela máscara.

Eu olho para o relógio, avaliando minhas opções.

Sei que ele estará no escritório falando com Sebastian Bell — um *eu* anterior, isso ainda não entra na minha cabeça! — depois dos caçadores partirem, o que pareceria um tempo ideal para interceptá-lo. Se ele deseja que eu resolva um assassinato, farei isso, mas não será minha única tarefa hoje. Se quero garantir minha liberdade, preciso descobrir a identidade do homem que a tirou de mim, e para isso precisarei de ajuda.

Pelas contas do Médico da Peste, já desperdicei três dos meus oito dias nesta casa, aqueles pertencentes a Sebastian Bell, ao mordomo e a Donald Davies. Incluindo eu mesmo, significa que me restam cinco hospedeiros, e se o encontro de Bell com o mordomo serve de guia, eles estão andando por Blackheath assim como eu.

É um exército em prontidão.

Só preciso descobrir quem eles estão vestindo.

12

A água esfriou há muito tempo, me deixando azulado e trêmulo. Por mais vaidoso que isso possa parecer, não consigo suportar a ideia do valete de Ravencourt me erguendo desta banheira como um saco de batatas molhado.

Uma batida educada na porta do quarto me poupa dessa decisão.

— Lord Ravencourt, está tudo bem com o senhor? — ele pergunta, entrando no quarto.

— Muito bem — insisto, com as mãos dormentes.

Sua cabeça aparece no canto do biombo, seus olhos observando a cena. Depois de examinar por um momento, ele se aproxima sem eu fazer sinal, arregaçando as mangas para me erguer da água com uma força que desmente o seu porte magro.

Desta vez, eu não protesto. Resta-me muito pouco orgulho para salvar.

Ao me ajudar a sair da banheira, vejo a ponta de uma tatuagem saltar debaixo da sua camisa. Está esverdeada, com os detalhes apagados. Percebendo a minha atenção, ele abaixa a manga às pressas.

— Foi tolice da minha juventude, senhor — ele diz.

Por dez minutos, permaneço lá, silenciosamente humilhado, enquanto ele me seca com a toalha, maternalmente me vestindo com um terno: primeiro uma perna e então a outra, um braço e depois o outro. As roupas são sedosas, com lindo corte, mas puxam e beliscam como uma sala cheia de tias idosas. São de um tamanho menor, vestem a vaidade de Ravencourt e não o seu corpo. Quando tudo está pronto, o valete penteia meu cabelo, passando óleo de coco em meu rosto carnudo antes de me entregar um espelho para que eu possa ver melhor os resultados. O reflexo está beirando os sessenta anos, com suspeitos cabelos negros e olhos castanhos da cor de um chá fraco. Procuro neles um sinal de mim mesmo, do homem escondido que mexe as cordas de Ravencourt, mas estou obscurecido. Pela primeira vez, eu me pergunto quem eu era antes de vir aqui e que sequência de eventos me levou a esta armadilha.

Seria uma especulação intrigante, se não fosse tão frustrante.

Assim como aconteceu com Bell, minha pele arrepia quando vejo Ravencourt no espelho. Uma parte de mim se lembra do meu rosto verdadeiro e fica perplexa com este estranho olhando de volta.

Eu entrego o espelho para o valete.

— Precisamos ir à biblioteca — digo.

— Eu sei onde é, senhor — ele diz. — Quer que eu lhe traga um livro?

— Eu vou com você.

O valete para por um instante, franzindo o cenho. Ele fala com hesitação, suas palavras testam o chão por onde caminham na ponta dos pés.

— É uma boa caminhada, senhor. Temo que o senhor vá achar... cansativo.

— Eu consigo. Além disso, preciso me exercitar.

Os argumentos fazem fila atrás dos seus dentes, mas ele pega minha bengala e uma maleta e me conduz por um corredor escuro, com lamparinas a óleo derramando sua luz quente nas paredes.

Caminhamos devagar, o valete atirando novidades a meus pés, mas minha mente está fixada no porte ponderoso deste corpo que eu arrasto adiante. É como se um demônio tivesse reconstruído a casa durante a noite, estendendo as peças e deixando o ar mais denso. Indo com dificuldade ao súbito brilho do hall de entrada, eu me surpreendo ao descobrir o quão íngreme a escadaria parece agora. Os degraus que desci correndo como Donald Davies exigiriam um equipamento de alpinismo para serem superados esta manhã. Não surpreende que Lord e Lady Hardcastle o colocaram no térreo. Seria necessário uma roldana, dois homens fortes e o ordenado de um dia para me içar até o quarto de Bell.

Necessitar de descansos frequentes pelo menos me permite observar os demais convidados conforme se movimentam pela casa, e fica imediatamente claro que este não é um encontro feliz. Discussões sussurradas vazam dos cantos e das torneiras, vozes exaltadas sobem apressadamente as escadas apenas para serem cortadas por portas que se batem. Maridos e mulheres alfinetam uns aos outros, copos de bebidas são segurados com muita força, rostos ruborizados esboçam uma raiva que mal é controlada. Há hostilidade em cada diálogo, o ar é cheio de espinhos, perigoso. Talvez sejam os nervos ou a sabedoria vã da presciência, mas Blackheath parece um terreno fértil para a tragédia.

Minhas pernas estão tremendo no momento em que chegamos à biblioteca, minhas costas doem pelo esforço de me manter ereto. Infelizmente, o local oferece escassa recompensa para esse sofrimento. Estantes empoeiradas e abarrotadas alinham-se nas paredes, um mofado carpete vermelho sufoca o chão. Os restos mortais de uma velha fogueira estão em uma lareira e, no lado oposto, uma pequena mesa de leitura com uma cadeira desconfortável posicionada ao seu lado.

Meu companheiro resume seus sentimentos com uma única interjeição de desânimo.

— Um momento, senhor, vou buscar uma cadeira mais confortável da sala de visitas. — ele diz.

Vou precisar dela. A palma da minha mão esquerda criou uma bolha no local onde a esfreguei contra a bengala e minhas pernas estão bambas sob mim. O suor ensopou minha camisa, deixando todo o meu corpo coçando. Atravessar a casa me deixou um caco, e se quero chegar ao lago antes dos meus rivais, vou precisar de um novo hospedeiro, preferencialmente um capaz de vencer uma escadaria.

O valete de Ravencourt volta com uma poltrona, colocando-a no chão em minha frente. Pegando o meu braço, ele me abaixa até as almofadas verdes.

— Posso perguntar qual é o nosso propósito aqui, senhor?

— Se tivermos sorte, vamos encontrar amigos — respondo, enxugando o rosto com um lenço. — Você tem uma folha de papel à mão?

— Claro.

Ele me entrega uma folha de ofício e uma caneta tinteiro de dentro da sua maleta, ficando perto para ouvir o ditado. Eu abro a boca para dispensá-lo, mas um olhar na minha mão com bolhas acaba me dissuadindo. Nessa condição, o orgulho é um primo pobre da legibilidade.

Após tomar um minuto para organizar as palavras na minha cabeça, começo a falar em voz alta.

— É lógico crer que muitos de vocês estiveram aqui por mais tempo que eu e possuem conhecimento desta casa, do nosso propósito aqui e do nosso captor, o Médico da Peste, o que não possuo.

Eu paro, escutando o arranhar da caneta tinteiro.

— Vocês não tentaram me contatar, e devo presumir que há um bom motivo para isso, mas peço a vocês que me encontrem na biblioteca na hora do almoço e me ajudem a apreender o nosso captor. Se não puderem, peço que compartilhem o que aprenderam escrevendo neste papel. Qualquer coisa que souberem, não importa o quão trivial, pode ser útil para ajudar a acelerar nossa fuga. Dizem que duas cabeças pensam melhor que uma, mas acredito que, neste caso, nossas cabeças em conjunto podem ser suficientes.

Eu espero pela escrita terminar e então olho para o rosto do meu companheiro. Está embasbacado, embora também tenha um toque de divertimento. Este é um sujeito curioso, de forma alguma o certinho que aparenta ser à primeira vista.

— Devo enviar isto, senhor? — ele pergunta.

— Não é necessário — digo, apontando para a estante. — Coloque nas páginas do primeiro volume da *Encyclopaedia Britannica*, eles vão saber onde encontrar.

Ele olha para mim e depois para o bilhete antes de fazer o que eu peço, a página deslizando tranquilamente dentro do livro. Parece um lar adequado para ela.

— E quando devemos esperar uma resposta, senhor?

— Em minutos, horas, não posso saber ao certo. Vamos ter que olhar de tempos em tempos.

— E até quando? — ele pergunta, limpando a poeira das mãos com um lenço de bolso.

— Fale com os criados, preciso saber se algum dos convidados tem uma fantasia de médico da peste negra do período medieval em seu guarda-roupa.

— Perdão, senhor?

— Uma máscara de porcelana, sobrecasaca preta, essas coisas — digo. — Por enquanto, vou tirar uma soneca.

— Aqui, senhor?

— Sem dúvida.

Ele me observa franzindo o cenho, tentando costurar os retalhos de informação espalhados diante de si.

— Devo acender a lareira? — ele pergunta.

— Não é necessário, estarei bem confortável — digo.

— Muito bem — ele diz, rondando nas proximidades.

Não sei o que ele está esperando, mas nunca chega, então, dando um último olhar, ele deixa a biblioteca, sua confusão rastejando silenciosamente atrás de si.

Repousando as mãos sobre minha barriga, fecho os olhos. Todas as vezes em que dormi, acordei num corpo diferente, e embora seja um risco sacrificar um hospedeiro desta forma, não sei mais o que posso conseguir com Ravencourt. Com alguma sorte, quando eu acordar, minhas outras versões terão feito contato pela enciclopédia e estarei em meio a elas.

13
DIA DOIS
(CONTINUAÇÃO)

Agonia.

Eu grito, sentindo gosto de sangue.

— Eu sei, eu sei, me desculpe — diz a voz de uma mulher.

Um beliscão, uma agulha penetra o meu pescoço. O calor faz a dor derreter.

É difícil respirar, impossível se mexer. Não consigo abrir meus olhos. Ouço rodas se movendo, cascos em pedras, uma presença ao meu lado.

— Eu... — começo a tossir.

— Sshh... não tente falar. Você voltou para o mordomo — diz a mulher num sussurro urgente, colocando a mão no meu braço. — Já se passaram quinze minutos desde que Gold lhe atacou, e você está sendo levado na carruagem para descansar na portaria.

— Quem é voc...? — eu pergunto rouquejando.

— Uma amiga, não importa ainda. Agora ouça, sei que você está confuso, cansado, mas isso é importante. Existem regras nisso tudo. Não adianta abandonar os seus hospedeiros da forma como você fez. Você ganha um dia inteiro para cada um deles, quer queira, quer não. Vai de quando acordaram até a meia-noite. Entendeu?

Estou dormitando, lutando para permanecer acordado.

— É por isso que você está de volta aqui — ela continua. — Se um dos seus hospedeiros pegar no sono antes da meia noite, você vai voltar para o mordomo e vai continuar vivendo este dia. Quando o mordomo pegar no sono, você vai retornar. Se o hospedeiro dormir depois da meia-noite, ou se ele morrer, você passa para alguém novo.

Ouço outra voz. Mais áspera. Da frente da carruagem.
— Chegando na portaria.
A mão dela toca a minha testa.
— Boa sorte para você.
Cansado demais para continuar, eu volto para a escuridão.

14
DIA QUATRO
(CONTINUAÇÃO)

Uma mão balança o meu ombro.

Piscando meus olhos ao abri-los, encontro-me de volta à biblioteca, de volta a Ravencourt. O alívio me purifica. Achei que nada poderia ser pior que esse corpanzil, mas estava errado. O corpo do mordomo parecia um saco de vidro quebrado, e eu preferiria passar uma eternidade em Ravencourt antes de voltar àquele tormento, embora pareça não haver escolha para mim. Se a mulher na carruagem estiver falando a verdade, estou fadado a ser novamente arrastado para lá.

Daniel Coleridge está olhando para mim através de uma nuvem de fumaça amarelada. Um cigarro está pendurado em seu lábio, uma bebida está em sua mão. Ele veste os mesmos trajes surrados de caça que usava quando falou com Sebastian Bell no escritório. Meus olhos batem no relógio: faltam vinte minutos para o almoço. Daniel deve estar a caminho daquele encontro agora.

Ele me entrega a bebida e senta-se na beirada da mesa no lado oposto, a enciclopédia agora aberta do seu lado.

— Creio que você está procurando por mim — diz Daniel, soprando a fumaça pelo canto da boca.

Ele soa diferente pelos ouvidos de Ravencourt, a suavidade desprendendo-se como uma velha pele. Antes que eu possa respondê-lo, ele começa a ler da enciclopédia.

— *É lógico crer que muitos de vocês estiveram aqui por mais tempo que eu e possuem conhecimento desta casa, do nosso propósito aqui e do nosso captor, o Médico da Peste, o qual eu não possuo.* — Ele fecha o livro. — Você chamou e eu respondi.

Eu examino os olhos astutos fixados em mim.

— Você é como eu — digo.

— Eu sou você, apenas adiantado quatro dias — ele diz, parando para deixar a minha mente se debater contra essa ideia. — Daniel Coleridge é seu último hospedeiro. Nossa alma, o corpo dele, se é que você consegue entender isso. Infelizmente, é a mente dele também — ele bate na testa com o dedo —, o que significa que você e eu pensamos diferente.

Ele ergue a enciclopédia.

— Veja isto, por exemplo — ele diz, deixando cair sobre a mesa. — Coleridge jamais pensaria em escrever aos nossos outros hospedeiros pedindo ajuda. Foi uma ideia inteligente, muito lógica, muito Ravencourt.

Seu cigarro chameja na penumbra, iluminando o sorriso vazio por trás. Este não é o Daniel de ontem. Há algo mais frio, mais duro em seu olhar, algo tentando me abrir ao meio para poder espiar lá dentro. Não sei como não vi isso quando era Bell. Ted Stanwin viu, quando recuou na sala de visitas. O brutamonte é mais inteligente do que imaginei.

— Então você já foi eu... este eu, Ravencourt, quero dizer? — digo.

— E aqueles que vêm depois dele — ele diz. — São uma gente difícil, você deveria aproveitar Ravencourt enquanto pode.

— É por isso que você está aqui, para me avisar sobre os outros hospedeiros? — A ideia parece lhe divertir, um sorriso toca seus lábios antes de se perder junto com a fumaça do cigarro.

— Não, eu vim porque lembro de estar sentado onde você está e de me falarem o que eu vou contar para você.

— E isso é?

Há um cinzeiro do outro lado da mesa e ele estende a mão para alcançá-lo, trazendo-o para perto de si.

— O Médico da Peste lhe pediu para resolver um assassinato, mas ele não mencionou a vítima. É Evelyn Hardcastle, essa é a pessoa que vai morrer no baile hoje à noite — ele diz, depositando as cinzas no cinzeiro.

— Evelyn? — digo, lutando para endireitar a postura, derramando um pouco da minha bebida esquecida sobre a perna. O pânico tomou conta de mim, o terror de ter a minha amiga sendo machucada, uma mulher que se desdobrou para ser gentil comigo mesmo quando os próprios pais encheram a casa de crueldade.

— Precisamos avisá-la! — eu exijo.

— Com que finalidade? — Daniel pergunta, apagando minha comoção com sua calma. — Não podemos resolver o assassinato de alguém que não morreu, e sem uma resposta não podemos escapar.

— Você prefere deixá-la morrer? — digo, chocado pela sua frieza.

— Eu vivi este dia oito vezes seguidas, e ela morreu todas as noites, independentemente dos meus atos — ele diz, percorrendo o dedo ao longo da beira da mesa. — Seja o que aconteceu ontem, vai acontecer de novo amanhã e depois de amanhã. Eu juro: mesmo que você pense em fazer uma intervenção, você já tentou e fracassou.

— Ela é minha amiga, Daniel — eu digo, surpreso pela profundidade do meu sentimento.

— E minha também — ele diz, inclinando-se mais perto. — Mas, todas as vezes em que tentei mudar os acontecimentos de hoje, acabei me tornando o arquiteto da desgraça que eu tentava evitar. Acredite em mim, tentar salvar Evelyn é perda de tempo. Circunstâncias fora do meu controle me trouxeram até aqui, e muito em breve, antes do que você possa imaginar, você vai se encontrar sentado onde eu estou, explicando como eu estou fazendo e desejando que você ainda tivesse o privilégio da esperança de Ravencourt. O futuro não é um aviso, meu amigo, é uma promessa, e ela não será quebrada por nós. Essa é a natureza da armadilha que nos pegou.

Levantando-se da mesa, ele luta contra o puxador enferrujado de uma janela e a abre, empurrando. Seus olhos estão fixos em um ponto distante, uma tarefa que está a quatro dias da minha compreensão. Ele não está interessado em mim, nos meus medos ou expectativas. Sou apenas parte de uma velha história que ele está cansado de contar.

— Não faz sentido — digo, esperando lembrá-lo das qualidades de Evelyn, as razões pelas quais vale a pena salvá-la. — Evelyn é gentil e delicada, e ela ficou dezenove anos longe. Quem iria querer fazer mal a ela agora?

Mesmo enquanto falo, uma suspeita começa a ficar evidente para mim. Ontem na floresta, Evelyn mencionou que seus pais nunca a perdoaram por deixar Thomas sozinho. Ela se culpava pelo assassinato do irmão cometido por Carver e, o que era pior, eles também. A ira deles era tão grande que ela acreditou que estavam tramando uma surpresa terrível no baile. Será que foi isso? Será que odiavam tanto a própria filha a ponto de assassiná-la? Se assim for, meu encontro com Helena Hardcastle pode se revelar realmente fortuito.

— Eu não sei — Daniel diz, com um toque de irritação na sua voz. — Há tantos segredos nesta casa que pode ser difícil escolher o certo na pilha. Se você seguir meu conselho, no entanto, vai começar a procurar por Anna imediatamente. Oito hospedeiros pode parecer uma grande quantidade, mas esta tarefa precisa do dobro desse número. Você vai precisar de toda e qualquer ajuda que conseguir.

— Anna — eu exclamo, me lembrando da mulher na carruagem com o mordomo. — Achei que ela fosse uma conhecida de Bell?

Ele dá uma longa tragada em seu cigarro, me estudando com os olhos apertados. Posso vê-lo examinar o futuro, pensando no quanto deve me contar.

— Ela está presa aqui, como nós — ele diz finalmente. — É uma amiga, até onde alguém pode ser em uma situação como a nossa. Você deve encontrá-la logo, antes que o lacaio a encontre. Ele está à nossa caça.

— Ele deixou um coelho morto no meu quarto, o quarto de Bell, quero dizer, ontem à noite.

— Isso é só o começo — ele diz. — Ele quer nos matar, mas não enquanto não se divertir.

Meu sangue fica gelado, meu estômago, com náusea. Eu já suspeitava disso, mas ouvir o fato ser despejado tão sem rodeios é completamente diferente. Fechando os olhos, solto um longo suspiro pelo nariz, expulsando o meu medo junto. É um hábito de Ravencourt, uma forma de clarear a mente, embora eu não consiga dizer como sei isso.

Quando abro meus olhos de novo, estou calmo.

— Quem é ele? — pergunto, impressionado pela força em minha voz.

— Não faço ideia — ele diz, soprando a fumaça no ar. — Diria que é o diabo, se eu considerasse este local algo tão mundano como o inferno. Ele está nos eliminando um por um, garantindo que não vai haver competição quando ele entregar a sua resposta para o Médico da Peste hoje à noite.

— Ele tem outros corpos, outros hospedeiros, como nós?

— Isso é que é curioso — ele diz. — Não acho que tenha, mas ele não parece precisar deles. Ele conhece as faces de cada um dos nossos hospedeiros e ataca quando estamos mais vulneráveis. Cada erro que eu cometi, ele esteve esperando.

— Como paramos um homem que sabe os nossos passos antes mesmo de nós?

— Se eu soubesse isso, não haveria necessidade desta conversa — ele diz, irritado. — Tome cuidado. Ele assombra esta casa como um fantasma dos infernos. Se ele pegar você sozinho... Bom, não deixe que ele pegue você sozinho.

O tom de Daniel é sombrio, sua expressão é pensativa. Seja quem for o lacaio, ele tomou conta do meu eu futuro de uma forma mais perturbadora do que todos os alertas que ouvi. Não é difícil entender o porquê. O Médico da Peste me deu oito dias para solucionar o assassinato de Evelyn e oito hospedeiros para fazer isso. Como Sebastian Bell dormiu depois da meia-noite, eu agora o perdi.

Isso me dá sete dias e sete hospedeiros.

Meu segundo e terceiro hospedeiros foram o mordomo e Donald Davies. A mulher na carruagem não mencionou Davies, o que parece uma omissão curiosa, mas presumo que as mesmas regras se aplicam a ele como com o mordomo. Ambos têm muitas horas antes da meia noite, mas um deles está ferido e outro está desacordado em uma estrada a quilômetros de Blackheath. São praticamente inúteis. Lá se foram os dias dois e três.

Já estou no meu quarto dia, e Ravencourt está se revelando

um fardo em vez de uma bênção. Não sei o que esperar dos meus quatro hospedeiros restantes — ainda que Daniel pareça suficientemente capaz —, mas a sensação é que o Médico da Peste dá as cartas para mim usando um baralho viciado. Se o lacaio realmente conhece cada um dos meus pontos fracos, então que Deus me ajude, porque há vários deles para explorar.

— Me diga tudo que já aprendeu sobre a morte de Evelyn — digo. — Se trabalharmos juntos, podemos resolver isso antes que o lacaio tenha a chance de nos fazer mal.

— A única coisa que eu posso lhe contar é que ela morre pontualmente às onze horas, todas as noites.

— Você com certeza deve saber mais do que isso.

— Muito mais, mas não posso arriscar compartilhar a informação — ele diz, olhando para mim. — Todos os meus planos são construídos em torno de coisas que você vai fazer. Se eu lhe contar algo que vai lhe impedir de fazer essas coisas, não posso ter certeza de que elas vão ter o mesmo desfecho. Você pode cometer um erro no meio de um acontecimento armado em meu favor ou estar em outro lugar quando deveria estar distraindo o sujeito do quarto que estou bisbilhotando. Uma palavra errada pode arruinar todos os meus planos. Este dia precisa se desenrolar como sempre, tanto para o seu bem quanto para o meu. — Ele esfrega a testa, toda sua exaustão parecendo sair do gesto. — Lamento, Ravencourt, o caminho mais seguro é você seguir a sua investigação sem a minha interferência ou a dos outros.

—Muito bem — digo, esperando esconder a minha decepção dele. É uma ideia tola, é claro. Ele é eu. Ele próprio lembra-se dessa decepção. — Mas o fato de que você está me aconselhando a solucionar esse assassinato mostra que você confia no Médico da Peste — digo. — Já descobriu a identidade dele?

— Ainda não — ele diz. — E confiar é uma palavra forte demais. Ele tem o seu próprio objetivo nesta casa, eu tenho certeza disso, mas, até o momento, não vejo nenhum outro caminho a não ser fazer o que ele pede.

— E ele lhe contou por que isso está acontecendo conosco? — pergunto.

Somos interrompidos por uma agitação na porta, nossas cabeças voltando-se ao valete de Ravencourt, que está com a metade do corpo fora do casaco, tentando se desembaraçar das amarras de um longo cachecol lilás. Ele está desgrenhado pelo vento e levemente sem fôlego, suas bochechas inchadas pelo frio.

— Recebi a mensagem de que precisava de mim urgentemente, senhor — ele diz, ainda puxando o cachecol.

— Foi obra minha, meu velho — Daniel diz, habilmente voltando ao personagem. — Você vai ter um dia movimentado pela frente, e achei que Cunningham aqui poderia ser útil. Falando em dias movimentados, eu mesmo preciso ir agora. Tenho um compromisso ao meio-dia com Sebastian Bell.

— Não vou deixar Evelyn à mercê do destino, Daniel — digo.

— Eu também não deixei — ele diz, jogando o cigarro no canteiro e fechando a janela. — Mas o destino a encontrou mesmo assim. Você deve estar preparado para isso.

Ele desaparece com algumas longas passadas, a biblioteca se enchendo de um burburinho de vozes e do ruidoso tilintar da prataria quando ele abre a porta que dá para o escritório e segue seu caminho à sala de visitas. Os convidados vão se reunindo para o almoço, o que significa que Stanwin vai em breve ameaçar a empregada, Lucy Harper, enquanto Sebastian Bell assistirá à cena da janela, sentindo-se um fragmento de um homem. Caçadores vão partir, Evelyn vai pegar um bilhete no poço, e sangue será derramado num cemitério enquanto dois amigos aguardam por uma mulher que nunca chegará. Se Daniel estiver correto, há pouco que eu possa fazer para alterar o andamento do dia, mas que o diabo me carregue se vou para a cama antes disso. O enigma do Médico da Peste pode ser a minha saída desta casa, mas não vou pisar no cadáver de Evelyn para escapar. Eu pretendo salvá-la, custe o que custar.

— Como posso ajudar, senhor?

— Traga papel, uma caneta e tinta, pode ser? Preciso escrever uma coisa.

— É claro — ele diz, buscando os itens em sua maleta.

Minhas mãos são desajeitadas demais para uma caligrafia elaborada, mas, em meio à tinta derramada e aos feios borrões, a mensagem pode ser lida com clareza suficiente.

Eu confiro o relógio: onze e cinquenta e seis. Está quase na hora.

Depois de arejar o papel para secar a tinta, dobro-o cuidadosamente e aperto o vinco, entregando-o para Cunningham.

— Pegue — digo, observando os traços de oleosa sujeira preta em suas mãos quando ele estende a mão em direção à carta. Sua pele está rosada de tanto esfregar, mas a sujeira está impregnada ao redor das unhas. Percebendo a minha atenção, ele pega a carta e põe as mãos fechadas atrás das costas.

— Preciso que vá diretamente à sala de visitas onde estão servindo o almoço — digo. — Fique lá e observe os acontecimentos conforme forem se desenrolando, e então leia esta carta e a devolva para mim.

A confusão estampa o seu rosto.

— Senhor?

— Em breve vamos ter um dia muito estranho, Cunningham, e vou precisar da sua mais absoluta confiança.

Eu aceno ignorando os seus protestos, gesticulando para que ele me ajude a levantar do assento.

— Faça o que pedi — digo, colocando-me em pé com um grunhido. — Depois venha aqui e me aguarde.

Quando Cunningham vai para a sala de visitas, pego minha bengala e vou para o solário na esperança de encontrar Evelyn. Chegando lá cedo, o lugar está apenas parcialmente cheio, com moças servindo-se de bebidas no bar, definhando sobre poltronas e divãs. Tudo parece ser um enorme esforço para elas, como se o pálido viço da juventude fosse um fardo, suas energias se esgotando. Elas murmuram sobre Evelyn, reverberações de risos feios dirigidos à mesa de xadrez no canto, onde um jogo está diante dela. Ela não tem adversário, sua concentração está fixada em ser mais esperta do que si. Qualquer que seja o desconforto que tentam impingir a ela, ela parece alheia a isso.

— Evie, podemos conversar? — digo, mancando.

Ela ergue a cabeça devagar, levando um momento para me reconhecer. Assim como ontem, seus cabelos loiros estão amarrados em um rabo de cavalo, repuxando os traços em uma expressão descarnada e um tanto severa. Ao contrário de ontem, a expressão não se suaviza.

— Não, acho que não, Lord Ravencourt — ela diz, voltando suas atenções ao tabuleiro. — Já tenho coisas desagradáveis o suficiente para fazer hoje sem precisar ampliar a lista.

O riso sussurrado transforma o meu sangue em pó. Eu fraquejo de dentro para fora.

— Por favor, Evie, é...

— É Srta. Hardcastle, Lord Ravencourt — ela diz, mordaz. — Os modos fazem o homem, não sua conta bancária.

Um poço de humilhação se abre em meu estômago. Este é o pior pesadelo de Ravencourt. Parado nesta sala, com uma dúzia de olhares em cima de mim, sinto-me como um cristão esperando as primeiras pedras serem jogadas.

Evelyn me analisa, estou suando e tremendo. Seus olhos se apertam, brilhando.

— Sabe o que mais? Jogue comigo — ela diz, tamborilando o tabuleiro. — Se o senhor ganhar, vamos ter a conversa; se eu ganhar, o senhor me deixa em paz pelo resto do dia. O que lhe parece?

Sabendo se tratar de uma armadilha, mas sem condições de reclamar, enxugo o suor da testa e me acomodo à força na pequena cadeira em frente a ela, para o prazer das moças reunidas. Ela poderia ter me forçado a uma guilhotina que teria sido mais confortável. Eu me derramo pelos lados do assento, o encosto baixo oferecendo tão pouco apoio que tremo com o esforço de manter a postura.

Impassível ao meu sofrimento, Evelyn cruza os braços sobre a mesa e movimenta um peão no tabuleiro. Eu o acompanho com a torre, com o arranjo do meio-jogo desenrolando-se em minha mente. Embora seja um duelo equilibrado, o desconforto está cavando buracos em minha concentração, minhas táticas revelam-se muito desarrumadas para subjugar Evelyn. O melhor que posso fazer é prolongar a partida, e depois de meia hora de contragolpes e simulações, minha paciência se esgota.

— Sua vida está em risco — eu deixo escapar.

Os dedos de Evelyn param sobre o peão, um pequeno tremor na sua mão soando alto como um sino. Os olhos dela rodeiam o meu rosto e, em seguida, o das moças atrás de nós, procurando qualquer pessoa que possa ter ouvido. Elas estão frenéticas, se esforçando para apagar o momento da história.

Ela já sabe.

— Achei que tivéssemos um acordo, Lord Ravencourt — ela interrompe, sua expressão novamente se fechando.

— Mas...

— O senhor prefere que eu saia? — ela diz, seu olhar estrangulando quaisquer tentativas futuras de conversa.

Seguem-se lances após lances, mas estou tão perplexo com sua resposta que dedico pouca cautela à estratégia. Evelyn parece estar ciente disso e, mesmo assim, o seu maior medo é que alguém possa descobrir. Por mais que eu me esforce, não consigo imaginar o porquê disso e é claro que ela não vai abrir seu coração para Ravencourt. O desprezo dela por esse homem é absoluto, o que significa que, se eu desejo salvar a sua vida, vou precisar ou assumir um rosto do qual ela gosta ou seguir em frente sem a ajuda dela. É uma enfurecedora sequência de acontecimentos e estou desesperadamente tentando encontrar uma maneira de reformular o meu argumento quando Sebastian Bell aparece à porta, provocando a mais esquisita das sensações.

Sem dúvida este homem sou eu, mas, ao observá-lo entrar no quarto como um camundongo ao longo de um rodapé, eu custo a acreditar. Suas costas estão encurvadas, a cabeça baixa, os braços tensos ao seu lado. Olhares furtivos acompanham cada passo, seu mundo aparentemente repleto de pontas afiadas.

— Minha avó, Heather Hardcastle — diz Evelyn, observando-o examinar um retrato na parede. — Não é uma foto muito elogiosa, mas ela não era uma mulher elogiosa, em todo caso.

— Perdão— diz Bell. — Eu estava...

A conversa deles se sucede exatamente como a de ontem, o interesse dela por essa frágil criatura provocando uma pontada de ciúmes em mim, embora esta não seja minha principal preocupação. Bell está repetindo o meu dia com exatidão e ainda acredita que está tomando suas decisões livremente, como eu acreditei. É provável então que eu esteja seguindo cegamente um plano tramado por Daniel, o que faz de mim... O quê? Um eco, uma memória ou apenas um pedaço de madeira arrastado pela correnteza?

Derrube o tabuleiro, mude este momento. Prove que você é único.

Minha mão se estende, mas a ideia da reação de Evelyn, o seu desprezo, o riso das moças reunidas é demais. A vergonha me incapacita, e eu recolho a mão. Haverá outras oportunidades, eu preciso me manter alerta para elas.

Completamente desmoralizado e com uma derrota inevitável, eu apresso os últimos lances, colocando meu rei diante da espada com inadequada pressa antes de sair cambaleando da sala, a voz de Sebastian Bell diminuindo atrás de mim.

15

Conforme solicitado, Cunningham aguarda por mim na biblioteca. Ele está sentado na beira de uma cadeira, a carta que dei a ele desdobrada e tremendo levemente em sua mão. Ele se levanta quando entro, mas, em minha ânsia de deixar o solário para trás, movimentei-me rápido demais. Posso ouvir minha respiração, com sibilantes rajadas desesperadas saindo dos meus pulmões sobrecarregados.

Ele não se arrisca a ajudar.

— Como sabia o que aconteceria no salão de visitas? — ele pergunta.

Eu tento responder, mas não há espaço suficiente para acomodar as palavras e o ar em minha boca. Eu escolho o último, devorando-o com o mesmo apetite que todas as outras coisas na vida de Ravencourt, enquanto olho para o escritório. Esperava pegar o Médico da Peste conversando com Bell, mas minha tentativa vã de avisar Evelyn arrastou-se por mais tempo do que eu esperava.

Talvez eu não devesse estar surpreso.

Como vi na estrada para a vila, o Médico da Peste parece saber onde eu estarei e quando estarei, certamente marcando o tempo das suas aparições para que eu não possa armar-lhe uma emboscada.

— Aconteceu exatamente como o senhor descreveu — Cunningham continua, encarando o papel, incrédulo. — Ted Stanwin insultou a empregada e Daniel Coleridge interveio. Eles até mesmo falaram as palavras que o senhor escreveu. Falaram *exatamente* aquilo.

Eu poderia explicar, mas ele ainda não chegou à parte que o incomoda. Em vez disso, vou mancando até a poltrona, abaixando-

-me na almofada com uma grande quantidade de esforço. Minhas pernas pulsam com lamentável gratidão.

— Foi um truque? — ele pergunta.
— Truque nenhum. — digo.
— E isso aqui... A última linha, onde o senhor diz...
— Sim.
— ... que não é Lord Ravencourt.
— Não sou Ravencourt — digo.
— Não é?
— Não sou. Pegue uma bebida, você está com o rosto um pouco pálido.

Ele faz o que eu digo, a obediência aparentemente sendo a única parte dele que ainda não ergueu as mãos desistindo. Ele volta trazendo um copo com alguma coisa e se senta, bebendo, seus olhos jamais deixando os meus, as pernas apertadas uma contra a outra, os ombros encurvados.

Eu conto tudo a ele, do assassinato na floresta e o meu primeiro dia como Bell até a estrada infinita e minha conversa recente com Daniel. A dúvida brilha em seu rosto, mas, cada vez que ela parece ter uma posição firme, ele desvia o olhar para a carta.

— Você precisa de outra bebida? — pergunto, gesticulando ao seu copo pela metade.
— Se você não é Lord Ravencourt, onde ele está?
— Eu não sei.
— Ele está vivo?

Ele mal consegue fazer contato visual.

— Você iria preferir que ele não estivesse? — pergunto.
— Lord Ravencourt tem sido bom para mim — ele diz, a raiva lampejando em seu rosto.

Isso não responde à pergunta.

Eu olho para Cunningham novamente. Olhar abatido e mãos sujas, uma tatuagem desbotada de um passado conturbado. Num lampejo de intuição, percebo que ele está com medo, mas não do que lhe contei. Está com medo do que alguém que já viu este dia possa saber. Está escondendo algo, tenho certeza.

— Preciso da sua ajuda, Cunningham — digo. — Tenho muito

a fazer e, enquanto estiver preso em Ravencourt, não tenho pernas para nada disso.

Esvaziando seu copo, ele se levanta. A bebida pintou duas marcas de coloração em suas bochechas e, quando ele fala, sua voz goteja com a coragem do álcool.

— Vou me despedir agora e voltar ao serviço amanhã quando Lord Ravencourt... — ele para, refletindo sobre a palavra correta — retornar.

Ele se curva rigidamente antes de ir em direção à porta.

— Você acha que ele vai lhe aceitar de volta quando souber do seu segredo? — digo abruptamente, uma ideia que cai em minha cabeça como uma pedra em um lago. Se eu estiver certo e Cunningham estiver escondendo algo, pode ser vergonhoso o bastante para usar como vantagem.

Ele para imediatamente ao lado da minha cadeira, seus punhos apertados.

— O que quer dizer? — ele diz, me encarando de frente.

— Olhe embaixo da almofada onde você estava sentado — digo, tentando esconder a tensão em minha voz. A lógica do que estou tentando é sólida, mas isso não significa que irá funcionar de verdade.

Ele olha de relance para a poltrona, e então novamente para mim. Sem dizer nada, ele faz o que eu peço, descobrindo um pequeno envelope branco. O triunfo faz um sorriso se contorcer em meus lábios quando ele o abre rasgando, seus ombros se encolhendo.

— Como ficou sabendo? — ele diz com a voz rouquejando.

— Eu não fiquei sabendo de coisa alguma, mas, quando acordar no meu próximo hospedeiro, vou me dedicar ao trabalho de desvendar o seu segredo. Então, vou voltar a este lugar e pôr a informação no envelope para você encontrá-lo. Se esta conversa não tiver o resultado que espero, vou pôr o envelope onde outros convidados possam achá-lo.

Ele bufa para mim, o seu desprezo é um tapa na cara.

— Você pode não ser Ravencourt, mas soa exatamente como ele.

A ideia é tão espantosa que momentaneamente me deixa em silêncio. Até agora eu havia aceitado que minha personalidade — seja ela qual for — era carregada em cada novo hospedeiro, enchendo-os como moedas enchem bolsos, mas e se eu estivesse errado?

Nenhum dos meus antigos hospedeiros teria pensado em chantagear Cunningham, muito menos teria estômago para levar a cabo a ameaça. Na verdade, olhando em retrospecto para Sebastian Bell, Roger Collins, Donald Davies e agora Ravencourt, consigo ver pouco no comportamento deles que possa sugerir uma mesma mão trabalhando. Será que estou me dobrando à vontade deles, ao invés do contrário? Se assim for, preciso ter cautela. Uma coisa é estar aprisionado a essas pessoas, outra bastante diferente é deixar-se levar por inteiro pelos desejos delas. Meus pensamentos são interrompidos por Cunningham, que está ateando fogo ao canto da carta com um isqueiro que tirou do bolso.

— O que você quer de mim? — ele diz com uma voz severa e monocórdia, jogando o papel em chamas na lareira.

— Quatro coisas, inicialmente — digo, contando-as com meus dedos grossos. — Primeiro, preciso que você encontre um velho poço perto da estrada para a vila. Vai haver um bilhete enfiado em uma rachadura nas suas pedras. Leia, ponha de volta e retorne trazendo a mensagem para mim. Faça isso rápido, o bilhete não estará mais lá dentro de uma hora. Segundo, você precisa encontrar a fantasia de médico da peste sobre a qual eu lhe perguntei antes. Terceiro, quero que você espalhe o nome Anna por Blackheath como se fosse confete. Que saibam que Lord Ravencourt está procurando por ela. Finalmente, preciso que você se apresente para Sebastian Bell.

— Sebastian Bell, o médico?

— Ele mesmo.

— Por quê?

— Porque me lembro de ter sido Sebastian Bell, mas não me lembro de ter conhecido você — digo. — Se alterarmos isso, significa que provarei para mim mesmo que algo mais pode ser alterado hoje.

— A morte de Evelyn Hardcastle?
— Precisamente.

Soltando um longo suspiro, Cunningham se vira para me olhar. Ele parece diminuído, como se nossa conversa fosse um deserto que ele havia passado a semana inteira atravessando.

— Se eu fizer essas coisas, posso esperar que o conteúdo desta carta ficará entre nós? — ele pergunta, a expressão em seu rosto transmitindo mais esperança do que expectativa.

— Pode, você tem a minha palavra.

Eu estendo uma mão suada.

— Então parece que não tenho escolha — ele diz, apertando-a firmemente, apenas um mínimo sinal de repulsa aparecendo em seu rosto.

Ele parte com pressa, provavelmente temeroso de ser sobrecarregado com mais tarefas caso se demore. Em sua ausência, o ar úmido parece pousar sobre mim, penetrando em minhas roupas e meus ossos. Julgando a biblioteca desanimada demais para permanecer, esforço-me para sair do assento, usando minha bengala para me erguer. Eu atravesso o escritório em direção ao gabinete de Ravencourt, onde vou me acomodar em antecipação ao meu encontro com Helena Hardcastle. Se ela estiver planejando assassinar Evelyn esta noite, então, juro por Deus, hei de arrancar isso dela.

A casa está quieta, os homens estão lá fora caçando e as mulheres bebendo no solário. Até mesmo os criados desapareceram, dispersando-se escadaria abaixo para preparar o baile. No rastro deles, um grande silêncio pairou, minha única companhia sendo a chuva tocando as janelas, exigindo que a deixem entrar. Bell sentiu falta do barulho, mas, como alguém em sintonia fina com a malícia dos outros, Ravencourt acha o silêncio reanimador. É como arejar um quarto com cheiro de mofo.

Passos pesados atrapalham meu devaneio, cada um deles calculado e devagar, como se determinados a chamar minha atenção. Cheguei até a sala de jantar, onde uma longa mesa de carvalho é observada pelas cabeças empalhadas de feras abatidas há tempos, o pelo desbotado e carregado de poeira. A sala está vazia, e ainda assim os passos parecem estar por toda parte, imitando meu andar manco.

Eu endureço e paro, o suor forma gotas em meu cenho.

Os passos param na sequência.

Apalpando a minha testa, olho nervoso ao redor, desejando que o abridor de cartas de Bell estivesse à mão. Soterrado pelas carnes vagarosas de Ravencourt, sinto-me como um homem arrastando uma âncora. Não posso nem correr, nem lutar, e mesmo que pudesse, golpearia o ar. Estou bastante sozinho.

Depois de uma breve hesitação, começo a caminhar novamente, aqueles passos fantasmagóricos me acompanhando. Eu paro subitamente, e eles param comigo, uma risadinha sinistra saindo das paredes. Meu coração está martelando, pelos se eriçam em meus braços conforme o medo me faz ir aos solavancos à segurança do hall de entrada, visível através da porta da sala de visitas. Por ora, os passos não se preocupam mais em me imitar; eles dançam, aquela risada parece vir de todas as direções.

Estou ofegante ao chegar ao arco da porta, cegado pelo suor e andando tão rápido que corro o risco de tropeçar em minha própria bengala. Ao passar para o hall de entrada, o riso para abruptamente, um sussurro me afugentando:

— Vamos nos encontrar em breve, coelhinho.

16

Dez minutos depois, o sussurro já se foi há tempos, mas o terror que ele provocou ainda ecoa. Não foram as palavras em si, mas a alegria que tinham. Aquele aviso foi uma entrada para o sangue e a dor que estão por vir, e somente um tolo não veria o lacaio por trás disso.

Levantando minha mão, eu a examino para ver o quão forte ela treme e, decidindo que estou moderadamente recuperado, sigo até o meu quarto. Dou apenas um ou dois passos quando um soluço chama minha atenção para a escuridão de uma porta aberta nos fundos do hall. Por um minuto inteiro, me demoro nas suas proximidades, examinando a obscuridade, temendo uma armadilha. Certamente o lacaio não tentaria algo tão cedo assim, nem invocaria esses comoventes soluços de tristeza que estou ouvindo agora. A empatia me força a dar um hesitante passo à frente, e me deparo com uma galeria estreita adornada com retratos da família Hardcastle. Gerações definham nas paredes, os atuais incumbentes de Blackheath pendurados perto da porta. Lady Helena Hardcastle está regiamente sentada ao lado do marido em pé, ambos com cabelos e olhos castanhos, lindamente sobranceiros. Ao lado deles, há retratos das crianças, Evelyn diante da janela, mexendo na barra de uma cortina, aguardando a chegada de alguém, enquanto Michael tem uma perna jogada sobre o braço da poltrona onde está sentado, um livro jogado ao chão. Ele parece entediado, brilhando com uma energia inquieta. No canto de cada retrato, há uma assinatura salpicada; a de Gregory Gold, se não estou enganado. A memória do espancamento do mordomo pelas mãos do artista ainda está fresca e me vejo apertando a minha bengala, sentindo o gosto de sangue em minha boca mais uma vez. Evelyn me contou que trouxeram Gold para Blackheath a fim de retocar os retratos e posso ver o porquê. O homem pode ser insano, mas é talentoso.

Mais um soluço surge do canto da galeria.

Não há janelas na galeria, somente lamparinas a óleo queimando, e o lugar é tão escuro que preciso forçar a vista para localizar a empregada encolhida nas sombras, chorando sobre um lenço ensopado. O tato aconselharia uma aproximação silenciosa, mas Ravencourt é mal equipado para a discrição. Minha bengala raspa o chão, o som da minha respiração correndo à frente, anunciando minha presença. Ao me ver, a empregada se apruma rapidamente, a touca caindo e o cabelo ruivo encaracolado se soltando.

Eu a reconheço imediatamente. Esta é Lucy Harper, a empregada que Ted Stanwin maltratou no almoço e a mulher que me ajudou lá embaixo, na cozinha, quando acordei como o mordomo. A lembrança dessa gentileza ainda ecoa dentro de mim, uma calorosa onda de piedade molda as palavras em minha boca.

— Perdão, Lucy, eu não quis lhe assustar — digo.

— Não, senhor, não é... Eu não deveria... — Ela lança o olhar ao redor buscando uma saída, perdendo-se ainda mais nas regras de etiqueta.

— Eu ouvi o seu choro — digo, tentando enfiar um sorriso simpático em meu rosto. É algo muito difícil de conseguir com a boca de outra pessoa, principalmente quando há tanta carne em volta para mover.

— Ah, senhor, não é preciso... Foi minha culpa. Eu cometi o erro no almoço — ela diz, enxugando as últimas das suas lágrimas.

— Ted Stanwin lhe tratou de uma maneira atroz — digo, surpreso pelo espanto que cresce em seu rosto.

— Não, o senhor não deve dizer isso — ela diz com a voz saltando uma oitava inteira. — Ted, o Sr. Stanwin, quero dizer, ele tem sido bom para nós, os criados. Sempre nos tratou direito, tratou, sim. Ele apenas... agora ele é um cavalheiro, não pode ser visto como...

Ela está prestes a chorar de novo.

— Eu entendo — digo apressadamente. — Ele não quer que os outros convidados o tratem como um criado.

Um sorriso engole o seu rosto.

— É isso, senhor, é isso mesmo. Eles nunca teriam pego Charlie Carver se não fosse por Ted, mas os outros cavalheiros ainda olham para ele como se ele fosse um de nós. Não Lord Hardcastle, no entanto, ele o chama de Sr. Stanwin e tudo mais.

— Bom, contanto que você esteja bem — digo, sendo pego de surpresa pelo orgulho em sua voz.

— Estou, senhor, estou, sim — ela diz com sinceridade, suficientemente encorajada para recolher a touca do chão. — Preciso voltar, eles vão perguntar aonde eu fui.

Ela dá um passo em direção à porta, mas é lenta demais para evitar que eu lance uma pergunta em seu caminho.

— Lucy, você conhece alguém chamada Anna? — pergunto. — Eu estava pensando que ela poderia ser uma criada.

— Anna? — ela hesita, colocando todo o peso de seu pensamento no problema. — Não, senhor, não posso dizer que conheço.

— Alguma das empregadas está agindo de um jeito estranho?

— Ora, o senhor não vai acreditar, mas é a terceira pessoa que me faz essa pergunta hoje — ela diz, torcendo um cacho do seu cabelo encaracolado ao redor do dedo.

— A terceira?

— Sim, senhor, a Sra. Derby estava lá embaixo na cozinha, não faz nem uma hora, perguntando a mesma coisa. Ela nos deu um susto e tanto. Uma madame de berço dessas descendo lá embaixo, nunca vi coisa assim.

Minha mão aperta a bengala. Seja quem for essa Sra. Derby, ela está agindo de forma estranha e fazendo as mesmas perguntas que eu. Talvez eu tenha conhecido mais um dos meus rivais.

Ou outro hospedeiro.

A sugestão me faz corar, a familiaridade de Ravencourt com as mulheres se estende só até o reconhecimento da existência delas no mundo. A ideia de se tornar uma é tão ininteligível a ele como passar um dia respirando água.

— O que você pode me dizer sobre a Sra. Derby? — pergunto.

— Não muito, senhor — Lucy diz. — É uma senhora de mais idade, língua afiada. Eu gostei dela. Não sei se isso quer dizer alguma coisa, mas tinha um lacaio também. Apareceu minutos depois da Sra. Derby fazendo a mesma pergunta: alguma criada agindo de um jeito esquisito?

Minha mão aperta o apoio da bengala ainda mais forte, e tenho que morder a língua para não praguejar.

— Um lacaio? — digo. Como ele se parecia?

— Cabelo loiro, alto, mas... — ela divaga, parecendo encrencada. — Não sei, cheio de si. Provavelmente trabalha para um cavalheiro, senhor, eles ficam desse jeito, com ares de importante. Tinha um nariz quebrado, todo roxo, como se fosse recente. Acho que alguém se sentiu ofendido por ele.

— O que você disse para ele?

— Não fui eu quem disse, senhor, foi a Sra. Drudge, a cozinheira. Ela disse a mesma coisa que tinha dito para a Sra. Derby, que os criados estavam bem, eram os convidados que estavam... — ela fica corada. — Ah, me perdoe, senhor, eu não quis...

— Não se preocupe, Lucy, acho a maioria das pessoas nesta casa tão peculiares como você acha. O que elas andaram fazendo?

Ela sorri, seus olhos fitando as portas, com culpa. Quando ela volta a falar, sua voz é baixa quase a ponto de ser abafada pelo rangido das tábuas do piso.

— Bom, esta semana a Srta. Hardcastle estava lá fora na floresta com a camareira dela, a francesa, o senhor tem que ouvi-la falar, é *quelle* isso e *quelle* aquilo. Alguém atacou as duas perto da antiga cabana de Charlie Carver. Um dos convidados, aparentemente, mas elas não querem dizer quem foi.

— Foram atacadas, você tem certeza? — digo, recordando a minha manhã como Bell e a mulher que vi fugir pela floresta. Eu presumi ser Anna, mas e se eu estiver errado? Não seria a primeira suposição que me pega no contrapé em Blackheath.

— É o que disseram, senhor — ela diz, ficando tímida diante da minha ansiedade.

— Acho que preciso conversar com essa empregada francesa, qual é o nome dela?

— Madeline Aubert, senhor, mas eu prefiro que o senhor não revele quem lhe contou. Estão mantendo silêncio sobre isso.

Madeline Aubert. Essa é a empregada que deu o bilhete a Bell no jantar ontem à noite. Na confusão dos acontecimentos recentes, me esqueci totalmente do braço dilacerado dele.

— Minha boca está fechada, Lucy, obrigado — digo, imitando a ação. — Mesmo assim, eu preciso falar com ela. Você poderia passar a informação de que estou procurando por ela? Não é necessário dizer o porquê, mas há uma recompensa para vocês duas se ela vier ao meu gabinete.

Ela me olha desconfiada, mas concorda rápido o bastante, saindo em disparada antes que eu possa largar mais promessas em volta do seu pescoço.

Se Ravencourt fosse fisicamente apto, eu daria um pulo de felicidade ao sair da galeria. Qualquer que seja a apatia que Evelyn sente por Ravencourt, ela ainda é minha amiga e minha intenção ainda é salvá-la. Se alguém a ameaçou na floresta hoje de manhã, não é exagero supor que a mesma pessoa irá participar do seu assassinato à noite. Preciso fazer tudo a meu dispor para interceptá-lo, e a esperança é de que essa Madeline Aubert possa ajudar. Vai saber, a esta altura amanhã posso ter o nome do assassino em mãos e, se o Médico da Peste honrar a sua proposta, posso escapar da casa com hospedeiros sobrando.

Esse júbilo persiste apenas pela duração do corredor, meu assobio fraquejando a cada passo longe do brilho do hall de entrada. A presença do lacaio transformou Blackheath, suas sombras saltitantes e pontos cegos povoam minha imaginação com uma centena de mortes terríveis pelas suas mãos. Cada barulhinho é o suficiente para fazer meu coração já sobrecarregado disparar. No momento em que chego ao meu gabinete, estou ensopado de suor, um nó em meu peito.

Fechando a porta, dou um longo suspiro trêmulo. Nesse ritmo, o lacaio não vai precisar me matar, a minha saúde vai ceder primeiro.

O gabinete é uma linda peça, com um divã e uma poltrona sob um candelabro refletindo as chamas de um fogo ardente. Um aparador está abastecido com bebidas e utensílios, frutas fatiadas, bíter e gelo parcialmente derretido. Ao lado disso, há uma vacilante pilha de sanduíches de rosbife, a mostarda escorrendo pelas suas pontas aparadas. Meu estômago me arrastaria até a comida, mas o meu corpo está desabando em cima de mim. Preciso descansar.

A poltrona recebe o meu peso com mau humor, suas pernas se curvam com a tensão. A chuva bate nas janelas, o céu está machucado com manchas roxas e negras. Seriam estes os mesmos pingos que caíram ontem, as mesmas nuvens? Os coelhos cavam as mesmas tocas, perturbando os mesmos insetos? Os mesmos pássaros traçam as mesmas rotas, espatifando-se nas mesmas janelas? Se isso for uma armadilha, que tipo de presa é digna disto?

— Uma bebida cairia bem — eu murmuro, massageando minhas têmporas pulsantes.

— Aqui está — diz uma mulher diretamente atrás de mim, a bebida chegando por sobre meu ombro em uma mão pequena, de dedos ossudos e calejados. Eu tento me virar, mas há Ravencourt demais para pouco assento.

A mulher sacode o copo impacientemente, chacoalhando o gelo dentro dele.

— Você deveria beber isto antes que o gelo derreta — ela diz.

— Queira me desculpar se estou desconfiado ao aceitar uma bebida de uma mulher que não conheço — respondo.

Ela desce os lábios próximos ao meu ouvido, sua respiração quente em meu pescoço.

— Mas você me conhece — ela sussurra. — Eu estava na carruagem com o mordomo. Meu nome é Anna.

— Anna! — digo, tentando me erguer da poltrona.

A sua mão é como uma bigorna em meu ombro, empurrando-me de volta para as almofadas.

— Não se preocupe, quando você se levantar eu já terei ido — ela diz. — Vamos nos encontrar em breve, mas preciso que pare de procurar por mim.

— *Parar* de procurar, por quê?

— Porque você não é o único que está procurando — ela diz, afastando-se um pouco. — O lacaio também está na minha caça, e ele sabe que estamos trabalhando juntos. Se você continuar procurando, vai fazer com que ele venha direto a mim. Nós dois estaremos mais seguros enquanto eu estiver escondida, então pode recolher os cachorros.

Sinto sua presença recuar, os passos se movendo em direção à porta mais distante.

— Espere — eu exclamo. — Você sabe quem eu sou, ou por que estamos aqui? Por favor, deve haver algo que você possa me contar.

Ela para, refletindo.

— A única lembrança com a qual acordei foi um nome — ela diz. — Acho que era o seu.

Minhas mãos apertam os braços da poltrona.

— Qual? — pergunto.

— Aiden Bishop — ela responde. — Agora, eu fiz o que você pediu, então faça o que eu lhe peço. Pare de me procurar.

17

— Aiden Bishop — digo, enrolando a língua em volta das vogais.
— Aiden... Bishop. Aiden, Aiden, Aiden.

Fiquei tentando diferentes combinações, entonações e reproduções do meu nome pela última meia hora, na expectativa de fisgar alguma lembrança na minha mente teimosa. Até agora, só o que consegui foi ficar com a boca seca. É uma maneira frustrante de passar o tempo, mas tenho poucas alternativas. O horário da uma e meia já veio e já passou, sem palavra de Helena Hardcastle para explicar sua ausência. Chamei uma empregada para buscá-la, mas fui informado de que ninguém havia visto a senhora da casa desde a manhã. A maldita mulher desapareceu.

Para piorar, nem Cunningham nem Madeline Aubert me visitaram. Ainda que eu dificilmente esperasse que a camareira de Evelyn fosse atender os meus chamados, Cunningham há horas não aparece. Não consigo imaginar o que está lhe atrasando, mas estou ficando impaciente. Temos tanto a fazer, e resta tão pouco tempo para isso.

— Olá, Cecil — diz uma voz rouca. — Helena ainda está aqui? Ouvi que vocês iam se encontrar.

Parada na porta há uma mulher idosa acobertada por um enorme casaco vermelho, chapéu e galochas respingadas de lama que quase chegam aos seus joelhos. Sua face está corada de frio, e uma careta se congela em seu rosto.

— Não a vi, infelizmente — digo. — Ainda estou esperando por ela.

— Você também, hein? Essa mulher maldita ficou de me encontrar no jardim; em vez disso, me deixou uma hora batendo queixo num banco — ela diz, dando passos fortes até o fogo. Ela veste tantas camadas de roupa que uma fagulha a consumiria como num funeral viking.

— Eu me pergunto onde é que ela se meteu? — ela diz, puxando as luvas e as atirando na poltrona ao meu lado. — Não é como se houvesse muita coisa para fazer em Blackheath. Aceita uma bebida?

— Ainda tenho esta aqui. — digo, acenando meu copo em sua direção.

— Você está fazendo o certo. Eu coloquei na cabeça que ia dar um passeio, mas quando voltei não consegui fazer ninguém abrir a porta. Fiquei batendo nas janelas durante meia hora, sem um criado à vista. A coisa toda é categoricamente americana.

Os decânteres raspam saindo dos seus suportes, os copos batem na madeira. O gelo tilinta contra o vidro, estalando quando o álcool é derramado sobre ele. Há uma efervescência, um gratificante "plop" e um longo suspiro de prazer da senhora.

— Isso é coisa boa — ela diz, mais uma rodada de vidros tilintando, sugerindo que o primeiro foi um aquecimento. — Eu disse a Helena que esta festa era uma ideia terrível, mas ela não quis escutar e veja agora: Peter está escondido na portaria, Michael está segurando a festa pela ponta dos dedos e Evelyn está provando roupas. A coisa toda vai ser um desastre, pode escrever.

Com a bebida na mão, a senhora idosa volta à sua posição em frente ao fogo. Ela encolheu magnificamente depois de se desfazer de algumas camadas, revelando bochechas e mãozinhas rosadas, uma massa de cabelos grisalhos correndo indomáveis em sua cabeça.

— O que é isto aqui afinal? — ela diz, levantando um cartão branco no lintel da lareira. — Você ia escrever para mim, Cecil?

— Perdão?

Ela me entrega o cartão, uma mensagem simples escrita no anverso.

Conheça Millicent Derby

A.

É obra de Anna, sem dúvida.

Primeiro as luvas queimadas, agora apresentações. Por mais estranho que seja ter alguém atirando migalhas de pão ao longo do meu dia, é bom saber que tenho uma amiga neste lugar, ainda que isso ponha um fim à minha teoria sobre a Sra. Derby ser uma das minhas rivais ou mesmo outra hospedeira. Esta senhora é muito ela mesma para ser outra pessoa por trás.

Então por que ela estava bisbilhotando na cozinha, fazendo perguntas sobre as empregadas?

— Pedi para Cunningham convidá-la para tomar um drinque — digo suavemente, dando um gole em meu uísque. — Ele deve ter se distraído ao escrever o recado.

— É o que acontece quando se confia tarefas importantes às classes mais baixas. — Millicent torce o nariz, caindo sobre uma poltrona próxima. — Pode escrever, Cecil, um dia você vai descobrir que ele limpou todas as suas contas e deu no pé com uma de suas empregadas. Veja aquele odioso Ted Stanwin. Ele circulava por este lugar como se fosse uma brisa quando era jardineiro, agora parece que é dono do lugar. Que audácia.

— Stanwin é um sujeito repreensível, concordo, mas tenho uma queda pelos empregados da casa — digo. — Eles me trataram com uma enorme gentileza. Além do mais, ouvi que você esteve lá embaixo na cozinha mais cedo hoje, então não pode achar todos ruins.

Ela acena com o copo na minha direção, sacudindo o uísque para a minha objeção.

— Ah, isso, sim... — ela desconversa, sorvendo o uísque para ganhar tempo. — Acho que uma das empregadas roubou alguma coisa do meu quarto, foi só isso. É como eu digo, nunca se sabe o que está acontecendo às escondidas. Você se lembra do meu marido?

— Vagamente — respondo, admirando a elegância com a qual ela mudou de assunto. O que quer que ela estivesse fazendo na cozinha, duvido que tenha algo a ver com roubo.

— Foi a mesma coisa — ela torce o nariz. — Criação pavorosa de classe baixa, e mesmo assim construiu mais de quarenta tecelagens sem ser nada além de um completo asno. Em cinquenta anos de casamento, não sorri até o dia em que o enterrei, e não parei desde então.

Ela é interrompida por um som de ranger no corredor, seguido pelo guincho de dobradiças.

— Talvez seja Helena — diz Millicent, saindo da poltrona. — O quarto dela fica aqui ao lado.

— Achei que os Hardcastle estavam na portaria.

— Peter fica na portaria — ela diz, erguendo uma sobrancelha. — Helena fica aqui. Insistiu para ficar, é o que todos dizem. Nunca foi um bom casamento, mas está se desintegrando rapidamente. Vou lhe dizer, Cecil, valeu a pena vir aqui só pelo escândalo.

A velha vai ao corredor chamando pelo nome de Helena, e então fica repentinamente em silêncio.

— Mas que diabo... — ela murmura, antes de pôr a cabeça em meu gabinete novamente. — Levante-se, Cecil — ela diz, nervosa. — Tem algo estranho acontecendo.

A preocupação me arrasta até o corredor, onde a porta do quarto de Helena range para a frente e para trás com uma brisa. A fechadura foi arrebentada, lascas de madeira esmagadas sob os pés.

— Alguém arrombou a porta — Millicent sussurra, colocando-se atrás de mim.

Usando minha bengala, empurro lentamente a porta até abri-la totalmente, permitindo que nós dois possamos espiar lá dentro.

O quarto está vazio e esteve assim por um tempo, ao que parece. As cortinas ainda estão fechadas, a luz entregue em segunda mão pelas lamparinas perfiladas no corredor. Uma cama com dossel está cuidadosamente arrumada, um toucador está abarrotado de cremes faciais, pós e cosméticos de toda sorte.

Satisfeita ao ver que o local está seguro, Millicent aparece atrás de mim, com um olhar frio que pode ser melhor descrito como um beligerante pedido de desculpas, antes de dar a volta pela cama para abrir as cortinas, banindo a escuridão.

A única coisa que foi remexida foi uma escrivaninha de nogueira com um tampo retrátil, cujas gavetas estão abertas. Entre os potes de tinta, envelopes e fitas jogados em cima dela, há um grande estojo laqueado com dois vãos em formato de revólveres na almofada. Os revólveres em si não estão em nenhum lugar à vista, embora eu suspeite que Evelyn tenha levado um deles para o cemitério. Ela de fato disse que pertenciam a sua mãe.

— Bom, pelo menos nós sabemos o que eles queriam — diz Millicent batendo os dedos no estojo. — Não faz nenhum sentido, no entanto. Se alguém queria uma arma, poderia ter roubado facilmente nos estábulos. Há dezenas de armas lá. Ninguém daria falta.

Empurrando o estojo para o lado, Millicent descobre uma agenda e começa a folhear as páginas abarrotadas, percorrendo o dedo por reuniões e eventos, por lembretes e anotações. O conteúdo sugere uma vida ocupada, se não um tanto sem graça, não fosse pela última página arrancada.

— Que curioso, estão faltando os compromissos de hoje — ela diz, a irritação dando lugar à suspeita. — Mas por que Helena iria arrancar essas páginas?

— Você acha que ela mesma fez isso? — pergunto.

— Qual seria a utilidade para outra pessoa? — Millicent diz. — Pode escrever: Helena tem alguma tolice na cabeça e não quer que ninguém descubra. Agora, se me der licença, Cecil, vou atrás dela e fazê-la contar tudo. Como de costume.

Atirando a agenda na cama, ela sai do quarto pavoneando-se em direção ao corredor. Eu mal percebo que ela saiu. Estou mais preocupado com as marcas de dedos nas páginas. Meu valete esteve aqui, e parece que ele esteve procurando por Helena Hardcastle também.

18

O mundo se encolhe diante das janelas, sombreando nos cantos e escurecendo ao centro. Os caçadores começam a emergir da floresta, bamboleando pelo gramado como aves que cresceram demais. Tendo ficado cada vez mais impaciente no gabinete aguardando o retorno de Cunningham, estou indo à biblioteca para examinar a enciclopédia.

É uma decisão da qual já me arrependo.

Um dia de caminhada exauriu toda a minha força, este notável corpo fica mais pesado a cada segundo. Para piorar, a casa está repleta de atividade, as empregadas afofam as almofadas e arrumam as flores, correndo de lá pra cá como cardumes de peixes assustados. Fico constrangido pelo vigor delas, intimidado pelo seu encanto.

No momento em que entro no hall, o lugar está repleto de caçadores sacudindo a chuva dos seus bonés, poças se formando sob os pés. Estão encharcados e cinzentos de frio, a vitalidade enxaguada por completo. Claramente tiveram que aturar uma tarde infeliz.

Passo por eles, meus olhos baixos, pensando se algum destes rostos carrancudos pertence ao lacaio. Lucy Harper me disse que ele tinha um nariz quebrado quando visitou a cozinha, o que me dá alguma esperança de que meus hospedeiros estejam revidando, sem falar na maneira fácil de identificá-lo.

Não percebendo machucados, sigo mais confiante, os caçadores abrindo caminho, permitindo que eu vá arrastando os pés em direção à biblioteca, onde fecharam as pesadas cortinas e acenderam o fogo na lareira, um toque de leve perfume no ar. Velas de gordura repousam sobre pratos, colunas de luz quente pontilham as sombras, iluminando três mulheres encolhidas sobre as poltronas, imersas pelos livros abertos em seus colos.

Caminhando à estante onde a enciclopédia deveria estar, tateio na escuridão, encontrando apenas um espaço vazio. Pegando uma vela de uma mesa próxima, passo a chama pela estante na esperança de que o livro tenha sido trocado de lugar, mas definitivamente não está aqui. Dou um longo suspiro, esvaziando o ar como foles de uma horrível engenhoca. Até agora, não havia percebido a quantidade de esperança investida na enciclopédia ou na ideia de encontrar meus futuros hospedeiros cara a cara. Não era apenas o conhecimento deles que eu ansiava, mas a chance de estudá-los, como alguém pode fazer com seus próprios reflexos distorcidos numa casa dos espelhos. Certamente, em uma observação dessas, eu acharia alguma qualidade repetida, um fragmento do meu próprio ser levado a cada homem, imaculado pelas personalidades dos seus hospedeiros? Sem essa oportunidade, não tenho certeza como identificar as margens de mim mesmo, as linhas que dividem a minha personalidade e a do meu hospedeiro. Pelo que sei, a única diferença entre eu e o lacaio é a mente que estou compartilhando.

O dia está caindo em meus ombros, forçando-me a ir a uma poltrona em frente à lareira. A lenha empilhada crepita e estala, o calor alumia e abafa o ar.

Minha respiração fica presa na garganta.

Em meio às chamas está a enciclopédia, queimada até virar cinzas, mas mantendo sua forma, a um passo de se desintegrar.

Obra do lacaio, sem dúvida.

Eu me sinto como se tivesse sido atacado, o que sem dúvida era a intenção.

Onde quer que eu vá, ele parece estar um passo à minha frente. Ainda assim, apenas vencer não é suficiente. Ele precisa que eu saiba. Ele precisa que eu tenha medo, precisa que eu sofra.

Ainda vacilante por esse ostensivo ato de desprezo, eu me demoro nas chamas, empilhando todas as minhas apreensões na fogueira até que Cunningham me chama na soleira da porta.

— Lord Ravencourt?

— Onde você se meteu, diabos? — eu disparo, a moderação escapando completamente de mim.

Ele caminha ao redor da minha poltrona, pegando um lugar próximo ao fogo para esquentar suas mãos. Parece ter sido pego pela tempestade, e, embora tenha trocado de roupa, seu cabelo úmido ainda está desarrumado pelo uso da toalha.

— É bom ver que o temperamento de Ravencourt segue intacto — ele diz placidamente. — Eu me sentiria absolutamente perdido sem a minha repreenda diária.

— Não banque a vítima comigo — digo, levantando o dedo para ele. — Você saiu há horas.

— Um bom trabalho leva tempo — ele responde, jogando um objeto em meu colo.

Segurando-o contra a luz, eu olho para as órbitas vazias de uma máscara de porcelana com bico e minha raiva se evapora de imediato. Cunningham abaixa sua voz, lançando um olhar para a mulher, que nos observa com ampla curiosidade.

— Pertence a um camarada chamado Peter Sutcliffe — diz Cunningham. — Um dos criados viu isso em seu armário, então eu entrei escondido no quarto dele quando ele saiu para caçar. Como não poderia deixar de ser, a cartola e a sobrecasaca estavam lá também, junto com um bilhete prometendo encontrar Lord Hardcastle no baile. Acho que podemos interceptá-lo.

Dando um tapa em meu joelho, dou um sorriso para ele como um maníaco.

— Bom trabalho, Cunningham. Bom trabalho, mesmo.

— Achei que o senhor ficaria feliz — ele diz. — Infelizmente as boas notícias param por aqui. O bilhete aguardando a Srta. Hardcastle no poço, ele foi... estranho, para ser sucinto.

— Estranho? Como assim? — pergunto, segurando a máscara com bico em meu rosto. A porcelana é fria, pegajosa contra minha pele, mas, fora isso, serve bem.

— A chuva borrou, mas o que melhor consegui ler foi "Fique longe de Millicent Derby", com um simples desenho de um castelo logo abaixo.

— É um tipo bem peculiar de aviso — digo.

— Aviso? Eu interpretei como ameaça — Cunningham diz.

— Acha que Millicent Derby vai partir para cima de Evelyn com aquelas mãos de tricotar? — pergunto, erguendo uma sobrancelha.

— Não a descarte por ser velha — ele diz, dando um pouco de vida ao fogo moribundo com um atiçador. — Houve um tempo em que metade das pessoas nesta casa estavam na palma da mão dela. Não havia um segredo sujo em que ela não conseguisse fuçar ou um truque sujo que ela não conseguisse usar. Ted Stanwin era um amador em comparação.

— Você já se relacionou com ela?

— Ravencourt já e não confia nela — ele responde. — O homem é um canalha, mas não é bobo.

— É bom saber — digo. — Você se encontrou com Sebastian Bell?

— Ainda não, vou encontrá-lo esta noite. Também não consegui revelar nada sobre a misteriosa Anna.

— Ah, não é necessário, ela veio até mim hoje — digo, pegando um pedaço de couro solto no braço da cadeira.

— É mesmo, o que ela queria?

— Ela não disse.

— Bom, como ela conhece o senhor?

— Não tocamos nesse assunto.

— Ela é uma amiga?

— Possivelmente.

— Foi um encontro vantajoso então? — ele diz, astuto, recolocando o atiçador de volta no suporte. — Falando nisso, deveríamos preparar um banho para o senhor. O jantar é às oito horas e o senhor está ficando com um cheiro um tanto intenso. Não vamos dar aos outros mais motivos para não gostarem do senhor além dos que eles já têm.

Ele se mexe para me ajudar, mas eu gesticulo para que volte.

— Não, eu preciso que você seja a sombra de Evelyn pelo restante da noite — digo, lutando para me levantar da poltrona. A gravidade, ao que parece, é contrária à ideia.

— Qual é o objetivo? — ele pergunta, franzindo o cenho para mim.

— Alguém está planejando assassiná-la — digo.

— Sim, e este alguém poderia ser eu, até onde o senhor sabe — ele diz impassível, como se sugerisse nada mais importante do que uma predileção por salas de música.

A ideia me ataca com uma força tal que eu caio de volta no assento do qual escapei parcialmente, madeira estalando sob meu corpo. Ravencourt confia inteiramente em Cunningham, um traço que adotei sem questionar, apesar de saber que ele tem um terrível segredo. Ele é tão suspeito quanto qualquer outra pessoa.

Cunningham toca o próprio nariz.

— Agora o senhor está pensando — ele diz, deslizando meu braço sobre seus ombros. — Vou encontrar Bell quando colocar o senhor no banho, mas, na minha cabeça, é melhor o senhor ser a sombra de Evelyn assim que puder. Por enquanto, vou ficar do seu lado, assim o senhor pode me descartar como suspeito. Minha vida já é complicada demais sem oito de vocês me perseguindo pela casa, me acusando de assassinato.

— Você parece ter bastante conhecimento nessas questões — digo, tentando examinar sua reação com o canto do olho.

— Bom, nem sempre fui valete — ele diz.

— E o que você era antes?

— Não acho que esta informação seja parte do nosso pequeno acordo — ele diz, uma careta no rosto enquanto tenta me levantar.

— Então por que não me diz o que você estava fazendo no quarto de Helena Hardcastle? — eu sugiro. — Você se sujou com a tinta quando mexeu na agenda dela. Percebi nas suas mãos hoje de manhã.

Ele solta um assobio de espanto.

— O senhor esteve *bem* ocupado. — Sua voz fica mais severa. — Estranho o senhor não ter ouvido sobre a minha escandalosa relação com os Hardcastle, então. Ah, eu não ia querer estragar a surpresa para o senhor. Pergunte por aí, não é exatamente um segredo e tenho certeza de que alguém vai vibrar ao lhe contar.

— Você arrombou a porta, Cunningham? — eu pergunto. — Levaram dois revólveres e uma página da agenda dela.

— Eu não precisei arrombar, fui convidado — ele diz. — Não posso falar sobre os revólveres, mas a agenda estava inteira quando eu saí. Eu mesmo vi. Suponho que possa explicar o que eu estava fazendo lá e por que não sou o homem que o senhor procura, mas, se o senhor tivesse qualquer juízo, não iria acreditar em nada, então talvez possa descobrir por si mesmo. Dessa forma, vai ter certeza de que é verdade.

Nós nos erguemos em uma nuvem úmida de suor, Cunningham enxugando a transpiração em minha testa antes de me entregar a bengala.

— Diga-me, Cunningham — eu continuo. — Por que um homem como você aceita um emprego desses?

Isso o deixa sem palavras, seu rosto normalmente implacável torna-se sombrio.

— A vida nem sempre nos deixa escolher como vamos vivê-la — ele diz com ar severo. — Agora, vamos lá, temos que comparecer a um assassinato.

19

A refeição da noite é iluminada por candelabros e, sob a sua luz bruxuleante, jaz um cemitério de ossos de galinhas, espinhas de peixe, cascas de lagostas e gordura de porco. As cortinas permanecem abertas apesar da escuridão lá fora, garantindo uma vista da floresta sendo castigada pela tempestade.

Posso me ouvir comendo, as triturações e os estalos, as esmagadas e as engolidas. O molho escorre pelo meu queixo, a gordura vai sujando meus lábios com um medonho lustre reluzente. Tamanha é a ferocidade do meu apetite que fico ofegante entre as abocanhadas, meu guardanapo lembra um campo de batalha. Os demais convidados assistem a essa apresentação hedionda com o canto dos olhos, tentando manter suas conversas ainda que o decoro da noite esteja sendo mastigado pelos meus dentes. Como pode um homem sentir tanta fome? Qual é o vazio que ele tenta preencher?

Michael Hardcastle senta-se à minha esquerda, embora não tenhamos trocado nem duas palavras desde que cheguei. Ele passou a maior parte do tempo em uma conversa sussurrada com Evelyn, suas cabeças inclinadas uma perto da outra, um afeto impenetrável. Para uma mulher que sabe que está a perigo, ela se mostra notavelmente imperturbável.

Talvez ela se considere protegida.

—Já viajou para o Oriente, Lord Ravencourt?

Se ao menos o lugar à minha direita se mostrasse similarmente alheio à minha presença. Ele está ocupado pelo Comandante Clifford Herrington, um ex-oficial da Marinha que está ficando calvo e usa um uniforme cintilando de valentia. Depois de passar uma hora em sua companhia, estou lutando para reconciliar o homem e os seus feitos. Talvez seja o queixo frágil e o olhar vacilante, com um senso de desculpas iminente. Mais provável que seja o uísque vertendo atrás dos seus olhos.

Herrington passou a noite jogando histórias tediosas sem se importar em se permitir a cortesia do exagero, e agora nossa conversa parece desaguar no litoral da Ásia. Eu bebo meu vinho para disfarçar minha agitação, descobrindo que seu gosto tem uma picância peculiar. Minha careta faz Herrington se inclinar de modo conspiratório.

— Tive a mesma reação — ele diz, me atingindo em cheio no rosto com seu hálito quente e impregnado de álcool. — Perguntei a um criado sobre a safra. Poderia também ter perguntado sobre o copo onde serviram o vinho.

Os candelabros dão ao seu rosto um amarelo mórbido e há um fulgor embriagado em seus olhos que é repelente. Colocando o copo na mesa, olho ao redor procurando por uma distração. Deve haver quinze pessoas à mesa; palavras de francês, espanhol e alemão temperam um cardápio de conversas sem sal. Joias caras batem contra o vidro, os talheres fazem ruídos quando os garçons retiram os pratos. O clima na sala é sombrio, as conversas espalhadas são sussurradas e urgentes, pronunciadas sobre uma dúzia de lugares vazios. É uma visão estranha, talvez até pesarosa, e, embora as ausências sejam notáveis, todos parecem fazer o impossível para evitar que sejam notadas. Não sei dizer se é uma questão de boa criação ou se há alguma explicação que perdi.

Procuro rostos familiares para perguntar, mas Cunningham saiu para se encontrar com Bell e não há sinal de Millicent Derby, do Doutor Dickie ou mesmo daquele repulsivo Ted Stanwin. Com a exceção de Evelyn e Michael, a única outra pessoa que reconheço é Daniel Coleridge, que está sentado perto de um sujeito magro na outra extremidade da mesa, ambos observando os demais convidados por trás de seus copos de vinho pela metade. Alguém se irritou com o rosto bonito de Daniel e resolveu adorná-lo com um lábio partido e um olho inchado que estará assustador amanhã, partindo do princípio de que o amanhã chegará algum dia. O ferimento não parece estar incomodando-o em demasia, embora seja inquietante para mim. Até este momento, eu havia considerado Daniel imune às maquinações deste lugar, aceitando que o seu conhecimento do futuro o permitia simplesmente evitar o infortúnio. Vê-lo tão subjugado assim é como ver cartas caindo das mangas de um mágico.

Seu companheiro no jantar bate na mesa, deleitando-se com uma das piadas de Daniel, chamando minha atenção. Eu me sinto como se conhecesse esse sujeito, mas não consigo identificá-lo.

Um futuro hospedeiro talvez.

Realmente espero que não. É um sujeito seboso, de cabelos oleosos e um rosto pálido e abatido, com modos de quem acha tudo na sala inferior a si. Pressinto esperteza nele, crueldade também, embora eu não possa entender de onde estou juntando essas impressões.

— Eles têm remédios tão extravagantes — Clifford Herrington diz, levantando um pouco a voz para reconquistar minha atenção. Eu pisco os olhos para ele, confuso.

— Os orientais, Lord Ravencourt — ele diz, sorrindo amável.

— É claro — digo. — Não, infelizmente nunca estive lá.

— Incrível lugar, incrível. Eles têm esses hospitais...

Eu levanto a mão para atrair um criado. Se não posso ser poupado desta conversa, posso pelo menos ser poupado deste vinho. Um gesto de misericórdia pode ainda render outro.

— Eu falava com o Doutor Bell ontem à noite sobre alguns dos opiáceos deles — ele continua.

Que isso pare...

— A comida é do seu agrado, Lord Ravencourt? — pergunta Michael Hardcastle, entrando cuidadosamente na conversa.

Eu movimento os meus olhos para encontrá-lo, com uma torrente de gratidão.

Um copo de vinho tinto é parcialmente erguido aos seus lábios, a traquinagem brilhando naqueles olhos verdes. É um gritante contraste com Evelyn, cujo olhar poderia tirar lascas da minha carne. Ela está usando um vestido azul e uma tiara, os cabelos loiros presos em cachos, revelando o colar que se acortina em volta do seu pescoço. É o mesmo visual, menos o casaco e as galochas, que ela usará quando acompanhar Sebastian Bell ao cemitério, mais tarde, esta noite.

Limpando os lábios, eu inclino a cabeça.

— É excelente, só lamento que não haja mais pessoas para desfrutá-lo — digo, gesticulando aos assentos vagos espalhados pela mesa. — Eu esperava principalmente encontrar o Sr. Sutcliffe.

E sua fantasia de médico da peste, penso comigo mesmo.

— Bom, o senhor está com sorte — interrompe Clifford Herrington. — O velho Sutcliffe é um grande amigo meu, talvez possa apresentá-lo a ele no baile.

— Desde que ele compareça — diz Michael. — Ele e o meu pai já chegaram ao fundo do armário de bebidas a esta altura. Seguramente minha mãe está tentando despertá-los neste exato momento.

— Lady Hardcastle virá hoje à noite? — pergunto. — Ouvi que ela não tem sido vista no dia de hoje.

— Voltar a Blackheath foi difícil para ela — diz Michael, baixando a voz como se compartilhasse uma confissão. — Sem dúvida ela passou o dia exorcizando alguns fantasmas antes da festa. Pode ficar tranquilo, ela vai estar aqui.

Somos interrompidos por um dos garçons inclinando-se para sussurrar no ouvido de Michael. O semblante do rapaz se torna imediatamente sombrio e, quando o garçom se retira, ele passa a mensagem para a sua irmã, a melancolia também pairando no rosto dela. Eles olham um para o outro por um momento apertando as mãos, antes de Michael bater em seu copo de vinho com um garfo e ficar em pé. Ele parece se desenrolar ao se levantar, de tal forma que agora parece inviavelmente alto, passando muito além da tênue luz do candelabro, forçando-o a falar das sombras.

A sala fica em silêncio, os olhos se voltam para ele.

— Eu preferia que meus pais pudessem comparecer para me poupar de ter que propor um brinde — ele diz. — Claramente eles estão planejando uma grande entrada no baile, e, conhecendo meus pais, será de fato muito grande.

O riso silencioso é recebido com um sorriso tímido.

Meu olhar percorre os convidados, indo direto ao olhar divertido de Daniel. Limpando os lábios com um guardanapo, ele move depressa os olhos para Michael, orientando-me a prestar atenção.

Ele sabe o que está por vir.

— Meu pai gostaria de agradecer-lhes por terem comparecido hoje à noite, e sei que ele fará isso com grandes detalhes mais tarde — diz Michael.

Há um estremecimento em sua voz, o mais suave sinal de desconforto.

— Em nome dele, quero estender os meus agradecimentos pessoais para cada um de vocês por terem vindo e dar as boas-vindas à minha irmã, Evelyn, que está de volta à casa depois de um tempo em Paris.

Ela reflete a adoração dele, os dois compartilham um sorriso que nada tem a ver com esta sala ou estas pessoas. Mesmo assim, copos são erguidos, agradecimentos recíprocos correm pela mesa.

Michael espera a agitação esmorecer e então continua.

— Ela logo estará embarcando em uma nova aventura e... — Ele para, os olhos na mesa. — Bom, ela vai se casar com Lord Cecil Ravencourt.

O silêncio consome todos nós, todos os olhares se voltam na minha direção. O choque se torna confusão e então repulsa: seus rostos são um reflexo perfeito dos meus próprios sentimentos. Deve haver trinta anos e mil refeições entre Ravencourt e Evelyn, cuja hostilidade na manhã de hoje está explicada agora. Se Lord e Lady Hardcastle realmente culpam a filha pela morte de Thomas, o castigo deles é primoroso. Eles planejam roubar dela todos os anos que foram roubados de Thomas.

Eu olho para Evelyn, mas ela está mexendo em um guardanapo e mordendo o lábio, o ânimo de outrora tendo se perdido. Uma gota de suor corre na testa de Michael, o vinho vibrando no copo em sua mão. Ele nem consegue olhar para a irmã, e ela não consegue olhar para nenhum outro lugar. Jamais um homem achou uma toalha de mesa tão cativante como eu agora.

— Lord Ravencourt é um velho amigo da família — Michael diz maquinalmente, batalhando contra o silêncio. — Não consigo pensar em ninguém que cuidaria melhor da minha irmã.

Finalmente, ele olha para Evelyn, encontrando seus olhos reluzentes.

— Evie, acho que você queria dizer alguma coisa.

Ela concorda com a cabeça, estrangulando o guardanapo em suas mãos.

Todos os olhares são fixados nela, ninguém se mexe. Até mesmo os criados estão olhando fixo, parados em frente às paredes, segurando pratos sujos e novas garrafas de vinho. Finalmente, Evelyn ergue o olhar do seu colo, encarando os rostos cheios de expectativa perfilados diante de si. Seus olhos estão ensandecidos, como os de um animal capturado por uma armadilha. Quaisquer que sejam as palavras que ela havia preparado, elas a abandonam imediatamente, dando lugar a um desgraçado soluço que a faz sair da sala, Michael indo atrás dela.

Em meio ao farfalhar de corpos voltando-se à minha direção, procuro por Daniel. O divertimento de antes passou, seu olhar agora está fixo na janela. Fico pensando em quantas vezes ele observou o lento rubor das minhas bochechas; se ele ao menos se lembra de como esta vergonha foi sentida. É por isso que ele não consegue me olhar agora? Será que vou me sair melhor quando for a minha vez?

Abandonado na extremidade da mesa, o meu instinto é fugir com Michael e Evelyn, mas da mesma forma eu poderia torcer para que a lua descesse e me arrancasse dessa cadeira. O silêncio segue num turbilhão até Clifford Herrington levantar-se, a luz das velhas refletindo suas medalhas da Marinha enquanto ele ergue seu copo.

— A muitos anos de felicidade — ele diz, aparentemente sem ironia.

Um por um, todos os copos são levantados e o brinde é repetido num cântico vazio.

Na ponta da mesa, Daniel pisca para mim.

20

A sala de jantar há muito foi esvaziada pelos convidados, os criados tendo finalmente retirado a prataria restante no momento em que Cunningham aparece para me buscar. Ele esteve parado no lado de fora por uma hora, mas todas as vezes em que tentou entrar acenei para que voltasse. Depois da humilhação do jantar, deixar que vejam o meu valete me ajudar a levantar da cadeira seria indignidade demais. Quando ele de fato entra, há um sorriso em seu rosto. Não há dúvida de que a notícia do meu constrangimento deu voltas pela casa: o velho e gordo Ravencourt e a sua noiva fujona.

— Por que não me contou sobre o casamento de Ravencourt com Evelyn? — eu o interpelo, fazendo-o parar de repente.

— Para humilhá-lo — ele diz.

Eu endureço, minhas bochechas ficam coradas enquanto o seu olhar encontra o meu.

Seus olhos são verdes, as pupilas são desiguais, como tinta espalhada. Vejo convicção suficiente para formar exércitos e incendiar igrejas. Que Deus ajude Ravencourt se este garoto algum dia decidir não ser mais o seu capacho.

— Ravencourt é um homem vaidoso, fácil de constranger — Cunningham continua, a voz controlada. — Eu notei que você herdou essa característica e fiz brincadeira com isso.

— Por quê? — pergunto, desconcertado pela sua sinceridade.

— Você me chantageou — ele diz, dando de ombros. — Não achou que eu iria aceitar aquele rebaixamento, achou?

Eu pisco para ele por alguns segundos antes de uma risada desatar dentro de mim. É uma gargalhada intensa, as dobras de carne em meu corpo sacudindo em apreciação à sua audácia. Eu o humilhei e ele devolveu na mesma moeda essa tristeza, usando nada mais do que paciência. Que pessoa não ficaria encantada com esse feito?

Cunningham franze o cenho, as sobrancelhas colando-se uma à outra.

— Não está bravo? — ele pergunta.

— Desconfio que a minha raiva não tenha a mínima importância para você — digo, enxugando uma lágrima do olho. — De qualquer forma, eu atirei a primeira pedra. Não posso reclamar se uma rocha vier na minha direção.

Minha jovialidade faz um sorriso ecoar no rosto do meu companheiro.

— Parece que há algumas diferenças entre você e Lord Ravencourt, afinal de contas. — ele diz, medindo cada palavra.

— Especialmente o nome — digo, estendendo a mão. — O meu é Aiden Bishop.

Ele a aperta firmemente, o sorriso se intensificando.

— Muito bom lhe conhecer, Aiden, eu sou Charles.

— Bom, não tenho nenhuma intenção de contar a alguém o seu segredo, Charles, e peço desculpas por fazer tal ameaça. Quero apenas salvar a vida de Evelyn Hardcastle e fugir de Blackheath, e não tenho tanto tempo para fazer isso também. Vou precisar de um amigo.

— Provavelmente de mais de um — ele diz, limpando os óculos na manga da camisa. — Para ser sincero, esta história é tão peculiar que eu não sei ao certo se poderia ir embora agora, mesmo se quisesse.

— Vamos agora então? — pergunto. — Segundo Daniel, Evelyn vai ser assassinada na festa às onze horas. Se nós quisermos salvá-la, é lá que devemos estar.

O salão de baile é do outro lado do hall. Cunningham me dá apoio com o ombro ao caminharmos até lá. As carruagens estão chegando da vila, enfileirando-se sobre o cascalho. Os cavalos relincham, os lacaios abrem as portas para os convidados fantasiados, que se agitam como canários ao serem soltos de suas gaiolas.

— Por que Evelyn está sendo forçada a se casar com Ravencourt? — sussurro para Cunningham.

— Dinheiro — ele diz. — Lord Hardcastle tem um bom olho para um mau investimento, e nem metade da inteligência necessária para aprender com os próprios erros. Os boatos indicam que ele está levando a família à falência. Em troca da mão de Evelyn, Lord e Lady Hardcastle vão receber um dote um tanto generoso e a promessa de Ravencourt de comprar Blackheath dentro de alguns anos por uma bela soma.

— Então é isso — digo. — Os Hardcastle estão duros e penhoraram a filha como velhas joias.

Meus pensamentos voltam para o jogo de xadrez da manhã de hoje, o sorriso no rosto de Evelyn quando saí do solário contorcendo o rosto. Ravencourt não está comprando uma noiva, está comprando um poço sem fundo de rancor. Fico pensando se o velho tolo entende no que está se metendo.

— E quanto a Sebastian Bell? — pergunto, me lembrando da tarefa que lhe passei. — Você falou com ele?

— Infelizmente não, o coitado estava desacordado no chão do quarto dele quando cheguei — ele diz, um genuíno sentimento de pena na voz. — Eu vi o coelho morto; parece que seu lacaio tem um senso de humor perverso. Chamei o médico e os deixei a sós. Seu experimento vai ter que aguardar outro dia.

Minha decepção é abafada pela música que bate nas portas fechadas do salão de baile, o som dela rolando pelo hall quando um criado as abre para nós. Deve haver pelo menos cinquenta pessoas lá dentro, rodopiando em meio a um tênue banho de luz lançado pelo candelabro coroado de velas. Uma orquestra toca com fanfarronice em um palco espremido contra a parede ao fundo, mas a maioria do salão foi entregue à pista de dança, onde arlequins com o libré completo cortejam rainhas egípcias e diabinhas sorridentes. Os bobos da corte saltam e debocham, tirando do lugar perucas empoadas e máscaras douradas seguradas por longas varetas. Vestidos, capas e capuzes farfalham e fustigam o salão, num desorientante encontro de corpos. O único espaço a ser descoberto envolve Michael Hardcastle em sua deslumbrante máscara de sol, cujos raios pontiagudos estendem-se a tal distância do seu rosto que é perigoso se arriscar nas proximidades dele.

Observamos tudo isso do mezanino, uma pequena escadaria que leva à pista de dança. Meus dedos estão tamborilando o balaústre, marcando o ritmo da música. Uma parte de mim, a parte que ainda é Ravencourt, conhece esta música e está gostando dela. Ele anseia por pegar um instrumento e tocar.

— Ravencourt é músico? — pergunto a Cunningham.

— Foi na sua juventude — ele diz. — Um violinista talentoso, é o que todos dizem. Quebrou o braço andando a cavalo e nunca mais conseguiu tocar igual. Ainda sente falta disso, eu acho.

— Sente — digo, surpreso com a profundidade desta saudade.

Deixando-a de lado, volto minhas atenções ao assunto em questão, mas não faço ideia de como localizar Sutcliffe na multidão.

Ou o lacaio.

Meu coração afunda, eu não havia refletido sobre isso. Em meio ao barulho e ao encontro de corpos, uma lâmina poderia fazer o seu trabalho e desaparecer sem que ninguém fizesse a menor ideia.

Esses pensamentos teriam feito Bell fugir de volta para o seu quarto, mas Ravencourt é mais resistente que isso. Se aqui é onde atentarão contra a vida de Evelyn, aqui é onde tenho que estar, aconteça o que acontecer, e assim, com Charles dando apoio ao meu braço, nós descemos as escadas, permanecendo nos cantos sombrios do salão de baile.

Palhaços dão tapas em minhas costas e mulheres rodopiam na minha frente com máscaras de borboleta na mão. Eu ignoro a maior parte disso, abrindo caminho até os sofás perto da porta dupla, onde posso descansar melhor minhas pernas cansadas.

Até agora, só havia testemunhado os convidados aos punhados, seu despeito espalhado pela casa. Ser capturado por todos eles, como estou sendo agora, é algo completamente diferente, e quanto mais mergulho no alvoroço, mais pesada a malícia deles parece ficar. A maioria dos homens parece ter passado a tarde se afogando em seus copos e estão cambaleando ao invés de dançar, rosnando e encarando-se, com uma conduta selvagem. Mulheres jovens jogam a cabeça para trás e riem, as maquiagens escorrendo e seus penteados se desmanchando enquanto passam de corpo a corpo, alfinetando um pequeno grupo de esposas que estão juntas por segurança, temendo essas criaturas ofegantes de olhos loucos.

Nada como uma máscara para revelar a verdadeira natureza de uma pessoa.

Ao meu lado, Charles tem ficado cada vez mais tenso, seus dedos fincando o meu antebraço mais fundo a cada passo. Tudo isto é errado. Esta comemoração é muito desesperada. Esta é a última festa antes da queda de Gomorra.

Chegamos a um sofá, e Charles se abaixa e me larga nas almofadas. As garçonetes movimentam-se pela multidão com bandejas de drinques, mas está se revelando impossível sinalizá-las da nossa posição nas margens da festa. É alto demais para conversar, mas ele aponta para a mesa de champanhe, de onde convidados saem cambaleando de braços dados. Eu concordo, limpando o suor da minha testa. Talvez uma bebida sirva para acalmar meus nervos. Quando ele sai para buscar uma garrafa, sinto uma brisa na minha pele e percebo que alguém abriu a porta dupla, presumivelmente para deixar um pouco de ar circular. Está totalmente escuro lá fora, mas braseiros foram acesos, suas chamas bruxuleantes serpenteando até um espelho d'água cercado de árvores.

A escuridão rodopia, assumindo formas, solidificando-se quanto mais adentro, a luz das velas respingando em um rosto pálido.

Um rosto não, uma máscara.

Uma máscara branca de porcelana com bico.

Olho ao redor procurando por Charles, esperando que ele esteja suficientemente perto para agarrar o sujeito, mas a multidão o levou embora. Olhando para trás, em direção à porta dupla, vejo o Médico da Peste abrindo caminho rapidamente com os ombros entre os foliões.

Apertando minha bengala, eu me levanto com esforço. Navios afundados já foram erguidos do fundo do oceano com menos esforço, mas vou mancando em direção à cascata de fantasias que encobre a minha presa. Eu sigo lampejos — o brilho de uma máscara, o rodopio de uma capa — mas ele é o nevoeiro em uma floresta, impossível de agarrar com as mãos.

Eu o perco em algum lugar no canto mais distante do salão.

Girando no mesmo local, tento avistá-lo, mas alguém se estatela contra mim. Eu berro, furioso, e me vejo encarando dois olhos castanhos atrás de uma máscara de porcelana com bico. Meu coração dá um pulo, e eu também, evidentemente, pois a máscara é rapidamente removida para revelar um rosto macilento e juvenil por trás dela.

— Meu Deus, me desculpe — ele diz. — Eu não...

— Rochester, Rochester, aqui! — alguém grita para ele.

Nós nos viramos no mesmo momento, outro sujeito fantasiado de Médico da Peste se aproximando de nós dois. Há outro atrás dele, e mais três na multidão. A minha presa se multiplicou, e ainda assim nenhum deles pode ser meu interlocutor. São entroncados e baixos demais, altos e magros demais; muitas cópias imperfeitas do artigo verdadeiro. Eles tentam levar o amigo embora, mas eu seguro o braço mais próximo — qualquer braço, são todos iguais.

— Onde arranjou essa fantasia? — pergunto.

O sujeito me olha atravessado, seus olhos cinzas injetados de sangue. Eles não têm brilho, não têm expressão. São portas abertas sem um pensamento coerente atrás delas. Soltando-se do meu aperto, ele cutuca o meu peito.

— Pergunte com educação — ele arrasta a voz, embriagado. Está se coçando por uma briga, e, atacando com a minha bengala, dou isso a ele. A madeira sólida o pega na perna, um palavrão explode em seus lábios ao cair sobre um dos joelhos. Tentando se equilibrar, ele põe a palma da sua mão aberta na pista de dança, a ponteira da minha bengala aterrissando no dorso da sua mão, pregando-a ao chão.

— As fantasias — eu grito. — Onde as encontrou?

— No sótão — ele diz, agora com o rosto pálido como a máscara descartada. — Há dezenas delas penduradas num cabideiro.

Ele se esforça para se libertar, mas apenas uma fração do meu peso está aplicada na bengala. Eu acrescento um pouco mais, a dor perturbando o seu rosto.

— Como ficou sabendo delas? — pergunto, tirando um pouco de pressão da sua mão.

— Um criado nos arranjou ontem à noite — ele diz, lágrimas se formando em seus olhos. — Ele já estava usando uma, máscara e chapéu, o traje completo. Nós não tínhamos fantasias, então ele nos levou ao sótão para arranjar algumas. Ele estava ajudando todo mundo, devia ter mais de vinte pessoas lá em cima, eu juro.

Parece que o Médico da Peste não quer ser encontrado.

Eu o vejo se contorcer por um ou dois segundos, medindo a veracidade de sua história com a dor em seu rosto. Contente ao ver que ambas estão em iguais medidas, levanto minha bengala, permitindo que ele saia aos tropeços, segurando a mão dolorida. Ele mal saiu da minha vista quando Michael surge da multidão e caminha direto na minha direção. Ele está afobado, com duas marcas vermelhas nas bochechas. Sua boca se move freneticamente, mas as palavras se perdem em meio à música e ao riso.

Eu sinalizo que não consigo entender, e ele se aproxima.

— O senhor viu minha irmã? — ele grita.

Eu balanço a cabeça, subitamente amedrontado. Posso ver em seus olhos que algo está errado, mas antes que eu possa fazer mais perguntas, ele se vai, abrindo caminho entre os dançarinos rodopiantes. Excitado e aturdido, oprimido por um sentimento de mau agouro, vou lutando até o meu assento, tirando minha gravata borboleta e afrouxando o colarinho. Figuras mascaradas passam, seus braços nus reluzindo de transpiração.

Eu me sinto nauseado, incapaz de sentir prazer em qualquer coisa que vejo. Estou ponderando participar da busca por Evelyn quando Cunningham retorna com uma garrafa de champanhe num balde de prata repleto de gelo e duas taças de hastes altas debaixo do braço. O metal está suando, assim como Cunningham. Tanto tempo se passou que praticamente esqueci o que ele havia ido fazer, e berro em seu ouvido.

— Onde você estava?

— Pensei... Vi Sutcliffe — ele grita de volta, metade das palavras sendo carregadas pela música. — ... a fantasia.

Evidentemente Cunningham teve a mesma experiência que eu tive.

Gesticulando que entendi, nós nos sentamos e bebemos em silêncio, mantendo os olhos atentos para Evelyn, minha frustração aumentando. Eu preciso estar em pé, procurando pela casa, questionando os convidados, mas Ravencourt é incapaz de tais feitos. Este salão está cheio demais, este corpo está cansado demais. Ele é um homem de cálculo e observação, não de ação, e, se eu quiser ajudar Evelyn, são essas as habilidades que devo abraçar. Amanhã correrei, mas hoje devo observar. Preciso ver tudo o que está acontecendo neste salão de baile, catalogando cada detalhe a fim de me antecipar aos acontecimentos desta noite.

O champanhe me acalma, mas eu ponho o copo na mesa, receoso de entorpecer as minhas faculdades. É quando vejo Michael subindo os poucos degraus que levam ao mezanino com vista para o salão de baile.

A orquestra é silenciada, o riso e a conversa vão lentamente esmorecendo enquanto todas as cabeças se voltam para o anfitrião.

— Peço perdão por interromper — diz Michael, segurando o balaústre. — Eu me sinto bobo por perguntar, mas alguém sabe onde está minha irmã?

Uma onda de conversas toma conta da multidão enquanto as cabeças se viram para olhar uma à outra. Leva apenas um minuto para se determinar que ela não está no salão de baile.

É Cunningham quem a localiza primeiro.

Tocando em meu braço, ele aponta para Evelyn, que está ziguezagueando num passo bêbado, seguindo os braseiros em direção ao espelho d'água. Ela já está a certa distância, aproximando-se e afastando-se da luz. Uma pequena pistola prateada brilha em sua mão.

— Vá buscar Michael — eu exclamo.

Enquanto Cunningham vai abrindo caminho pela multidão, levanto-me da cadeira e vou aos trancos em direção à janela. Ninguém mais a viu, e a agitação volta a ganhar força, a inquietação temporária do aviso começa novamente a desaparecer. O violinista testa uma nota; o relógio na parede marca vinte e três horas.

Eu alcanço a porta dupla quando Evelyn chega ao espelho d'água.

Ela está balançando, trêmula.

Em pé em meio às árvores, a poucos metros de distância, o Médico da Peste assiste passivamente, as chamas do braseiro refletidas em sua máscara.

A pistola prateada cintila quando Evelyn a leva para a barriga, o tiro cortando ao meio a conversa e a música.

Ainda assim, no entanto, por um momento, tudo parece bem.

Evelyn ainda está parada na beira d'água, como se admirasse seu reflexo. Então, suas pernas se dobram, a arma caindo de sua mão quando ela desaba de rosto no espelho d'água, o Médico da Peste inclinando a cabeça e desaparecendo no breu das árvores.

Tenho apenas vaga consciência dos gritos ou da multidão às minhas costas, que passa por mim pela grama enquanto os fogos de artifício prometidos explodem no ar, inundando o espelho d'água de luzes coloridas. Eu observo Michael correndo na escuridão em direção a uma irmã que não pode mais ser salva. Ele está gritando seu nome, a voz abafada pelos fogos de artifício, enquanto caminha na água enegrecida para pegar o corpo dela. Escorregando e tropeçando, ele tenta arrastá-la para fora do espelho d'água antes de finalmente desmoronar, Evelyn ainda embalada em seus braços. Beijando seu rosto, ele implora para que ela abra os olhos, mas é a esperança de um tolo. A morte jogou seus dados e Evelyn pagou sua dívida. Tudo o que havia de valor foi tomado.

Enterrando o rosto no cabelo molhado dela, Michael soluça.

Ele está alheio à multidão que se reúne, aos braços fortes que retiram dele o corpo lânguido de sua irmã, erguendo-a sobre o gramado a fim de que o Doutor Dickie possa se ajoelhar e fazer seu exame. Não que suas habilidades sejam necessárias, o buraco em seu estômago e a pistola prateada na grama contam a história com bastante eloquência. Apesar disso, ele permanece sobre ela, pressionando os dedos no pescoço para verificar se há pulso antes de enxugar a água suja em seu rosto.

Ainda ajoelhado, ele gesticula para que Michael se aproxime e, pegando a mão do homem que chora, abaixa a cabeça e começa murmurar o que parece ser uma oração em voz baixa.

Sinto gratidão pela sua reverência.

Algumas mulheres estão chorando sobre ombros consoladores, mas há algo de vazio na performance delas. É como se o baile não tivesse realmente acabado. Ainda estão dançando, apenas mudaram o passo. Evelyn merece algo melhor do que servir de entretenimento para as pessoas que desprezava. O médico parece compreender isso, pois toda ação dele, não importa o quão pequena, é feita restaurando uma pequena parte de sua dignidade.

A oração leva apenas um minuto e, quando termina, ele deita o paletó no rosto de Evelyn, como se o seu olhar sem piscar fosse uma afronta maior do que o sangue que mancha seu vestido.

Há uma lágrima em sua bochecha quando ele se levanta, colocando o braço em volta de Michael, e levando o choroso irmão de Evelyn embora. Aos meus olhos, eles partem homens mais velhos, mais lentos e mais encurvados, carregando um grande peso de tristeza em seus ombros.

Antes que estejam dentro de casa, os rumores já pululam pela multidão. A polícia está a caminho, um bilhete de suicídio foi encontrado, o espírito de Charlie Carver tomou outra criança da família Hardcastle. As histórias são passadas de uma boca para outra e, quando chegam a mim, têm riqueza de detalhes e padrões, são fortes o suficiente para serem carregadas daqui para a sociedade.

Eu procuro por Cunningham, mas não consigo vê-lo em lugar algum. Não consigo imaginar o que ele poderia estar fazendo, mas ele tem um olho rápido e mãos voluntariosas, então sem dúvida encontrou um objetivo — ao contrário de mim. O tiro arrebentou os meus nervos.

Voltando para o salão de baile, agora vazio, eu caio no sofá de antes, onde agora fico sentado tremendo, minha mente dando voltas.

Eu sei que minha amiga estará viva novamente amanhã, mas isso não muda o que aconteceu ou o arrasamento que sinto por tê-lo testemunhado.

Evelyn tirou a própria vida e eu sou o responsável. O casamento dela com Ravencourt foi uma punição, uma humilhação arquitetada para empurrá-la ao limite e, ainda que inconscientemente, eu fui parte disso. Era o meu rosto que ela odiava, a minha presença que a levou à beira do espelho d'água com uma pistola na mão.

E quanto ao Médico da Peste? Ele me ofereceu a liberdade em troca da resolução de um assassinato que não se pareceria com um assassinato, mas eu vi Evelyn atirar em si mesma depois de fugir de um jantar desesperada. Não pode haver dúvidas quanto às suas ações ou sua motivação, o que me faz pensar nas ações e motivações do meu captor. Foi sua oferta apenas mais um tormento, uma ponta de esperança para que eu enlouqueça ao persegui-la?

E quanto ao cemitério? E à arma?

Se Evelyn estava mesmo tão abatida, por que parecia tão animada quando acompanhou Bell ao cemitério, menos de duas horas depois do jantar? E quanto à arma que estava carregando? Era um grande revólver preto, quase grande demais para sua bolsa. A arma que ela usou para tirar sua vida foi uma pistola prateada. Por que ela mudaria de arma?

Não sei por quanto tempo fico sentado aqui pensando nisso, em meio aos satisfeitos enlutados, mas a polícia nunca chega.

A multidão míngua e as velas derretem, a festa fraqueja e se apaga.

A última coisa que vejo antes de pegar no sono em minha cadeira é a imagem de Michael Hardcastle ajoelhando-se no gramado, embalando o corpo encharcado da irmã morta.

21
DIA DOIS
(CONTINUAÇÃO)

A dor me agita, cada inspiração é dolorosa. Piscando para me livrar dos farrapos do sono, vejo uma parede branca, lençóis brancos e uma flor de sangue encrostada no travesseiro. A minha bochecha repousa sobre a minha mão, a saliva grudando meu lábio superior aos meus punhos.

Eu conheço este momento, eu o vi pelos olhos de Bell.

Estou novamente no mordomo, após ele ter sido levado à portaria.

Alguém caminha ao lado da minha cama — uma empregada, a julgar pelo vestido negro e pelo avental branco. Há um grande caderno aberto em seus braços, que ela folheia furiosamente. Minha cabeça é pesada demais para que eu consiga ver qualquer coisa sobre sua cintura, então solto um gemido para chamá-la.

— Ah, que bom, você está acordado — ela diz, diminuindo o ritmo. — Quando Ravencourt vai ficar sozinho? Você não escreveu, mas o idiota mandou o valete bisbilhotar a cozinha...

— Quem é... — A minha garganta está entupida de sangue e muco.

Há uma jarra de água no aparador e a empregada corre para me servir um pouco, colocando o caderno sobre o balcão enquanto vira um copo em meus lábios. Eu mexo uma fração da cabeça, tentando olhar para o seu rosto, mas o mundo imediatamente começa a rodopiar.

— Você não deve falar — ela diz, usando o avental para limpar uma gota d'água que escapou pelo meu queixo.

Ela hesita.

— Digo, você pode falar, mas só quando estiver pronto.
Hesita novamente.
— Na verdade, preciso muito que você responda a minha pergunta sobre Ravencourt, antes que ele provoque a minha morte.
— Quem é você? — eu digo, com a voz rouca.
— Quanta força aquele gorila... Espere... — Ela abaixa o rosto próximo do meu, seus olhos castanhos procurando algo. Ela tem as bochechas inchadas e um rosto pálido com mechas de cabelo loiro emaranhado caindo soltas da sua touca. Sobressaltado, percebo que esta é a empregada que Bell e Evelyn conheceram, aquela que estava cuidando do mordomo.
— Quantos hospedeiros você teve? — ela pergunta.
— Eu não...
— Quantos hospedeiros? — ela insiste, sentando na beirada da cama. — Em quantos corpos você já esteve?
— Você é Anna — digo, contorcendo meu pescoço para vê-la melhor, a dor ateando fogo em meus ossos. Com muita delicadeza, ela me empurra de volta ao colchão.
— Sim, eu sou Anna — ela responde pacientemente. — Quantos hospedeiros?
Lágrimas de alegria tocam os meus olhos, o afeto me enxágua como água morna. Mesmo que eu não consiga me lembrar dessa mulher, posso sentir os anos de amizade entre nós, uma confiança que beira o instinto. Mais do que isso, sou arrebatado pela simples alegria desta reunião. Por mais estranho que seja falar isso de alguém do qual não consigo me lembrar, eu agora percebo que senti falta dela.
Vendo a emoção em meu rosto, lágrimas em resposta se formam nos olhos de Anna, e, inclinando-se em minha direção, ela me abraça gentilmente.
—Eu também senti sua falta — diz ela, dando voz ao meu sentimento.
Ficamos assim por um tempo antes que ela limpe a garganta e enxugue as lágrimas.
— Bom, chega disso — ela diz fungando. — Ficar chorando um no ombro do outro não vai adiantar. Preciso que você me

conte sobre seus hospedeiros ou a única coisa que nós vamos fazer é chorar.

— Eu ... eu ... — estou lutando para falar por causa do nó em minha garganta. — Acordei como Bell, depois como o mordomo, depois Donald Davies, o mordomo de novo, Ravencourt e agora...

— O mordomo de novo — ela diz, pensativa. — Na terceira vez dá certo, não é?

Acariciando uma mecha de cabelo desalinhado em minha testa, ela se inclina mais perto.

— Eu acho que ainda não fomos apresentados, ou pelo menos você não foi apresentado a mim — ela diz. — Meu nome é Anna e você é Aiden Bishop, ou já passamos por essa parte? Você está sempre chegando na ordem errada, eu nunca sei onde vamos estar.

— Você conheceu minhas outras versões?

— Elas vêm e vão — ela diz, olhando para a porta enquanto vozes soam de algum lugar da casa. — Geralmente elas têm um favor para pedir.

— E quanto aos seus hospedeiros, eles...

— Eu não tenho outros hospedeiros, sou só eu — ela diz. — Não sou visitada por um Médico da Peste e também não tenho outros dias. Não vou me lembrar de nada disso amanhã, o que parece ser uma certa sorte, considerando como o dia de hoje tem sido até agora.

— Mas você sabe o que está acontecendo, sabe sobre o suicídio de Evelyn?

— É assassinato, e eu acordei sabendo — ela diz, endireitando meus lençóis. — Não conseguia lembrar o meu próprio nome, mas sabia o seu e sabia que não havia como escapar até levarmos o nome do assassino e a prova da culpa ao lago às vinte e três horas. São como regras, acho. São palavras gravadas em meu cérebro, assim eu não esqueço.

— Eu não me lembrava de nada quando acordei — respondo, tentando entender por que nossos tormentos seriam diferentes.
— Com exceção do seu nome, o Médico da Peste teve que me contar tudo.

— Claro que teve, você é o projeto especial dele — ela diz, arrumando o meu travesseiro. — Ele não dá a mínima para o que eu estou fazendo. Não ouvi um pio dele o dia inteiro. Não vai te deixar em paz, no entanto. Eu me admiro que ele não esteja esperando embaixo da cama.

— Ele me disse que apenas um de nós pode escapar — digo.

— Sim, e está na cara que ele quer que seja você — ela diz, a raiva se dispersando da sua voz tão rápido quanto veio. Ela balança a cabeça. — Desculpe, eu não deveria estar descontando nada disso em você, mas não consigo me livrar da sensação de que ele está tramando alguma coisa, e não gosto disso.

— Eu sei o que você quer dizer — eu digo. — Mas se só um de nós pode escapar...

— Por que estamos ajudando um ao outro? — ela interrompe. — Porque você tem um plano para tirar nós dois daqui.

— Tenho?

— Bom, você disse que tinha.

Pela primeira vez, sua confiança vacila, uma expressão preocupada aparecendo em seu rosto, mas, antes que eu possa insistir no assunto, a madeira range no corredor, e passos martelam as escadas. Parece que toda a casa treme com a subida.

— Só um minuto — ela diz, recolhendo o caderno no balcão. Só agora percebo que, na verdade, é o caderno de desenho de um artista, uma capa de couro marrom cheia de folhas de papel soltas dentro, amarradas por cordões de modo desorganizado. Escondendo-o debaixo da cama, ela reaparece empunhando uma espingarda. Pressionando a coronha ao seu ombro, ela vai espreitando até a porta, abrindo uma fresta para melhor ouvir a agitação lá fora.

— Ah, que inferno — Anna diz, fechando a porta com o pé. — É o doutor trazendo o seu sedativo. Rápido, quando Ravencourt vai estar sozinho? Preciso dizer a ele para que não me procure mais.

— Por que, quem...

— Não temos tempo, Aiden — ela diz, deslizando a espingarda embaixo da cama, longe das vistas. — Eu vou estar aqui da próxima vez que você acordar e nós vamos conversar direito, eu prometo, mas por ora me fale sobre Ravencourt, todos os detalhes que você conseguir lembrar.

Ela está inclinada sobre mim, segurando minha mão, os olhos suplicantes.

— Ele vai estar em seu gabinete às treze e quinze — digo. — Dê a ele um uísque, converse um pouco e, em seguida, Millicent Derby irá chegar. Deixe um cartão para ele, apresentando-a.

Ela fecha os olhos apertando-os, repetindo o horário e o nome várias vezes, gravando-os em sua memória. Só agora, com as suas feições suavizadas pela concentração, percebo como ela é jovem; não mais do que dezenove anos, creio, embora o trabalho pesado tenha acrescentado alguns anos à pilha.

— Mais uma coisa — ela sussurra, as mãos em minha face, seu rosto tão próximo do meu que consigo ver as pintas cor de âmbar em seus olhos castanhos. — Se você me ver lá fora, finja que não me conhece. Não chegue nem perto de mim se conseguir. Tem um lacaio... falarei sobre ele depois, ou antes. A questão é que é perigoso nós sermos vistos juntos. Qualquer conversa que for necessária, vamos ter aqui.

Ela me beija rapidamente na testa, dando uma última olhada na sala para garantir que tudo está em ordem.

Os passos chegaram ao corredor, duas vozes distintas embaralhando-se e rolando em frente. Eu reconheço a de Dickie, mas não a segunda. É grave, urgente, embora eu não consiga entender bem o que está sendo dito.

— Quem está com Dickie? — pergunto.

— Lord Hardcastle, provavelmente — ela diz. — Ele tem aparecido toda hora hoje de manhã para ver como você está.

Isso faz sentido. Evelyn me disse que o mordomo era o ordenança de Lord Hardcastle durante a guerra. A proximidade deles é a razão pela qual Gregory Gold está preso no quarto em frente.

— As coisas são sempre assim? — pergunto. — As explicações chegam antes das perguntas?

— Eu não sei — ela responde, levantando-se e alisando o avental. — Faz duas horas que estou nisso e só o que *eu* recebi até agora foram ordens.

O Doutor Dickie abre a porta, seu bigode tão absurdo quanto da primeira vez que eu o vi. Seu olhar passa de Anna para mim e de volta para Anna enquanto ele tenta costurar as pontas rasgadas da nossa conversa cortada às pressas. Sem respostas vindo, ele põe sua maleta preta de médico no aparador e se posiciona diante de mim.

— Vejo que está acordado — ele diz, balançando para frente e para trás em seus pés, os dedos enfiados nos bolsos de seu colete.

— Deixe-nos a sós, garota — ele diz para Anna, que faz uma reverência antes de deixar o quarto, lançando-me um rápido olhar na saída.

— Então, como está se sentindo? — ele pergunta. — Não está pior depois do desgaste do transporte na carruagem, espero.

— Não estou mal... — começo a dizer, mas ele levanta as cobertas, erguendo o meu braço para medir o meu pulso. Mesmo essa delicada ação é suficiente para causar espasmos de dor, e o resto da minha resposta é mutilado por um estremecimento.

— Um pouco dolorido, hmmm — ele diz, abaixando meu braço mais uma vez. — Não me surpreende, considerando a surra que você levou. Tem alguma ideia do que esse sujeito, Gregory Gold, queria de você?

— Não tenho. Ele deve ter me confundido com outra pessoa, senhor.

O "senhor" não é obra minha, é um velho hábito do mordomo, e fico surpreso com a facilidade com que chegou à minha língua.

O olhar sagaz do médico lança luz à minha explicação, buscando uma dezena de falhas nela. O sorriso tenso que ele revela a mim é de cumplicidade, tanto reconfortante quanto levemente ameaçador. O que quer que tenha acontecido naquele corredor, o aparentemente bondoso Doutor Dickie sabe mais do que está deixando transparecer.

Há um clique quando ele abre a maleta, retirando um frasco marrom e uma seringa hipodérmica. Mantendo os olhos em mim, ele faz um furo no lacre do frasco com a agulha, enchendo a seringa com um líquido transparente.

Minha mão aperta os lençóis.

— Estou bem, doutor, de verdade — digo.

— Sim, isso muito me interessa — ele diz, espetando a agulha em meu pescoço antes que eu tenha a chance de discutir.

Um líquido quente inunda as minhas veias, afogando os meus pensamentos. O médico se derrete, cores brotam e desaparecem na escuridão.

— Durma, Roger — ele diz. — Eu cuido do Sr. Gold.

22
DIA CINCO

Tossindo uma tragada de fumaça de charuto, abro um novo par de olhos e me encontro deitado quase que inteiramente vestido nas tábuas de madeira do assoalho, uma mão deitada vitoriosa em cima da cama intocada. Minhas calças estão em meus tornozelos, uma garrafa de conhaque está agarrada à minha barriga. Claramente houve uma tentativa de me despir na noite passada, mas tal tarefa parece ter estado aquém das capacidades do meu hospedeiro, cuja respiração fede como uma velha bolacha de chope.

Gemendo, vou para o lado da cama, desalojando uma latejante dor de cabeça que quase me leva ao chão novamente.

Estou em um quarto semelhante ao que Bell recebeu, as brasas do fogo da noite passada piscando para mim da lareira. As cortinas estão abertas, o céu se dobra à luz do amanhecer.

Evelyn está na floresta, você precisa encontrá-la.

Erguendo minhas calças até a cintura, vou tropeçando até o espelho para examinar melhor este tolo que agora habito.

Quase dou de cara nele.

Depois de ter sido trancafiado em Ravencourt por tanto tempo, este novo sujeito parece não ter peso, uma folha soprada de um lado para o outro por uma brisa. Não me surpreende quando o vejo no espelho. Ele é baixo e franzino, tem entre vinte e cinco e trinta anos, cabelos castanhos ligeiramente compridos e olhos avermelhados sobre uma barba bem aparada. Eu experimento o seu sorriso, descobrindo uma fileira de dentes brancos levemente desajeitados.

É o rosto de um cafajeste.

Minhas posses estão repousando em uma pilha sobre a mesa de cabeceira, um convite endereçado a Jonathan Derby no topo. Pelo menos eu sei contra quem devo praguejar por esta ressaca. Vasculho os itens com a ponta do dedo, descobrindo um canivete, uma desgastada garrafinha de bolso, um relógio de pulso marcando oito e quarenta e três da manhã, e três frascos marrons com rolhas de cortiça e nenhum rótulo. Tirando uma rolha, eu cheiro o líquido, e meu estômago se revira com o aroma de uma doçura doentia que sai de dentro.

Este deve ser o láudano que Bell estava vendendo.

Posso ver por que é tão popular. Só de cheirar o negócio minha mente se encheu de luzes brilhantes.

Há uma jarra de água gelada ao lado de uma pequena pia no canto do quarto. Me despindo, enxáguo o suor e a sujeira da noite passada, desenterrando a pessoa que está embaixo. O que sobrou da água viro para minha boca, bebendo até minha barriga fazer ruídos. Infelizmente, minhas tentativas de afogar a ressaca apenas a diluem, dores infiltrando-se em cada músculo e osso.

É uma manhã terrível, então me visto com as roupas mais grossas que consigo arranjar: roupas de tweed para caça e um sobretudo preto pesado que se arrasta pelo chão quando saio do quarto.

Apesar de ser cedo, um casal bêbado está brigando no alto da escada. Estão vestindo roupas de ontem à noite, ainda com bebidas em suas mãos, trocando acusações de um lado para o outro em vozes cada vez mais altas. Dou amplo espaço aos seus braços agitados quando passo por ali. O bate-boca do casal me persegue até o hall de entrada, que foi revirado pelas travessuras da noite anterior. Gravatas borboletas estão penduradas no candelabro, fragmentos e estilhaços de um decânter quebrado sujam o chão de mármore. Duas empregadas estão limpando, o que me faz pensar como o local devia estar antes de começarem.

Eu tento perguntar a elas onde fica a cabana de Charlie Carver, mas estão mudas como ovelhas, olhando para baixo e balançando a cabeça em resposta às minhas perguntas.

O silêncio delas é enlouquecedor.

Se a fofoca de Lucy Harper não estiver muito longe do alvo, Evelyn vai estar em algum lugar próximo à cabana com sua camareira quando for atacada. Se eu puder descobrir quem a ameaça, talvez possa salvar sua vida e escapar desta casa ao mesmo tempo — embora eu não tenha ideia de como vou ajudar a libertar Anna também. Ela deixou de lado seus próprios estratagemas para me ajudar, acreditando que tenho algum plano que nos libertará. No momento, não consigo ver como isso pode ser mais do que uma promessa vazia, e, a julgar pela sua expressão preocupada quando conversamos na portaria, ela começa a desconfiar disso também.

Minha única esperança é que meus futuros hospedeiros sejam muito mais espertos do que os meus anteriores.

Perguntas adicionais às empregadas as levam mais profundamente ao silêncio, forçando-me a buscar ajuda ao redor. As peças dos dois lados do hall de entrada estão num silêncio mórbido, a casa ainda está inteiramente tomada pela noite anterior e, não vendo outra opção, sigo meu caminho pelo vidro quebrado e desço a escada em direção à cozinha.

A passagem para a cozinha é mais encardida do que eu me lembro, o barulho de pratos e o cheiro de carne assada me deixando nauseado. Criados me olham quando passam, virando a cabeça sempre que abro a boca para fazer uma pergunta. Está claro que eles acham que eu não deveria estar aqui e que não sabem como se livrar de mim. Este é o lugar deles, um rio de conversas desprotegidas e fofocas sorridentes correndo sob a casa. Eu o poluo com a minha presença.

A agitação percorre meu corpo de cima a baixo, o sangue pulsa em meus ouvidos. Eu me sinto cansado e à flor da pele, ar feito uma lixa.

— Posso ajudá-lo? — diz uma voz atrás de mim.

As palavras são enroladas e atiradas contra as minhas costas.

Eu me viro e me deparo com a cozinheira, Sra. Drudge, olhando para mim, as mãos amplas nos quadris igualmente amplos. Por trás desses olhos, ela se parece com algo que uma criança pode moldar com argila, uma cabeça pequena em um corpo disforme, as feições apertadas em seu rosto por polegares desajeitados. Ela é severa, não possui nenhum traço da mulher que dará um bolinho quente ao mordomo dentro de algumas horas.

— Estou procurando Evelyn Hardcastle — digo, encarando seu olhar feroz. — Ela foi dar um passeio na floresta com Madeline Aubert, a sua camareira.

— E o que você tem a ver com isso?

O seu tom é tão abrupto que eu quase recuo. Fechando meus punhos, tento manter a decrescente calma. Os criados esticam os pescoços enquanto correm, desesperados por um teatro, mas aterrorizados com a estrela.

— Alguém quer fazer mal a ela — respondo rangendo os dentes. — Se você me der direções para a antiga cabana de Charlie Carver, vou poder avisá-la.

— Era isso que você estava fazendo com Madeline na noite de ontem? Dando um aviso a ela? É assim que a blusa dela foi rasgada, é por isso que ela estava chorando?

Uma veia pulsa em sua testa, a indignação fervilhando sob cada palavra. Ela dá um passo à frente, cutucando um dedo em meu peito enquanto fala.

— Eu sei o que... — ela diz.

Uma raiva ardente explode em mim. Sem pensar, eu lhe dou um tapa no rosto e empurro-a para trás, avançando sobre ela com fúria do próprio diabo.

— Diga aonde ela foi! — eu grito, a saliva saltando da minha boca.

Apertando seus lábios sangrentos, a Sra. Drudge me fuzila com o olhar.

Minhas mãos se fecham.

Vá embora.

Vá embora agora.

Invocando minha força de vontade, dou as costas para a Sra. Drudge, marchando pela passagem subitamente silenciosa. Os criados saltam para o lado quando eu passo, mas a minha ira não consegue compreender nada além de si mesma.

Contornando uma curva, eu me apoio contra a parede e dou um longo suspiro. Minhas mãos estão tremendo, a névoa em minha mente se dissipa. Durante aqueles poucos segundos apavorantes, Derby estava totalmente fora do meu controle. Era o seu veneno que vertia da minha boca, sua bílis que corria em minhas veias. Ainda posso sentir isso. Óleo em minha pele, agulhas em meus ossos, um desejo de fazer algo terrível. Seja o que acontecer hoje, preciso manter um firme controle do meu temperamento ou essa criatura vai escapar novamente e só Deus sabe o que ela fará.

E essa é a parte realmente assustadora.

Meus hospedeiros podem revidar.

23

A lama se prende em minhas botas enquanto me apresso rumo à escuridão das árvores, o desespero me puxando por uma coleira. Depois do meu fracasso em recolher qualquer informação na cozinha, avanço pela floresta na esperança de me deparar com Evelyn ao longo de uma das trilhas marcadas. Estou contando com o sucesso do empenho onde o cálculo fracassou. Mesmo que isso não aconteça, preciso pôr alguma distância entre Derby e as tentações de Blackheath.

Não havia ido muito longe até os panos vermelhos me trazerem a um córrego, a água surgindo ao redor de uma grande rocha. Uma garrafa de vinho quebrada está parcialmente coberta de lama ao lado de um grosso sobretudo preto, a bússola de prata de Bell tendo caído do bolso. Tirando-a da lama, eu a viro na palma da mão, exatamente como fiz na primeira manhã, meus dedos contornando as iniciais SB gravadas na parte de baixo. As iniciais de Sebastian Bell. Como me senti tolo quando Daniel apontou isso para mim. Meia dúzia de pontas de cigarro estão jogadas no chão, indicando que Bell ficou aqui por um tempo, provavelmente esperando por alguém. Ele deve ter vindo aqui após receber o bilhete na mesa de jantar, embora eu não consiga decifrar o que pudesse tê-lo levado à chuva e ao frio naquela hora. Vasculhar o seu casaco descartado não oferece pistas, seus bolsos não revelam nada além de uma solitária chave de prata, provavelmente do seu baú.

Temendo perder mais tempo com meu ex-hospedeiro, coloco a chave e a bússola em meu bolso e saio em busca do próximo pano vermelho, mantendo os olhos atentos para qualquer indício do lacaio às minhas costas. Este seria o lugar perfeito para ele atacar.

Só Deus sabe quanto tempo eu caminho antes de finalmente me deparar com as ruínas do que deve ser a velha cabana de Charlie Carver. O fogo a tornou oca, consumindo a maior parte do telhado, deixando apenas as quatro paredes enegrecidas. Os escombros estalam sob meus pés quando eu entro, assustando alguns coelhos, que fogem para os bosques, o pelo manchado de cinzas molhadas. Os restos esqueletais de uma cama velha estão caídos no canto, uma perna de mesa solitária ao chão, os detritos de uma vida interrompida. Evelyn me disse que a casa explodiu em chamas no dia em que a polícia enforcou Carver.

É mais provável que Lord e Lady Hardcastle tenham colocado as próprias lembranças na pira e a acendido eles mesmos.

Quem poderia culpá-los? Carver roubou a vida do filho deles na frente do lago. Parece adequado que se livrem dele com fogo.

Uma cerca apodrecida contorna o jardim ao redor dos fundos da casa, a maior parte dos sarrafos tendo desmoronado depois de anos de descuido. Grandes montes de flores roxas e amarelas correm livres em todas as direções, frutinhas vermelhas penduradas em caules que se enrolam pelos postes da cerca.

Uma empregada surge das árvores quando me ajoelho para amarrar o cadarço do sapato.

Um terror que eu espero nunca mais ver.

A cor empalidece o seu rosto, sua cesta cai no chão, derrubando cogumelos em todas as direções.

— Você é Madeline? — eu começo, mas ela já está recuando, procurando socorro. — Não estou aqui para machucar você, estou tentando...

Ela some antes que eu possa pronunciar outra palavra, disparando para a floresta. Atrapalhado por ervas daninhas, saio cambaleando atrás dela, meio caindo sobre a cerca.

Erguendo-me, eu consigo vê-la através das árvores, vislumbres de um vestido preto que se move muito mais rapidamente do que eu poderia crer. Eu a chamo, mas minha voz é no máximo o chicote nas suas costas, impulsionando-a para frente. Mesmo assim, sou mais rápido e mais forte e, embora não queira assustar a garota, *não posso* perdê-la de vista por medo do que vai acontecer com Evelyn.

— Anna! — Bell grita de algum lugar nas proximidades.

— Socorro! — Madeline grita em resposta, tomada pelo pânico e soluçando.

Ela está tão perto agora. Eu estendo a mão, esperando puxá-la para mim, mas meus dedos só conseguem arranhar o tecido do vestido e, sem equilíbrio, eu me distancio dela.

Ela se abaixa para desviar de um galho, tropeçando um pouco. Eu agarro seu vestido, fazendo-a gritar novamente, antes que uma bala passe zunindo pelo meu rosto, causando um estalido em uma árvore atrás de mim.

A surpresa faz minha mão soltar Madeline, que vai tropeçando em direção a Evelyn quando ela surge da floresta. O revólver preto que ela levará para o cemitério está em suas mãos, mas não é nem de perto tão aterrorizante quanto a fúria em seu rosto. Um passo em falso e ela vai me matar, tenho certeza disso.

— Não é o que... eu posso explicar — eu digo arquejando, as mãos nos joelhos.

— Homens como você sempre podem explicar — diz Evelyn, trazendo a garota aterrorizada para trás de si com o braço.

Madeline está soluçando, todo o seu corpo treme violentamente. Que Deus me ajude, pois Derby gosta disso. Ele está excitado com o medo dela. Ele já fez isso antes.

—Tudo isso... Por favor... Isso é um mal entendido — digo ofegante, dando um passo adiante em súplica.

— Vá para trás, Jonathan — Evelyn diz com ferocidade, segurando o revólver com as duas mãos. — Fique longe dessa garota, fique longe de todas elas.

— Eu não queria...

— Sua mãe é uma amiga da família, é só por isso que vou deixar você ir — Evelyn interrompe. — Mas se eu vir você perto de outra mulher, mesmo se eu só ouvir falar nisso, juro que vou meter uma bala em você.

Tomando cuidado para manter a arma apontada para mim, ela tira o casaco e envolve os ombros arquejantes de Madeline.

— Você vai ficar ao meu lado hoje — ela sussurra para a empregada aterrorizada. — Não vou deixar que ninguém faça mal a você.

Elas saem tropicando em meio às árvores, deixando-me sozinho na floresta. Erguendo minha cabeça para o céu, eu aspiro o ar frio, esperando que a chuva em meu rosto esfrie a minha frustração. Eu vim aqui para impedir que alguém atacasse Evelyn, acreditando que revelaria um assassino no processo. Em vez disso, causei exatamente o que tentava evitar. Estou perseguindo a minha cauda, aterrorizando uma mulher inocente no percurso. Talvez Daniel estivesse certo, talvez o futuro não seja uma promessa que possamos quebrar.

— Você está perdendo tempo de novo — diz o Médico da Peste atrás de mim.

Ele está parado do outro lado da clareira, pouco mais do que um vulto. Como sempre, parece ter escolhido a posição perfeita. Está longe o suficiente para que eu não tenha a possibilidade de alcançá-lo, mas suficientemente perto para que possamos conversar com relativa facilidade.

— Eu achei que estivesse ajudando — digo amargamente, ainda ferido pelo que aconteceu.

— Você ainda pode ajudar — ele diz. — Sebastian Bell está perdido na floresta.

Claro. Não estou aqui para Evelyn, estou aqui para Bell. Estou aqui para garantir que o ciclo comece novamente. O destino está me guiando pelo cangote.

Retirando a bússola do bolso, seguro-a na palma da mão, recordando a incerteza que senti quando segui sua agulha trêmula naquela primeira manhã. Sem isso, é quase certo que Bell continuará perdido.

Eu a atiro na lama aos pés do Médico da Peste.

— É assim que eu mudo as coisas — digo, indo embora. — Vá você atrás dele.

— Você não entende o meu propósito aqui — ele diz, a severidade do seu tom me fazendo parar imediatamente. — Se você deixar Sebastian Bell vagando sozinho pela floresta, ele nunca vai conhecer Evelyn Hardcastle, nunca vai fazer a amizade que você tanto valoriza. Deixe-o e você não se importará em salvá-la.

— Está dizendo que vou me esquecer dela? — eu pergunto alarmado.

— Eu estou dizendo que você deve tomar cuidado com os nós que desamarra — ele responde. — Se você abandonar Bell, também estará abandonando Evelyn. Será uma crueldade sem propósito, e nada do que vi de você até agora sugere que você seja um homem cruel.

Talvez seja minha imaginação, mas pela primeira vez há um toque de cordialidade no seu tom de voz. É o suficiente para me balançar, e volto a encará-lo mais uma vez.

— Eu preciso ver uma mudança neste dia — digo, escutando o desespero na minha voz. —Preciso ver que isso pode ser feito.

— Sua frustração é compreensível, mas de que adianta trocar os móveis de lugar se você põe fogo na casa ao fazer isso?

Curvando-se, ele pega a bússola do chão, limpando a lama de sua superfície com os dedos. A maneira como ele geme e o peso de seus membros ao se erguer dão indícios de um homem de mais idade por baixo do traje. Satisfeito com o seu trabalho, ele atira a bússola para mim, a maldita quase escorregando das minhas mãos de tão molhada que está a sua superfície.

— Tome isso e resolva o assassinato de Evelyn.

— Ela cometeu suicídio, eu vi com meus próprios olhos.

— Se você acha que é simples assim, você está muito mais atrasado do que eu pensava.

— E você é muito mais cruel do que eu pensava — eu resmungo. — Se você sabe o que está acontecendo aqui, por que não impedir? Por que fazer esses jogos? Enforque o assassino antes que ele a machuque.

— Uma ideia interessante, exceto pelo fato de que eu não sei quem é o assassino.

— Como isso é possível? — pergunto incrédulo. — Você sabe cada passo que vou dar antes mesmo de eu pensar em dar. Como pode ser cego para o fato mais importante desta casa?

— Porque não cabe a mim saber. Eu cuido de você e você cuida de Evelyn Hardcastle. Nós dois temos nossos papéis para desempenhar.

— Então eu posso culpar qualquer pessoa pelo crime — eu clamo, lançando as mãos ao alto. — Helena Hardcastle é a culpada. Aí está! Me liberte!

— Você se esqueceu de que eu preciso de provas. Não apenas da sua palavra.

— E se eu a salvar, o que vai acontecer?

— Não acho que seja possível, e acho que vai atrapalhar sua investigação, mas minha oferta continua em pé independentemente disso. Evelyn foi assassinada ontem à noite e em todas as noites anteriores. Mesmo se você pudesse salvá-la hoje à noite, isso não iria mudar. Traga-me o nome da pessoa que a matou ou que está planejando matar Evelyn Hardcastle, e vou libertar você.

Pela segunda vez desde que cheguei a Blackheath, eu me vejo segurando uma bússola e contemplando as instruções de alguém em quem não posso confiar. Fazer o que o Médico da Peste pede é me entregar a um dia determinado a matar Evelyn, mas parece que não há como mudar as coisas sem piorá-las. Partindo do princípio de que ele esteja dizendo a verdade, ou eu salvo meu primeiro hospedeiro, ou abandono Evelyn.

— Você duvida das minhas intenções? — ele diz, reagindo defensivamente à minha hesitação.

— É claro que eu duvido das suas intenções — respondo. — Você usa uma máscara e fala por meio de charadas, e não acredito nem um pouco que você me trouxe aqui para resolver um mistério. Você está escondendo algo.

— E você acha que tirar o meu disfarce vai revelá-lo? — ele zomba. — Um rosto é uma máscara de outro tipo, você sabe disso melhor do que muitos. Porém você está certo: estou escondendo algo. Se isso faz você se sentir melhor, eu não estou escondendo isso de você. Se você, de alguma forma, tivesse sucesso e arrancasse esta máscara, eu simplesmente seria substituído e sua tarefa permaneceria. Vou deixar você decidir se vale a pena. Quanto à sua presença em Blackheath, talvez alivie suas dúvidas saber o nome do homem que lhe trouxe até aqui.

— E quem foi?

— Aiden Bishop — ele diz. — Ao contrário dos seus rivais, você veio a Blackheath voluntariamente. Tudo o que está acontecendo hoje você causou a si próprio.

A sua voz denota arrependimento, mas a máscara branca sem expressão torna a declaração sinistra, uma paródia de tristeza.

— Isso não pode ser verdade — digo obstinado. — Por que eu viria aqui por vontade própria? Por que alguém faria isso consigo mesmo?

— Sua vida antes de Blackheath não é da minha conta, Sr. Bishop. Resolva o assassinato de Evelyn Hardcastle e você terá todas as respostas que precisar — ele diz. — Por enquanto, Bell precisa de sua ajuda. — Ele aponta para trás de mim. — Ele está naquela direção.

Sem outra palavra, ele se retira para a floresta, a obscuridade o engolindo completamente. Minha mente está congestionada com uma centena de pequenas perguntas, mas nenhuma delas terá qualquer serventia nesta floresta. Assim, eu as deixo de lado e parto em busca de Bell, encontrando-o curvado e tremendo com esforço. Ele fica paralisado quando me aproximo, captando o som de galhos quebrados sob meus pés.

Seu acanhamento me revolta.

Por mais que estivesse enganada, pelo menos Madeline teve o bom senso de fugir.

Eu circulo ao redor do meu antigo eu, mantendo o meu rosto oculto. Poderia tentar explicar o que está acontecendo aqui, mas coelhos assustados são péssimos aliados, especialmente aqueles que já estão convencidos que você é um assassino.

Tudo o que preciso de Bell é a sua sobrevivência.

Mais dois passos e estou atrás dele, inclinando-me suficientemente perto para sussurrar em seu ouvido. O suor pinga do seu corpo, o cheiro é como se um pano imundo fosse empurrado contra o meu rosto. Isso é tudo o que consigo falar sem engasgar:

— Leste — eu digo, colocando a bússola em seu bolso.

Recuando, eu caminho me embrenhando nas árvores rumo à cabana incendiada de Charlie Carver. Bell ficará perdido por aproximadamente mais uma hora, o que me dá bastante tempo para seguir as bandeirolas de volta à casa sem me deparar com ele.

Apesar dos meus melhores esforços, tudo está acontecendo exatamente como me lembro.

24

O vulto de Blackheath aparece através dos espaços entre as árvores. Chego pelos fundos da casa, que está num estado de conservação ainda pior do que a frente. Várias janelas estão rachadas, a alvenaria está desmoronando. Uma balaustrada de pedra tombou do telhado e veio se alojar na grama, um musgo espesso cobrindo-a. Claramente, os Hardcastle apenas consertavam as seções da casa que seus convidados veriam. Não é de se admirar, considerando a escassez de suas finanças.

Assim como me demorei no limite da floresta naquela primeira manhã, agora me vejo cruzando o jardim com um presságio semelhante. Se vim aqui voluntariamente, devo ter tido um motivo, mas não importa o quanto eu me esforce para resgatar a lembrança, ela está longe do meu alcance.

Eu gostaria de crer que sou um homem bom que veio para ajudar, mas, se esse for o caso, estou fazendo uma confusão desgraçada. Hoje à noite, como em todas as noites, Evelyn vai se matar e, se as ações desta manhã servirem como guia, minhas tentativas de remar para longe do desastre podem apenas estar nos levando contra ele. Até onde sei, minhas tentativas atrapalhadas de salvar Evelyn são o motivo dela terminar no espelho d'água com uma pistola de prata nas mãos.

Estou tão perdido nesses pensamentos que não percebo Millicent até estar quase em cima dela. A velha senhora está tremendo num banco de ferro que dá para o jardim, os braços cruzados contra o vento. Três casacos disformes a envolvem completamente, seus olhos à espreita por sobre um cachecol enrolado sobre a boca.

Ela está azulada de frio, com um chapéu enterrado sobre as orelhas. Ouvindo meus passos, ela se vira para me ver, a surpresa aparecendo em seu rosto enrugado.

— Meu Deus, você está com uma aparência terrível — ela diz, tirando o cachecol de cima da boca.

— Bom dia para você também, Millicent — digo, surpreso pela repentina onda de calor que a sua presença provoca dentro de mim.

— Millicent? — ela pergunta, torcendo os lábios. — Muito moderno de sua parte, querido. Eu prefiro "mãe", já que é tudo a mesma coisa para você. Não quero que as pessoas pensem que eu te peguei na rua, embora às vezes eu me pergunte se não teria sido melhor.

Minha boca fica aberta. Eu não havia feito a conexão entre Jonathan Derby e Millicent Derby, provavelmente porque é mais fácil imaginá-lo sendo parido nesta terra por uma praga bíblica.

— Me desculpe, mãe — digo, enfiando as mãos nos bolsos e me sentando ao lado dela.

Ela ergue uma sobrancelha para mim, aqueles inteligentes olhos cinzentos brilhando com diversão.

— Um pedido de desculpas e uma apresentação antes do meio-dia, você está se sentindo bem? — ela pergunta.

— Deve ser o ar do campo — digo. — E quanto a você, por que está aqui fora nesta manhã terrível?

Ela dá um grunhido, encolhendo-se ainda mais.

— Eu deveria me encontrar com Helena para um passeio, mas não vi nem notícia da mulher. Não há dúvida de que ela se confundiu nos seus horários, como de costume. Sei que ela vai se encontrar com Cecil Ravencourt esta tarde. Ela provavelmente foi para lá.

— Ravencourt ainda está dormindo — digo.

Millicent olha para mim inquisitivamente.

— Cunningham me contou, o valete de Ravencourt — minto.

— Você o conhece?

— Vagamente.

— Bom, eu não cultivaria muito essa amizade — ela resmunga. — Entendo o quanto você gosta de associações dúbias, mas, pelo que Cecil me contou, ele é um dos mais imprestáveis, mesmo para seus baixos padrões.

Isso desperta o meu interesse. Eu gosto do valete, mas ele apenas concordou em me ajudar depois que ameacei chantageá-lo com um segredo que ele guarda. Até que eu saiba o que ele está escondendo, não posso depender dele, e Millicent pode ser a chave para revelar isso.

— Por quê? — pergunto casualmente.

— Ah, eu não sei — ela diz, abanando a mão delicadamente para mim. — Você sabe como é o Cecil, ele tem segredos enfiados em cada dobra de pele. Se você acredita nos boatos, ele só contratou Cunningham porque Helena pediu a ele. Agora, ele descobriu algo desagradável sobre o garoto e está pensando em mandá-lo embora.

— Desagradável? — pergunto.

— Bom, foi o que Cecil disse, não que eu pudesse arrancar o resto dele. O maldito tem uma armadilha de urso como boca, mas você sabe como ele odeia escândalo. Considerando a estirpe de Cunningham, deve ser algo desesperadamente devasso se ele ficou preocupado. Queria saber o que era.

— A estirpe de Cunningham? — pergunto. — Acho que perdi essa parte.

— O garoto foi criado em Blackheath — ela diz. — É o filho da cozinheira, ou é a história aceita, pelo menos.

— Não é verdade?

A velha dá uma risada, olhando para mim furtivamente.

— Dizem que o Excelentíssimo Lord Peter Hardcastle costumava se divertir em Londres de tempos em tempos. Bom, em certa ocasião, o divertimento veio atrás dele em Blackheath com um bebê no colo, que ela dizia ser dele. Peter estava pronto para mandar a criança para a igreja, mas Helena interveio e exigiu que ficassem com ele.

— Por que ela faria isso?

— Conhecendo Helena, ela provavelmente quis que fosse um insulto — Millicent suspira, protegendo o rosto do vento implacável. — Ela nunca gostou muito do marido, e trazer a vergonha dele para dentro de casa seria uma diversão para ela. O pobre Peter provavelmente chorou até dormir todas as noites nos últimos trinta e três anos. De qualquer forma, deram o bebê para a Sra. Drudge, a cozinheira, cuidar, e Helena fez com que todos soubessem de quem era o filho.

— E Cunningham sabe alguma coisa sobre isso?

— Não vejo como não saber, é um desses segredos que as pessoas gritam umas às outras — a senhora diz, tirando um lenço da manga para limpar o nariz escorrendo. — Enfim, você pode perguntar isso para ele, já que vocês dois são tão chegados. Vamos andando? Não vejo sentido em nós dois congelarmos neste banco esperando por uma mulher que não vem.

Ela fica em pé antes que eu tenha a chance de responder, pisando forte com as botas e soprando ar quente em suas mãos enluvadas. É realmente um dia terrível, o céu cinzento cospe a chuva, enxaguando-se na fúria de uma tempestade.

— Por que você está aqui fora? — pergunto, nossos pés esmagando o caminho de pedras que circunda a casa. — Não poderia ter encontrado Lady Hardcastle dentro de casa?

— Muitas pessoas em quem eu prefiro não esbarrar — ela diz.

Por que ela estava na cozinha hoje de manhã?

— Falando em esbarrar nas pessoas, ouvi dizer que você esteve na cozinha hoje pela manhã — digo.

— Quem lhe contou isso? — ela me repreende.

— Bem...

— Eu nem cheguei perto da cozinha — ela continua, sem esperar por uma resposta. — Lugares imundos. O cheiro leva semanas para sair.

Ela parece genuinamente irritada com a sugestão, o que significa que ela provavelmente ainda não fez isso. Depois de alguns instantes, ela me cutuca bem-humorada, a voz subitamente alegre. — Ficou sabendo sobre Donald Davies? Aparentemente, ele pegou um automóvel ontem à noite e fugiu para Londres. O cavalariço o viu, disse que ele apareceu no meio da chuva, vestido com todas as cores do arco-íris.

Isso me faz hesitar. Certamente, eu deveria ter retornado para Donald Davies a esta altura, como fiz com o mordomo. Ele foi meu terceiro hospedeiro, e Anna me disse que sou obrigado a viver um dia completo em cada um deles, quer eu queira, quer não. Não pode ter passado muito da metade da manhã quando o deixei dormindo na estrada, então por que não o vi de novo?

Você o deixou indefeso e sozinho.

Senti uma onda de culpa. Pelo que sei, o lacaio já o encontrou.

— Você estava me escutando? — Millicent pergunta, irritada.

— Eu disse que Donald Davies saiu em disparada num automóvel. Aquela família é pirada, cada um deles, e é a opinião médica oficial.

— Você andou falando com Dickie — digo, distraído, ainda pensando em Davies.

— Ele andou falando comigo, na verdade — ela zomba. — Trinta minutos que passei tentando não olhar para aquele bigode. É surpreendente que o som consiga penetrar naquilo lá.

Isso me faz rir.

— Você gosta de verdade de alguém em Blackheath, mãe?

— Não que eu me recorde, mas suspeito ser inveja. A sociedade é uma dança, querido, e eu estou velha demais para participar. Falando em dança, aí vem a marionete em pessoa.

Eu acompanho o seu olhar e vejo Daniel aproximar-se de nós pela direção oposta. Apesar do frio, ele está vestido com um suéter de críquete e calças de linho, a mesma roupa que estará vestindo quando encontrar Bell no hall de entrada pela primeira vez. Eu verifico meu relógio. Esse encontro não pode estar longe.

— Sr. Coleridge — Millicent cumprimenta com bonomia forçada.

— Sra. Derby — ele diz, se aproximando de nós. — Arrasou algum coração hoje de manhã?

— Eles nem tremem hoje em dia, Sr. Coleridge, é uma pena. — Há algo de cauteloso no tom dela, como se atravessasse uma ponte que ela tem certeza de que irá quebrar. — Que assunto desonroso traz o senhor aqui fora em uma manhã tão terrível?

— Eu tenho um favor para pedir ao seu filho, mas lhe garanto que é algo totalmente honesto.

— Bom, isso é decepcionante.

— Para você e para mim. — Ele olha para mim pela primeira vez. — Tem um minuto, Derby?

Nós nos afastamos, Millicent fazendo o seu melhor para parecer desinteressada enquanto nos lança olhares especulativos por cima de seu cachecol.

— O que há de errado? — pergunto.

— Eu vou atrás do lacaio — ele diz, seu rosto bonito em algum lugar entre o medo e a excitação.

— Como? — pergunto, imediatamente arrebatado pela ideia.

— Sabemos que ele vai estar na sala de jantar atormentando Ravencourt por volta de uma da tarde — ele diz. — Eu proponho pegar aquele cachorro lá.

Relembrar aqueles passos fantasmagóricos e aquela risada maligna é suficiente para causar arrepios em meu pescoço, e o pensamento de finalmente pôr as mãos naquele diabo incendeia as minhas veias. A ferocidade do sentimento não é muito distante do que Derby sentiu na floresta quando perseguíamos a camareira, e isso imediatamente me põe em prontidão. Não posso dar a este hospedeiro nem um segundo de liberdade.

— O que você está tramando? — pergunto, controlando meu entusiasmo. — Eu estava sozinho naquele quarto, não poderia sequer imaginar onde ele estava se escondendo.

— Eu também não, até que comecei a conversar com um velho amigo dos Hardcastle no jantar de ontem à noite — ele diz, enquanto me afasta de Millicent, que conseguiu se esgueirar próximo à nossa conversa. — Eis que há um labirinto de túneis secretos sob as tábuas do piso. É onde o lacaio estava escondido, e é lá que vamos acabar com ele.

— Como?

— Meu novo amigo disse que há entradas na biblioteca, na sala de visitas e na galeria. Eu sugiro que cada um de nós fique vigiando uma entrada e agarre o lacaio quando ele sair.

— Parece ideal — digo, lutando para conter a crescente excitação de Derby. — Eu fico com a biblioteca, você fica com a sala de visitas. Quem vai ficar na galeria?

— Peça para Anna — ele diz. — Mas nenhum de nós é forte o bastante para enfrentar o lacaio sozinho. Por que vocês dois não cuidam da biblioteca enquanto eu arrecado alguns de nossos outros hospedeiros para me ajudar com a sala de visitas e a galeria?

— Magnífico — eu digo radiante.

Se eu não estivesse com uma mão na coleira de Derby, ele já estaria correndo em direção aos túneis com uma lanterna e uma faca na mão.

— Bom — ele diz, lançando um sorriso com tamanha afeição que é impossível imaginar como poderíamos fracassar de alguma forma. — Vá para o seu posto alguns minutos antes da uma da tarde. Se tivermos sorte, tudo isso vai estar acabado na hora do jantar.

Ele se vira para partir, mas eu pego no seu braço.

— Você contou a Anna que ia dar um jeito de nós dois escaparmos caso ela nos ajudasse? — pergunto.

Ele olha para mim com firmeza, e eu rapidamente retiro minha mão.

— Sim — ele responde.

— É mentira, não é? — digo. — Somente um de nós pode escapar de Blackheath.

— Vamos chamar isso de uma mentira em potencial, sim? Eu não perdi a esperança de cumprir a nossa parte do acordo.

— Você é meu último hospedeiro, quanta esperança você tem?

— Não muita — ele diz, sua expressão suavizando. — Sei que você gosta dela. Acredite, eu não esqueci esse sentimento, mas precisamos dela do nosso lado. Nós não vamos escapar desta casa se tivermos que passar o dia de olho no lacaio *e também* em Anna.

— Tenho que contar a verdade para ela — digo, espantado com sua insensível falta de consideração com a minha amiga.

Ele endurece.

— Faça isso e vai fazer dela uma inimiga — ele sussurra, olhando em volta para ter certeza de que não estamos sendo ouvidos — de tal forma que qualquer esperança de genuinamente ajudá-la vai ir para o espaço.

Inflando suas bochechas, ele balança o cabelo e sorri para mim, a agitação se esvaindo dele como ar de um balão furado.

— Faça o que achar que é certo — ele diz. — Mas pelo menos espere até pegarmos o lacaio — ele confere o seu relógio. — Só mais três horas, é só o que peço.

Nossos olhares se encontram, o meu desconfiado, o dele suplicante. Não posso fazer nada a não ser ceder.

— Certo — digo.

— Você não vai se arrepender — ele diz.

Apertando o meu ombro, ele acena alegremente para Millicent antes de voltar a passos largos para Blackheath, um homem obcecado por um objetivo.

Eu me viro e me deparo com Millicent me examinando, os lábios franzidos.

— Você tem uns amigos asquerosos — ela diz.

— Sou um sujeito meio asqueroso — respondo, segurando seu olhar até ela finalmente balançar a cabeça e seguir caminhando, reduzindo suficientemente o passo para que eu fique ao seu lado. Chegamos a uma longa estufa. A maioria das vidraças estão quebradas, as plantas lá dentro estão tão crescidas que se amontoam contra o vidro. Millicent olha para dentro, mas a folhagem é densa demais. Ela gesticula para que eu a acompanhe, e nos dirigimos à outra extremidade, encontrando as portas trancadas com uma corrente nova e um cadeado.

— Que pena — ela diz, sacudindo o cadeado inutilmente. — Eu adorava vir aqui quando era mais jovem.

— Você já visitou Blackheath antes?

— Eu passava o verão aqui quando era garota, todos nós passávamos: Cecil Ravencourt, as irmãs Curtis, Peter Hardcastle e Helena — foi como eles se conheceram. Quando me casei, trouxe seu irmão e sua irmã aqui. Eles praticamente cresceram com Evelyn, Michael e Thomas.

Ela põe seu braço em volta do meu, continuando a caminhada.

— Ah, eu adorava aqueles verões — ela diz. — Helena sempre teve uma inveja assustadora da sua irmã, porque Evelyn era tão comum. Michael não era muito melhor, com aquela cara amassada. Thomas era o único com um traço de beleza, e acabou naquele lago, o que me parece o destino atingindo duas vezes a pobre mulher, mas é isso aí. Nenhum deles era páreo para você, meu bonitão — ela diz, colocando as mãos em meu rosto.

— Evelyn se saiu bem até — eu protesto. — Ela é bastante atraente, na realidade.

— Mesmo? — Millicent diz, incrédula. — Deve ter desabrochado em Paris, não que eu tivesse como saber. A garota tem me evitado a manhã toda. Tal mãe, tão filha, acho. Isso explica por que Cecil está circulando, no entanto. É o homem mais vaidoso que eu já conheci, e olha que vivi cinquenta anos com o seu pai.

— Os Hardcastle a odeiam, sabia? Evelyn, eu digo.

— Quem meteu essa bobagem na sua cabeça? — Millicent diz, apertando meu braço enquanto sacode o pé, tentando soltar a lama da sua bota. — Michael a adora. Ele vai a Paris quase todo mês, e, pelo que sei, eles são unha e carne desde que ela voltou. E Peter não a odeia, ele é indiferente. É só Helena, e ela nunca mais foi a mesma desde que Thomas morreu. Ela ainda vem aqui, sabe? Todo ano, no aniversário da morte dele, ela faz um passeio ao redor do lago, até fala com ele às vezes. Eu mesma ouvi.

A trilha nos trouxe ao espelho d'água. É aqui que Evelyn tirará a sua vida hoje à noite, e, como tudo em Blackheath, sua beleza depende da distância. Observado do salão de baile, o espelho d'água é uma vista magnífica, um longo espelho abarcando todo o drama da casa. Aqui e agora, no entanto, é apenas uma piscina suja, com pedras rachadas e musgo que cresce espesso como um carpete na superfície.

Por que tirar a vida aqui? Por que não no seu quarto ou no hall de entrada?

— Você está bem, querido? — Millicent pergunta. — Parece um pouco pálido.

— Estava pensando que é uma pena que tenham deixado o lugar se deteriorar — digo, forçando um sorriso em meu rosto.

— Ah, eu sei, mas o que eles poderiam fazer? — ela diz, arrumando o cachecol. — Depois do assassinato eles não conseguiam mais viver aqui, e ninguém mais quer esses casarões, principalmente quando têm a história que Blackheath tem. Deviam ter deixado para a floresta, se quer minha opinião.

É um pensamento melodramático, mas nada permanece na mente de Jonathan Derby tempo demais, então rapidamente me distraio com as preparações para o baile de hoje à noite que posso ver pelas janelas do salão de baile ao nosso lado. Criadas e serviçais esfregam o chão e pintam as paredes, enquanto empregadas equilibram-se sobre os degraus vacilantes de escadas portáteis com espanadores de penas nas mãos. Na outra extremidade do salão, músicos de aparência entediada arrancam semicolcheias da superfície de seus instrumentos polidos enquanto Evelyn Hardcastle aponta e gesticula, organizando as coisas do centro do salão. Ela está adejando de grupo em grupo, tocando braços e distribuindo gentileza, me fazendo ansiar por aquela tarde que passamos juntos.

Eu procuro por Madeline Aubert, encontrando-a rindo com Lucy Harper — a empregada maltratada por Stanwin e a que Ravencourt ajudou —, as duas arrumando um divã próximo do palco. O fato de essas duas mulheres maltratadas terem encontrado uma à outra proporciona certo conforto em mim, embora de maneira alguma alivie minha culpa pelos acontecimentos desta manhã.

— Eu lhe disse da última vez que não limparia mais uma das suas indiscrições — Millicent diz bruscamente, todo o corpo rígido.

Ela está me observando assistindo às empregadas. Repugnância e amor rodopiam em seus olhos, os vultos dos segredos de Derby são visíveis na névoa. O que eu só havia compreendido vagamente antes agora está em acentuado relevo. Derby é um estuprador, fez isso mais de uma vez. Elas estão todas lá, presas no olhar de Millicent, todas as mulheres que ele atacou, todas as vidas que destruiu. Ela carrega todas elas. Seja qual for a escuridão que se esconde dentro de Jonathan Derby, Millicent a colocou lá de madrugada.

— Você sempre quer as fracas, não é? — Ela diz. — Sempre as...

Ela fica em silêncio, a boca aberta como se as próximas palavras tivessem simplesmente evaporado em seus lábios.

— Eu tenho que ir — ela diz de repente, apertando minha mão. — Tive um pensamento muito estranho. Vejo você no jantar, querido.

Sem dizer outra palavra, Millicent se vira para o caminho em que viemos, desaparecendo na esquina da casa. Perplexo, olho para o salão de baile, tentando ver o que ela viu, mas todos mudaram de lugar, com exceção da banda. É quando percebo a peça de xadrez no parapeito da janela. Se não me engano, é a mesma peça esculpida à mão que encontrei no baú de Bell, salpicada de tinta branca e olhando para mim por olhos desajeitadamente entalhados. Há uma mensagem gravada no vidro sujo acima dela.

Atrás de você.

É claro que Anna está acenando para mim do limite da floresta, seu corpo pequenino envolto em um casaco cinza. Colocando a peça no bolso, olho para a esquerda e para a direita para confirmar que estamos sozinho, e então a sigo embrenhando-me nas árvores, longe da visão de Blackheath. Ela parece ter aguardado por algum tempo e está pulando entre um pé e o outro para se manter aquecida. A julgar pelas faces azuladas, isso não está fazendo absolutamente nenhum efeito. Não é de se surpreender, considerando seu traje. Ela está vestida em tons de cinza, com um casaco puído, um chapéu tricotado fino como seda. São roupas passadas muitas e muitas vezes, remendadas em tantas ocasiões que o material original desapareceu há muito tempo.

— Você não teria uma maçã ou algo assim? — ela pergunta sem rodeios. — Estou com uma fome dos diabos.

— Tenho uma garrafinha — digo, estendendo-a para ela.

— Vai ter que ser isso, eu acho — ela diz, tomando-a de mim e retirando a tampa.

— Eu achei que era perigoso demais nos encontrarmos fora da portaria.

— Quem lhe falou isso? — ela pergunta, torcendo o rosto ao provar o conteúdo da garrafinha.

—Você — digo.

— Vou falar.

— O quê?

— Vou falar para você quando for seguro nos encontrarmos, mas ainda não falei — ela diz. — Eu não poderia. Estou acordada há poucas horas, e passei a maior parte do tempo impedindo o lacaio de transformar os seus futuros hospedeiros em uma almofada de alfinetes. Também fiquei sem café da manhã ao fazer isso.

Eu pisco para ela, lutando para costurar um dia que é apresentado na ordem errada. Não pela primeira vez, eu me vejo desejando a rapidez da mente de Ravencourt. Trabalhar dentro dos limites do intelecto de Jonathan Derby é como dissolver pão torrado em uma sopa grossa.

Percebendo minha confusão, ela franze a testa.

— Sabe algo sobre o lacaio? Eu nunca sei o que vamos fazer.

Eu rapidamente conto a ela sobre o coelho morto de Bell e os passos fantasmagóricos que encurralaram Ravencourt na sala de jantar. Seu semblante fica mais sombrio a cada novo detalhe.

— Que desgraçado — ela tartamudeia após eu terminar. Ela perambula para frente e para trás, as mãos fechadas e os ombros voltados para a frente. — Espere só até eu pôr minhas mãos nele — ela diz, lançando um olhar assassino em direção à casa.

— Você não vai ter que esperar demais — digo. — Daniel acha que ele está se escondendo em túneis. Há algumas entradas, mas vamos vigiar a biblioteca. Ele nos quer lá antes da uma.

— Ou podemos cortar nossos pescoços e poupar o lacaio do trabalho de nos matar — ela diz, num tom franco e indiferente. Ela me olha como se eu tivesse perdido a cabeça.

— Qual é o problema?

— O lacaio não é idiota — ela diz. —Se sabemos onde ele está, é porque ele espera isso. Ele esteve um passo à frente de nós desde que isso começou. Não me surpreenderia nem um pouco se ele estivesse rindo enquanto aguarda, esperando para nos enganar com a nossa própria esperteza.

— Temos que fazer alguma coisa! — protesto.

— Nós vamos fazer, mas qual é o sentido de fazer algo estúpido quando podemos fazer algo inteligente? — ela diz pacientemente. — Ouça, Aiden, eu sei que você está desesperado, mas nós temos um acordo, você e eu. Eu lhe deixo com vida para que você possa encontrar o assassino de Evelyn, e aí nós dois vamos embora. Esta sou eu fazendo o meu trabalho. Agora me prometa que você não irá atrás do lacaio.

O argumento dela faz sentido, mas não tem peso diante do meu medo. Se há uma oportunidade de pôr um fim neste louco antes que ele me encontre, eu vou aproveitá-la, não importa o risco. Prefiro morrer em pé do que acovardado em um canto.

— Eu prometo — digo, acrescentando mais uma mentira à pilha.

Felizmente, Anna está com frio demais para percebê-la em minha voz. Apesar de ter bebido da garrafa, ela treme com tanta força que toda a cor sumiu de seu rosto. Numa tentativa de se aquecer, ela se encosta em mim. Eu posso sentir o cheiro de sabonete em sua pele, me forçando a desviar o meu olhar. Não quero que ela veja o desejo de Derby se contorcendo dentro de mim.

Sentindo o meu desconforto, ela inclina a cabeça para ver o meu rosto cabisbaixo.

— Seus outros hospedeiros são melhores, eu prometo — ela diz. — Você tem que se controlar. Não ceda a ele.

— Como posso fazer isso quando não sei onde eles terminam e eu começo?

— Se você não estivesse aqui, Derby estaria me agarrando — ela diz. — É assim que você sabe quem você é. Você não apenas se lembra, você faz e continua fazendo.

Mesmo assim, ela dá um passo para trás, voltando ao vento, livrando-me do meu desconforto.

— Você não deveria estar aqui fora com esse tempo — digo, tirando meu cachecol e enrolando-o no pescoço dela. — Você vai acabar morta.

— E se você continuar fazendo isso, as pessoas podem começar a confundir Jonathan Derby com um ser humano — ela diz, guardando as pontas soltas do cachecol no seu casaco.

— Diga isso a Evelyn Hardcastle — eu digo. — Ela quase atirou em mim hoje de manhã.

— Você devia ter atirado nela — Anna diz casualmente. — Poderíamos ter resolvido o assassinato lá mesmo.

— Não consigo saber se você está brincando ou não — digo.

— É claro que estou brincando — ela diz, assoprando as mãos rachadas pelo frio. — Se fosse assim tão simples, já teríamos saído daqui há muito tempo. E olha que não sei se tentar salvar a vida dela é um plano tão melhor assim.

— Você acha que eu deveria deixá-la morrer?

— Acho que estamos gastando muito tempo ao não fazer o que foi pedido.

— Não podemos proteger Evelyn sem saber quem a quer morta — digo. — Uma coisa vai levar à outra.

Eu procuro por alguma platitude encorajadora, mas as dúvidas dela chegam aos meus nervos e começam a irritá-los. Eu disse a ela que salvar Evelyn nos levaria ao assassino, mas isso é um subterfúgio. Não há plano aqui. Eu nem sei se ainda posso salvar Evelyn. Estou trabalhando às ordens de um sentimento cego e perdendo terreno para o lacaio enquanto faço isso. Anna merece coisa melhor, mas não faço ideia de como dar isso a ela sem abandonar Evelyn — e, por alguma razão, a ideia de fazer algo assim é insuportável para mim.

Há uma agitação na trilha, vozes carregadas através das árvores pelo vento. Tomando meu braço, Anna me leva mais fundo na floresta.

— Por mais que eu tenha me divertido, vim para te pedir um favor.

— Claro, o que eu posso fazer?

— Que horas são? — ela pergunta, tirando o caderno de artista do seu bolso. É o mesmo que a vi segurar na portaria, com páginas amassadas e uma capa repleta de furos. Ela está erguendo-o ao alto e não consigo ver o conteúdo, mas, a julgar pela forma como ela folheia as páginas, há algo importante nele.

Eu verifico meu relógio.

— São dez horas e oito minutos — digo, louco de curiosidade. — O que tem no caderno?

— Anotações, informações; tudo o que consegui aprender sobre os seus oito hospedeiros e o que eles estão fazendo — ela diz distraidamente, correndo o dedo de cima a baixo em uma página.

— E não peça para ver porque não pode. Não podemos nos arriscar a ter você estragando o dia com o que você sabe.

— Eu não ia fazer isso — protesto, desviando rápido o olhar.

— Certo, dez e oito. Perfeito. Em um minuto, vou pôr uma pedra na grama. Preciso que você esteja em cima dela quando Evelyn se matar. Você não pode se mexer, Aiden, nem um centímetro, entendeu?

— Qual é o significado disso tudo, Anna?

— Chame isso de Plano B. — Ela dá um beijinho na minha bochecha, lábios frios tocando a carne amortecida, enquanto põe o caderno de volta no seu bolso.

Ela não dá mais do que um passo antes de estalar os dedos e se virar na minha direção, segurando duas pílulas brancas na palma da sua mão.

— Tome estas aqui mais tarde — ela diz. — Eu surrupiei da maleta do Doutor Dickie quando ele veio atender o mordomo.

— O que são?

— São comprimidos para dor de cabeça, troco elas pela minha peça de xadrez.

— Este traste feio aqui? — digo, entregando o bispo esculpido à mão. — Por que você quer isso?

Ela sorri para mim, observando enquanto enrolo os comprimidos em um lenço de bolso azul.

— Porque você o deu para mim — ela diz, apertando-a de forma protetora na sua mão. — Foi a primeira promessa que você me fez. Este traste é a razão de eu ter parado de sentir medo deste lugar. É a razão de eu ter parado de sentir medo de você.

— De mim? Por que você teria medo de mim? — pergunto, genuinamente magoado pela ideia de algo nos separando.

— Ah, Aiden — ela diz, sacudindo a cabeça. — Se fizermos isso direito, todos nesta casa vão ter medo de você.

Ela se entusiasma com essas palavras, sopradas às árvores e indo até a grama que rodeia o espelho d'água. Talvez seja a sua juventude ou alguma curiosa alquimia de todos os desgraçados ingredientes ao nosso redor, mas não consigo ver uma gota de dúvida dentro dela. Seja qual for o seu plano, ela parece ter uma confiança extraordinária nele. Talvez até perigosa.

Da minha posição na fileira de árvores, eu a vejo pegar uma grande pedra banca do canteiro de flores e marcar seis passos antes de largá-la na grama. Estendendo um braço em linha reta ao corpo, ela mede uma linha até a porta dupla do salão de baile, e então, aparentemente satisfeita com seu trabalho, limpa a lama das mãos, mete-as em seus bolsos e sai caminhando.

Por alguma razão, essa pequena demonstração me deixa apreensivo. Vim aqui voluntariamente, e Anna não. O Médico da Peste a trouxe para Blackheath por um motivo, e não tenho ideia qual será.

Seja quem Anna for, estou seguindo-a cegamente.

25

A porta do quarto está trancada, sem qualquer ruído vindo de dentro. Eu esperava apanhar Helena Hardcastle antes que ela iniciasse o seu dia, mas parece que a dona da casa não é de ficar parada. Eu balanço a maçaneta novamente, encostando meu ouvido à madeira. Com a exceção de alguns olhares curiosos dos convidados que passam, meus esforços são em vão. Ela não está aqui.

Estou indo embora quando me ocorre um pensamento: o quarto ainda não foi arrombado. Ravencourt vai encontrar a porta quebrada no começo da tarde, então isso deve acontecer nas próximas horas.

Estou curioso para ver quem é o responsável e por que essa pessoa está tão desesperada em entrar lá dentro. Originalmente suspeitei que fosse Evelyn, porque tinha um dos dois revólveres roubados da escrivaninha de Helena, mas ela quase me matou com um deles na floresta hoje de manhã. Se ele já está em sua posse, ela não teria necessidade de arrombar o quarto.

A menos que haja outra coisa que ela queira.

A única coisa além da arma que obviamente estava faltando era a página de compromissos da agenda de Helena. Millicent achou que a própria Helena a arrancou para ocultar algum ato suspeito, mas as marcas dos dedos de Cunningham estavam por tudo nas outras páginas. Ele se recusou a explicar, e negou ter sido o responsável pelo arrombamento, mas, se eu pudesse pegá-lo com o ombro contra a porta, ele não teria outra escolha a não ser confessar.

Com a mente decidida, caminho pelas sombras no fim do corredor e começo minha vigília.

Cinco minutos depois, Derby já está inacreditavelmente entediado.

Estou me mexendo, indo para lá e para cá. Não consigo acalmá-lo.

Sem saber o que fazer, sigo o cheiro do café da manhã em direção à sala de visitas, planejando levar um prato de comida e uma cadeira de volta para o corredor. Com sorte, isso irá aplacar o meu hospedeiro por meia hora, e depois desse tempo terei que inventar novas diversões.

Eu encontro a sala de visitas abafada por uma conversa sonolenta. A maioria dos hóspedes mal saiu de suas camas e tem os odores da noite anterior, suor e fumaça de charuto impregnados em sua pele, destilados envolvendo cada hálito. Estão falando em voz baixa e se movendo devagar, são pessoas de porcelana cheias de rachaduras.

Pegando um prato do aparador, eu junto pilhas de ovos e rins em um prato grande, parando para comer uma salsicha da travessa e limpar a gordura dos meus lábios com a manga. Estou tão absorto que demoro um pouco para perceber que todos ficaram em silêncio.

Um sujeito corpulento está parado na porta, seu olhar passando de um rosto para outro, o alívio percorrendo aqueles de quem seu olhar desvia. Esse nervosismo não é injustificado. É um sujeito de aparência brutal, com barba ruiva e bochechas caídas, um nariz tão mutilado que lembra um ovo quebrado em uma frigideira. Um velho terno esfarrapado estica-se para conter a sua largura, as gotas da chuva cintilam sobre ombros nos quais poderia ser servido um buffet.

Seu olhar pousa em mim como uma rocha no meu colo.

— O Sr. Stanwin quer ver você — ele diz.

Sua voz é rude, cheia de consoantes picotadas.

— Para quê? — pergunto.

— Eu espero que ele lhe diga para quê.

— Bem, ofereça ao Sr. Stanwin as minhas escusas, mas infelizmente estou muito ocupado no momento.

— Ou você anda ou eu carrego você — ele diz num ribombo baixo.

Os ânimos de Derby estão fervilhando fantasticamente, mas de nada adianta fazer um fiasco. Eu não posso ganhar deste homem; a minha melhor chance é encontrar Stanwin rapidamente e retornar à minha tarefa. Além disso, estou curioso para saber por que ele quer me ver.

Colocando meu prato de comida no aparador, eu me aprumo para seguir o capanga de Stanwin e sair da sala de visitas. Convidando-me para ir à sua frente, o sujeito corpulento me leva à escadaria, mandando virar à direita, quando chego bem ao topo, em direção à ala direita fechada. Afastando uma cortina, uma brisa úmida toca o meu rosto, um longo corredor estende-se diante de mim. As portas estão penduradas nas dobradiças, revelando suítes cobertas de poeira e camas de dossel que desabaram sobre si mesmas. O ar arranha minha garganta quando respiro.

— Por que não espera naquele quarto ali, como um bom cavaleiro, e eu aviso o Sr. Stanwin que você chegou? — diz a minha escolta, lançando o queixo em direção ao quarto à minha esquerda.

Fazendo o que ele pede, entro num quarto infantil, o alegre papel de parede amarelo agora pendendo solto das paredes. Jogos e brinquedos de madeira estão espalhados pelo chão, um desgastado cavalo de madeira foi levado para pastar próximo à porta. Há um jogo em progresso no tabuleiro de xadrez de uma criança, as peças brancas dizimadas pelas negras.

Mal coloco o pé dentro e ouço Evelyn gritando no quarto ao lado. Pela primeira vez, Derby e eu nos movimentamos em harmonia, correndo para encontrar a porta bloqueada pelo brutamontes ruivo.

— O Sr. Stanwin ainda está ocupado, amigo — ele diz, se balançando para frente e para trás para se manter aquecido.

— Estou procurando por Evelyn Hardcastle, eu a ouvi gritar — digo sem fôlego.

— Talvez sim, mas parece que não há muito a ser feito quanto a isso, não é?

Eu espio por cima do seu ombro para o quarto atrás, na esperança de avistar Evelyn. Parece ser algum tipo de área de recepção, mas está vazia. O mobiliário se encontra debaixo de lençóis amarelados, o mofo enegrecido subindo pelas barras. As janelas estão cobertas de jornais velhos, as paredes são pouco mais do que tábuas apodrecidas. Há outra porta na parede do outro lado, mas está fechada. Eles devem estar lá.

Volto meu olhar para o homem, que sorri para mim, exibindo uma fileira de dentes tortos e amarelos.

— Mais alguma coisa? — ele pergunta.

— Preciso ter certeza de que ela está bem.

Eu tento passar por ele à força, mas é uma ideia tola. Ele pesa o triplo e me supera em metade da minha altura. Mais especificamente, ele sabe como usar sua força. Plantando a mão espalmada em minha barriga, ele me empurra para trás, mal esboçando um lampejo de emoção em seu rosto.

— Não se preocupe — diz ele. — Eu sou pago para ficar aqui e garantir que bons cavalheiros como você não tenham contratempos andando por lugares onde não deveriam estar.

São só palavras, carvão no forno. Meu sangue está fervendo. Eu tento passar correndo por ele e, como um idiota, imagino ter conseguido, até ser alçado por trás e jogado de volta ao corredor.

Eu me levanto, rosnando.

Ele não se mexeu. Ele não está sem fôlego. Ele não se importa.

— Seus pais lhe deram tudo menos juízo, não é? — ele diz, a frieza do sentimento me atingindo como um balde de água fria. — O Sr. Stanwin não está machucando a moça, se é essa a sua preocupação. Espere alguns minutos e você vai poder perguntar a ela, assim que ela sair, tudo sobre isso.

Nós nos olhamos por um momento antes de eu recuar pelo corredor de volta ao quarto. Ele tem razão, não posso passar por ele, mas não posso esperar até Evelyn sair. Ela não vai dizer nada a Jonathan Derby nesta manhã, e o que estiver acontecendo atrás daquela porta pode ser o motivo que fará ela se matar hoje à noite.

Correndo até a parede, pressiono meu ouvido às tábuas. Se não errei o alvo, Evelyn está falando com Stanwin no quarto ao lado, apenas alguns pedaços de madeira podre nos separando. Eu logo consigo ouvir o zunido das suas vozes, mas é fraco demais para entender qualquer coisa. Usando meu canivete, corto o papel de parede, enterrando a lâmina entre as ripas soltas da madeira para arrancá-las. Estão tão úmidas que saem sem resistir, a madeira se desintegrando em minhas mãos.

— ... diga a ela que é melhor não brincar comigo, ou vou acabar com vocês duas — Stanwin diz, sua voz atravessando a parede isolante.

— Diga o senhor, não sou sua garota de recados — Evelyn responde com frieza.

— A senhorita vai ser o que eu quiser enquanto eu estiver pagando a conta.

— Não gosto do seu tom, Sr. Stanwin — Evelyn diz.

— E eu não gosto de fazer papel de bobo, Srta. Hardcastle — ele diz, praticamente cuspindo o nome dela. — A senhorita esquece que eu trabalhei aqui por quase quinze anos, conheço cada canto deste lugar e todo mundo aqui. Não me confunda com um desses canalhas preconceituosos de quem a senhorita se cercou.

O ódio dele é viscoso, tem uma textura. Eu poderia recolher do ar e engarrafá-lo.

— E quanto à carta? — Evelyn pergunta calmamente, sua indignação oprimida.

— Vou guardá-la para que a senhorita entenda o nosso acordo.

— O senhor é uma criatura desprezível, tem noção disso?

Stanwin esmaga o insulto no ar com uma gargalhada.

— Pelo menos sou honesto — ele diz. — Quantas outras pessoas aqui nesta casa podem dizer o mesmo? Pode ir agora. Não se esqueça de passar o meu recado.

Ouço a porta do quarto de Stanwin se abrir, Evelyn passando intempestivamente pelo quarto infantil alguns instantes depois. Eu me sinto tentado a segui-la, mas há pouca vantagem em mais um enfrentamento. Além disso, Evelyn mencionou algo sobre uma carta que está agora na posse de Stanwin. Ela parecia disposta a recuperá-la, o que significa que preciso lê-la. Talvez, quem sabe, Stanwin e Derby sejam amigos.

— Bom— diz Stanwin, as gavetas sendo abertas. — Só vou me trocar para esta caça e vamos ter uma palavrinha com este babaquinha metido.

Ou talvez não.

26

Eu me sento com os pés na mesa, o tabuleiro de xadrez ao lado deles. Repousando o queixo em minha mão, olho para o jogo tentando decifrar alguma estratégia pelo posicionamento das peças. Isso se revela uma tarefa impossível. Derby é arredio demais para o estudo. Sua atenção está eternamente sendo desviada para a janela, para a poeira no ar e para os ruídos no corredor. Ele nunca está em paz.

Daniel me avisou que cada um dos hospedeiros pensa diferentemente, mas apenas agora eu entendo completamente a verdadeira dimensão do seu pensamento. Bell era um covarde e Ravencourt era impiedoso, mas ambos tinham mentes focadas. Não é o caso de Derby. Os pensamentos passam zumbindo pela sua cabeça como moscas varejeiras, demorando-se o suficiente para ser uma distração, mas jamais se acomodando.

Um som chama a minha atenção para a porta. Ted Stanwin risca um fósforo enquanto me examina do alto do seu cachimbo. Ele é maior do que me recordo, um homem feito um pilar que se espalha para os lados como um naco de manteiga derretida.

— Nunca achei que você fosse um enxadrista, Jonathan — ele diz, empurrando o cavalinho de balanço para frente e para trás até derrubá-lo no chão.

— Estou aprendendo sozinho — digo.

— Faz bem, os homens devem buscar o seu aperfeiçoamento.

Seus olhos permanecem em mim antes de serem puxados para as janelas. Embora Stanwin não tenha feito nem dito nada ameaçador, Derby tem medo dele. Meu pulso está transmitindo isso em código Morse.

Eu lanço um olhar para a porta, pronto para sair em disparada, mas o sujeito corpulento está inclinado contra a parede do corredor com os braços cruzados. Ele me dá um pequeno aceno com a cabeça, tão amistoso quanto se fôssemos dois homens em uma cela.

— Sua mãe está se atrasando um pouco com os pagamentos dela — diz Stanwin com a testa pressionada contra a janela. — Está tudo bem?

— Tudo ótimo — digo.

— Eu odiaria que isso mudasse.

Eu me mexo em meu assento para compreender o seu olhar.

— Está me ameaçando, Sr. Stanwin?

Ele vira as costas para a janela, sorrindo para o sujeito no corredor e então para mim.

— Claro que não, Jonathan, estou ameaçando sua mãe. Você não achou que eu ia chegar a esse ponto com um panaquinha imprestável como você, achou?

Dando uma tragada em seu cachimbo, ele pega uma boneca e a atira casualmente no tabuleiro de xadrez, espalhando as peças pelo cômodo. A raiva me pega como um fantoche, lançando-me contra ele, mas ele agarra o meu punho no ar, fazendo-me girar enquanto um dos seus enormes braços esmaga a minha garganta.

Seu hálito está em meu pescoço, fétido como carne velha.

— Fale com sua mãe, Jonathan — ele escarnece, apertando minha faringe forte o bastante para que manchas pretas apareçam nos cantos dos meus olhos. — Senão posso ter que fazer uma visita para ela.

Ele deixa as palavras se fixarem e então me solta.

Eu caio de joelhos no chão, as mãos na garganta e ofegante em busca de ar.

— Você vai se arrebentar com esse temperamento — ele diz, apontando o cachimbo na minha direção. — Eu controlaria isso se fosse você. Não se preocupe, o meu amigo aqui é bom em ajudar as pessoas a aprenderem coisas novas.

Eu o observo do chão, mas ele já está de saída. Passando para o corredor, ele gesticula para o seu companheiro, que entra no quarto. Ele olha para mim sem emoção, despindo o paletó.

— Em pé, rapaz — ele diz. — Quanto mais cedo nós começarmos, mais cedo isso vai terminar.

De alguma forma, ele se parece ainda maior do que parecia parado na porta. Seu peito é um escudo, os braços distendendo as costuras da sua camisa branca. O terror toma conta de mim quando ele diminui a distância entre nós, meus dedos procuram cegamente uma arma e encontram o pesado tabuleiro sobre a mesa.

Sem pensar, eu o arremesso nele.

O tempo parece ficar suspenso enquanto o tabuleiro de xadrez faz voltas no ar, um objeto impossível em voo, o meu futuro se agarrando à sua superfície como se minha vida dependesse disso. Evidentemente o destino tem uma queda por mim, pois ele atinge o seu rosto com um nauseante estalo, fazendo-o cambalear até a parede com um choro abafado.

Estou em pé quando o sangue se derrama entre os seus dedos, e saio correndo escutando a voz raivosa de Stanwin atrás de mim. Uma rápida olhadela para trás revela que ele está a meio caminho da sala de recepção, o rosto vermelho de raiva. Fugindo pela escada, sigo o ruído das vozes até a sala de visitas, que agora está cheia de convidados de olhos avermelhados atacando o café da manhã. O Doutor Dickie está dando uma gargalhada na companhia de Michael Hardcastle e Clifford Herrington, o oficial da marinha que conheci no jantar, enquanto Cunningham empilha a comida na bandeja de prata com que receberá Ravencourt quando acordar.

Um súbito silenciamento das conversas me diz que Stanwin se aproxima, então entro rápido no escritório, me escondendo atrás da porta. Estou um pouco histérico, meu coração bate forte o suficiente para quebrar minhas costelas. Quero rir e chorar, pegar uma arma e me lançar contra Stanwin, gritando. Estou usando toda a minha concentração para ficar parado no lugar, mas, se eu não fizer isso, vou perder este hospedeiro e mais um dia precioso.

Espiando pelo vão entre a porta e o batente, observo enquanto Stanwin dá puxões nos ombros das pessoas, procurando pelo meu rosto. Os homens abrem o caminho para ele, os poderosos murmuram vagas desculpas enquanto ele se aproxima. Seja qual for o seu domínio sobre essas pessoas, é completo o suficiente para que ninguém fique melindrado com os maus tratos que recebem dele. Ele poderia me espancar até a morte no meio do carpete e eles não diriam nada. Ninguém me ajudará aqui.

Algo frio toca os meus dedos e, olhando para baixo, descubro que minha mão se fechou em volta de uma pesada caixa de cigarros.

Derby está se armando.

Sussurrando para ele, deixo isso de lado e volto a minha atenção para a sala de visitas, quase gritando em estado de choque.

Stanwin está a alguns passos de distância e caminha diretamente para o escritório.

Eu procuro lugares para me esconder, mas não há nenhum, e não posso fugir para a biblioteca sem passar pela porta por onde ele está prestes a entrar. Estou encurralado.

Pegando a cigarrilha, eu respiro fundo, preparando-me para atacá-lo quando ele entrar.

Ninguém aparece.

Voltando depressa ao vão, espio a sala de visitas. Não o vejo em lugar nenhum.

Estou tremendo, incerto. Derby não foi feito para a indecisão, ele não tem essa paciência, e, antes que eu me dê conta, estou andando furtivamente em volta da porta para enxergar melhor.

Imediatamente vejo Stanwin.

Ele está virado de costas para mim, falando com o Doutor Dickie. Estou muito longe para entender a conversa deles, mas ela é o suficiente para expulsar o médico da sala, presumivelmente para tratar o guarda-costas de Stanwin.

Ele tem sedativos.

A ideia se apresenta formada por inteiro.

Só preciso sair daqui sem ser visto.

Uma voz chama Stanwin para perto da mesa, e, no momento em que ele está fora de vista, largo a cigarrilha e fujo para a galeria, fazendo uma grande volta para chegar ao hall de entrada sem ser notado.

Apanho o Doutor Dickie quando ele está saindo do seu quarto, a maleta de primeiros socorros balançando em sua mão. Ele sorri para mim quando me vê, aquele bigode ridículo saltando cinco centímetros do seu rosto.

— Ah, Sr. Jonathan — ele diz alegremente enquanto eu acompanho seu passo. — Tudo bem? O senhor parece um pouco esbaforido.

— Eu estou bem — digo, correndo para acompanhá-lo. — Bem, na verdade não. Preciso de um favor.

Seus olhos se apertam, o tom alegre desaparece da sua voz.

— O que você fez desta vez?

— O homem que o senhor vai atender, eu preciso que dê um sedativo para ele.

— Sedativo? Por que diabos eu lhe daria um sedativo?

— Porque ele vai machucar minha mãe.

— Millicent? — Ele para subitamente, me agarrando pelo braço com uma força surpreendente. — Como assim, Jonathan?

— Ela deve dinheiro a Stanwin.

Seu rosto se abate, o seu aperto fica frouxo. Sem ser inflado pela jovialidade, ele parece uma coisa velha e cansada, as linhas em seu rosto ficam um pouco mais profundas, as tristezas menos obscuras. Por um momento, me sinto um pouco culpado pelo que faço com ele, mas me lembro do seu olhar quando sedou o mordomo, e todas as minhas dúvidas se apagam.

— Então ele tem a querida Millicent na palma da mão, não é? — ele diz, suspirando. — Eu não deveria ficar surpreso, creio, aquele demônio tem poder sobre nós. Mesmo assim, eu pensei...

Ele continua caminhando, embora mais lento do que antes. Estamos no topo da escadaria que desce até o hall de entrada, o qual está tomado pelo frio. A porta da frente está aberta, um grupo de velhos parte para uma caminhada, levando junto suas risadas.

Não consigo ver Stanwin em lugar nenhum.

— Então esse sujeito ameaçou sua mãe e você o atacou, hein? — Dickie pergunta, evidentemente tendo tirado suas conclusões. Ele sorri radiante para mim, dando tapas nas minhas costas. — Vejo que há um pouco do seu pai em você, no fim das contas. Mas no que sedar esse brutamontes vai ajudar?

— Preciso de uma chance para conversar com minha mãe antes que ele chegue até ela.

Apesar de todos os defeitos de Derby, ele é um mentiroso bem-sucedido, os embustes fazem fila em sua língua de maneira ordenada. O Doutor Dickie está em silêncio, desenrolando a história em sua cabeça, dando forma a ela enquanto atravessamos a ala leste abandonada.

— Eu tenho justamente o que precisamos, deve apagá-lo pelo resto da tarde — ele diz, estalando os dedos. — Espere aqui, vou dar um sinal quando terminar.

Endireitando os ombros e inflando o peito, ele caminha em direção ao quarto de Stanwin; o velho soldado recebeu uma última batalha para lutar.

Estou exposto demais no corredor e, assim que Dickie sai do meu raio de visão, entro pela porta mais próxima, meu reflexo olhando de volta para mim por um espelho quebrado. Ontem não poderia imaginar nada pior do que ficar preso dentro de Ravencourt, mas Derby é um tormento completamente diferente — um demônio inquieto e maligno correndo entre tragédias que ele próprio criou. Mal posso esperar para me livrar dele.

Dez minutos depois, as tábuas do piso rangem do lado de fora.

— Jonathan— sussurra o Doutor Dickie. — Jonathan, onde está você?

— Aqui — digo, colocando a cabeça para fora.

Ele já passou pelo quarto e dá um pulo ao som da minha voz.

— Devagar, meu rapaz, com o meu tique-taque, entendeu? — ele diz, batendo no peito. — O cérebro está dormindo e vai estar durante a maior parte do dia. Agora, vou passar o diagnóstico para o Sr. Stanwin. Eu sugiro que você utilize esse tempo para se esconder em um lugar onde ele não irá lhe achar. Na Argentina, quem sabe. Boa sorte para você.

Ele se põe em posição de sentido, me oferecendo uma forte saudação. Eu lanço uma de volta para ele, ganhando um tapinha no ombro antes dele sair pelo corredor, assobiando sem melodia.

Tenho certa suspeita de que ele ganhou o dia por minha causa, mas não tenho a intenção de me esconder. Stanwin será distraído por Dickie durante alguns minutos, pelo menos, o que me dá a chance de revistar seus pertences para achar a carta de Evelyn.

Atravessando a recepção previamente vigiada pelo guarda-costas de Stanwin, abro a porta do quarto do chantagista. É um lugar desolado, as tábuas do piso mal cobertas por um tapete puído, uma única cama de ferro contra a parede, com flocos de tinta branca que se agarram teimosamente à ferrugem. Os únicos confortos são um fogo faminto que cospe cinzas e uma pequena mesa de cabeceira com dois livros com orelhas nas páginas. Como prometido, o homem de Stanwin está dormindo na cama, olhando para o mundo inteiro como uma monstruosa marionete com todas as suas cordas cortadas. Seu rosto está enfaixado e ele ronca alto, os dedos se contraindo. Só posso imaginar que está sonhando com meu pescoço.

Atento para o retorno de Stanwin, abro rápido o armário, vasculhando os bolsos dos seus paletós e suas calças, encontrando apenas fiapos e bolas de naftalina. Seu baú é igualmente desprovido de objetos pessoais. O homem é aparentemente imune a qualquer tipo de sentimento.

Frustrado, eu confiro o meu relógio.

Já fiquei aqui mais tempo do que é seguro, mas Derby não é facilmente contido. Meu hospedeiro conhece a enganação. Ele conhece homens como Stanwin e os segredos que eles guardam. O chantagista poderia ter o quarto mais luxuoso da casa se quisesse, mas escolheu isolar-se em uma ruína. Ele é paranoico e inteligente. Sejam quais forem os segredos, ele não os carregaria consigo, não quando está cercado de inimigos. Eles estão aqui. Escondidos e protegidos.

Meu olhar pousa na lareira e nas suas chamas anêmicas. É estranho, considerando o quanto este quarto é frio. Ajoelhando-me, coloco a mão acima da chama, tateando e encontrando uma pequena prateleira, os meus dedos que apalpam se fechando em um livro. Retirando-o, vejo que é um pequeno diário preto, a capa carregando as cicatrizes de anos de maus tratos. Stanwin estava mantendo o fogo baixo para evitar queimar o seu prêmio.

Folheando as páginas esfarrapadas, descubro ser uma espécie de agenda contendo uma lista de datas que remonta a dezenove anos atrás, junto com apontamentos anotados com símbolos estranhos.

Deve ser uma espécie de código.

A carta de Evelyn está enfiada entre as últimas duas páginas.

Querida Evelyn,

O Sr. Stanwin informou-me sobre a sua situação, e posso entender bem a sua preocupação. O comportamento de sua mãe é de fato alarmante, e você tem toda a razão de ficar em alerta para qualquer estratagema que ela esteja tramando. Estou pronta para ajudar, mas receio que a palavra do Sr. Stanwin não será suficiente. Necessito de uma prova da sua atuação nesses assuntos. Nas colunas sociais, vi muitas vezes você usar um anel de sinete com um pequeno castelo gravado na superfície. Envie-me isso, e saberei de suas intenções sérias.

Cordialmente,

Felicity Maddox

Parece que a esperta Evelyn não aceitou seu destino tão tranquilamente quanto acreditei inicialmente. Ela trouxe uma mulher chamada Felicity Maddox para lhe ajudar, e a descrição do pequeno castelo remete àquele desenhado no bilhete do poço. Isso pode estar fazendo as vezes de uma assinatura, o que indica que a mensagem "Fique longe de Millicent Derby" era de Felicity.

O guarda-costas ronca.

Sem conseguir arrancar mais informações da carta, eu a coloco de volta na agenda, que guardo em meu bolso.

— Graças a Deus existem mentes diabólicas — murmuro, passando pela porta.

— Falou muito bem — diz alguém atrás de mim.

A dor explode em minha cabeça enquanto desabo no chão.

27
DIA DOIS
(CONTINUAÇÃO)

Estou tossindo sangue, gotas vermelhas salpicam meu travesseiro. Estou de volta ao mordomo, meu corpo dolorido grita enquanto a minha cabeça sacode para o alto. O Médico da Peste está sentado na cadeira de Anna, uma perna sobre a outra, a sua cartola em seu colo. Ele está tamborilando-a com os dedos, parando quando percebe que estou me mexendo.

— Bem-vindo de volta, Sr. Bishop — ele diz, a voz abafada pela máscara.

Olho para ele distraidamente, minha tosse arrefece quando começo a reunir os parâmetros deste dia. A primeira vez que me encontrei neste corpo era manhã. Eu atendi a porta para Bell e fui atacado por Gold depois de subir as escadas atrás de respostas. A segunda vez não foi mais do que quinze minutos depois disso. Fui transportado para a portaria na carruagem com Anna. Devia ser meio dia quando acordei e fomos devidamente apresentados, mas, levando em conta a luz no lado de fora da janela, agora é início da tarde. Faz sentido. Anna me disse que teríamos um dia inteiro em cada um dos nossos hospedeiros, mas nunca me ocorreu que eu vivenciaria um deles em tantos fragmentos.

Parece uma piada perversa.

Prometeram-me oito hospedeiros para resolver esse mistério, e estou recebendo-os, mas Bell era um covarde, o mordomo foi espancado até quase morrer, Donald Davies fugiu, Ravencourt mal conseguia se mexer e Derby não conseguia se concentrar num só pensamento.

É como se me pedissem para cavar um buraco com uma pá feita de pássaros.

Mexendo-se em seu lugar, o Médico da Peste chega mais perto de mim. Suas roupas têm cheiro de mofo, aquele velho cheiro de sótão, de algo que foi esquecido há tempos e foi mal arejado.

— Nossa última conversa foi um tanto abrupta — ele diz. — Assim, achei que você pudesse querer relatar o seu progresso. Você descobriu...

— Por que tinha que ser neste corpo? — interrompo, contorcendo o rosto enquanto uma onda quente de dor me atinge de cima a baixo de um lado do corpo. — Por que me prender nestes corpos? Ravencourt não conseguia dar dois passos sem cansar, o mordomo está incapacitado e Derby é um monstro. Se você quer mesmo que eu fuja de Blackheath, por que me dar as piores cartas do baralho? Deve haver alternativas melhores.

— Mais capazes, talvez, mas todos esses homens têm alguma relação com o assassinato de Evelyn — ele diz. — O que faz deles os que têm o melhor posicionamento para lhe ajudar a resolver isso.

— Eles são suspeitos?

— Testemunhas seria uma descrição mais precisa.

Um bocejo me sacode, minha energia já está evaporando. O Doutor Dickie deve ter me dado outro sedativo. Sinto-me como se estivesse sendo espremido para fora deste corpo pelos pés.

— E quem decide a ordem? — pergunto. — Por que acordei como Bell primeiro e como Derby hoje? Existe alguma maneira de eu prever quem vou ser depois?

Inclinando-se para trás, ele junta os dedos e inclina a cabeça. É um longo silêncio, de reavaliações e reajustes. Se ele está satisfeito com o que encontra ou se está irritado, não tenho como saber.

— Por que está fazendo essas perguntas? — ele diz finalmente.

— Curiosidade — eu respondo e, como ele não dá uma resposta: — E espero que exista alguma vantagem a ser encontrada nas respostas — acrescento.

Ele dá um pequeno grunhido, expressando aprovação.

— É bom ver que você finalmente está levando isso a sério — ele diz. — Muito bem. Em circunstâncias normais, você chegaria aos seus hospedeiros na ordem em que eles acordaram durante o dia. Felizmente para você, estou adulterando o processo.

— Adulterando?

— Nós já fizemos essa dança muitas vezes antes, você e eu, mais vezes do que consigo me lembrar. Ciclo após ciclo, eu lhe dei a tarefa de resolver o assassinato de Evelyn Hardcastle, e isso sempre terminou em fracasso. No início, achei que a culpa disso estivesse apenas nas suas mãos, mas percebi que o ciclo de hospedeiros tem o seu papel. Por exemplo, Donald Davies acorda às três e dezenove da manhã, o que deveria torná-lo seu primeiro hospedeiro. Isso não funciona porque a vida dele é muito interessante. Ele tem bons amigos na casa, família. Coisas que fazem você desperdiçar o ciclo tentando retornar a elas, em vez de tentar fugir. É por esse motivo que eu mudei o seu primeiro hospedeiro para Sebastian Bell — ele diz, erguendo a calça para coçar o tornozelo. — Por outro lado, Lord Ravencourt não se levanta antes das dez e meia, o que significa que você só deveria visitá-lo muito mais tarde no ciclo, um período no qual pressa, em vez de intelecto, é essencial.

Posso sentir o orgulho em sua voz, aquela sensação de um relojoeiro ao se distanciar e admirar o mecanismo que construiu.

— Eu vivenciei cada novo ciclo tomando esse tipo de decisão para cada um dos seus hospedeiros, chegando à ordem que você está vivenciado agora — ele diz, estendendo as mãos, magnânimo. — Na minha opinião, este é o ciclo que lhe dá a melhor chance de resolver o mistério.

— Então por que não voltei a Donald Davies da mesma forma que continuo voltando ao mordomo?

— Porque você o levou para aquela estrada infinita até a vila por quase oito horas e ele está exausto — diz o Médico da Peste. — Ele está num sono profundo agora e vai ficar assim até... — Ele confere o seu relógio — nove e trinta e oito da noite. Até lá, você continuará entre o mordomo e seus outros hospedeiros.

A madeira range no corredor. Eu cogito chamar Anna, uma ideia que deve transparecer em meu rosto, porque o Médico da Peste faz um muxoxo para mim.

— Ora, você acha que sou tão descuidado assim? — ele diz. — Anna saiu já faz um tempo para se encontrar com Lord Ravencourt. Pode acreditar em mim, conheço as rotinas dessa casa como um diretor conhece as rotinas dos atores na sua peça. Se eu tivesse qualquer desconfiança de que pudéssemos ser interrompidos, eu não estaria aqui.

Tenho a sensação de ser um estorvo para ele, uma criança malcriada mais uma vez na sala do diretor da escola. Mal vale a pena uma reprimenda.

Um bocejo retumba em mim, alto e demorado. Meu cérebro está se anuviando.

— Temos mais alguns minutos para conversar antes que você pegue no sono novamente — diz o Médico da Peste, entrelaçando os dedos das mãos enluvadas, o couro rangendo. — Se tem mais perguntas para fazer, agora é o momento.

— Por que Anna está em Blackheath? — pergunto rápido. — Você disse que eu escolhi vir para cá, e os meus rivais não. Isso quer dizer que ela foi trazida para cá contra a sua vontade. Por que está fazendo isso com ela?

— Qualquer pergunta menos essa — ele diz. — Vir a Blackheath voluntariamente traz certas vantagens. Há também algumas desvantagens, coisas que os seus rivais compreendem instintivamente, e você não. Estou aqui para preencher essas lacunas, nada mais. Agora, como vai a investigação do assassinato de Evelyn Hardcastle?

— Ela é só uma moça — digo cansado, lutando para manter meus olhos abertos. Os remédios estão me puxando com suas mãos quentes. — Por que a morte dela valeria tudo isso?

— Eu poderia lhe fazer a mesma pergunta — ele diz. — Você está se desdobrando em vários para salvar a Srta. Hardcastle, apesar das evidências apontarem que é impossível. Por que isso?

— Não posso ficar assistindo à morte dela sem fazer nada para impedir — respondo.

— É muito nobre de sua parte — ele diz, empertigando a cabeça. — Então me permita responder na mesma medida. O assassinato da Srta. Hardcastle nunca foi resolvido, e não acredito que uma coisa dessas deva continuar assim. É uma resposta satisfatória para você?

— Pessoas são assassinadas todos os dias — digo. — Corrigir um erro não pode ser o único motivo para tudo isto.

— Uma excelente observação — ele diz, juntando as mãos em reconhecimento. — Mas quem pode dizer que não há centenas de outros como você buscando justiça para essas almas?

— E há?

— É improvável, mas é uma bela ideia, não é?

Estou consciente do esforço de ouvir, do peso das minhas pálpebras, da forma como a sala derrete-se ao meu redor.

— Não temos muito tempo, lamento — diz o Médico da Peste. — Eu deveria...

— Espere... Eu preciso... Por que... — As palavras são como lama espessa na minha boca. — Você me perguntou... Você perguntou... Minha memória...

Há um grande farfalhar de materiais quando o Médico da Peste se levanta. Pegando um copo de água do aparador, ele atira o conteúdo em meu rosto. A água está congelando, meu corpo convulsiona como um chicote estalando, me arrastando de volta a mim.

— Perdão, isso foi deveras irregular — ele diz, olhando para o copo vazio, claramente surpreso com seus atos. — Normalmente, deixo você adormecer neste ponto, mas... Veja só, estou intrigado. — Ele abaixa o copo lentamente. — O que você queria me perguntar? Por favor, escolha suas palavras com cuidado, elas têm uma certa importância.

A água arde em meus olhos e pinga sobre meus lábios, a umidade se espalha penetrando minha camisola de algodão.

— Quando nos conhecemos, você me perguntou do que eu me lembrava quando acordei como Bell — eu digo. — Por que isso era importante?

— Cada vez que você fracassa, nós tiramos suas memórias e começamos o ciclo novamente, mas você sempre acha uma forma de se apegar a algo importante, uma pista, se podemos dizer assim — ele diz, enxugando a água em minha testa com um lenço. — Desta vez foi o nome de Anna.

— Você me disse que era uma pena — digo.

— É.

— Por quê?

— Juntamente com a sequência dos seus hospedeiros, o que você escolhe se lembrar geralmente tem um impacto significativo no desenrolar do ciclo — ele diz. — Se você tivesse se lembrado do lacaio, começaria indo atrás dele. Pelo menos isso teria sido útil. Ao invés disso, você se prendeu a Anna, uma das suas rivais.

— Ela é minha amiga — eu digo.

— Ninguém tem amigos em Blackheath, Sr. Bishop, e, se você ainda não aprendeu isso, lamento dizer que talvez não haja esperança para você.

— É possível... — O sedativo está me puxando novamente. — É possível nós dois escaparmos?

— Não — ele diz, dobrando o lenço úmido e recolocando-o em seu bolso. — Uma resposta por saída, é assim que funciona. Às onze horas da noite, um de vocês virá ao lago e me dará o nome do assassino, e essa pessoa ganhará a permissão para ir embora. Você vai ter que decidir quem será.

Ele ergue o relógio de ouro do bolso em seu peito para ver as horas.

— O tempo voa e eu tenho horários a cumprir — ele diz, pegando sua bengala ao lado da porta. — Normalmente, eu me mantenho imparcial em relação a esses assuntos, mas há algo que você precisa saber antes de tropeçar na própria nobreza. Anna se lembra de mais coisas do último ciclo do que está lhe contando.

Sua mão enluvada ergue o meu queixo, seu rosto tão perto do meu que posso sentir sua respiração por trás da máscara. Ele tem olhos azuis. Olhos velhos, tristes e azuis.

— Ela vai trair você.

Eu abro a boca para protestar, mas minha língua é pesada demais para se mexer, e a última coisa que vejo é o Médico da Peste desaparecer pela porta, um grande vulto encurvado arrastando o mundo atrás de si.

28
DIA CINCO
(CONTINUAÇÃO)

A vida bate nas minhas pálpebras.

Eu pisco, uma vez, duas vezes, mas dói para mantê-las abertas. Minha cabeça é um ovo quebrado. Um ruído escapa da minha garganta. É algo entre um gemido e um soluço, o baixo gorgolejo animal de uma criatura capturada em uma armadilha. Tento me erguer, mas a dor é um oceano, girando em torno do meu crânio. Não tenho força para levantá-lo.

O tempo passa. Não sei dizer quanto. Não é esse tipo de tempo. Eu observo minha barriga subir e abaixar e, quando tenho confiança de que ela pode fazer isso sem a minha ajuda, me arrasto até ficar sentado, apoiando-me contra a parede deteriorada. Para minha infelicidade, estou de volta a Jonathan Derby, deitado no chão do quarto infantil. Pedaços de um vaso quebrado estão por toda parte, inclusive em minha cabeça. Alguém deve ter me acertado por trás quando saí do quarto de Stanwin, tendo depois me arrastado até aqui, longe dos olhares.

A carta, seu idiota.

Minha mão corre para o bolso, procurando a carta de Felicity e a agenda que roubei de Stanwin, mas elas se foram, junto com a chave do baú de Bell. Tudo o que restou são as duas pílulas para dor de cabeça que Anna me deu, as quais ainda estão enroladas no lenço azul.

Ela vai trair você.

Seria isso obra dela? O aviso do Médico da Peste não poderia ser mais claro, porém, um inimigo certamente não provocaria tais sentimentos de cordialidade ou afinidade. Talvez Anna se lembre mais do último ciclo do que admite, mas se essa informação estiver destinada a nos tornar inimigos, por que eu carregaria o seu nome de uma vida para a outra, sabendo que eu o perseguiria como um cão atrás de um graveto? Não, se houver uma traição em curso, é resultado das falsas promessas que fiz, e isso é retificável. Preciso encontrar a maneira certa de falar a verdade a Anna.

Engolindo os comprimidos em seco, subo me agarrando à parede e vou cambaleando de volta ao quarto de Stanwin.

O guarda-costas ainda está inconsciente na cama, a luz diminuiu do lado de fora da janela. Eu verifico o relógio e vejo que são dezoito horas, o que significa que os caçadores, incluindo Stanwin, estão provavelmente a caminho de casa. Até onde sei, eles estão atravessando o jardim ou subindo as escadas agora mesmo.

Preciso sair antes que o chantagista retorne.

Mesmo com os comprimidos, estou tonto, o mundo resvala sob mim quando saio aos trancos em direção à ala leste antes de afastar a cortina para chegar ao patamar sobre o hall de entrada. Cada passo é uma batalha até eu desabar contra a porta do quarto do Doutor Dickie, quase vomitando no chão. Seu quarto é idêntico a todos os outros neste corredor, com uma cama de dossel encostada em uma parede e uma banheira com biombo no lado oposto. Ao contrário de Bell, Dickie fez deste lugar a sua casa. Retratos dos seus netos decoram o local, um crucifixo está pendurado em uma das paredes. Ele até pôs um pequeno tapete no chão, supostamente para manter os pés longe da madeira fria de manhã.

Esta familiaridade consigo é um milagre para mim, e me vejo boquiaberto olhando os pertences de Dickie, meus ferimentos sendo praticamente esquecidos. Pegando o retrato dos seus netos, me pergunto pela primeira vez se eu também tenho uma família esperando por mim longe de Blackheath: tenho pais ou filhos, amigos que sentem minha falta?

Sobressaltando-me com os passos que soam pelo corredor, coloco o retrato na mesa de cabeceira, trincando acidentalmente o vidro. Os passos vêm e vão sem incidentes, mas, desperto pelo perigo, eu me movimento mais depressa.

A maleta médica de Dickie está guardada embaixo da sua cama, e eu a viro no colchão, espalhando frascos, tesouras, seringas e bandagens sobre as cobertas. O último item é uma Bíblia, que quica no chão, as páginas se abrindo. Exatamente como na do quarto de Sebastian Bell, certas palavras e parágrafos estão sublinhados em tinta vermelha.

É um código.

Um sorriso canino se revela no rosto de Derby, o reconhecimento de outro trapaceiro. Se eu tivesse que adivinhar, diria que Dickie é um parceiro silencioso do negócio de tráfico de drogas de Bell. Não é de admirar que ele estivesse tão preocupado com o bem-estar do médico. Ele estava preocupado com o que ele diria.

Eu dou uma bufada. É outro segredo em uma casa cheia deles, e não é o que eu estou procurando hoje.

Recolhendo as bandagens e o iodo da pilha na cama, levo-os para a pia e começo minha cirurgia.

Não é uma operação delicada.

Toda vez que tento puxar um pedaço, o sangue começa a verter em meus dedos, escorrendo pelo meu rosto e pingando do meu queixo até cair na pia. Lágrimas de dor anuviam a minha visão, o mundo vira um borrão ardente por quase trinta minutos enquanto retiro a minha coroa de porcelana. Meu único consolo é que isso deve machucar Jonathan Derby quase da mesma forma que me machuca.

Quando tenho certeza de que todos os cacos foram removidos, começo a trabalhar na colocação de bandagens na minha cabeça, segurando-as com um alfinete e examinando meu trabalho no espelho.

O curativo parece ótimo. Eu pareço terrível.

Meu rosto está pálido, meus olhos estão vazios. O sangue manchou minha camisa, o que me força a despir o colete. Sou um homem arruinado, caindo aos pedaços. Posso sentir-me desmanchar.

— Mas que diabo! — exclama o Doutor Dickie da porta.

Ele recém chegou da caçada, está pingando de tão molhado e tremendo, cinzento como as cinzas na lareira. Até seu bigode está encharcado.

Eu sigo o seu olhar incrédulo pelo quarto, vendo a desolação em seus olhos. O retrato dos seus netos está trincado e sujo de sangue, sua Bíblia descartada, sua maleta jogada no chão, o conteúdo dela espalhado sobre a cama. Água ensanguentada enche a pia, a minha camisa está na sua banheira. Sua sala de cirurgia não pode parecer muito pior depois de uma amputação.

Avistando-me só em minhas vestes, a bandagem pendendo na minha testa, o choque em seu rosto torna-se raiva.

— O que você fez, Jonathan? — ele interpela, sua voz avolumando-se de raiva.

— Perdão, eu não sabia mais para onde ir — digo, em pânico. — Depois que você saiu, eu procurei no quarto de Stanwin por algo para ajudar minha mãe e encontrei uma agenda.

— Uma agenda? — ele diz com a voz embargada. — Você roubou algo dele? Você tem que devolver. Agora, Jonathan! — ele grita, sentindo minha hesitação.

— Não posso, eu fui atacado. Alguém quebrou um vaso na minha cabeça e a roubou de mim. Eu estava sangrando e o guarda-costas ia acordar, por isso vim para cá.

Um silêncio tenebroso engole o resto da história enquanto o Doutor Dickie põe o retrato dos netos em pé e lentamente coloca tudo de volta em sua maleta, guardando-a de volta embaixo da cama.

Ele se movimenta como se estivesse preso por grilhões, arrastando os meus segredos atrás de si.

— É minha culpa — ele murmura. — Sabia que não podia confiar em você, mas meu afeto pela sua mãe...

Ele balança a cabeça, forçando a passagem por mim para pegar a minha camisa na banheira. Há uma resignação em seus atos que me assusta.

— Eu não quis... — começo a dizer.

— Você me usou para roubar de Ted Stanwin — ele diz calmamente, apoiando-se nos cantos de um balcão. — Um homem que pode me arruinar num piscar de olhos.

— Perdão — digo.

Ele se vira subitamente, repleto de raiva.

— Você fez essa palavra não ter valor nenhum, Jonathan! Disse isso depois que abafamos aquela situação na Mansão Enderleigh, e de novo em Little Hampton, lembra? Agora você quer me fazer engolir esse pedido de desculpas vazio também.

Ele empurra a minha camisa contra o meu peito, as bochechas coradas de vermelho. Lágrimas acumulam-se em seus olhos.

— Quantas mulheres você tomou à força? Você consegue se lembrar? Quantas vezes você chorou no peito da sua mãe, implorando para que ela desse um jeito, prometendo nunca mais fazer de novo e sabendo muito bem que faria? E agora está aqui de novo, fazendo a mesma coisa comigo, o idiota do Doutor Dickie. Bom, para mim chega, não tenho mais estômago para isso. Você tem sido um mal para este mundo desde que eu te coloquei aqui.

Eu dou um passo suplicante em sua direção, mas ele saca uma pistola prateada do bolso, deixando-a pendurada do lado do seu corpo. Ele nem olha para mim.

— Saia, Jonathan, ou, juro por Deus, eu mesmo vou atirar em você.

Mantendo um olho na pistola, eu saio do quarto, fechando a porta ao entrar no corredor.

Meu coração bate forte.

A arma do Doutor Dickie é exatamente a mesma que Evelyn usará para se suicidar hoje à noite. Ele está empunhando a arma do crime.

29

Por quanto tempo eu fico encarando Jonathan Derby no espelho do meu quarto é impossível dizer. Estou olhando para o homem lá dentro, uma pista da minha verdadeira face.

Quero que Derby veja o seu carrasco.

O uísque esquenta a minha garganta, a garrafa foi surrupiada da sala de visitas e já está pela metade. Preciso dele para fazer minhas mãos pararem de tremer enquanto tento dar um nó na minha gravata borboleta. O relato do Doutor Dickie confirmou o que eu já sabia. Derby é um monstro, seus crimes foram lavados pelo dinheiro da sua mãe. Não há justiça aguardando este homem, não há julgamento ou castigo. Se ele for pagar pelo que fez, terei que o levar ao cadafalso eu mesmo, e é o que pretendo fazer.

Em primeiro lugar, no entanto, vamos salvar a vida de Evelyn Hardcastle.

Meu olhar se volta para a pistola de prata do Doutor Dickie repousando inofensiva em uma poltrona como uma mosca espalmada no ar. Roubá-la foi um ato simples, tão fácil quanto mandar um criado com uma emergência inventada para fazer o médico sair do quarto enquanto eu entrava sorrateiramente depois e a pegava da sua mesa de cabeceira. Por muito tempo, permiti que este dia ditasse os termos para mim, mas não mais. Se alguém quiser matar Evelyn com esta pistola, terá que passar por mim primeiro. Para o inferno com a charada do Médico da Peste! Não confio nele e não vou ficar de braços cruzados enquanto horrores se desenlaçam na minha frente. É hora de Jonathan Derby finalmente fazer algo de bom neste mundo.

Colocando a pistola no bolso do paletó, dou um último gole de uísque e saio pelo corredor, seguindo as demais convidadas que descem a escada para o jantar. Diferentemente dos seus modos, o gosto delas é impecável. Os vestidos de baile expõem costas nuas e peles pálidas adornadas com joias cintilantes. A apatia de antes desapareceu, o charme delas é extravagante. Por fim, com o chamado da noite, elas ganharam vida.

Como sempre, fico atento a algum indício do lacaio nos rostos que passam. Ele está devendo uma visita há tempos, e, quanto mais o dia passa, mais seguro fico de que algo terrível está se aproximando. Pelo menos será uma luta justa. Derby tem pouquíssimas qualidades dignas de louvor, mas sua raiva faz dele um páreo duro. Eu mal consegui contê-lo, então não consigo imaginar como seria vê-lo voando em cima de outra pessoa, vertendo ódio.

Michael Hardcastle está parado no hall de entrada com um sorriso forçado, cumprimentando os que descem as escadas como se estivesse genuinamente feliz em ver cada um daqueles miseráveis. Eu pretendia questioná-lo sobre a misteriosa Felicity Maddox e a nota no poço, mas isso terá que esperar até mais tarde. Há uma parede impenetrável de tafetá e gravatas-borboletas entre nós dois.

A música do piano me carrega à aglomeração na longa galeria, onde os convidados socializam bebendo enquanto os criados preparam a sala de jantar do outro lado das portas. Pegando um uísque de uma das bandejas que passam, fico atento a Millicent. Esperava que Derby pudesse se despedir dela, mas não a vejo em lugar nenhum. Na verdade, a única pessoa que reconheço é Sebastian Bell, que passa pelo hall de entrada a caminho do seu quarto.

Parando uma empregada, pergunto por Helena Hardcastle, esperando que a dona da casa possa estar perto, mas ela ainda não chegou. Isso significa que ela esteve ausente o dia inteiro. Sua ausência se tornou oficialmente um desaparecimento. Não pode ser uma coincidência que Lady Hardcastle não esteja em lugar nenhum no dia da morte de sua filha, embora eu não possa ter certeza se ela é uma suspeita ou uma vítima. De uma forma ou de outra, terei que descobrir.

Meu copo está vazio, minha mente começa a ficar turva. Estou rodeado por riso e conversa, por amigos e amantes. O clima alegre está despertando o amargor de Derby. Posso sentir sua repulsa, sua ojeriza. Ele odeia estas pessoas, este mundo. Odeia a si mesmo.

Criados passam por mim com bandejas de prata, a última refeição de Evelyn chega em uma procissão.

Por que ela não está com medo?

Posso ouvir o riso dela daqui. Ela socializa com os convidados como se todos os seus dias estivessem à sua frente, porém, quando Ravencourt mencionou o perigo hoje de manhã, estava claro que ela sabia que algo estava errado.

Largando o meu copo, abro caminho através do hall de entrada e, em seguida, do corredor em direção ao quarto de Evelyn. Se há respostas, talvez seja lá que eu as encontrarei.

As lamparinas foram reduzidas a chamas baixas. O lugar está quieto e opressivo, um canto esquecido do mundo. Estou a meio caminho da passagem quando percebo um vulto vermelho surgir das sombras.

É a libré de um lacaio.

Ele está bloqueando a passagem.

Eu fico paralisado. Olhando para trás, tento calcular se consigo chegar ao hall de entrada antes que ele me alcance. As chances são mínimas. Nem sei se minhas pernas responderão quando eu mandá-las se mexer.

— Perdão, senhor — diz uma voz esganiçada, o lacaio dando um passo à frente e revelando-se um garoto baixo e magricela, não mais do que treze anos, com espinhas e um sorriso nervoso. — Com licença — ele acrescenta depois de um momento, e percebo que estou no caminho dele. Murmurando um pedido de desculpa, eu o deixo passar e dou um suspiro explosivo.

O lacaio me deixou com tanto medo que a mera sugestão de sua presença é suficiente para incapacitar até mesmo Derby, um homem que esmurraria o sol por queimá-lo. Seria essa a intenção? O motivo por ele ter ameaçado Bell e Ravencourt, ao invés de matá-los? Se isso continuar, ele será capaz de eliminar meus hospedeiros sem um pingo de resistência.

Estou ganhando o apelido que ele me deu, "coelhinho".

Avançando com cuidado, eu sigo para o quarto de Evelyn, encontrando-o trancado. Bater na porta não traz respostas e, relutante em ir embora sem algo para justificar meu esforço, dou um passo para trás com a intenção de pôr o ombro contra a porta. É quando percebo que a porta para o quarto de Helena está exatamente no mesmo lugar da porta para o gabinete de Ravencourt. Colocando a cabeça dentro de ambas as peças, descubro que as dimensões são idênticas. Isso indica que o quarto de Evelyn já foi um gabinete. Se for o caso, haverá uma porta contígua ao quarto de Helena, o que é útil, já que a fechadura segue arrombada desde a manhã.

Meu palpite revela-se correto: a porta contígua está escondida atrás de uma tapeçaria decorativa pendurada na parede. Felizmente, está destrancada e consigo entrar no quarto de Evelyn.

Considerando o seu relacionamento rompido com os pais, eu meio que esperava encontrá-la dormindo em um armário de vassouras, mas o quarto é suficientemente confortável, ainda que modesto. Há uma cama de dossel no centro, uma banheira e uma bacia atrás de uma cortina sob um trilho. Evidentemente, a empregada não vem há algum tempo, pois a banheira está cheia de água fria e suja, toalhas descartadas em pilhas ensopadas no chão, um colar atirado descuidadamente na penteadeira ao lado de uma pilha de lenços amarrotados, todos manchados de maquiagem. As cortinas estão fechadas, a lareira de Evelyn repleta de lenha. Quatro lamparinas a óleo ficam nos cantos do quarto, comprimindo a escuridão entre a sua luz bruxuleante e a da lareira.

Estou tremendo de prazer, a excitação de Derby com essa intrusão faz um rubor quente subir pelo meu corpo. Posso sentir meu espírito tentando se encolher diante do meu hospedeiro, e é tudo o que eu posso fazer para me segurar enquanto vasculho os pertences de Evelyn, procurando por algo que possa levá-la para o espelho d'água mais tarde hoje à noite. Ela é do tipo bagunceira, há roupas descartadas enfiadas onde quer que caibam, joias empilhadas em gavetas, enroladas em cachecóis e xales velhos. Não há sistema, não há ordem, não há indício de que ela permita que uma empregada se aproxime das suas coisas. Seja quais forem os seus segredos, ela os mantém escondidos de mais alguém além de mim.

Eu me vejo tocando em uma blusa de seda, franzindo o cenho para a minha própria mão antes de perceber que não sou eu quem quer isso, é ele.

É Derby.

Com um grito, recolho a minha mão, batendo a porta do guarda-roupa.

Posso sentir o seu ardor. Ele poderia me pôr de joelhos, passando a mão nos pertences dela, inalando o seu aroma. É um animal e por um segundo esteve no comando.

Enxugando as gotículas de desejo da minha testa, respiro fundo para me recompor antes de continuar a busca.

Eu restrinjo a minha concentração até certo ponto, agarrando-me aos meus pensamentos, não permitindo nenhum espaço para ele se infiltrar. Mesmo assim, a investigação é infrutífera. Praticamente o único item de interesse é um antigo livro de recortes contendo curiosidades da vida de Evelyn: velhas correspondências entre ela e Michael, fotos de sua infância, trechos de poesia e reflexões de sua adolescência, todos combinados para apresentar o retrato de uma mulher muito solitária, que amava seu irmão desesperadamente e agora sente uma terrível falta dele.

Fechando o livro, eu o empurro de volta para baixo da cama, onde o encontrei, partindo do quarto com o mesmo silêncio de quando cheguei, arrastando um Derby que esperneia dentro de mim.

30

Estou sentado em uma poltrona num canto escuro do hall de entrada, meu assento posicionado para me dar uma visão desobstruída da porta do quarto de Evelyn. O jantar está a caminho, mas Evelyn estará morta dentro de três horas, e eu planejo acompanhar cada passo dela até o espelho d'água.

Tal paciência normalmente estaria além das capacidades do meu hospedeiro, mas descobri que ele gosta de fumar, o que vem a calhar, porque me deixa tonto, entorpecendo o câncer chamado Derby em meus pensamentos. É um benefício agradável, embora inesperado, desse hábito herdado.

— Eles estarão prontos quando você precisar deles — diz Cunningham, aparecendo em meio à névoa e agachando-se ao lado da minha poltrona. Há um sorriso satisfeito em seu rosto, o que parece algo sem pé nem cabeça para mim.

— Quem vai estar pronto? — pergunto, olhando para ele.

O sorriso desaparece, o constrangimento se instalando quando ele se põe em pé.

— Perdão, Sr. Derby, achei que o senhor fosse outra pessoa — ele diz às pressas.

— Eu *sou* outra pessoa, Cunningham. Sou eu, Aiden. Ainda não faço a menor ideia do que você está falando, no entanto.

— Você me pediu para reunir algumas pessoas — ele diz.

— Não, não pedi.

Nossas confusões devem refletir uma a outra, pois o rosto de Cunningham se contorceu da mesma forma que meu cérebro.

— Perdão, ele falou que você entenderia — diz Cunningham.

— Quem falou?

Um ruído chama a minha atenção para o hall de entrada e, virando-me em meu assento, vejo Evelyn passar fugindo pelo chão de mármore, chorando, as mãos cobrindo o rosto.

— Pegue isso, tenho que ir — diz Cunningham, enfiando um papel em minha mão com a frase *"Todos eles"* escrita nele.

— Espere! Eu não sei o que isso significa — eu o chamo, mas é tarde demais. Ele já foi embora.

Eu iria atrás dele, mas Michael está trazendo Evelyn para o hall, e é por isso que estou aqui. Estes são os momentos faltantes que transformam Evelyn de uma mulher corajosa e gentil, que conheci quando fui Bell, para uma herdeira suicida que vai tirar a própria vida no espelho d'água.

— Evie, Evie, não vá embora, diga o que eu posso fazer — diz Michael, agarrando o seu braço pelo cotovelo.

Ela balança a cabeça, as lágrimas cintilam sob a luz das velas, refletindo os diamantes que lampejam no seu cabelo.

— Eu só... — sua voz fica embargada. — Eu preciso...

Balançando a cabeça, ela o afasta e passa correndo por mim em direção ao seu quarto. Atrapalhando-se ao acertar a chave no buraco da fechadura, ela entra e bate a porta. Michael assiste ela ir desanimado, pegando uma taça de vinho do porto da bandeja que Madeline leva à sala de jantar.

O vinho desaparece em um gole, sua face fica corada.

Tirando a bandeja das mãos dela, ele gesticula para que a camareira vá ao quarto de Evelyn.

— Não se preocupe com isso, vá ver a sua patroa — ele ordena.

É um gesto nobre, um tanto desfeito pela confusão que se sucede quando ele tenta descobrir o que fazer com as trinta taças de xerez, vinho do porto e conhaque que herdou.

Do meu lugar, observo Madeline bater na porta de Evelyn, a pobre camareira cada vez mais frustrada com cada súplica ignorada. Finalmente, ela volta ao hall de entrada, onde Michael ainda está procurando um lugar para pôr a bandeja.

— Infelizmente Mademoiselle está... — Madeline faz um gesto desesperador.

— Está tudo bem, Madeline — Michael diz, exausto. — Foi um dia difícil. Por que não a deixa sozinha por enquanto? Com certeza ela vai chamar quando precisar de você.

Madeline se demora, incerta, olhando para trás em direção ao quarto de Evelyn, mas, depois de hesitar, ela faz o que ele pede, desaparecendo ao descer a escada dos criados rumo à cozinha.

Olhando de um lado para o outro em busca de um lugar para largar a bandeja, Michael me pega observando-o.

— Eu devo estar com uma tremenda cara de bobo — ele diz, corando.

— Está mais com cara de garçom inepto — digo secamente. — Suponho que o jantar não tenha saído conforme o planejado?

— É essa questão com Ravencourt — ele diz, equilibrando a bandeja de uma maneira um tanto precária nos braços de uma cadeira próxima. — Você tem um desses cigarros para emprestar?

Eu saio da névoa para lhe dar um cigarro, acendendo-o em seus dedos.

— Ela tem mesmo que se casar com ele? — pergunto.

— Nós estamos quase falidos, meu velho — ele suspira, dando uma longa tragada. — Meu pai está comprando todas as minas vazias e todas as plantações arruinadas do império. Dou um ou dois anos até que os nossos fundos sequem completamente.

— Mas eu achei que Evelyn e seus pais não se dessem bem. Por que ela iria concordar com isso?

— Por mim — ele diz, balançando a cabeça. — Meus pais ameaçaram cortar meu dinheiro se ela não obedecer a eles. Eu ficaria lisonjeado se não sentisse uma culpa infernal por tudo isso.

— Deve haver outra saída.

— Meu pai espremeu cada centavo que tinha em um dos poucos bancos que ainda se impressionam com o seu título. Se nós não conseguirmos esse dinheiro, bom... para dizer a verdade, não sei o que vai acontecer, mas vamos ficar pobres e tenho certeza de que vamos nos sair muito mal nisso.

— A maioria se sai mal — digo.

— Bom, pelo menos elas tiveram prática — ele diz, largando as cinzas no piso de mármore. — Por que sua cabeça está enfaixada?

Eu a toco, constrangido, tendo praticamente me esquecido que as faixas estavam lá.

— Eu pisei nos calos de Stanwin — digo. — Eu o vi discutir com Evelyn sobre uma mulher chamada Felicity Maddox e tentei intervir.

— Felicity? — ele diz, o reconhecimento surgindo em seu rosto.

— Você conhece o nome?

Ele hesita, dando uma longa baforada antes de expirar lentamente.

— É uma velha amiga da minha irmã — ele diz. — Não consigo imaginar por que eles estariam discutindo a respeito dela. Faz anos que Evelyn não a vê.

— Ela está aqui em Blackheath — digo. — Deixou um bilhete para Evelyn no poço.

— Tem certeza? — ele pergunta com ceticismo. — Ela não estava na lista de convidados e Evelyn não me disse nada.

Somos interrompidos por um barulho na porta. É o Doutor Dickie vindo depressa em minha direção. Ele põe a mão em meu ombro e se inclina próximo ao meu ouvido.

— É a sua mãe — ele sussurra. — Você precisa vir comigo.

O que quer que tenha acontecido, é suficientemente terrível para ter enterrado a sua antipatia por mim.

Pedindo licença a Michael, vou correndo atrás do médico, o meu pavor crescendo a cada passo, até que finalmente ele me leva para o quarto dela.

A janela está aberta, uma rajada fria tenta agarrar as chamas das velas que iluminam a sala. Meus olhos levam alguns segundos até se acostumarem à penumbra, mas eu finalmente a encontro. Millicent está deitada de lado na cama, os olhos fechados e o peito inerte, como se tivesse entrado embaixo das cobertas para uma rápida soneca. Tinha começado a se vestir para o jantar e penteara seus cabelos grisalhos geralmente revoltos, amarrando-os no alto da cabeça e longe do rosto.

— Sinto muito, Jonathan, eu sei como vocês dois eram próximos — ele diz.

O luto me esmaga. Não importa o quanto eu diga a mim mesmo que essa mulher não é minha mãe, não consigo me livrar desse sentimento.

Minhas lágrimas chegam, súbita e silenciosamente. Tremendo, eu me sento na cadeira de madeira ao lado da sua cama, colocando sua mão ainda quente na minha.

— Foi um ataque cardíaco — diz o Doutor Dickie com uma voz dolorosa. — Isso deve ter acontecido muito de repente.

Ele está do outro lado da cama, a emoção em seu rosto é tão crua como a minha. Enxugando uma lágrima, ele fecha a janela, cortando a brisa fria. As velas ficam estáticas, a luz no quarto se solidifica em uma incandescência morna e dourada.

— Eu poderia avisá-la? — pergunto, pensando nas coisas que posso acertar amanhã.

Ele se mostra perplexo por um segundo, mas claramente atribui a questão ao luto, e responde com uma voz gentil.

— Não — ele diz, balançando a cabeça. — Você não poderia ter avisado sua mãe.

— E se...

— Foi simplesmente a hora dela, Jonathan — ele diz delicadamente.

Eu aceno com a cabeça, é só o que posso fazer. Ele fica um pouco mais, enrolando-me em palavras que não consigo ouvir nem sentir. Minha dor é um poço sem fundo. Tudo o que eu posso fazer é cair e torcer para chegar ao fundo. Porém, quanto mais eu desço, mais percebo que não estou chorando somente por Millicent Derby. Há algo mais embaixo, algo mais profundo que a dor do meu hospedeiro, algo que pertence a Aiden Bishop. É algo cru e desesperado, triste e raivoso, pulsando em meu âmago. O pesar de Derby o revelou, mas, por mais que eu tente, não consigo trazê-lo à tona, para longe do escuro.

Deixe enterrado lá.

— O que é isso?

Uma parte de você, agora deixe para lá.

Uma batida na porta me distrai, e, olhando para o relógio, percebo que uma hora se passou. Não há sinal do Doutor. Ele deve ter saído sem que eu tivesse notado.

Evelyn põe a cabeça no quarto. Seu rosto está pálido, as bochechas coradas pelo frio. Ela ainda está com o vestido de baile azul, embora ele tenha adquirido alguns amassados desde a última vez que a vi. A tiara aparece saindo do bolso de seu longo casaco bege, as galochas deixam um rastro de lama e folhas pelo chão. Ela deve ter acabado de voltar do cemitério com Bell.

— Evelyn...

Eu pretendo dizer mais, mas me engasgo com a minha tristeza.

Evelyn junta os cacos do momento e, em seguida, faz um muxoxo e entra na sala, indo direto para uma garrafa de uísque no aparador. O copo mal tocou meus lábios quando ela o vira em minha boca, forçando-me a beber de uma só vez.

Engasgando-me, empurro o copo para longe, o uísque escorrendo pelo meu queixo.

— Por que você...

— Bom, você dificilmente conseguiria me ajudar no seu estado atual — ela diz.

— Ajudar?

Ela está me estudando na sua mente, pensando cuidadosamente em mim.

Ela me dá um lenço.

— Limpe o seu queixo, você está horrível — ela diz. — Lamento dizer que a tristeza não combina nem um pouco com essa cara arrogante.

— Como...

— É uma história muito longa — ela diz. — E infelizmente estamos um pouco apertados em relação ao tempo.

Eu fico sentado, emudecido, lutando para absorver tudo, ansiando pela claridade da mente de Ravencourt. Tanta coisa aconteceu, tanta coisa que não consigo ligar uma à outra. Eu já sentia como se estivesse olhando para as pistas por trás de uma lupa embaçada, e agora Evelyn está aqui, puxando um lençol sobre o rosto de Millicent, tranquila como um dia de verão. Por mais que eu tente, não consigo acompanhar.

Obviamente, aquele pequeno rompante no jantar sobre o seu noivado era uma encenação, pois não há nenhum vestígio de tristeza incapacitante dentro dela no momento. Seus olhos estão límpidos, o seu tom é contemplativo.

— Então não sou a única que morre hoje à noite — ela diz, acariciando o cabelo da senhora. — Que coisa triste.

O copo cai da minha mão em estado de choque.

— Você sabe sobre...

— Sim, o espelho d'água. Que coisa curiosa, não é?

Ela tem um tom onírico, como se estivesse descrevendo algo que ouviu uma vez e agora só lembra pela metade. Eu desconfiaria que a sua mente se dobrou de alguma forma, não fosse o aspecto cortante das suas palavras.

— Você parece estar recebendo bem as notícias — digo com cautela.

— Você tinha que ter me visto hoje de manhã. Estava com tanta raiva que abri buracos nas paredes aos pontapés.

Evelyn está correndo a mão pela beirada da penteadeira, abrindo o porta-joias de Millicent, tocando o pincel de cabo perolado. Eu descreveria seus atos como cobiçosos, se não houvesse ali a aparência de igual quantidade de reverência.

— Quem quer lhe matar, Evelyn? — pergunto, nervoso com essa curiosa exibição.

— Eu não sei — ela diz. — Tinha uma carta debaixo da minha porta quando acordei. As instruções eram bem específicas.

— Mas você não sabe quem a enviou?

— O policial Rashton tem uma teoria, mas ele a guarda a sete chaves.

— Rashton?

— O seu amigo? Ele me disse que você o ajudava na investigação.

A dúvida e o desgosto se infiltram em cada palavra, mas estou intrigado demais para levar para o lado pessoal. Seria este Rashton outro hospedeiro? Talvez o mesmo homem que pediu a Cunningham para entregar aquela mensagem com a frase *"Todos eles"* e que pediu para reunir um grupo de pessoas? De qualquer maneira, parece que ele me deixou empolgado com o seu plano. Se posso confiar, é outra questão.

— Onde Rashton falou com você? — pergunto.

— Sr. Derby — ela diz com firmeza —, eu adoraria sentar e responder todas as suas perguntas, mas não temos todo esse tempo. Esperam que eu esteja no espelho d'água em dez minutos e não posso me atrasar. Aliás, é por isso que estou aqui, preciso da pistola de prata que você pegou do Doutor.

— Você não pode estar dizendo que vai levar isso adiante — digo, dando um pulo no lugar, alarmado.

— Pelo que entendi, seus amigos estão perto de desmascarar o meu futuro assassino. Só precisam de mais tempo. Se eu não for, o assassino vai saber que há algo errado, e não posso correr esse risco.

Fico ao lado dela em dois passos, o coração pulsando.

— Você quer dizer que eles sabem quem está por trás disso? — pergunto, excitado. — Eles lhe deram qualquer indício de quem poderia ser? — Evelyn está segurando um dos camafeus de Millicent Derby à luz, um rosto de marfim sobre renda azul. Suas mãos estão tremendo. É o primeiro sinal de medo que vejo nela.

— Não deram, mas espero que descubram logo. Eu confio que os seus amigos vão me salvar antes que eu seja forçada a fazer algo... final.

— Final? — eu digo.

— O bilhete era específico, ou eu me suicido no espelho d'água às onze horas ou alguém que gosto demais morrerá em meu lugar.

— Felicity? — pergunto. — Sei que você pegou um bilhete dela no poço, e que pediu para ela lhe auxiliar com a sua mãe. Michael disse que ela era uma velha amiga. Ela está em perigo? Alguém a mantém presa contra a vontade?

Isso explicaria por que eu ainda não consegui encontrá-la.

O porta-joias se fecha com um estalo. Evelyn se vira para mim, as mãos agora pressionadas à penteadeira.

— Não quero soar impaciente, mas você não tinha que estar em outro lugar? — ela diz. — Me pediram para lhe lembrar que você precisa cuidar uma pedra. Isso faz algum sentido para você?

Eu concordo, lembrando o favor que Anna me pediu hoje à

tarde. Preciso estar sobre ela quando Evelyn se matar. Não posso me mexer. Nem um centímetro, ela disse.

— Neste caso, o meu trabalho aqui já terminou e eu preciso ir — Evelyn diz. — Onde está a pistola de prata?

Mesmo em seus dedos pequenos, ela parece algo inconsequente, mais uma decoração do que uma arma, um jeito embaraçoso de terminar uma vida. Eu me pergunto se o objetivo é esse, se não há uma reprovação silenciosa no instrumento de morte como há no método. Evelyn não está apenas sendo morta, ela está sendo constrangida, dominada.

Roubaram todas as suas escolhas.

— Que jeito bonito de morrer — Evelyn diz, olhando fixo para a pistola. — Por favor, não se atrase, Sr. Derby, eu desconfio que minha vida depende disso.

Após uma última olhada para o porta-joias, ela parte.

31

Abraçando-me contra o frio, fico sobre a pedra que Anna posicionou cuidadosamente, amedrontado de dar até mesmo um pequeno passo à esquerda, onde pelo menos seria aquecido por um dos braseiros. Eu não sei por que estou aqui, mas, se isso for parte de um plano para salvar Evelyn, ficarei neste lugar até que meu sangue vire gelo.

Lançando um olhar na direção das árvores, avisto o Médico da Peste em sua localização habitual, parcialmente escondido pela escuridão. Ele não está olhando para o espelho d'água como eu imaginei quando testemunhei este momento pelos olhos de Ravencourt, mas sim para a sua direita. O ângulo da sua cabeça indica que ele está falando com alguém, embora eu esteja muito longe para ver quem é. De qualquer forma, é um sinal encorajador. Evelyn deu a entender que encontrou aliados entre meus hospedeiros, e é claro que naqueles arbustos alguém está esperando para lhe socorrer.

Evelyn chega pontualmente às onze da noite, a pistola de prata pende solta em sua mão. Flutuando da sombra à chama, ela segue os braseiros, seu vestido de baile azul arrasta-se na grama. Eu anseio por arrancar a pistola de sua mão, mas, em algum lugar longe dos meus olhos, uma mão invisível está trabalhando, operando alavancas que não consigo entender. A qualquer momento alguém vai gritar, tenho certeza disso. Um dos meus futuros hospedeiros virá correndo rumo ao escuro, dizendo a Evelyn que tudo acabou e que o assassino foi capturado. Ela largará a arma e agradecerá aos soluços, enquanto Daniel apresentará seu plano para Anna e eu escaparmos.

Pela primeira vez desde que tudo começou, sinto que faço parte de algo maior.

Encorajado por isso, planto os meus pés no chão, suspenso sobre a pedra.

Evelyn parou na beira da água, olhando ao redor na direção das árvores. Por um segundo, acho que ela vai identificar o Médico da Peste, mas ela desvia o olhar antes de chegar nele. Ela está instável, balançando suavemente como se fosse embalada por uma música que só ela consegue escutar. As chamas do braseiro refletem nos diamantes do seu colar, o fogo líquido desce a sua garganta. Ela está tremendo, o desespero cresce em seu rosto.

Algo está errado.

Eu olho para trás, na direção do salão de baile, e encontro Ravencourt na janela, olhando ansiosamente para sua amiga. Palavras estão se formando em seus lábios, mas é tarde demais para que façam algum bem.

— Que Deus me ajude — Evelyn sussurra para a noite.

Com lágrimas vertendo em sua face, ela aponta a arma em direção ao estômago e puxa o gatilho.

O tiro é tão alto que parte o mundo ao redor, abafando o meu grito angustiado.

No salão de baile, a festa prende a respiração.

Rostos surpresos se voltam para o espelho d'água, seus olhos procuram por Evelyn. Ela está com as mãos apertando a barriga, o sangue sai por entre seus dedos. Ela parece confusa, como se tivesse recebido algo que não deveria, mas, antes que possa entender, ela se dobra, caindo na água de frente.

Fogos de artifício explodem no céu noturno enquanto os convidados passam pela porta dupla apontando os dedos, ofegantes. Alguém corre na minha direção, seus passos batem forte na terra. Eu me viro a tempo de receber todo o seu peso em meu peito, o que faz com que eu caia estatelado no chão.

Tentando se levantar, a pessoa consegue arranhar meu rosto com os dedos, dando uma joelhada em meu estômago. O temperamento de Derby, já se debatendo para se soltar, toma conta de mim. Com um grito de raiva, eu começo a bater nesse vulto na escuridão, segurando as suas roupas enquanto ele tenta se desvencilhar.

Uivando de frustração, sou tirado do chão, meu adversário é erguido de forma similar, e nós dois somos imobilizados pelos criados. Uma luz de lanterna nos banha, revelando um furioso Michael Hardcastle tentando desesperadamente se libertar dos braços fortes de Cunningham, que o impedem de chegar à silhueta ferida de Evelyn.

Eu olho para ele com espanto.

Houve uma mudança.

A revelação arranca a briga de mim, meu corpo fica mole nos braços do criado enquanto olho fixo para o espelho d'água.

Quando vi esse acontecimento como Ravencourt, Michael agarrou-se a sua irmã, incapaz de movê-la. Agora, um sujeito alto vestindo um sobretudo a puxa para fora da água, cobrindo o corpo ensanguentado dela com o paletó de Dickie.

O criado me solta e eu caio de joelhos a tempo de ver um soluçante Michael Hardcastle ser retirado por Cunningham. Determinado a absorver o quanto for possível desse milagre, meu olhar corre de um lado para o outro. Próximo do espelho d'água, o Doutor Dickie se ajoelha ao lado do corpo de Evelyn conversando algo com o outro homem, que parece estar no comando. Ravencourt se retira para um sofá no salão de baile e senta-se abatido, apoiado na bengala, perdido em pensamentos. A banda está ouvindo as arengas de convidados bêbados que, alheios ao horror lá fora, querem que ela continue tocando, enquanto os criados ficam inertes, cruzando os braços ao se aproximar do corpo debaixo do paletó.

Só Deus sabe por quanto tempo eu fico lá sentado na escuridão observando tudo isso se desvelar. Tempo suficiente para todos os outros serem levados de volta para a casa pelo sujeito de sobretudo. Tempo suficiente para o corpo flácido de Evelyn ser levado embora. Tempo suficiente para ele ficar frio, para ficar rígido.

Tempo suficiente para o lacaio me encontrar.

Ele surge do canto mais distante da casa, um pequeno saco amarrado à cintura, o sangue pingando das suas mãos. Sacando sua faca, ele começa a passar a lâmina para frente e para trás na borda de um braseiro. Não sei dizer se ele está afiando-a ou simplesmente aquecendo-a, mas suspeito que seja irrelevante. Ele quer que eu veja, que ouça aquele arranhar inquietante de metal contra metal.

Ele me observa, esperando pela minha reação e, ao olhar para ele agora, imagino como alguém seria capaz de confundi-lo com um criado alguma vez. Embora ele esteja vestido com o uniforme vermelho e branco de um lacaio, não possui nada daquela tradicional subserviência. Ele é alto e magro, é lânguido em seus movimentos, com cabelo loiro sujo e uma cara de choro, olhos escuros sobre um sorriso que seria encantador se não fosse tão vazio. E ainda tem aquele nariz quebrado.

É roxo e inchado, distorcendo suas feições. À luz do fogo, ele parece uma criatura vestida de humano com a máscara caindo.

O lacaio ergue a faca para inspecionar melhor o seu trabalho. Satisfeito, ele a usa para cortar o saco da sua cintura, arremessando-o diante dos meus pés.

Ele atinge o chão com um baque, seu material encharcado de sangue e amarrado com um cordão. Ele quer que eu abra, mas não tenho intenção de fazer a sua vontade.

Ficando em pé, eu tiro o paletó e massageio as cãibras no pescoço.

No fundo da minha mente, posso ouvir Anna gritar para mim, exigindo que eu saia correndo. Ela está certa, eu deveria estar com medo, e em qualquer outro hospedeiro eu estaria. Isto é claramente uma armadilha, mas estou cansado de ter medo deste homem.

É hora de lutar, nem que seja para me convencer de que sou capaz.

Por um momento, observamos um ao outro, a chuva caindo e o vento girando. Sem surpresa, é o lacaio que força a decisão, virando-se repentinamente e correndo para a escuridão da floresta.

Gritando como um lunático, saio correndo atrás dele.

Ao cruzar a floresta, as árvores se amontoam ao meu redor, os galhos arranham meu rosto, a ramagem torna-se densa.

Minhas pernas estão ficando cansadas, mas continuo a correr até perceber que não consigo mais ouvi-lo.

Derrapando até parar bruscamente, giro no local, ofegante.

Ele está em cima de mim em segundos, cobrindo minha boca para abafar o meu grito quando a lâmina entra no lado do meu corpo e rasga minhas costelas, o sangue borbulhando em minha garganta. Meus joelhos se dobram, mas sou impedido de cair pelos seus braços fortes à minha volta. Ele está respirando tomando pouco ar, ansioso. Este não é o som do cansaço, é entusiasmo e antecipação.

Um fósforo queima, um minúsculo ponto de luz em frente ao meu rosto.

Ele está ajoelhado bem em frente, seus impiedosos olhos negros penetrando em mim.

— Coelho valente — ele diz, cortando minha garganta.

32
DIA SEIS

— Acorde! Acorde, Aiden!

Alguém está batendo na minha porta.

— Você precisa acordar, Aiden. Aiden!

Engolindo o cansaço, olho piscando à minha volta. Estou em uma cadeira, pegajoso de suor, minhas roupas enroscando-se apertadas ao meu redor. É noite, uma vela derrete em uma mesa próxima. Há um cobertor axadrezado sobre o meu colo, as mãos de um velho repousando sobre um livro com orelhas. As veias saltam em minha pele enrugada, manchas de tinta seca e sinais se entrelaçam. Eu flexiono os dedos endurecidos pela velhice.

— Aiden, por favor! — diz a voz no corredor.

Me levantando da cadeira, vou até a porta, velhas dores se agitam pelo meu corpo como enxames de vespas incomodadas. As dobradiças estão soltas, o canto inferior da porta arranha o chão, revelando a figura esguia de Gregory Gold do outro lado, apoiado no batente da porta. Ele tem a mesma aparência de quando atacará o mordomo, apesar do paletó estar rasgado e coberto de lama e a respiração, irregular.

Ele segura a peça de xadrez que Anna me deu, e isso, junto com o uso do meu nome real, é o suficiente para me convencer de que ele é outro dos meus hospedeiros. Normalmente, eu receberia este encontro de bom grado, mas ele está em um estado medonho, agitado e desgrenhado, como um homem que foi arrastado para o inferno e voltou.

Ao me ver, ele aperta os meus ombros. Seus olhos escuros estão avermelhados, tremendo de um lado para o outro.

— Não saia da carruagem — ele diz, cuspe saindo dos lábios. — Seja lá o que você fizer, não saia da carruagem.

Seu medo é uma doença, a infecção se espalha em mim.

— O que aconteceu com você? — eu pergunto, um tremor em minha voz.

— Ele... Ele não para nunca...

— O que ele não para? — pergunto.

Gold está balançando a cabeça, dando tapas nas têmporas. Lágrimas escorrem pela sua face, mas não sei como começar a confortá-lo.

— O que ele não para, Gold? — pergunto novamente.

— De cortar — ele diz, levantando a manga para revelar os cortes abaixo. Eles se parecem exatamente iguais aos ferimentos de faca com os quais Bell acordou naquela primeira manhã.

— Você não vai querer, não vai, mas vai desistir dela, você vai contar, vai contar tudo a eles, não vai querer, mas vai contar — ele balbucia. — Há dois deles. Dois. Eles parecem iguais, mas são dois.

Sua mente está quebrada, percebo agora. Não resta um centímetro de sanidade no homem. Eu estendo uma mão, tentando trazê-lo para o quarto, mas ele se assusta, recuando até bater na parede atrás, somente sua voz permanecendo.

— Não saia da carruagem — ele sussurra para mim, virando-se e partindo pelo corredor.

Dou um passo para fora do quarto indo atrás dele, mas está escuro demais para ver qualquer coisa e, no momento em que retorno com uma vela, o corredor está vazio.

33
DIA DOIS
(CONTINUAÇÃO)

O corpo do mordomo, a dor do mordomo, carregado de sedativo. É como voltar para casa.

Eu mal acordei e já estou me deixando levar pelo sono. Está escurecendo. Um homem caminha de um lado para o outro no minúsculo quarto, uma espingarda em seus braços.

Não é o Médico da Peste. Não é Gold.

Ele escuta quando me mexo e se vira. Ele está na penumbra, não consigo identificá-lo.

Abro a minha boca, mas nenhuma palavra sai dela.

Fecho os olhos e me deixo levar novamente.

34
DIA SEIS
(CONTINUAÇÃO)

— Pai.

Fico espantado ao encontrar o rosto sardento de um jovem com cabelo ruivo e olhos azuis a alguns centímetros da minha face. Sou velho novamente, sentado na cadeira com um cobertor axadrezado estendido em meu colo. O rapaz está encurvado em noventa graus, as mãos entrelaçadas atrás das costas como se não confiasse na companhia delas.

Minha careta o empurra um passo para trás.

— O senhor me pediu para lhe acordar às nove e quinze — ele diz, apologético.

Ele cheira a uísque, tabaco e medo. Essas coisas se acumulam dentro dele, manchando de amarelo o branco dos seus olhos. São desconfiados e acossados, como um animal à espera do tiro.

Está claro do lado de fora da janela, minha vela se apagou há tempos e o fogo da lareira foi reduzido a cinzas. Minha vaga memória de ser o mordomo prova que cochilei depois da visita de Gold, mas não me lembro de ter feito isso. O horror do que Gold aguentou — o que deverei em breve aguentar — me manteve caminhando de um lado para o outro durante a madrugada.

Não saia da carruagem.

Foi um aviso e um apelo. Ele quer que eu modifique o dia, e, embora isso seja divertido, também é perturbador. Sei que pode ser feito, eu vi, mas se sou inteligente o suficiente para mudar as coisas, o lacaio também é. Até onde sei, estamos correndo em círculos, cada um desfazendo o trabalho do outro. Não se trata mais de encontrar a resposta certa, trata-se de guardá-la por tempo suficiente para entregá-la ao Médico da Peste.

Tenho que falar com o artista na primeira oportunidade.

Eu me mexo em meu assento, puxando para o lado o cobertor xadrez, causando um discretíssimo estremecimento no rapaz. Ele se apruma, olhando para mim de lado para ver se eu percebi. Pobre menino, tiraram toda sua valentia aos murros e agora está sendo chutado por ser um covarde. Minha empatia não cai bem com o meu hospedeiro, cujo desgosto por seu filho é absoluto. Ele considera a mansidão deste rapaz enfurecedora, seu silêncio é uma afronta. Ele é um fracasso, um imperdoável fracasso.

O meu único.

Eu balanço a cabeça, tentando me libertar dos arrependimentos deste homem. As memórias de Bell, Ravencourt e Derby eram objetos em uma névoa, mas a bagunça desta vida atual está espalhada ao meu redor. Não há como não tropeçar nela.

Apesar da indicação de enfermidade que o cobertor dá, levanto-me sentindo apenas um pouco de enrijecimento, alcançando uma altura respeitável. Meu filho se retirou para o canto do quarto, acortinando-se nas sombras. Embora a distância não seja grande, é longa demais para o meu hospedeiro, cujos olhos fraquejam com metade da extensão. Eu procuro por óculos, sabendo que é inútil. Este homem considera a velhice uma fraqueza, o resultado de uma mente vacilante. Não haverá óculos, bengalas, nenhum auxílio de qualquer tipo. Quaisquer que sejam os fardos que foram empilhados sobre mim, são meus para suportar. Sozinho.

Posso sentir o meu filho analisando meu ânimo, observando meu rosto como alguém que observa as nuvens de uma tempestade que se aproxima.

— Desembuche — digo grosseiramente, agitado pela sua reticência.

— Eu esperava poder ser dispensado da caçada de hoje à tarde — ele diz.

As palavras são jogadas aos meus pés, dois coelhos mortos para um lobo faminto.

Mesmo esse simples pedido irrita os meus nervos. Que rapaz não gosta de caçar? Que rapaz arrasta-se e rasteja, caminhando pelas beiradas do mundo na ponta dos pés ao invés de andar pisoteando em cima dele? Meu impulso é recusar para fazê-lo sofrer pela temeridade de ser quem ele é, mas eu engulo o desejo. Nós dois estaremos mais felizes longe da companhia um do outro.

— Tudo bem — digo, enxotando-o.

— Obrigado, pai — ele diz, fugindo do quarto antes que eu possa mudar de ideia. Na sua ausência, minha respiração se acalma, minhas mãos cerradas se abrem. A raiva tira seus braços do meu peito, me deixando livre para investigar o quarto por um reflexo do seu dono.

Três livros repousam numa pilha sobre a mesa de cabeceira, todos tratando dos detalhes obscuros da lei. Meu convite para o baile é usado como um marcador e está endereçado para Edward e Rebecca Dance. Apenas o nome é o suficiente para me fazer desmoronar. Eu me lembro do rosto de Rebecca, do seu perfume. Da sensação de estar perto dela. Meus dedos encontram o medalhão em volta do meu pescoço, o retrato dela aninhado lá dentro. O luto de Dance é uma dor silenciosa, uma única lágrima a cada dia. É o único luxo que ele permite a si mesmo.

Deixando de lado o luto, eu tamborilo o convite com o dedo.

— Dance — eu murmuro.

Um nome peculiar para um homem sem alegria alguma.

A batida na porta perfura o silêncio, a maçaneta gira e a porta se abre segundos depois. O sujeito que entra é grande e bamboleante, coçando uma cabeça cheia de cabelo grisalho, soltando caspa em todas as direções. Está usando um terno azul amarrotado sob os bigodes brancos e os olhos vermelhos injetados, e pareceria bastante ameaçador não fosse o conforto com que carrega o seu desleixo.

Ele para no meio de uma coçada, piscando os olhos para mim, aturdido.

— Este é o seu quarto, Edward? — o estranho pergunta.

— Bom, eu acordei aqui — digo cauteloso.

— Que diabos, não consigo lembrar onde me colocaram.

— Onde você dormiu ontem à noite?

— No solário — ele diz, coçando uma axila. — Herrington apostou comigo que eu não conseguiria terminar uma garrafa de vinho do porto em quinze minutos, e essa é a última coisa de que eu me lembro depois que aquele canalha do Gold me acordou hoje de manhã, discursando e delirando feito um lunático.

A menção a Gold me faz voltar ao seu aviso incoerente da noite passada e às cicatrizes em seu braço. Não saia da carruagem, ele disse. Isso dá a entender que vou partir em algum momento? Ou fazer uma viagem? Já sei que não posso chegar à vila, então isso parece improvável.

— Gold disse alguma coisa? — pergunto. — Sabe aonde ele estava indo ou quais eram os planos dele?

— Não parei para tomar umas e outras com o homem, Dance — ele diz com desdém. — Eu o avaliei e deixei claro de uma vez por todas que estava de olho nele. — Ele olha de soslaio para os lados. — Deixei uma garrafa aqui? Preciso de alguma coisa para aliviar esta dor de cabeça desgraçada.

Eu mal abro a boca para responder quando ele começa a vasculhar minhas gavetas, deixando-as abertas enquanto direciona seu ataque ao guarda-roupa. Depois de tatear os meus bolsos, ele se vira, examinando o quarto como se tivesse ouvido um leão nos arbustos.

Outra batida, outro rosto. Agora pertence ao Comandante Clifford Herrington, o maçante camarada naval que estava sentado ao lado de Ravencourt no jantar.

— Venham, vocês dois — ele pede, olhando o relógio. — O velho Hardcastle está esperando por nós.

Livre do flagelo do álcool potente, ele tem postura ereta e autoridade.

— Alguma ideia do que ele quer de nós? — pergunto.

— Nenhuma ideia, mas minha expectativa é que ele nos conte quando chegarmos lá — ele responde bruscamente.

— Preciso do meu uísque para viagem — diz o meu companheiro.

— Com certeza deve ter um pouco na portaria, Sutcliffe — diz

Herrington, sem se preocupar em esconder sua impaciência. — Além disso, você conhece Hardcastle, ele tem andado sério para diabo nos últimos dias, provavelmente é melhor não aparecermos lá mamados.

Tal é a força da minha conexão com Dance que a simples menção a Lord Hardcastle me faz encher as bochechas e bufar de irritação. A presença do meu hospedeiro em Blackheath é uma questão de obrigação, uma visita fugaz que dura apenas o suficiente para concluir seus negócios com a família. Por outro lado, estou desesperado para questionar o dono da casa sobre a sua mulher desaparecida, e meu entusiasmo pelo nosso encontro roça na agitação de Dance como uma lixa na pele.

De alguma forma, estou irritando a mim mesmo.

Atormentado novamente pelo impaciente oficial da Marinha, o bamboleante Sutcliffe ergue uma mão, implorando por um minuto a mais antes de largar seus dedos desesperados em minhas estantes. Cheirando o ar, ele se lança em direção à cama, levantando o colchão para revelar uma garrafa de uísque roubada em meio às molas.

— Vá em frente, Herrington, meu velho — ele diz magnânimo, torcendo a tampa e dando um vigoroso gole.

Balançando a cabeça, Herrington gesticula para irmos ao corredor, onde Sutcliffe começa a contar uma piada escandalosa a plenos pulmões, seu amigo tentando, sem sucesso, aquietá-lo. São dois bufões, a boa disposição de ambos possui uma arrogância que me faz ranger os dentes. Meu hospedeiro não tem a menor paciência para qualquer tipo de excesso e dispararia em frente com prazer, mas não quero caminhar nestes corredores sozinho. Como um meio-termo, sigo dois passos atrás, longe o bastante para não ter que participar da conversa, mas perto o bastante para fazer o lacaio hesitar caso ele esteja à espreita nas proximidades.

Somos recebidos no pé da escada por alguém chamado Christopher Pettigrew, que vem a ser o sujeito oleoso com quem Daniel confabulava no jantar. Ele é um homem magro, feito para zombar, com cabelo escuro e oleoso penteado para um dos lados. É encurvado e malicioso como eu lembro, seu olhar correndo por meus bolsos antes de chegar ao meu rosto. Eu me perguntei duas noites atrás se ele poderia ser um futuro hospedeiro, mas, se assim for, devo ter me entregado aos seus vícios, uma vez que ele já está amolecido pelo álcool, pegando alegremente a garrafa compartilhada pelos seus camaradas. Ela nunca desvia em minha direção, o que significa que não preciso recusar. Claramente, Edward Dance se afasta desta ralé e fico feliz que seja assim. Eles formam um grupo esquisito: certamente amigos, mas desesperados para sê-lo, como três náufragos na mesma ilha. Felizmente, a boa disposição deles desaparece quanto mais nos distanciamos da casa, seus risos arrancados pelo vento e pela chuva, a garrafa levada à força em um bolso quente junto à mão gelada que a segura.

— Alguém mais ouviu o poodle de Ravencourt latir hoje de manhã? — diz o oleoso Pettigrew, que é pouco mais do que um par de olhos ardilosos sobre um cachecol neste momento. — Qual é o nome dele mesmo?

Ele estala os dedos tentando invocar a memória.

— Charles Cunningham — respondo distante, escutando apenas parcialmente. Ao longo do caminho, tenho certeza de ter visto alguém nos seguindo nas árvores. Apenas um lampejo, o suficiente para gerar dúvida, com a exceção de que parecia ser o libré de um lacaio. Minha mão sobe para a garganta e, por um instante, sinto a sua lâmina novamente.

Estremecendo, olho de soslaio para as árvores, tentando fazer algum uso dos olhos horríveis de Dance, mas, se era meu inimigo, ele foi embora agora.

— Esse aí, o maldito Charles Cunningham — diz Pettigrew.

— Ele estava perguntando sobre o assassinato de Thomas Hardcastle? — pergunta Herrington, o rosto voltado obstinadamente para o vento, sem dúvida um hábito da sua experiência naval. — Ouvi dizer que estava visitando Stanwin hoje de manhã, e a primeira coisa que ele fez foi pegá-lo pelo pescoço — ele acrescenta.

— Impertinente dos infernos — diz Pettigrew. — E você, Dance, ele veio bisbilhotar por aí?

— Não que eu saiba — digo, ainda olhando para a floresta. Estamos passando perto do local onde pensei ter visto o lacaio, mas agora vejo que o respingo da cor é um marcador de trilha vermelho pregado em uma árvore. Minha imaginação está pintando monstros no bosque.

— O que Cunningham queria? — pergunto, relutantemente voltando minha atenção para os meus companheiros.

— Não é ele — diz Pettigrew. — Ele estava perguntando em nome de Ravencourt, parece que o banqueiro gordo se interessou pelo assassinato de Thomas Hardcastle.

Isso me pega de surpresa. De todas as tarefas que deleguei a Cunningham quando era Ravencourt, fazer perguntas pelo assassinato de Thomas Hardcastle não era uma delas. O que quer que Cunningham esteja fazendo, está usando o nome de Ravencourt para agradar. Talvez isso seja parte do segredo que ele estava tão interessado em me impedir de revelar, o segredo que ainda precisa chegar em um envelope sob a poltrona da biblioteca.

— Que tipo de perguntas? — digo, o meu interesse acendendo-se pela primeira vez.

— Ficou perguntando sobre o segundo assassino, aquele que Stanwin disse ter acertado de raspão com a espingarda antes de fugir — diz Herrington, que está virando uma garrafa de bolso nos lábios. — Queria saber se existiam boatos sobre quem eles eram, qualquer descrição.

— E existiam? — pergunto.

— Nunca ouvi nada — diz Herrington. — Não teria contado a ele se eu tivesse ouvido. Eu o mandei embora com uma pulga atrás da sua orelha.

— Não surpreende que Cecil tenha envolvido Cunningham nisso — acrescenta Sutcliffe, coçando os bigodes. — Ele é unha e carne com cada faxineira e cada jardineiro que já ganhou um xelim em Blackheath, provavelmente sabe mais sobre este lugar do que nós.

— Como isso aconteceu? — eu pergunto.

— Ele morava aqui quando o assassinato aconteceu — diz Sutcliffe, olhando por cima do ombro para mim. — Era só um menino naquela época, é claro, um pouco mais velho do que Evelyn, se não me engano. Segundo os boatos, ele era o bastardo de Peter.

Helena o deu para cozinheira criar, ou algo assim. Nunca consegui entender quem ela estava castigando.

Sua voz é pensativa, um som um tanto estranho vindo desta criatura desgrenhada e disforme.

— Uma gracinha aquela cozinheira, perdeu o marido na guerra — ele devaneia. — Os Hardcastle pagaram pelo ensino do menino, arranjaram até o trabalho com Ravencourt quando ele ficou maior.

— O que Ravencourt iria querer com um assassinato de dezenove anos? — pergunta Pettigrew.

— Cautela necessária — diz Herrington sem rodeios, desviando de esterco de cavalo. — Ravencourt está comprando uma Hardcastle, ele quer saber que bagagem vem junto com ela.

A conversa deles rapidamente se desenrola em trivialidades, mas meus pensamentos permanecem fixos em Cunningham. Ontem à noite, ele pôs um bilhete na mão de Derby que dizia "Todos eles" e me contou que estava reunindo convidados em nome de um futuro hospedeiro. Isso poderia sugerir que eu posso confiar nele, mas ele claramente tem sua própria agenda em Blackheath. Sei que é o filho ilegítimo de Peter Hardcastle, e que está fazendo perguntas sobre o assassinato de seu meio-irmão. Em algum lugar entre estes dois fatos está o segredo pelo qual Cunningham, por estar tão desesperado em escondê-lo, deixou-se chantagear.

Eu pressiono os meus dentes. Pelo menos uma vez, seria reanimador encontrar alguém neste lugar que fosse exatamente o que aparenta ser.

Passando pelo caminho de pedras que leva aos estábulos, nós seguimos em direção ao sul pela estrada infinita até a vila, antes de finalmente chegar à portaria. Um a um, nós lotamos o corredor estreito, pendurando nossos casacos e sacudindo a chuva das nossas roupas enquanto reclamamos das condições lá fora.

— Por aqui, parceiros — diz uma voz atrás de uma porta à nossa direita.

Seguimos a voz até uma sala de estar sombria, iluminada por uma lareira, onde Lord Peter Hardcastle está sentado em uma poltrona perto da janela. Ele está com uma perna sobre a outra, um livro no colo. É um pouco mais velho do que o seu retrato sugeria, embora ainda tenha o peito largo e pareça em forma. Sobrancelhas escuras deslizam uma na direção da outra em formato de V, apontando para um longo nariz e para a boca caída que se curva para baixo nos cantos. Um esfarrapado espectro de beleza se faz notar, mas seu estoque de esplendor quase se esgotou.

— Por que diabos estamos nos encontrando tão longe? — pergunta Pettigrew, irritado, atirando-se em uma cadeira. — Você tem uma perfeita... — Ele acena na direção de Blackheath — Bom, você tem algo que lembra uma casa seguindo aquela estrada.

— Aquela casa maldita tem sido uma maldição para esta família desde que eu era um menino — diz Peter Hardcastle, servindo bebidas em cinco copos. — Não vou pôr o pé lá dentro até que seja absolutamente necessário.

— Talvez você devesse ter pensado nisso antes de dar a festa de pior gosto da história — diz Pettigrew. — Você realmente pretende anunciar o noivado de Evelyn no aniversário do assassinato de seu filho?

— Acha que alguma coisa nisso é ideia minha? — pergunta Hardcastle, colocando a garrafa com força na mesa e encarando Pettigrew. — Acha que eu quero estar aqui?

— Calma, Peter — Sutcliffe o acalma, bamboleando para desajeitadamente dar um tapa no ombro do seu amigo. — Christopher está de mau humor, porque, bom, porque é o Christopher.

— É claro — diz Hardcastle, cujas bochechas vermelhas indicam qualquer coisa menos compreensão. — É só que... Helena tem agido de um maldito jeito estranho, e agora tudo isso. Tem sido muito desagradável.

Ele volta a servir bebidas, um silêncio inquietante amordaça tudo, exceto a chuva batendo nas janelas.

Pessoalmente, fico feliz com o silêncio e com a cadeira.

Meus companheiros andaram rapidamente e manter o passo foi uma tarefa trabalhosa. Preciso recuperar o fôlego e o orgulho dita que ninguém me veja fazendo isso. Ao invés de conversar, olho pela sala, mas há muito pouco que seja digno de escrutínio. Ela é comprida e estreita, com a mobília empilhada contra as paredes como destroços na margem de um rio. O carpete está gasto, o papel de parede florido é berrante. A velhice pesa no ar, como se os últimos donos tivessem permanecido sentados aqui até se transformarem em pó. Não é nem de longe tão desconfortável quanto a ala leste onde Stanwin se isolou, mas ainda é um lugar estranho para encontrar o senhor da casa.

Não tive motivo para perguntar qual poderia ser o papel de Lord Hardcastle no assassinato de sua filha, mas a sua escolha de hospedagem indica que ele está tentando não ser visto. A questão é: o que ele está fazendo com esse anonimato?

As bebidas são colocadas na nossa frente, Hardcastle retoma o seu assento. Ele embala o seu copo entre as mãos, reunindo os seus pensamentos. Há uma falta de jeito cativante nos seus modos que me faz lembrar imediatamente de Michael.

À minha esquerda, Sutcliffe — que já está na metade do seu uísque com soda — tira um documento do seu paletó e o entrega a mim, indicando para que eu passe a Hardcastle. É um contrato de casamento redigido pelo escritório Dance, Pettigrew & Sutcliffe. Evidentemente, eu, o lúgubre Philip Sutcliffe e o oleoso Christopher Pettigrew somos sócios. Mesmo assim, tenho certeza de que Hardcastle não nos trouxe aqui para falar sobre as núpcias de Evelyn. Ele está distraído demais para isso, irrequieto demais. Além do mais, por que solicitar a presença de Herrington se só precisa dos seus advogados?

Confirmando minha suspeita, Hardcastle pega o contrato das minhas mãos, dando uma olhadela das mais breves antes de largá-lo sobre a mesa.

— Dance e eu fizemos — diz Sutcliffe, levantando-se para buscar outra bebida. — Peça para Ravencourt e Evelyn assinarem e você vai estar rico de novo. Ravencourt vai pagar de uma só vez depois de assinar, com o montante não quitado permanecendo bloqueado até o fim da cerimônia. Dentro de alguns anos, ele vai levar Blackheath também. Não é uma peça ruim, se me permite dizer.

— Onde está o velho Ravencourt? — pergunta Pettigrew, olhando para a porta. — Ele não deveria estar aqui para isso?

— Helena está cuidando dele — diz Hardcastle, pegando uma caixa de madeira do lintel sobre a lareira e abrindo-a para revelar fileiras de gordos charutos que arrancam interjeições infantis do grupo. Ao recusar um, observo Hardcastle enquanto ele os oferece à turma. Seu sorriso esconde uma terrível avidez, seu prazer com esse gesto é uma fundação para outros assuntos.

Ele quer alguma coisa.

— Como está Helena? — pergunto, provando minha bebida. É água. Dance nem mesmo se permite o prazer do álcool. — Tudo isso deve ser difícil para ela.

— Assim espero, esta porcaria de voltar aqui foi ideia dela — bufa Hardcastle, pegando um charuto para si e fechando a caixa. — Sabe, o homem quer fazer o seu melhor, dar apoio, mas dane-se tudo, eu mal a vi desde que chegamos aqui. Não consigo tirar nem duas palavras daquela mulher. Se eu fosse um sujeito mais espiritual, acharia que ela está possuída.

Os fósforos são passados de mão em mão, cada homem desfruta do seu próprio ritual para acender charutos. Ignorando o movimento para frente e para trás de Pettigrew, os delicados toques de Herrington e os teatrais movimentos circulares de Sutcliffe, Hardcastle apenas o acende, disparando um olhar exasperado para mim.

Uma centelha de afeto se agita dentro de mim, os resquícios de uma emoção mais forte reduzida a brasas.

Soprando uma longa coluna de fumaça amarelada, Hardcastle se acomoda em sua poltrona.

— Cavalheiros, eu convidei vocês aqui hoje porque todos temos uma coisa em comum. — Sua forma de falar é contida, ensaiada. — Estamos todos sendo chantageados por Ted Stanwin, mas eu tenho uma forma de nos livrar disso, se vocês me ouvirem.

Ele nos observa esperando uma reação.

Pettigrew e Herrington continuam calados, mas o lúmpen Sutcliffe se engasga, dando um gole apressado na sua bebida.

— Continue, Peter — diz Pettigrew.

— Sei uma coisa sobre Stanwin que podemos trocar pela nossa liberdade.

A sala fica em silêncio. Pettigrew está sentado na beirada do assento, praticamente esquecendo o charuto em suas mãos.

— E por que ainda não usou? — ele pergunta.

— Porque estamos nesta juntos — diz Hardcastle.

— É mais por ser arriscado para o diabo — diz um Sutcliffe de rosto avermelhado numa interjeição. — Você sabe o que acontece se um de nós ficar contra Stanwin, ele revela o que sabe sobre cada um de nós, jogando todos no caldeirão. Exatamente como o pessoal do Myerson.

— Ele está sugando o nosso sangue — diz Hardcastle acalorado.

— Ele está sugando o *seu* sangue, Peter — diz Sutcliffe, batendo na mesa com um de seus dedos gordos. — Você está prestes a ganhar uma fortuna com Ravencourt e não vai querer que Stanwin ponha as mãos nela.

— Aquele demônio está com as mãos nos meus bolsos por quase vinte anos — exclama Hardcastle, corando um pouco. — Até quando vou ter que deixar isso passar?

Ele dirige o olhar para Pettigrew.

— Vamos lá, Christopher, sei que você quer me ouvir. Stanwin é a razão... — Nuvens tempestuosas de constrangimento pairam em frente ao seu rosto cinzento — Bom, talvez Elspeth não teria ido embora se...

Pettigrew dá um gole na sua bebida sem oferecer censura ou encorajamento. Só eu posso ver o calor subindo seu pescoço ou como seus dedos apertam o copo com tanta força que a pele atrás das unhas torna-se branca.

Hardcastle apressadamente volta sua atenção para mim.

— Podemos tirar a mão de Stanwin da nossa garganta, mas precisamos enfrentá-lo juntos — ele diz, golpeando um punho cerrado na palma da mão. — Só se mostrarmos a ele que estamos todos prontos para agir é que ele vai nos escutar.

Sutcliffe dá uma baforada.

— Isso...

— Quieto, Phillip — interrompe Herrington. Os olhos do oficial da Marinha não deixam Hardcastle nunca. — O que você tem sobre Stanwin?

Hardcastle lança um olhar desconfiado para a porta antes de abaixar a voz.

— Ele tem uma filha entocada em algum lugar — ele diz. — Ele a mantém escondida porque tem medo que ela possa ser usada contra ele, mas Daniel Coleridge diz que descobriu o nome dela.

— O jogador? — diz Pettigrew. — Como ele se envolveu com isso?

— Não me pareceu prudente fazer essa pergunta, meu velho — diz Hardcastle, girando sua bebida. — Alguns homens trilham caminhos obscuros que nós não deveríamos trilhar.

— O que dizem é que ele paga metade dos criados de Londres por informações sobre os seus patrões — diz Herrington, retraindo os lábios. — Não me surpreenderia se o mesmo fosse verdade em Blackheath, e Stanwin com certeza trabalhou aqui tempo suficiente para deixar um segredo escapar. Pode haver algo aí, sabe.

Ouvi-los falar sobre Daniel me dá um estranho formigamento de excitação. Fiquei sabendo há algum tempo que ele é o meu hospedeiro final, mas ele está operando tão à frente em meu futuro que nunca me senti verdadeiramente conectado a ele. Ver nossas investigações convergindo desta maneira é como avistar algo há muito aguardado no horizonte. Finalmente, há uma estrada entre nós.

Hardcastle está em pé, esquentando as mãos no calor do fogo. Iluminado pelas chamas, está claro que os anos tiraram mais dele do que deram. A incerteza é uma rachadura no meio dele, minando qualquer sugestão de solidez ou força. Este homem foi partido em dois e remendado torto, e, se eu tivesse que adivinhar, diria haver um buraco em formato de criança bem no centro.

— O que Coleridge quer de nós? — pergunto.

Hardcastle me encara com um olhar cego.

— Perdão? — ele diz.

— Você disse que Daniel Coleridge sabe algo sobre Stanwin, o que significa que ele quer algo de nós em troca. Eu imagino que foi por isso que você nos reuniu aqui.

— É isso — diz Hardcastle, mexendo em um botão solto em seu paletó. — Ele quer um favor.

— Só um? — pergunta Pettigrew.

— De cada um de nós, com a promessa de que vamos honrar o compromisso quando ele nos chamar, não importa o que for.

Olhares são trocados, a dúvida passa de rosto em rosto. Eu me sinto como um espião no acampamento do inimigo. Não sei quais são os planos de Daniel, mas obviamente espera-se que eu faça esta discussão pender para o seu lado. Para o *meu* lado. O que quer que seja esse favor, felizmente vai ajudar a nos livrar e a livrar Anna deste lugar terrível.

— Eu estou dentro — digo com grandeza. — Uma punição a Stanwin já está mais do que na hora.

— Eu apoio — diz Pettigrew, abanando a fumaça do charuto do seu rosto. — A mão dele está no meu pescoço há muito tempo. E você, Clifford?

— Eu concordo — diz o velho marinheiro.

Todas as cabeças se viram para Sutcliffe, cujos olhos dão voltas pela sala.

— Estamos trocando um demônio por outro — o desgrenhado advogado diz finalmente.

— Talvez — diz Hardcastle —, mas eu li Dante, Philip. Nem todos os infernos são criados iguais. Então, o que você me diz?

Ele acena com a cabeça relutantemente, os olhos abaixados em direção ao copo.

— Ótimo — diz Hardcastle. — Vou me encontrar com Coleridge e vamos enfrentar Stanwin antes do jantar. Se tudo der certo, isso vai estar terminado até anunciarmos o casamento.

— E assim nós saltamos de um bolso para o outro — diz Pettigrew terminando sua bebida. — Que esplêndido é ser um cavalheiro.

35

Tendo resolvido nosso assunto, Sutcliffe, Pettigrew e Herrington deixam a sala de estar em uma longa onda de fumaça de charuto, enquanto Peter Hardcastle caminha até o gramofone no aparador. Limpando a poeira de um disco com um lenço de algodão, ele abaixa a agulha e aciona um botão, Brahms soando pelo tubo de bronze.

Gesticulando para que os outros continuem sem mim, eu fecho a porta para o corredor. Peter sentou-se perto do fogo, uma janela aberta em seus pensamentos. Ele ainda está para notar que fiquei para trás, e parece haver um grande abismo nos dividindo, embora, na verdade, ele esteja a apenas um ou dois passos de distância.

A reticência de Dance neste assunto é paralisante. Como um homem que despreza a interrupção, ele é igualmente cauteloso ao incomodar os outros, e a natureza pessoal das perguntas que devo fazer apenas aumenta o problema. Estou atolado nos bons modos do meu hospedeiro. Dois dias atrás, isso não teria sido um obstáculo, mas cada hospedeiro é mais forte que o anterior, e brigar com Dance é como tentar caminhar num vendaval.

O decoro permite uma educada tossida. Hardcastle se vira em seu lugar para me ver em frente à porta.

— Ah, Dance, meu velho — ele diz. — Esqueceu alguma coisa?

— Eu gostaria de conversar em particular.

— Algum problema com o contrato? — ele diz cauteloso. — Tenho que admitir, estava preocupado que a bebedeira de Sutcliffe pudesse...

— Não é Sutcliffe, é Evelyn — digo.

— Evelyn — ele diz, e a cautela dá lugar ao cansaço. — Sim, claro. Venha, sente-se em frente ao fogo, esta casa maldita já é fria demais sem ter que convidar o frio para entrar.

Dando-me tempo para que eu me acomode, ele ergue a perna e deixa um pé dançar diante das chamas. Quaisquer que sejam seus defeitos, suas boas maneiras são meticulosas.

— Então — ele diz depois de um momento, julgando que os rigores da etiqueta foram adequadamente obedecidos. — Que negócio é esse de Evelyn? Eu suponho que ela não queira levar adiante o casamento?

Não encontrando uma maneira simples de enquadrar a questão, decido simplesmente atirá-la em seu colo.

— Infelizmente é mais sério do que isso — digo. — Alguém está decidido a assassinar a sua filha.

— Assassinar?

Ele franze o cenho, sorrindo brevemente, esperando que o resto da piada venha à tona. Frustrado pela minha sinceridade, ele se inclina para frente, a confusão enruga o seu rosto.

— Está falando sério? — ele diz, as mãos entrelaçadas.

— Estou.

— Sabe quem é ou por quê?

— Só sei como. Ela está sendo forçada a se suicidar, ou alguém que ela ama vai ser assassinado. A informação foi passada em uma carta.

— Uma carta? — ele zomba. — Parece improvável pra caramba, na minha opinião. Provavelmente é só uma brincadeira. Sabe como são essas garotas.

— Não é uma brincadeira, Peter — digo com severidade, derrubando a dúvida em seu rosto.

— Posso lhe perguntar como você chegou a essa informação?

— Da mesma forma como eu chego a qualquer informação, eu escuto.

Ele suspira, beliscando o nariz, examinando os fatos e o homem que os apresenta a ele.

— Você acha que alguém está tentando sabotar nosso acordo com Ravencourt? — ele pergunta.

— Não pensei nisso — digo, espantado com sua resposta. Esperava que ele ficasse preocupado com o bem-estar da sua filha, talvez incentivado a fazer planos para sua segurança. Mas Evelyn é circunstancial. A única perda que ele teme é a de sua fortuna.

— Você consegue pensar em alguém cujos interesses seriam atendidos com a morte de Evelyn? — pergunto, lutando para conter minha repentina repulsa por esse homem.

— A pessoa faz inimigos, há velhas famílias que ficariam felizes em nos ver arruinados, mas nenhuma delas iria recorrer a isso. O que elas fazem mais é cochichar, fazer fofoca nas festas, comentários rancorosos no The Times, você sabe como é.

Ele bate no braço da cadeira, frustrado.

— Que diabos, Dance, tem certeza disso? Parece tão mirabolante.

— Eu tenho certeza, e, para dizer a verdade, minhas suspeitas estão mais perto da sua casa — digo.

— Um dos criados? — ele pergunta, abaixando a voz, o olhar saltando para a porta.

— Helena — digo.

O nome da sua esposa o atinge como um golpe.

— Helena, você deve estar... Quer dizer... Meu caro...

Seu rosto está ficando vermelho, suas palavras fervilham e transbordam da sua boca. Posso sentir um calor semelhante nas minhas faces. Essa linha de questionamento é um veneno para Dance.

— Evelyn sugeriu que o relacionamento estava rompido — digo rapidamente, largando as palavras como pedras num campo pantanoso.

Hardcastle foi à janela, onde está parado com as costas viradas para mim. A civilidade claramente não permite confronto, embora eu possa ver o seu corpo tremendo, as mãos apertadas atrás.

— Não vou negar que Helena não tem muito carinho por Evelyn, mas sem ela vamos estar falidos em alguns anos — ele diz, medindo cada palavra enquanto luta para manter a raiva sob controle. — Ela não colocaria o nosso futuro em risco.

Ele não disse que ela não seria capaz de fazer isso.

— Mas...

— Que diabos, Dance, qual é o seu interesse nessa calúnia? — ele grita, berrando para o meu reflexo na vidraça para não ter que berrar frente a frente.

É isso. Dance conhece Peter Hardcastle bem o suficiente para saber que sua paciência está se esgotando. Minha próxima resposta decidirá se ele se abrirá ou se me apontará a porta. Preciso escolher minhas palavras cuidadosamente, o que significa tocar naquilo com que ele mais se importa. Ou digo a ele que estou tentando salvar a vida da sua filha ou...

— Perdão, Peter — digo, a voz conciliatória. — Se alguém está tentando sabotar esse acordo com Ravencourt, eu tenho que pôr um fim nisso, tanto como seu amigo como seu conselheiro legal.

Ele cede.

— Claro, você tem que fazer — ele diz, me olhando por sobre o ombro. — Me desculpe, amigo, é só que... toda essa conversa de assassinato... bom, está despertando memórias antigas... você entende. Naturalmente, se você acha que Evelyn está correndo perigo, eu vou fazer tudo que puder para ajudar, mas você está enganado se acha que Helena poderia fazer mal a Evelyn. Elas têm um relacionamento conturbado, mas se amam. Eu tenho certeza.

Eu me permito dar um pequeno suspiro de alívio. Batalhar contra Dance tem sido exaustivo, mas finalmente estou prestes a ter algumas respostas.

— Sua filha contatou uma mulher chamada Felicity Maddox alegando que estava preocupada com o comportamento de Helena — eu continuo, cedendo à necessidade do meu hospedeiro de colocar os fatos em sua devida ordem. — Ela não está na lista de convidados, mas acredito que Felicity veio à casa para ajudar, e existe uma possibilidade de que esteja sendo mantida como uma garantia caso Evelyn não consiga levar adiante o suicídio. Michael me disse que ela era uma amiga de infância da sua filha, mas que não lembrava mais nada sobre ela. Você se lembra dessa garota? Já a viu na casa, talvez? Tenho motivos para crer que ela estava em liberdade hoje de manhã.

Hardcastle parece desnorteado.

— Não, mas tenho que confessar que Evelyn e eu não nos falamos muito desde o seu retorno. As circunstâncias da sua chegada, o casamento... Essas questões colocaram uma barreira entre nós. É peculiar que Michael não possa lhe contar mais, no entanto. Eles têm sido inseparáveis desde que ela voltou, e eu sei que ele a visitava e escrevia frequentemente para ela quando Evelyn estava em Paris. Eu espero que ele conheça essa Felicity, se é que alguém a conhece.

— Vou falar com ele mais uma vez, mas a carta estava correta, não? Helena tem agido de maneira estranha?

O disco tranca no gramofone, o violino ressoante é atraído de volta à terra repetidas vezes, como uma pipa nas mãos hiperexcitadas de uma criança.

Peter olha para ele, torcendo o rosto, esperando que somente sua insatisfação irá endireitá-lo. Derrotado, ele anda até o gramofone, erguendo a agulha, soprando a poeira do disco e o colocando contra a luz.

— Está arranhado — ele diz, sacudindo a cabeça.

Ele troca o disco, uma nova música decola.

— Fale-me sobre Helena — eu cutuco. — Foi ideia dela anunciar o noivado no aniversário da morte de Thomas e dar a festa em Blackheath, não foi?

— Ela nunca perdoou Evelyn por ter abandonado Thomas naquela manhã — ele diz, observando o disco girar. — Eu confesso, achei que os anos iriam atenuar a sua dor, mas... — Ele estende os braços — ... tudo isso, é tão... — Ele respira fundo, recompondo-se. — Helena quer constranger Evelyn, eu admito. Ela chama o casamento de castigo, mas eles formam um belo par, se você olhar os detalhes. Ravencourt não vai encostar um dedo em Evelyn, ele mesmo me falou. Estou velho demais para isso, foi o que ele disse. Ela vai ser a dona das casas dele, vai receber uma boa mesada, a vida que ela quiser, desde que não o envergonhe. Em troca, ele vai receber... Bom, você conhece os rumores sobre os valetes dele. Rapazes bonitos que chegam e partem a qualquer hora do dia e da noite. É pura boataria, mas o casamento vai dar um fim nisso. — Ele hesita, seu olhar desafiador. — Está vendo, Dance?

Por que Helena iria organizar tudo isso se quisesse matar Evelyn? Ela não faria, não seria capaz. Lá no fundo, ela ama Evelyn. Não da melhor forma, eu admito, mas da melhor forma possível. Ela precisa sentir que Evelyn recebeu um castigo completo, e então vai começar a fazer as pazes com ela. Você vai ver. Helena vai dar o braço a torcer, e Evelyn vai perceber que esse casamento é um mal que vem para o bem. Pode acreditar no que eu digo, você está errando o alvo.

— Ainda preciso falar com sua esposa, Peter.

— Minha agenda está na gaveta. Tem os compromissos dela anotados ali — ele diz, rindo amargamente. — O nosso casamento tem tarefas que se sobrepõem umas às outras, mas ela deve lhe indicar onde você vai poder encontrá-la.

Eu corro para a gaveta, incapaz de conter minha excitação.

Alguém na casa, possivelmente a própria Helena, arrancou esses compromissos da sua agenda para ocultar suas atividades. Quem fez isso ou esqueceu, ou não sabia que o marido dela mantinha sua própria cópia, e agora elas estão em minhas mãos. Aqui e agora podemos finalmente descobrir o que fez valer a pena toda aquela encrenca.

A gaveta está emperrada, inchada pela umidade. Ela se abre a contragosto, revelando uma caderneta fechada com uma tira. Folheando as páginas, rapidamente encontro os compromissos de Helena, e meu ânimo buliçoso imediatamente se enfraquece dentro de mim. Helena se encontrou com Cunningham às sete e meia, embora não esteja indicado o porquê. Depois disso, ela marcou com Evelyn às oito e quinze e Millicent Derby às nove, não comparecendo em ambos. Ela tem um encontro marcado com o cavalariço às onze e meia, daqui a uma hora, e então é aguardada no gabinete de Ravencourt nas primeiras horas da tarde.

Ela não irá.

Meu dedo percorre a grade, buscando por algo suspeito. Sei de Evelyn e de Ravencourt, e Millicent é uma velha amiga, logo, é compressível, mas o que poderia ser tão urgente para que ela tivesse que se encontrar com o filho bastardo do marido na primeira hora da manhã?

Ele se recusou a me contar quando perguntei, mas ele é a única pessoa que viu Helena Hardcastle hoje, o que significa que não posso mais tolerar suas evasivas.

Tenho que arrancar a verdade dele.

Antes disso, preciso visitar os estábulos.

Pela primeira vez, sei onde a arredia dona da casa estará.

— Sabe por que Helena viu Charles Cunningham hoje de manhã? — pergunto a Peter enquanto guardo a agenda de volta na gaveta.

— Provavelmente Helena queria dar oi — ele diz, servindo mais uma bebida para si. — Ela sempre foi próxima do garoto.

— Seria Charles Cunningham o motivo pelo qual Stanwin está te chantageando? — pergunto. — Stanwin sabe que ele é o seu filho?

— Pare com isso, Dance! — ele diz, fuzilando-me com o olhar.

Eu recebo o seu olhar, e meu hospedeiro também. Dance está enfiando desculpas na minha língua, implorando para que eu fuja da sala. É uma aporrinhação infernal. Toda vez que abro minha boca para falar, tenho que primeiro empurrar para o lado o constrangimento de outro homem.

— Você me conhece, Peter, então sabe o trabalho que me dá perguntar uma coisa dessas — digo. — Preciso ter todas as partes desse negócio sórdido nas mãos.

Ele reflete sobre isso, retornando à janela com sua bebida. Não que haja muito para ver. As árvores cresceram tão perto da casa que os galhos são pressionados contra as vidraças. A julgar pelo semblante de Peter, ele os convidaria para entrar se pudesse.

— A ascendência de Charles Cunningham não é o porquê de eu estar sendo chantageado — ele diz. — Essa novidade escandalosa esteve nas páginas de toda coluna social num dado momento, Helena garantiu que estivesse. Não há dinheiro a ganhar aí.

— Então o que Stanwin sabe?

— Preciso da sua palavra de que isso não sairá daqui — ele diz.

— Claro — digo, o pulso acelerado.

— Bom — ele dá um gole fortificante na sua bebida —, antes de Thomas ser assassinado, Helena estava tendo um caso com Charlie Carver.

— Então quem matou Thomas? — eu exclamo, endireitando-me um pouco na cadeira.

— Existe um termo para isso em certas línguas que se refere ao pássaro cuco, não existe? — ele diz, parado em pé na janela. — No meu caso, é uma metáfora de uma perfeição incomum. Ele tirou o meu filho de mim e colocou a criança dele no meu ninho.

— A criança dele?

— Cunningham não é meu filho ilegítimo, Dance. Ele é da minha esposa. Charlie Carver é o seu pai.

— Que salafrário! — eu exclamo, temporariamente perdendo o controle de Dance, cujo ultraje reflete o meu choque. — Como que isso foi acontecer?

— Carver e Helena se amavam — ele diz arruinado. — Nosso casamento nunca foi... Eu tinha o nome, a família de Helena tinha o dinheiro. Foi conveniente, pode-se dizer necessário, mas não havia amor. Carver e Helena cresceram juntos, o pai dele era o guarda-caça na propriedade da família dela. Ela escondeu o relacionamento de mim, mas trouxe Carver para Blackheath quando nos casamos. Lamento dizer que as minhas indiscrições se voltaram contra ela, nosso casamento fraquejou, e, mais ou menos um ano depois, ela foi para a cama de Carver e engravidou logo em seguida.

— Mas você não criou Cunningham como seu filho?

— Não, ela me fez acreditar que era meu durante a gravidez, mas ela mesma não tinha certeza de quem era o pai verdadeiro, já que eu continuei a... Bom, as necessidades de um homem são... Você entende?

— Creio que sim — digo friamente, lembrando o amor e o respeito que governaram o casamento de Dance por tanto tempo.

— Enfim, eu estava caçando quando Cunningham nasceu, então ela fez a parteira levar a criança para ser amamentada na vila. Quando voltei, me disseram que a criança tinha morrido durante o parto, mas seis meses depois, quando ela teve certeza de que o bebê não se parecia demais com Carver, ele apareceu na porta da nossa casa, carregado por uma sirigaita com quem eu tive o azar de passar o tempo em Londres, que aceitou de bom grado o dinheiro da minha mulher para fingir que era meu. Helena bancou a vítima, insistindo que nós adotássemos o garoto, e, constrangido, eu aceitei. Nós o entregamos à cozinheira, a Sra. Drudge, que o criou como se fosse dela. Acredite se quiser, nós realmente conseguimos ter vários anos em paz depois disso. Evelyn, Thomas e Michael nasceram um pouco depois, e por um momento fomos uma família feliz.

Ao longo da história, observei o seu rosto procurando por emoção, mas foi uma desinteressada exposição dos fatos. Mais uma vez fico impressionado com a insensibilidade deste homem. Há uma hora, eu teria presumido que a morte de Thomas reduzira os seus sentimentos a cinzas, mas agora me pergunto se este solo não foi sempre infértil. Nada cresce neste homem a não ser a ganância.

— Como você descobriu a verdade? — pergunto.

— Foi puro acaso — ele diz, repousando as mãos na parede, nos dois lados da janela. — Fui dar um passeio e dei de cara com Carver e Helena discutindo sobre o futuro do garoto. Ela admitiu tudo.

— Então por que não se divorciou dela? — pergunto.

— E deixar todo mundo sabendo da minha vergonha? — ele diz, espantado. — Filhos bastardos são coisa comum nos dias de hoje, mas imagine os mexericos se as pessoas descobrissem que Lord Peter Hardcastle ganhou um par de chifres de um reles jardineiro. Não, Dance, não daria certo.

— O que aconteceu depois que você descobriu?

— Mandei Carver embora, dei a ele um ou dois dias para sair da propriedade.

— Isso foi no mesmo dia que ele matou Thomas?

— Exatamente, nosso confronto o fez ter um ataque de raiva e ele... Ele...

Seus olhos estão embaçados, vermelhos da bebida. Ele tem esvaziado e enchido o copo a manhã inteira.

— Stanwin foi até Helena uns meses depois querendo algo em troca. Está vendo, Dance, eu não estou sendo chantageado diretamente. É Helena, e a minha reputação com ela. Eu simplesmente pago por isso.

— E quanto a Michael, Evelyn e Cunningham? — pergunto. — Eles sabem alguma coisa sobre isso?

— Não que eu saiba. Um segredo já é difícil demais de guardar sem colocá-lo na boca das crianças.

— Então como Stanwin ficou sabendo?

— Eu estou me perguntando isso há dezenove anos e não estou nem perto de encontrar uma resposta. Talvez ele fosse amigo de Carver, os criados falam, no fim das contas. Se não for isso, não faço ideia. Tudo o que eu sei é que, se isso se espalhar, vou ser arruinado. Ravencourt é sensível a escândalo e não vai se casar com uma mulher de uma família que sai nos jornais.

A sua voz se abaixa, embriagada e má, seu dedo apontado diretamente para mim.

— Deixe Evelyn viva e vou lhe dar qualquer coisa que você pedir, ouviu? Não vou deixar aquela cadela fazer com que eu perca minha fortuna, Dance. Não vou permitir isso.

36

Peter Hardcastle desabou em uma embriaguez amuada, agarrando seu copo como se estivesse preocupado que alguém pudesse pegá-lo. Julgando a sua utilidade já no fim, pego uma maçã da fruteira e saio da sala após dar uma desculpa vazia, fechando a porta da sala de estar para que eu possa subir as escadas sem que ele perceba. Preciso falar com Gold e prefiro não atravessar uma nuvem de perguntas para fazer isso.

Uma corrente de ar me recebe no topo da escada, torcendo-se e rodopiando no ar, penetrando as janelas quebradas e as frestas sob as portas para agitar as folhas espalhadas pelo chão. Tenho a lembrança de andar nestes corredores como Sebastian Bell, procurando o mordomo com Evelyn ao meu lado. É estranho pensar neles aqui, mais estranho ainda lembrar que Bell e eu somos o mesmo homem. Sua covardia me faz estremecer, mas há distância suficiente entre nós dois agora, de tal maneira que isso fica distante de mim. Ele parece uma história embaraçosa que uma vez ouvi alguém contar em uma festa. A vergonha de outra pessoa.

Dance despreza homens como Bell, mas eu não posso ser tão crítico. Não faço ideia de quem sou fora de Blackheath ou de como penso quando não estou socado na mente de outra pessoa. Até onde sei, sou exatamente como Bell... E seria isso tão ruim assim? Eu invejo sua compaixão, assim como invejo a inteligência de Ravencourt e a habilidade de Dance de ver por trás do véu até o cerne das coisas. Se eu levar qualquer uma dessas qualidades de Blackheath, ficarei orgulhoso por tê-las.

Assegurando-me de que estou sozinho no corredor, entro no quarto onde Gregory Gold está pendurado ao teto pelos seus pulsos amarrados. Ele está murmurando, contorcendo-se de dor, tentando fugir de algum pesadelo implacável. A compaixão me compele a cortá-lo, mas Anna não o deixaria amarrado desse jeito sem um excelente motivo.

Mesmo assim, ainda preciso falar com ele, por isso o mexo delicadamente, e então com mais firmeza.

Nada.

Dou um tapa em seu rosto, e então o molho com a água de uma jarra próxima, mas ele não se mexe. Isso é horrendo. O sedativo do Doutor Dickie é inflexível e, não importa o quanto Gold se contraia, ele não pode se libertar. Meu estômago se revira, um calafrio percorre os meus ossos. Até agora, os horrores do meu futuro sempre foram coisas vagas e insubstanciais, vultos negros à espreita num nevoeiro. Mas este sou eu, é meu destino. Erguendo-me na ponta dos pés, arregaço as mangas dele para revelar os cortes nos braços que ele me mostrou ontem à noite.

— Não saia da carruagem — eu murmuro, recordando o seu aviso.

— Afaste-se dele — diz Anna atrás de mim. — E dê a volta bem devagar. Não vou pedir de novo.

Faço o que ela manda.

Ela está parada na soleira da porta com uma espingarda apontada para mim. O cabelo loiro derrama-se da sua touca, o seu semblante é feroz. Sua mira é firme, o dedo está pressionado contra o gatilho. Um movimento em falso e não tenho dúvida de que ela me mataria para proteger Gold. Não importam as probabilidades acumuladas contra mim, saber que alguém se importa tanto assim é o suficiente para fazer até o frio coração de Dance inflar.

— Sou eu, Anna — digo. — É Aiden.

— Aiden?

A espingarda abaixa-se um pouco enquanto ela chega mais perto, o seu rosto a uma distância mínima do meu enquanto ela examina os novos vincos e vales que adquiri.

— O caderno mencionou que você ficaria velho — ela diz, segurando a arma em uma das mãos. — Não mencionou que você terminaria com um rosto igual a uma lápide, no entanto.

Ela gesticula para Gold com a cabeça.

— Está admirando os cortes? — ela pergunta. — O doutor acredita que ele fez isso nele mesmo. O coitado cortou o próprio braço em tiras.

— Por quê? — pergunto horrorizado, tentando imaginar qualquer circunstância na qual eu passaria uma faca em mim mesmo.

— Você deve saber mais do que eu — ela torce o nariz. — Vamos conversar no calor.

Eu a sigo até o quarto no outro lado do corredor, onde o mordomo dorme tranquilamente entre lençóis brancos de algodão. A luz penetra por uma janela alta, e um pequeno fogo estala na lareira. O sangue seco arruína o travesseiro, mas, fora isso, é uma cena serena, de afeto e intimidade.

— Ele já acordou? — pergunto, acenando para o mordomo com a cabeça.

— Brevemente, na carruagem. Não faz muito tempo que chegamos. O coitado não conseguia nem respirar. Que tal Dance? Como ele é? — pergunta Anna, escondendo a espingarda embaixo da cama.

— Mal-humorado, odeia o filho, mas, fora isso, é bom. Qualquer coisa é melhor que Jonathan Derby — digo, servindo-me um copo d'água com a jarra que está sobre a mesa.

— Eu o encontrei hoje de manhã — ela diz distraída. — Não deve ser agradável ficar preso naquela cabeça.

Não foi.

Eu digo, jogando a maçã que apanhei na sala de estar:

— Você disse a ele que estava com fome, então lhe trouxe isso. Não tinha certeza se você já tinha tido a chance de comer algo.

— Não tive — ela diz, limpando-a no seu avental. — Obrigada.

Eu caminho até a janela, limpando uma mancha de sujeira com a manga. Ela dá para a estrada, onde me surpreendo ao ver o Médico da Peste apontando para a portaria. Daniel está em pé ao lado dele, os dois conversam.

A cena me perturba. Até agora, meu interlocutor tomou muito cuidado para manter uma barreira entre nós. Essa proximidade que vejo agora parece uma colaboração, como se eu tivesse me curvado a Blackheath de alguma forma, aceitando a morte de Evelyn e a assertiva do Médico da Peste de que apenas um de nós pode sair. Não poderia estar mais longe da verdade. Saber que posso mudar este dia me deu a convicção para continuar lutando... Então, do que é que estão falando lá embaixo?

— O que você consegue ver? — pergunta Anna.

— O Médico da Peste falando com Daniel — digo.

— Eu não o conheci — ela diz, dando uma mordida na maçã.

— E o que diabos é um Médico da Peste?

Eu pisco para ela.

— Te encontrar na ordem errada está se tornando problemático.

— Pelo menos sou só uma — ela diz. — Me fale sobre esse seu médico.

Eu rapidamente a deixo inteirada da minha história com o Médico da Peste, começando com nosso encontro no escritório quando fui Sebastian Bell, relatando como ele parou meu carro quando tentei escapar e, mais recentemente, me repreendeu por seguir Madeline Aubert na floresta como Jonathan Derby. Isso já parece ter acontecido há uma eternidade.

— Parece que você fez um amigo — ela diz, mastigando ruidosa.

— Ele está me usando — digo. — Só não sei para o quê.

— Daniel talvez esteja, eles parecem bem íntimos — ela diz, juntando-se a mim na janela. — Você tem alguma ideia do que eles estão falando? Você resolveu o assassinato de Evelyn e se esqueceu de me contar?

— Se fizermos isso certo, não vai haver um assassinato para resolver — digo, minha atenção fixada na cena abaixo.

— Então você ainda está tentando salvá-la, mesmo depois do Médico da Peste falar que era quase impossível?

— Via de regra, eu ignoro metade das coisas que ele me fala — digo distraidamente. — Pode chamar isso de uma saudável desconfiança de toda sabedoria que é revelada por trás de uma máscara. Além disso, sei que este dia pode ser alterado, já vi fazerem isso.

— Meu Deus do céu, Aiden — ela diz com raiva.
— Qual é o problema? — pergunto assustado.
— Isso, tudo isso! — ela diz, abrindo os braços exasperada. — Nós tínhamos um trato, você e eu. Eu ia ficar sentada neste quartinho mantendo estes dois seguros, e você usaria suas oito vidas para resolver esse assassinato.
— É o que eu estou fazendo — digo, confuso pela raiva dela.
— Não, não é — ela diz. — Você está correndo por aí tentando salvar a pessoa cuja morte é nossa melhor chance de escapar.
— Ela é minha amiga, Anna.
— Ela é amiga de Bell — Anna rebate. — Ela humilhou Ravencourt e quase matou Derby. Pelo que vi até agora, um inverno rigoroso é menos frio do que aquela mulher.
— Ela teve seus motivos.

É uma resposta fraca, destinada a rebater a questão ao invés de respondê-la. Anna está certa. Evelyn não tem sido minha amiga há um longo tempo, e, embora a lembrança da sua bondade ainda permaneça, isso não é a minha força motriz. É outra coisa, algo mais profundo, algo que se contorce lá dentro. A ideia de deixá-la ser morta me causa repulsa. Não a Dance, não a nenhum dos meus outros hospedeiros. Causa repulsa *a mim*, Aiden Bishop.

Infelizmente, Anna está com a cabeça fervendo e não me dá a chance de me debruçar sobre a revelação.

— Não quero saber dos motivos dela, quero saber dos seus — ela diz, apontando para mim. — Talvez você não sinta, mas, lá no fundo, eu sei há quanto tempo estou neste lugar. São *décadas*, Aiden, tenho certeza. Preciso ir embora, eu tenho que ir embora, e esta é a minha melhor chance, com você. Você tem oito vidas, vai sair daqui mais cedo ou mais tarde. Eu faço tudo isso uma só vez e então me esqueço. Sem você, estou presa, e o que vai acontecer se, da próxima vez que você acordar como Bell, você não se lembrar de mim?

— Não vou deixar você aqui, Anna — eu insisto, balançado pelo desespero em sua voz.

— Então resolva esse maldito assassinato como o Médico da Peste lhe pediu para fazer e acredite nele quando ele disser que Evelyn não pode ser salva!

— Não posso confiar nele — digo, perdendo a calma e virando as costas para ela.

— Por que não? Tudo o que ele falou aconteceu. Ele...

— Ele disse que você vai me trair — eu grito.

— O quê?

— Ele me contou que você vai me trair — repito, balançado pela confissão. Até então, eu nunca havia expressado a acusação, preferindo descartá-la no silêncio dos meus pensamentos. Agora que eu disse em voz alta, é uma possibilidade real, e isso me preocupa. Anna está certa, tudo o que o Médico da Peste disse se tornou realidade, e, por mais forte que seja a minha conexão com essa mulher, não posso ter certeza *absoluta* de que ela não irá se voltar contra mim.

Ela cambaleia para trás como se tivesse sido atingida, sacudindo a cabeça.

— Eu jamais... Aiden, eu jamais faria isso, eu juro.

— Ele disse que você se lembra mais do nosso último ciclo do que admite — digo. — É verdade? Existe algo que você não me contou?

Ela hesita.

— É verdade, Anna? — eu interrogo.

— Não — ela diz à força. — Ele está tentando nos separar, Aiden. Eu não sei por que, mas você não deve dar ouvidos a ele.

— É esse o meu ponto — eu disparo. — Se o Médico da Peste está contando a verdade sobre Evelyn, ele está contando a verdade sobre você. Não acho que ele esteja. Eu acho que ele quer algo, algo que eu não sei o que é, e acho que ele está nos usando para conseguir isso.

— Mesmo que seja o caso, não entendo por que você é tão insistente em querer salvar Evelyn — Anna diz, ainda lutando com o que contei a ela.

— Por que alguém vai assassiná-la — digo hesitante. — E não são os outros que vão fazer isso, eles estão dando nós em Evelyn para que ela faça isso sozinha e garantindo que todos vejam. É cruel e estão gostando, e eu não posso... Não interessa se gostamos dela, ou se o Médico da Peste está certo, não se pode matar uma pessoa e colocá-la em exibição. Ela é inocente, e podemos parar isso. E é o que devemos fazer.

Eu fraquejo, sem fôlego, oscilando na beira de uma lembrança solta pelas perguntas de Anna. É como se uma cortina tivesse sido puxada, o homem que eu costumava ser estando quase visível pela abertura. A culpa e o pesar são as chaves, tenho certeza disso. São aquilo que me trouxe a Blackheath em primeiro lugar. São o que está me levando a salvar Evelyn, mas esse não é meu objetivo aqui, não exatamente.

— Havia mais alguém — digo devagar, agarrando-me às beiradas da memória. — Uma mulher, acho. Ela é a razão por eu ter vindo aqui, mas não consegui salvá-la.

— Qual era o nome dela? — Anna pergunta, pegando minhas mãos velhas e enrugadas e olhando em meu rosto.

— Não consigo lembrar — digo, a cabeça pulsando de concentração.

— Era eu?

— Não sei — digo.

A lembrança está escapando. Há lágrimas na minha face, uma dor no meu peito. Eu me sinto como se tivesse perdido alguém, mas não faço ideia de quem seja. Eu olho para os grandes olhos castanhos de Anna.

— Ela se foi — digo sem força.

— Lamento, Aiden.

— Não lamente — digo, sentindo minha força retornar. — Vamos sair de Blackheath, eu prometo, mas tenho que fazer isso do meu jeito. Vou dar um jeito, você só precisa confiar em mim, Anna.

Estou esperando uma objeção, mas ela me confunde com um sorriso.

— Então por onde vamos começar? — ela pergunta.

— Vou encontrar Helena Hardcastle — digo, enxugando minha testa com um lenço. — Você tem alguma pista sobre o lacaio? Ele matou Derby na noite passada, e duvido que Dance esteja muito longe disso.

— Na verdade, eu estava pensando num plano.

Ela espia debaixo da cama, tirando o caderno de desenho, que ela abre e põe em meu colo. Este é o caderno que a está guiando por todo dia, mas a intrincada trama de causa e efeito que eu antecipara não está em lugar nenhum.

O seu conteúdo não tem nexo, até onde posso ver.

— Achei que eu não podia ver isso — digo, erguendo a cabeça para ler a sua estranha escrita de ponta cabeça. — Eu me sinto lisonjeado.

— Não se sinta, só estou deixando você ver a parte que precisa — ela diz.

Avisos circulados e desenhos dos acontecimentos do dia foram rabiscados numa caligrafia errática, fragmentos de conversas anotados na página, sem nenhum contexto para explicá-las. Eu reconheço alguns dos momentos, incluindo um desenho feito às pressas mostrando o mordomo sendo espancado por Gold, mas a maioria deles não faz sentido.

É somente após ser atacado pelo caos que começo a ver a tentativa de Anna de trazer ordem. Usando um lápis, ela diligentemente escreveu bilhetes para si próximo aos tópicos. Adivinhações foram feitas, horários foram anotados, nossas conversas foram registradas e comparadas com aquelas no caderno, separando a informação útil contida.

— Não acho que você vai conseguir fazer muita coisa com isso — diz Anna, me observando ter dificuldades. — Um dos seus hospedeiros deu para mim. Poderia até ser escrito em outra língua. Muita coisa aí não faz sentido nenhum, mas eu andei acrescentando coisas, usei para manter controle das suas idas e vindas. Isso é tudo que eu sei sobre você. Cada hospedeiro, tudo o que eles fizeram. É a única maneira de eu conseguir acompanhar, mas não é completa. Existem buracos. É por isso que eu preciso que você me mostre a melhor hora para abordar Bell.

— Bell, por quê?

— Esse lacaio está atrás de mim, então vamos dizer a ele exatamente onde eu vou estar — ela diz, escrevendo um bilhete em uma folha de papel solta. — Vamos reunir alguns dos seus outros hospedeiros e ficar esperando por ele quando ele sacar a faca.

— E como vamos pegá-lo? — pergunto.

— Com isso — ela me entrega o bilhete. — Se você me contar sobre o dia de Bell, posso garantir que coloco em algum lugar onde ele vai encontrar. Quando eu mencionar isso na cozinha, a notícia do encontro vai circular pela casa dentro de uma hora. O lacaio com certeza vai ouvir falar.

Não saia de Blackheath, há outras vidas além da sua que dependem de você. Me encontre ao lado do mausoléu no cemitério da família às 22:20 e eu explicarei tudo.

Com amor, Anna

Sou transportado de volta para aquela noite, quando Evelyn e Bell caminharam pelo úmido cemitério, o revólver na mão, encontrando apenas sombras e uma bússola estilhaçada coberta de sangue.

No que diz respeito a presságios, não é reconfortante, mas tampouco é definitivo. É mais um pedaço do futuro que se solta do todo, e, até que eu chegue lá, não vou ter a menor ideia do que significa.

Anna está esperando pela minha reação, mas meu desconforto não é razão suficiente para objeção.

— Você já viu como isso termina? Funciona? — ela pergunta, mexendo o punho da manga, nervosa.

— Eu não sei, mas é o melhor plano que temos — digo.

— Vamos precisar de ajuda, e você está ficando sem hospedeiros.

— Não se preocupe, vou arranjar ajuda.

Tiro uma caneta tinteiro do meu bolso, acrescentando uma linha à mensagem, algo para poupar o pobre Bell de uma grande dose de frustração.

Ah, e não esqueça as suas luvas. Estão queimando.

37

Escuto os cavalos antes de vê-los, dezenas de ferraduras batendo nas pedras à minha frente. Não muito atrás vem o cheiro deles, um odor azedo misturado com o fedor de esterco, uma rolante e espessa mistura que nem o vento pode perturbar. Somente depois de ser atacado pela impressão deles é que finalmente me deparo com os animais propriamente ditos, em torno de trinta deles saindo dos estábulos e indo pela estrada principal em direção à vila, carruagens arreadas às suas costas.

Empregados dos estábulos os guiam a pé, seus uniformes compostos por boinas, camisas brancas e calças cinzas largas, deixando-os tão indistinguíveis um do outro como os cavalos que tratam.

Eu observo os seus cascos com nervosismo. Num lampejo de memória, recordo ter sido arremessado de um cavalo quando era menino, os cascos da besta me acertando no peito, os meus ossos se partindo...

Não deixe Dance controlar você.

Eu me liberto das lembranças do meu hospedeiro, abaixando a mão que instintivamente correu para a cicatriz em meu peito.

Está ficando pior.

A personalidade de Bell raramente aparece, mas, entre o desejo de Derby e os modos e traumas de infância de Dance, está ficando difícil manter um caminho reto.

Alguns dos cavalos no meio da massa estão beliscando os que estão ao seu lado, uma onda de agitação passando pela muscular maré parda. É o suficiente para que eu dê um desaconselhável passo fora da estrada, bem numa pilha de esterco.

Estou removendo a sujeira quando um dos funcionários destaca-se do grupo.

— Precisa de ajuda com alguma coisa, Sr. Dance? — ele diz, tocando a aba da boina para mim.

— Você me conhece? — digo, surpreso com o reconhecimento.

— Perdão, senhor, meu nome é Oswald. Eu selei o garanhão que o senhor cavalgou ontem. Uma beleza, senhor, ver um cavalheiro num cavalo. Já não são muitos que sabem cavalgar daquele jeito.

Ele sorri, mostrando duas fileiras de dentes espaçados manchados de marrom pelo tabaco.

— Claro, claro — digo, os cavalos que passam tocando-lhe as costas. — Na verdade, Oswald, eu estava procurando por Lady Hardcastle. Ela deveria se encontrar com Alf Miller, o cavalariço.

— Não sei sobre a senhoria, mas o senhor acabou de perder Alf. Ele saiu com alguém há uns dez minutos. Foi para o lago, é só o que eu sei. Pegou a trilha pelo pasto. Fica à sua direita quando passar pelo arco, senhor, provavelmente ainda dá para alcançar os dois se o senhor correr.

— Obrigado, Oswald.

— Às ordens, senhor.

Tocando mais uma vez a aba da boina, ele se junta novamente ao grupo.

Mantendo-me nas margens da estrada, sigo em direção aos estábulos, as pedras soltas atrasando-me consideravelmente. Nos meus outros hospedeiros, eu simplesmente saltava para o lado quando uma delas resvalava sob mim. As pernas velhas de Dance não são suficientemente ágeis para isso, e cada vez que uma pedra vacila sob o meu peso, ela torce meus tornozelos e joelhos e ameaça me derrubar.

Vexado, passo pelo arco e encontro aveia, feno e frutas esmagadas sujando o pátio, um garoto fazendo o melhor que pode para varrer os detritos para os cantos. Provavelmente teria mais sorte se não tivesse a metade do tamanho da sua vassoura. Ele me olha timidamente quando eu passo, tentando tirar a boina, mas conseguindo apenas perdê-la ao vento. A última vez que o vejo, está correndo pelo pátio atrás dela como se seus sonhos estivessem costurados lá dentro.

A trilha que se aninha ao longo do pasto é pouco mais do que um caminho lamacento arruinado por poças, e minhas calças já estão imundas no momento em que chego à metade do trecho. Os galhos quebram, a chuva goteja das plantas. Tenho a sensação de estar sendo vigiado e, embora não exista nada para sugerir que seja algo mais do que nervos, juro que posso sentir uma presença entre as árvores, um par de olhos perseguindo os meus passos. Só posso torcer para que eu esteja enganado, porque, se o lacaio surgir repentinamente na trilha, sou fraco demais para brigar e devagar demais para correr. O resto da minha vida será precisamente o quanto ele irá demorar para encontrar uma forma de me matar.

Não vendo nenhum sinal do cavalariço ou de Lady Hardcastle, sacrifico a minha postura por completo, salpicando lama nas minhas costas ao irromper num preocupado passo acelerado.

A trilha logo se afasta do pasto e adentra a floresta, aquela sensação de ser vigiado apenas crescendo conforme vou me distanciando dos estábulos. Espinhos prendem-se nas minhas roupas enquanto impulsiono-me adiante, até finalmente ouvir o murmúrio de vozes que se aproximam e o barulho da água ondeando contra a margem. O alívio toma conta de mim, e percebo que estive prendendo a respiração durante todo esse tempo. Ficamos frente a frente após alguns passos, embora não seja Lady Hardcastle quem eu encontro acompanhando o cavalariço, mas sim Cunningham, o valete de Ravencourt. Ele está usando um casaco grosso e o longo cachecol lilás que terá dificuldade para desamarrar quando interromper a conversa de Ravencourt com Daniel.

O banqueiro deve estar cochilando na biblioteca. O sobressalto deles ao se deparar comigo dá a entender que estavam conversando bem mais do que mera tagarelice.

É Cunningham quem se recupera primeiro, sorrindo amavelmente.

— Sr. Dance, que surpresa agradável — ele diz. — O que te traz aqui nesta manhã terrível?

— Estava procurando Helena Hardcastle — digo, desviando meu olhar de Cunningham em direção ao cavalariço. — Tive a impressão de que ela dava um passeio com o Sr. Miller aqui.

— Não, senhor — diz Miller, amassando a boina em suas mãos. — Era para nos encontrarmos na minha cabana, senhor. Estou indo para lá agora.

— Estamos os três no mesmo barco, então — diz Cunningham. — Eu também esperava encontrá-la. Talvez nós possamos ir juntos. Meu assunto não deve demorar muito, mas aguardo na fila sem problemas, se for preciso.

— E qual é o seu assunto? — pergunto, enquanto começamos a retornar para os estábulos. — Meu entendimento era de que você tinha se encontrado com Lady Hardcastle antes do café da manhã.

A franqueza da minha questão momentaneamente desestabiliza seu bom humor, uma faísca de irritação passa pelo seu rosto.

— Algumas questões para Lord Hardcastle — ele diz. — O senhor sabe como são essas coisas. Uma confusão logo leva a outra.

— Mas você viu a dona da casa hoje? — pergunto.

— Exato, logo que acordei.

— Como ela estava?

Ele dá de ombros, franzindo o cenho para mim.

— Não sei dizer. Nossa conversa foi muito breve. Posso perguntar aonde essas perguntas vão levar, Sr. Dance? Eu me sinto mais ou menos como se estivesse no tribunal com o senhor.

— Ninguém mais viu Lady Hardcastle hoje. Isso me parece estranho.

— Talvez ela esteja tomando cuidado para não ser incomodada com perguntas — ele diz, acalorando-se.

Chegamos à cabana do cavalariço com os ânimos irritados, o Sr. Miller contorcendo-se de desconforto ao nos convidar para entrar. Está limpa e organizada como da última vez que estive lá, embora seja um lugar pequeno demais para três homens e seus segredos.

Eu pego a cadeira da mesa enquanto Cunningham examina a estante de livros, e o cavalariço fica agitado, fazendo o melhor para arrumar a já arrumada cabana.

Esperamos dez minutos, mas Lady Hardcastle nunca chega. É Cunningham quem quebra o silêncio.

— Bom, parece que a senhora tem outros planos — ele diz, consultando o relógio. — É melhor eu ir, estão me esperando na biblioteca. Um bom dia para os senhores, Sr. Dance e Sr. Miller — ele diz, inclinando a cabeça antes de abrir a porta e partir.

Miller olha para mim, nervoso.

— E quanto ao senhor, Sr. Dance? — ele diz. — Vai esperar mais?

Eu ignoro e junto-me a ele diante da lareira.

— O que você estava falando com Cunningham? — pergunto.

Ele olha fixo para a janela, como se suas respostas chegassem por um mensageiro. Eu estalo meus dedos na frente do seu rosto, voltando os seus olhos marejados para mim.

— No momento eu estou apenas curioso, Sr. Miller — digo com uma voz baixa derramando-se de possibilidades desagradáveis. — Em um ou dois minutos vou ficar irritado. Fale-me sobre o que vocês estavam conversando.

— Ele queria alguém para mostrar o lugar — ele diz, projetando o lábio inferior, revelando a carne rosada. — Queria ver o lago, só isso.

Sejam quais forem as habilidades de Miller neste mundo, mentir não é uma delas. Seu rosto idoso é uma massa de rugas e de pele caída, material mais que suficiente para suas emoções montarem um palco. Cada careta é uma tragédia, cada sorriso uma farsa. Uma mentira, sentada entre os dois como está, é o suficiente para derrubar toda a performance.

Colocando minha mão no seu ombro, abaixo o meu rosto à altura do seu, observando enquanto seus olhos fogem dos meus.

— Charles Cunningham cresceu nesta mansão, Sr. Miller, o senhor sabe bem. Ele não precisa de uma visita guiada. Agora, sobre o que vocês estavam conversando?

Ele balança a cabeça.

— Eu prometi...

— Eu também posso fazer promessas, Miller, mas você não iria gostar delas. — Meus dedos pressionam sua clavícula, forte o suficiente para fazê-lo se contorcer.

— Ele estava perguntando sobre o garoto assassinado — ele diz relutantemente.
— Thomas Hardcastle?
— Não, senhor, o outro.
— Que outro?
— Keith Parker, o garoto do estábulo.
— Que garoto do estábulo? Do que você está falando, homem?
— Ninguém se lembra dele, senhor, não é tão importante assim — ele diz, rangendo os dentes. — Era um dos meus. Um ótimo garoto, tinha uns quatorze anos. Ficou desaparecido por mais ou menos uma semana antes do patrão Thomas morrer. Uns polícias vieram procurar na floresta, mas não conseguiram encontrar o corpo dele, então disseram que ele fugiu. Eu vou lhe dizer, senhor, ele jamais fugiu. Adorava a mãe, adorava o trabalho. Não faria isso. Eu disse isso na época, mas ninguém me escutou.
— Alguma vez encontraram o garoto?
— Não, senhor, nunca.
— E foi isso que você contou a Cunningham?
— Sim, senhor.
— Foi tudo o que você contou para ele?
Seus olhos se movem para a esquerda e para a direita.
— Tem mais aí, não tem? — digo.
— Não, senhor.
— Não minta para mim, Miller — digo com frieza, a minha indignação disparando. Dance odeia pessoas que tentam enganá-lo, ele considera isso uma insinuação de credulidade, de estupidez. Para pelo menos tentar isso, os mentirosos devem acreditar que são mais inteligentes que a pessoa para quem estão mentindo, uma presunção que ele acha grotescamente insultante.
— Não estou mentindo, senhor — protesta o pobre cavalariço, uma veia saltando em sua testa.
— Está sim! Me diga o que sabe! — eu exijo.
— Não posso.
— Você vai dizer ou eu vou lhe arruinar, Sr. Miller — digo, soltando as rédeas do meu hospedeiro. — Vou pegar tudo o que você tem, cada peça de roupa e cada centavo que você colocou no cofre.

As palavras de Dance despejam da sua boca, cada uma pingando de veneno. É assim que ele conduz sua atuação jurídica, martelando os seus adversários com ameaças e intimidações. Do seu próprio jeito, Dance pode ser tão vil quanto Derby.

— Vou desenterrar cada...

— A história é mentira — Miller deixa escapar.

Seu rosto está pálido, seus olhos estão assombrados.

— O que quer dizer com isso? Fale! — digo.

— Eles dizem que Charlie Carver matou o patrão Thomas, senhor.

— O que tem isso?

— Bom, não pode ser, senhor. Charlie e eu éramos amigos. Charlie teve uma discussão com Lord Hardcastle naquela manhã, tinha sido demitido, aí decidiu pegar a indenização.

— Indenização?

— Umas garrafas de conhaque, senhor, no escritório de Lord Hardcastle. Ele só entrou lá e pegou.

— Então ele roubou garrafas de conhaque — digo. — Como isso prova a inocência dele?

— Ele veio me buscar depois que eu coloquei a Srta. Evelyn para cavalgar o pônei dela. Queria tomar uma última bebida com um amigo, ele disse. Eu não podia dizer não, podia? Nós tomamos aquelas garrafas entre nós, eu e Charlie, mas, por volta de meia hora depois do assassinato, ele disse que eu tinha que sair.

— Sair por quê?

— Disse que esperava uma visita.

— Quem?

— Não sei, senhor, ele nunca disse. Ele só...

Ele vacila, tateando as margens da resposta em busca da fenda onde tem certeza que irá cair.

— O quê? — eu questiono.

O coitado está torcendo as mãos, ciscando sobre o tapete com o pé esquerdo.

— Ele disse que foi tudo combinado, senhor, que iam lhe ajudar arranjando um bom emprego em outro lugar. Eu achei que talvez...

— Sim.

— Do jeito que ele falou, senhor... Achei...
— Desembuche, pelo amor de Deus, Miller.
— Lady Hardcastle, senhor — ele diz, olhando em meus olhos pela primeira vez. — Achei que talvez ele fosse se encontrar com Lady Helena Hardcastle. Eles sempre foram meio amigos.

Minha mão sai do seu ombro.

— Mas você não a viu chegar?
— Eu...
— Você não foi embora, foi? — digo, captando a culpa em seu rosto. — Você queria ver quem estava vindo, então se escondeu em algum lugar ali perto.
— Por um minuto, senhor, só para ver, para ter certeza de que ele estava bem.
— Por que não contou isso para ninguém? — digo, olhando para ele com o cenho franzido.
— Falaram para eu não contar, senhor.
— Quem?

Ele ergue o olhar em minha direção, mastigando o silêncio até transformá-lo em uma súplica desesperada.

— Quem, droga? — eu insisto.
— Bom, Lady Hardcastle, senhor. Foi o que me fez... Bom, ela não iria deixar Charlie matar o filho dela, certo? E se ele tivesse feito isso, ela não ia me mandar ficar quieto. Não faz sentido, não é? Ele só pode ser inocente.
— E você guardou esse segredo por todos esses anos?
— Eu tive medo, senhor. Um medo terrível.
— De Helena Hardcastle?
— Da faca, senhor. A que usaram para matar Thomas. Ela foi encontrada na cabana de Carver, escondida embaixo das tábuas do assoalho. Foi o que acabou com ele no final, senhor.
— Por que você teria medo da faca, Miller?
— Porque era minha, senhor. Uma faca de ferradura. Tinha sumido da minha cabana alguns dias antes do assassinato. Isso e um cobertor da minha cama. Achei que eles pudessem, bem, pôr a culpa em mim, senhor. Como se eu estivesse envolvido nisso com Carver, senhor.

Os próximos minutos passam-se em um borrão, meus pensamentos ficam muito distantes. Estou vagamente ciente de ter prometido guardar os segredos, da mesma forma como estou vagamente ciente de sair da cabana, a chuva me encharcando enquanto volto para a casa.

Michael Hardcastle me contou que alguém esteve com Charlie Carver na manhã da morte de Thomas, alguém que Stanwin acertou com um tiro de raspão antes que essa pessoa pudesse escapar. Poderia ser Lady Hardcastle? Caso positivo, seus ferimentos precisariam ser tratados com discrição.

Doutor Dickie?

Os Hardcastle estavam dando uma festa no fim de semana em que Thomas foi assassinado, e, pelo relato de Evelyn, as mesmas presenças foram convidadas para este baile. Dickie está na casa hoje, então é provável que ele estivesse aqui há dezenove anos.

Ele não vai falar, é leal feito um cão.

— Ele está no negócio de venda de drogas com Bell — digo, me lembrando da Bíblia com marcações que encontrei no seu quarto quando fui Derby. — Esse trunfo vai ser suficiente para arrancar a verdade dele.

Meu entusiasmo começa a aumentar. Se Dickie confirmar que Lady Hardcastle foi ferida no ombro, ela seria uma suspeita na morte de Thomas. Mas por que tiraria a vida do próprio filho ou permitiria que Carver — um homem que Lord Hardcastle disse que ela amava — levasse a culpa em seu lugar?

Isso é o mais próximo que Dance chega do divertimento, tendo o velho advogado passado a vida seguindo os fatos feito um cão perdigueiro com cheiro de sangue no focinho, e é só depois de Blackheath apontar no horizonte que finalmente desperto ao que está ao meu redor. A esta distância, com estas vistas fracas, a casa está embaçada, as rachaduras estão tapadas, e pode-se ver Blackheath como deveria ter sido no passado, quando uma jovem Millicent Derby passava os verões aqui com Ravencourt e os Hardcastle, quando as crianças brincavam na floresta sem medo, seus pais desfrutando de festas e música, de risos e cantoria.

Que glorioso devia ser.

Pode-se entender por que Helena Hardcastle ansiaria viver esses dias novamente, podendo até mesmo restaurá-los ao dar outra festa. Pode-se entender, mas somente um tolo aceitaria algo assim como motivo de tudo isto estar acontecendo.

Blackheath não pode ser restaurada. O assassinato de Thomas Hardcastle a esvaziou para sempre, tornando-a adequada apenas para a ruína, e, ainda assim, ela convidou as mesmas pessoas para a mesma festa, dezenove anos depois, na mesma data. O passado foi desenterrado e enfeitado, mas com qual propósito?

Se Miller estiver certo e Charlie Carver não tiver matado Thomas Hardcastle, há chances de que tenha sido Helena Hardcastle, a pessoa que teceu esta terrível trama na qual estamos todos emaranhados, e a mulher que estou cada vez mais convencido de que está no centro disto tudo.

Há chances de que ela planeja matar Evelyn hoje à noite, e ainda não tenho ideia de como irei encontrá-la, muito menos pará-la.

38

Alguns cavalheiros estão fumando no lado de fora de Blackheath, compartilhando histórias da libertinagem da noite anterior. Suas alegres saudações me acompanham pelos degraus, mas passo sem comentar. Minhas pernas estão doendo, minha região lombar exige uma banheira, mas eu estou sem tempo. A caçada começa dentro de meia hora e eu não posso perdê-la. Tenho muitas perguntas e a maioria das respostas estará carregando espingardas.

Pegando um decânter de uísque da sala de visitas, eu me retiro para o meu quarto, entornando alguns drinques fortes para amortecer a dor. Posso sentir a objeção de Dance, sua aversão não apenas pelo meu reconhecimento do desconforto, mas pela minha necessidade de abafá-lo. Meu hospedeiro despreza o que está acontecendo com ele, vendo a idade como uma malignidade, um definhamento e uma erosão.

Tirando as roupas enlameadas, eu me dirijo para o espelho, percebendo que ainda não tenho ideia de como Dance se parece. Colocar um novo corpo a cada dia já se tornou corriqueiro, e é somente a esperança de ter um vislumbre do verdadeiro Aiden Bishop que me obriga a continuar me olhando.

Dance está se aproximando dos oitenta anos, tão murcho e cinzento no exterior quanto no interior. Quase careca, o seu rosto é um rio de rugas que corre do seu crânio, preso no lugar apenas por um grande nariz romano. Em ambos os lados, há um pequeno bigode cinza e olhos escuros e sem vida que não insinuam nada a respeito do homem interior, a não ser, talvez, que poderá não haver um homem interior. O anonimato parece ser uma compulsão de Dance, cujas roupas — embora de boa qualidade — vêm em tons de cinza, com apenas lenços e gravatas oferecendo qualquer coisa em termos de cor. Mesmo assim, a escolha é ou vermelho escuro ou azul marinho, dando a impressão de um homem camuflado em sua própria vida.

Seus tweeds de caça estão um pouco apertados no corpo, mas servem. Com outro copo de uísque aquecendo minha garganta, cruzo o corredor até o quarto do doutor Dickie, batendo na porta.

Passos se aproximam do outro lado, e Dickie escancara a porta. Ele está vestido para a caçada.

— Eu não trabalho tanto assim no meu consultório — ele resmunga. — Eu já vou lhe avisando: cuidei de ferimentos de faca, de perda de memória e de um grave espancamento hoje de manhã, então, seja qual for a sua doença, é bom que seja interessante. E acima da linha da cintura, de preferência.

— Você vende drogas com Sebastian Bell — digo sem rodeios, observando o sorriso desaparecer em seu rosto. — Ele as vende, você as fornece.

Branco como uma folha de papel, ele é forçado a se apoiar no batente da porta.

Percebendo fraqueza, eu aproveito a minha vantagem.

— Ted Stanwin pagaria muito bem por essa informação, mas eu não preciso de Stanwin. Preciso saber se você atendeu Helena Hardcastle ou outra pessoa por causa de um ferimento de bala no dia em que Thomas Hardcastle foi assassinado.

— A polícia fez a mesma pergunta na época e eu respondi honestamente — ele arranha a voz, afrouxando o colarinho. — Não, não atendi.

Carrancudo, dou as costas para ele.

— Vou falar com Stanwin — digo.

— Que droga, homem, eu estou falando a verdade — ele diz, agarrando o meu braço.

Nós olhamos um ao outro nos olhos. Os deles são velhos e opacos e iluminados pelo medo. O que ele enxerga nos meus o faz soltar meu braço imediatamente.

— Helena Hardcastle ama os filhos mais do que a própria vida, e Thomas era quem ela mais amava — ele insiste. — Ela não poderia ter feito mal a ele, não seria capaz disso. Eu juro para você, pela minha honra como um cavalheiro, ninguém me procurou naquele dia com um ferimento, e eu não faço a menor ideia de em quem Stanwin atirou.

Eu encaro o seu olhar suplicante por um segundo, buscando algum lampejo de falsidade, mas ele está falando a verdade, tenho certeza.

Diminuído, deixo o doutor ir e volto ao hall de entrada, onde o restante dos cavalheiros estão reunidos, fumando e batendo papo, aguardando impacientes pelo começo da caçada. Eu tinha certeza de que Dickie confirmaria o envolvimento de Helena e, ao fazer isso, me daria um ponto de partida para a morte de Evelyn.

Preciso ter uma noção melhor do que aconteceu com Thomas, e sei precisamente para qual homem perguntar.

Procurando por Ted Stanwin, entro na sala de visitas, onde encontro Philip Sutcliffe com trajes de caça de tweed atacando as teclas do piano com grande prazer e muito pouca habilidade. Sua quase música me carrega de volta para a minha primeira manhã na casa — uma lembrança atualmente sendo vivenciada por Sebastian Bell, que está sozinho e desconfortável no canto mais distante, bebericando um drinque cujo nome ele sequer conhece. Minha pena por ele é equilibrada pela irritação de Dance; o velho advogado tem pouca paciência para qualquer tipo de ignorância. Se tivesse a chance, ele contaria tudo a Bell, mandando para o inferno as consequências, e devo admitir que a ideia é tentadora.

Por que Bell não pode saber que viu uma empregada chamada Madeline Aubert na floresta hoje de manhã e não Anna? E que nenhuma delas morreu, o que torna sua culpa desnecessária? Eu poderia explicar o ciclo, e como o assassinato de Evelyn é a chave para escapar, impedindo-o de desperdiçar seu dia como Donald Davies tentando fugir. Cunningham é o filho de Charlie Carver, eu diria, e, ao que parece, tenta provar que Carver não matou Thomas Hardcastle. Quando a hora chegar, é com essa informação que você chantageará Cunningham, porque Ravencourt abomina o escândalo e é quase certo que mandará o valete embora se descobrir. Eu diria a ele para encontrar a misteriosa Felicity Maddox e, mais importante, Helena Hardcastle, porque todos os caminhos levam à desaparecida dona da casa.

Isso não ia dar certo.

— Eu sei — murmuro, pesaroso.

O primeiro pensamento de Bell seria o de que eu fugi do hospício, e quando ele finalmente percebesse que era tudo verdade, sua investigação mudaria o dia completamente. Por mais que eu queira ajudá-lo, estou perto demais da resposta para me arriscar a desatar esse nó.

Bell terá que fazer isso sozinho.

Um braço pega o meu cotovelo, e Christopher Pettigrew aparece ao meu lado com um prato em sua mão. Nunca estive tão perto assim dele, e, não fossem os impecáveis modos de Dance, o nojo estaria evidente em meu rosto. De perto, ele parece uma coisa que acabou de ser desenterrada.

— Logo vamos nos livrar dele — diz Pettigrew, acenando com a cabeça sobre o meu ombro na direção de Ted Stanwin, que está pegando os frios da mesa enquanto observa os demais convidados com os olhos apertados. Sua repulsa é óbvia.

Até este momento, eu sempre o considerei um simples valentão, mas é mais do que isso que vejo agora. Seu negócio é a chantagem, o que significa que ele sabe cada segredo e vergonha oculta, cada escândalo e perversidade em potencial circulando nesta casa. O pior, ele sabe quem se escapou com o quê. Ele despreza todos em Blackheath, incluindo ele próprio por proteger os segredos deles. Assim, passa todos os dias arranjando brigas para se sentir melhor.

Alguém passa por mim à força, um confuso Charles Cunningham chegando da biblioteca com a carta de Ravencourt, enquanto a empregada Lucy Harper recolhe os pratos, alheia aos acontecimentos ao seu redor. Sentindo uma pontada no peito, percebo que ela se parece um pouco com minha falecida esposa Rebecca. Quando era mais jovem, é claro. Há uma similaridade de movimentos, uma delicadeza nos atos, como se...

Rebecca não era sua esposa.

— Que droga, Dance — digo, me libertando dele.

— Perdão, não entendi isso, meu velho — diz Pettigrew, franzindo o cenho para mim.

Corando de constrangimento, abro minha boca para responder, mas sou distraído pela pobre Lucy Harper quando ela tenta passar por Stanwin para pegar um prato vazio. Ela é mais bonita do que me lembro, sardas e olhos azuis, tentando esconder os seus cabelos vermelhos bastos dentro da touca.

— Com licença, Ted — ela diz.

— Ted? — ele diz com raiva, agarrando o pulso dela e apertando-o com força suficiente para fazê-la se contorcer. — Você acha que está falando com quem, Lucy? Para você é Sr. Stanwin, não estou mais no andar de baixo com os ratos.

Chocada e assustada, ela busca auxílio em nossos rostos.

Ao contrário de Sebastian Bell, Dance é um ávido observador da natureza humana e, assistindo a essa cena se desenrolar diante de mim, sou tomado por algo esquisito. Quando testemunhei este momento pela primeira vez, percebi apenas o medo de Lucy de ser violentada, mas ela não está apenas amedrontada, está surpresa. Até mesmo desconcertada. E o que é um tanto esquisito, Stanwin também.

— Solte a garota, Ted — diz Daniel Coleridge da soleira da porta.

O resto do enfrentamento acontece como eu lembrava, Stanwin recua, Daniel busca Bell e o leva ao escritório para conhecer Michael, lançando a mim um pequeno gesto de reconhecimento no caminho.

— Vamos? — pergunta Pettigrew. — Desconfio que o nosso entretenimento já chegou ao fim.

Fico tentado a procurar por Stanwin, mas não tenho desejo algum de subir as escadas e ir até a ala leste quando sei ao certo que ele virá à caçada. É melhor esperar por ele aqui, decido.

Abrindo caminho em meio à multidão escandalizada, passamos pelo hall e saímos no pátio da entrada, onde encontramos Sutcliffe já esperando junto com Herrington e alguns outros rapazes que não reconheço. Nuvens escuras estão subindo umas sobre as outras, gestando uma tempestade que já vi castigar Blackheath uma meia dúzia de vezes. Os caçadores estão reunidos em um grupo, segurando seus chapéus e paletós enquanto o vento os puxa com milhares de mãos furtivas. Apenas os cachorros parecem entusiasmados, puxando suas guias e latindo para a escuridão. Será uma tarde miserável e a ciência de que estarei caminhando rumo a ela apenas piora as coisas.

— Como vão? — pergunta Sutcliffe ao nos aproximarmos, os ombros do seu paletó cobertos de caspa.

Herrington acena para nós com a cabeça, tentando raspar algo desagradável em seus sapatos.

— Vocês viram a briguinha de Daniel Coleridge com Stanwin? — ele pergunta. — Acho que apostamos no cavalo certo, no fim das contas.

— Veremos — diz Sutcliffe com ar sombrio. — Onde Daniel foi, afinal?

Eu olho ao meu redor, mas Daniel sumiu e só posso dar de ombros como resposta.

Os guarda-caças distribuem espingardas para aqueles que não trouxeram as suas, incluindo eu. A minha foi polida e lubrificada, os canos estão abertos revelando dois cartuchos vermelhos alojados nos cilindros. Os outros parecem ter alguma experiência com armas, imediatamente testando as miras ao apontar em alvos imaginários no céu, mas Dance não compartilha do entusiasmo deles pela caça, o que me deixa um tanto perdido. Depois de me observar mexendo na espingarda por alguns minutos, o impaciente guarda-caça me mostra como aprontá-la sobre meu antebraço, entregando-me uma caixa de cartuchos e seguindo para o próximo homem.

Devo admitir que a arma faz com que eu me sinta melhor. Durante todo o dia, senti olhos me perseguindo, e ficarei feliz de ter uma arma quando estiver cercado pela floresta. Sem dúvida o lacaio está esperando para me pegar a sós, e de jeito nenhum vou facilitar isso para ele.

Surgindo do nada, Michael Hardcastle está ao nosso lado soprando o hálito quente nas mãos.

— Perdão pelo atraso, cavalheiros — ele diz. — Meu pai pede

desculpas, mas houve um imprevisto. Ele pediu para que fôssemos na frente sem ele.

— E o que devemos fazer se encontrarmos a mulher morta de Bell? — pergunta Pettigrew sarcasticamente.

Michael faz uma careta para ele.

— Um pouco de caridade cristã, por favor — ele diz. — O doutor passou por maus bocados.

— Cinco garrafas pelo menos — diz Sutcliffe, provocando risadas em todos, com exceção de Michael. Percebendo o olhar abatido do jovem, ele joga as mãos ao alto. — Ah, vamos, Michael, você viu o estado em que ele estava ontem à noite. Não é possível que você ache que vamos encontrar alguma coisa. Ninguém desapareceu, o homem está delirando.

— Bell não inventaria uma coisa dessas — diz Michael. — Eu vi o braço dele, alguém o deixou todo retalhado lá fora.

— Provavelmente ele caiu em cima da garrafa — Pettigrew bufa, esfregando as mãos para esquentá-las.

Somos interrompidos pelo guarda-caça, que entrega um revólver preto a Michael. Com exceção de um longo arranhão no cano, é idêntico à arma que Evelyn vai levar ao cemitério hoje à noite, uma do par que foi levado do quarto de Helena.

— Lubrificado para o senhor — diz o guarda-caça mexendo na boina e saindo.

Michael põe a arma no coldre da sua cintura, retomando a conversa bastante alheio ao meu interesse.

— Não entendo por que todo mundo ficou incomodado — ele continua. — Esta caçada foi organizada há dias, nós simplesmente vamos numa direção diferente daquela planejada originalmente, só isso. Se acharmos algo, ótimo. Se não, não vamos perder nada acalmando o doutor.

Alguns olhares de expectativa são lançados na minha direção, uma vez que Dance normalmente é a voz decisiva nestes assuntos. Sou poupado de ter que comentar pelos latidos dos cães, que receberam uma pequena dianteira dos guarda-caças e agora puxam a nossa companhia pelo gramado em direção à floresta.

Olhando para trás na direção de Blackheath, eu procuro Bell.

Ele está emoldurado pela janela do escritório, seu corpo parcialmente obscurecido pelas cortinas vermelhas de veludo. Com esta luz, a esta distância, há algo de espectral nele, embora neste caso suponho ser a casa quem está lhe assombrando.

Os demais caçadores já estão entrando na floresta, tendo o grupo se rompido em duas pequenas aglomerações no momento em que finalmente os alcanço. Preciso falar com Stanwin sobre Helena, mas ele caminha depressa, mantendo-se afastado de nós. Eu mal consigo acompanhá-lo com os olhos, quanto mais falar com ele, e, por fim, acabo desistindo, optando por encurralá-lo quando pararmos para descansar.

Precavendo-me de um encontro com o lacaio, junto-me a Sutcliffe e Pettigrew, que ainda refletem sobre as implicações do acordo de Daniel com Lord Hardcastle. O bom humor deles não dura. A floresta é opressiva, reduzindo cada fala a um sussurro depois de uma hora, e esmagando qualquer conversa vinte minutos depois disso. Até mesmo os cães ficaram quietos, farejando o chão enquanto nos arrastam mais fundo para as trevas. A espingarda é um peso confortável em meus braços e agarro-me a ela com ferocidade, cansando-me rápido, mas jamais ficando muito atrás do grupo.

— Aproveite, meu velho — Daniel Coleridge grita atrás de mim.

— Perdão? — eu me afasto lentamente dos meus pensamentos.

— Dance é um dos melhores hospedeiros — Daniel diz, aproximando-se. — Uma boa cabeça, modos tranquilos, um corpo suficientemente saudável.

— Este corpo suficientemente saudável parece que andou mil quilômetros, e não dez — digo, ouvindo a exaustão em minha voz.

— Michael combinou de dividir o grupo — ele diz. — Os cavalheiros mais velhos vão fazer um descanso, enquanto o grupo mais jovem vai seguir em frente. Não se preocupe, você vai poder descansar as pernas logo.

Densos arbustos aparecem entre nós, o que nos força a continuar nossa conversa às cegas, como dois apaixonados num labirinto.

— É um estorvo dos infernos estar cansado o tempo todo —

digo, enxergando vislumbres dele através das folhas. — Mal posso esperar pela juventude de Coleridge.

— Não deixe o rosto bonito dele te enganar — ele reflete. — A alma de Coleridge é negra como o breu. Controlá-lo é exaustivo. Pode escrever o que digo: quando você estiver usando o corpo dele, vai se lembrar do tempo em que foi Dance com grande carinho, então aproveite enquanto pode.

Os arbustos recuam, permitindo que Daniel fique ao meu lado. Ele tem um olho roxo e caminha mancando ligeiramente, cada passo sendo acompanhado por um estremecimento de dor. Me lembro de ter visto esses ferimentos no jantar, mas a tênue luz das velas fez com que parecessem bem menos severos. O choque deve transparecer em meu rosto, pois ele dá um sorriso frágil.

— Não é tão ruim quanto parece.

— O que houve?

— Fui atrás do lacaio nas passagens — ele diz.

— Você foi sem mim? — digo, surpreso pela sua inconsequência. Quando fizemos o plano de encurralar o lacaio no subterrâneo da casa, era evidente que seriam necessárias seis pessoas para que pudéssemos ter sucesso, um par para vigiar cada uma das três saídas. Quando Anna se recusou a ajudar e Derby ficou inconsciente, supus que Daniel desistiria. Evidentemente, Derby não é o único hospedeiro cabeça-dura.

— Não tive escolha, meu velho — ele diz. — Achei que tinha pego ele. Acontece que eu estava enganado. Por sorte, consegui me defender antes que ele sacasse a faca.

A raiva fervilha em cada palavra. Eu só consigo imaginar a sensação que deve ser estar tão preocupado com o futuro a ponto de ser cegado pelo presente.

— Você já achou um jeito de libertar Anna? — pergunto.

Com um gemido doloroso, Daniel ergue a espingarda em seu braço. Mesmo eu mancando no meu ritmo lento, ele mal consegue ficar em pé.

— Não, e acho que não vou fazer isso — ele diz. — Desculpe, por mais difícil que seja ter que ouvir isso, só um de nós vai sair, e quanto mais perto chegarmos das onze da noite, mais provável é que Anna nos traia. Só podemos confiar um no outro a partir de agora.

Ela vai trair você.

Seria este o momento por trás do aviso do Médico da Peste? A amizade é um assunto simples quando todos só têm a ganhar, mas agora... Como ela reagirá sabendo que Daniel está desistindo dela?

Como você reagirá?

Sentindo minha hesitação, Daniel pousa uma mão consoladora em meu ombro. Com um sobressalto, percebo que Dance admira este homem. Ele acha o seu senso de objetivo empolgante, a sua determinação ecoa em uma qualidade que meu hospedeiro valoriza em si mesmo. Talvez seja o porquê de Daniel ter me abordado com essa informação ao invés de um dos meus outros hospedeiros. Estes dois são reflexo um do outro.

— Você não contou para ela, contou? — ele pergunta ansioso.

— Sobre a nossa promessa ser falsa?

— Eu me distraí.

— Eu sei que é difícil, mas você precisa manter tudo isso em sigilo — diz Daniel, arrastando-me para sua confidência como uma criança a quem confiam um segredo. — Se queremos ser mais espertos que o lacaio, vamos precisar da ajuda de Anna. Não vamos conseguir isso se ela souber que não vamos cumprir a nossa parte do acordo.

Passos firmes soam atrás de nós, e, olhando por sobre meu ombro, vejo Michael avançar em nossa direção, seu sorriso habitual substituído por uma expressão pesada.

— Meu Deus — diz Daniel. — Parece que você foi a um velório. Mas o que é que aconteceu?

— É esta busca maldita — ele diz irritado. — Belly viu uma garota ser assassinada aqui fora, e não consigo arranjar uma mísera pessoa para levar isso a sério. Não estou pedindo muito, só quero que eles olhem para os lados enquanto caminham. Talvez mexer em uma pilha de folhas, algo assim.

Daniel tosse, disparando um olhar constrangido para Michael.

— Ah, não — diz Michael, franzindo o cenho para ele. — Isso é má notícia, não é?

— Uma boa notícia, na verdade — diz Daniel apressadamente. — Não há nenhuma mulher morta. Foi um mal entendido.

— Um mal entendido — Michael diz devagar. — Como é que poderia ser um mal entendido?

— Derby estava aqui fora — diz Daniel. — Ele assustou uma empregada, as coisas saíram de controle e a sua irmã disparou a arma na direção dele. Bell confundiu com um assassinato.

— Derby que vá para o inferno! — Michael se vira abruptamente em direção à casa. — Não vou aceitar isso. Ele que vá fazer o diabo na casa de outra pessoa.

— Não foi culpa dele — Daniel interrompe. — Não dessa vez, pelo menos. Sei que é difícil de acreditar, mas Derby estava tentando ajudar. Ele apenas trocou as bolas.

Michael para, fitando Daniel, desconfiado.

— Tem certeza? — ele pergunta.

— Tenho — diz Daniel, colocando um braço em volta dos tensos ombros do seu amigo. — Foi um terrível mal entendido. Não é culpa de ninguém.

— Isso é novidade para Derby.

Michael dá um suspiro de lamentação, a fúria evapora-se do seu rosto. Este é um homem de emoções passageiras, fica com raiva rapidamente, diverte-se com facilidade e chateia-se com ainda mais facilidade. Eu não deveria me preocupar. Por um breve momento, imagino como seria habitar aquela mente. A frieza de Dance tem suas desvantagens, mas é indubitavelmente preferível à gangorra de sentimentos de Michael.

— Passei a manhã inteira falando para os caras que há um cadáver aqui fora e que eles tinham que ficar envergonhados por estar tão faceiros — Michael diz, embaraçado. — Como se este fim de semana já não fosse triste o suficiente para eles.

— Você estava ajudando um amigo — Daniel lança um sorriso paternal para ele. — Não tem motivo nenhum para se envergonhar.

Fico perplexo com a gentileza de Daniel e mais do que satisfeito. Embora eu admire seu comprometimento para escapar de Blackheath, fico inquieto com sua busca implacável por isso. A desconfiança já é minha primeira emoção, e o medo me amarra mais forte a cada minuto. Seria fácil tomar todos por inimigos e tratá-los de acordo, e fico animado ao ver que Daniel ainda é capaz de superar esses pensamentos.

Enquanto Daniel e Michael caminham perto um do outro, aproveito a oportunidade para questionar o rapaz.

— Não pude deixar de reparar no seu revólver — digo, apontando para o coldre. — É da sua mãe, não é?

— É? — Ele parece genuinamente surpreso. — Nem sabia que a minha mãe tinha um revólver. Evelyn me deu hoje de manhã.

— Por que ela iria lhe dar um revólver? — pergunto.

Michael cora de vergonha.

— Porque eu não gosto muito de caçar — ele diz, chutando algumas folhas em seu caminho. — Todo este sangue e esta destruição, isso faz eu me sentir esquisito demais. Eu nem deveria estar aqui, mas entre a busca e a ausência do meu pai, não tive muita escolha. Eu andava num estado terrível por conta disso, mas Evelyn é muito esperta: ela me deu isto — ele toca na arma. — Disse que era impossível acertar em alguma coisa, mas que eu iria parecer muito arrojado tentando fazê-lo.

Daniel tenta segurar o riso, provocando um sorriso bem-humorado em Michael.

— Onde estão seus pais, Michael? — digo, ignorando as brincadeiras. — Achei que a festa era deles, mas o encargo disso parece ter ficado todo nas suas costas.

Ele coça a nuca, o olhar sombrio.

— Meu pai se trancou na portaria, Tio Edward. Ele está cismando com alguma coisa, pra variar.

Tio?

Fragmentos da memória de Dance vêm à tona, vislumbres fugazes de uma amizade de uma vida inteira com Peter Hardcastle que me fez um membro honorário da família. Seja lá o que tínhamos, apagou-se há muito tempo, mas estou surpreso pelo carinho que ainda sinto por este garoto. Eu o conheci durante toda a sua vida. Tenho orgulho dele. Mais que do meu próprio filho.

— Quanto à minha mãe — Michael continua, alheio à confusão momentânea —, para lhe falar a verdade, ela tem agido estranho desde que chegamos aqui. Na realidade, eu tinha a expectativa de que o senhor falaria com ela em particular. Acho que ela tem me evitado.

— Assim como eu — eu rebato. — Não consegui encontrá-la o dia todo.

Ele hesita, tentando se decidir sobre algo. Abaixando a voz, ele continua em tom confidencial:

— Estou preocupado que ela possa ter chegado ao fundo do poço.

— O fundo do poço?

— É como se ela fosse uma pessoa completamente diferente — ele diz, preocupado. — Uma hora está feliz, outra hora está furiosa. É impossível acompanhar, e do jeito como ela nos olha agora, é como se não nos reconhecesse.

Outro rival?

O Médico da Peste disse que havia três de nós: o lacaio, Anna e eu. Não consigo ver que objetivo seria atingido com uma mentira. Desvio o olhar para Daniel, tentando avaliar se ele sabe mais sobre isso, mas sua atenção está fixa em Michael.

— Quando esse comportamento começou? — pergunto casualmente.

— Não sei dizer, parece que faz uma eternidade.

— Mas quando foi a primeira vez que você observou isso?

Ele morde o lábio, retrocedendo em suas lembranças.

— As roupas! — ele diz subitamente. — Foi ali. Eu contei para você sobre as roupas? — Ele está olhando para Daniel, que balança a cabeça sem expressão. — Como não? Eu devo ter contado. Aconteceu há um ano?

Daniel balança a cabeça de novo.

— Minha mãe tinha vindo a Blackheath para a sua peregrinação mórbida anual, mas, quando voltou a Londres, ela apareceu na minha casa em Mayfair e começou a divagar sobre ter encontrado as roupas — diz Michael, contando a história como se esperasse Daniel entrar a qualquer momento. — Era só sobre o que ela falava, que tinha encontrado as roupas, se eu sabia alguma coisa sobre elas.

— Que roupas eram essas? — pergunto, cedendo à sua vontade.

Fiquei empolgado por ouvir sobre a personalidade alterada de Helena, mas, se ela mudou há um ano, é improvável que seja outra rival. E, embora haja algo de estranho nela, não vejo como um assunto de lavanderia pode me ajudar a decifrar o que é.

— Eu sei lá o que é — ele diz, jogando as mãos para o alto. — Eu não conseguia tirar nada sensato dela. No final, consegui acalmá-la, mas ela não parava de falar das roupas. Continuou dizendo que todo mundo iria saber.

— Saber o quê? — pergunto.

— Ela nunca falou e foi embora pouco tempo depois, mas foi enfática.

Nosso grupo diminui à medida que os cães levam os caçadores em uma outra direção, Herrington, Sutcliffe e Pettigrew esperando por nós um pouco mais adiante. Estão, obviamente, aguardando por novas orientações, e, depois de se despedir, Michael corre para mostrar o caminho.

— O que você acha que é isso? — pergunto para Daniel.

— Ainda não sei — ele diz incerto.

Ele está inquieto, o seu olhar segue Michael. Nós continuamos em silêncio até chegar a uma vila abandonada no sopé de um penhasco. Oito cabanas de pedra estão dispostas ao redor de um entroncamento de chão batido, os telhados de palha apodreceram, os troncos que uma vez as mantiveram em pé desabaram. Ecos de antigas vidas permanecem imóveis; um balde entre os destroços, uma bigorna virada ao lado da trilha. Alguns poderão achá-las charmosas, mas eu vejo apenas relíquias de velhas tribulações abandonadas com prazer.

— Já está quase na hora — Daniel murmura, olhando para a vila.

Há um olhar em seu rosto que não consigo identificar, combinado a um tom que é impaciente, excitado e um pouco amedrontado. Isso me causa arrepios. Algo digno de nota está prestes a acontecer aqui, mas não consigo ver o que poderia ser de jeito nenhum. Michael está mostrando a Sutcliffe e Pettigrew uma das velhas casas de pedra, enquanto Stanwin recosta-se numa árvore, seus pensamentos longe daqui.

— Esteja pronto — Daniel diz enigmaticamente, desaparecendo entre as árvores antes que eu tenha a chance de fazer mais perguntas. Qualquer outro hospedeiro o seguiria, mas eu estou exausto. Preciso me sentar.

Acomodando-me em um muro ruindo, eu descanso enquanto os outros conversam, e minhas pálpebras começam a cair. A idade começa a se enrolar em mim, suas presas em meu pescoço, tirando a minha força quando mais preciso dela. É uma sensação desagradável, talvez ainda pior do que o fardo do corpanzil de Ravencourt. Pelo menos o choque inicial de ser Ravencourt diminuía, permitindo que eu me acostumasse às suas limitações físicas. Não é o que acontece com Dance, que ainda se acha um jovem vigoroso, despertando para a sua idade apenas quando vê suas mãos enrugadas. Mesmo agora, posso senti-lo franzir o cenho com a minha decisão de se sentar para ceder ao meu cansaço.

Eu belisco o meu braço, lutando para ficar acordado, irritado com minha definhante energia.

Isso me faz pensar em qual é a minha idade fora de Blackheath. Não é algo sobre o que me permiti refletir antes, meu tempo já sendo curto demais sem me entregar a ruminações inúteis, mas aqui e agora rezo por juventude, por força, boa saúde e uma mente clara. Só de pensar em escapar de tudo isso apenas para estar permanentemente preso...

39
DIA DOIS
(CONTINUAÇÃO)

Eu desperto abruptamente, agitando o Médico da Peste, que está olhando para o seu relógio de bolso dourado, a máscara pintada de um amarelo nauseabundo pela luz da vela em sua mão. Estou de volta ao mordomo, enrolado em lençóis de algodão.

— Bem na hora — diz o Médico da Peste, fechando o relógio num estalo.

Parece ser o anoitecer, o quarto turvado por uma escuridão que é apenas parcialmente vencida pela nossa pequena chama. A espingarda de Anna está repousando na cama ao meu lado.

— O que aconteceu? — digo com a voz rouca.

— Dance está cochilando no seu muro — o Médico da Peste ri, colocando a vela no chão e deixando-se cair na pequena cadeira à mesa. É pequena demais para ele, sua sobrecasaca engole a madeira por completo.

— Não, eu me refiro à espingarda. Por que está comigo?

— Um dos seus hospedeiros a deixou para você. Nem tente chamar Anna — ele diz, percebendo que estou fitando a porta. — Ela não está na portaria. Vim para lhe informar que o seu rival quase resolveu o assassinato. Eu espero encontrá-lo no lago hoje à noite. Você precisa trabalhar rápido deste ponto em diante.

Eu tento me endireitar, mas a dor nas minhas costas imediatamente põe um fim aos meus esforços.

— Por que está tão interessado em mim? — pergunto, deixando a agonia se instalar em seus locais de costume.

— Perdão?

— Por que fica vindo aqui para ter estas conversas? Eu sei que você não se importa com Anna, e tenho um palpite de que você também não fala muito com o lacaio.
— Qual é o seu nome?
— Por que isso...
— Responda a pergunta — ele diz, batendo no assoalho com a sua bengala.
— Edward Da... Não, Derby. Eu... — eu me atrapalho por um momento. — Aiden... Alguma coisa.
— Você está se perdendo para eles, Sr. Bishop — ele diz, cruzando os braços e reclinando-se na sua cadeira. — Já está acontecendo há algum tempo. É por isso que só podemos permitir oito hospedeiros para você. Mais do que isso e a sua personalidade não conseguiria se impor sobre a personalidade deles.

Ele tem razão. Meus hospedeiros estão ficando mais fortes e eu estou ficando mais fraco. Está acontecendo de maneira incremental e insidiosa. É como se eu tivesse adormecido na beira da praia e agora me encontrasse à deriva no mar.

— O que faço? — digo, sentindo uma onda de pânico.
— Aguente — ele diz, dando de ombros. — É o que você pode fazer. Há uma voz na sua cabeça, você já deve ter escutado a esta altura. Incisiva, levemente distante? É tranquila quando você está em pânico, destemida quando você está com medo.
— Eu escutei.
— É o que sobrou do Aiden Bishop original, o homem que chegou primeiro em Blackheath. Não é mais do que um fragmento agora, uma pequena porção da personalidade dele se agarrando entre os ciclos, mas, se você começar a se perder, siga essa voz. É o seu farol. É tudo o que restou do homem que você já foi.

Com um grande farfalhar de roupas, ele se levanta, a chama da vela treme com a brisa. Abaixando-se, ele ergue a vela do chão e caminha em direção à porta.

— Espere — eu digo.

Ele hesita, de costas para mim. A luz da vela forma um halo morno em volta do seu corpo.

— Quantas vezes nós já fizemos isso? — pergunto.

— Milhares de vezes, eu arriscaria dizer. Mais do que consigo contar.

— Então por que eu continuo fracassando?

Ele suspira, olhando para mim por sobre o ombro. Há um quê de esgotamento no seu porte, como se cada ciclo fosse sedimento que se acumula sobre ele.

— É uma questão que me faz refletir de tempos em tempos — ele diz, a cera derretida escorrendo e manchando a sua luva. — O acaso teve o seu papel, tropeços quando um andar firme teriam lhe salvado. Mas, em geral, acho que é a sua própria natureza.

— Minha natureza? — pergunto. — Você acha que estou fadado ao fracasso?

— Fadado? Não. Isso seria uma desculpa, e Blackheath não tolera desculpas — ele diz. — Nada que acontece aqui é inevitável, por mais que pareça ser o contrário. Os eventos continuam acontecendo do mesmo jeito dia após dia, porque os convidados seguem tomando as mesmas decisões dia após dia. Eles decidem caçar, decidem trair um ao outro, um deles bebe demais e não toma o café da manhã, perdendo um encontro que mudaria sua vida para sempre. Você é diferente, Sr. Bishop. Ciclo após ciclo, eu vi você reagir em momentos de bondade e crueldade, ocorrências aleatórias do acaso. Você toma decisões diferentes, e ainda assim repete os mesmos erros em momentos críticos. É como se uma parte sua fosse arrastada perpetuamente para o abismo.

— Quer dizer que eu tenho que me tornar outra pessoa para escapar?

— Quero dizer que todo homem está em uma jaula criada por si próprio — ele diz. — O Aiden Bishop que chegou primeiro em Blackheath... — ele suspira, como se a lembrança o incomodasse —, as coisas que ele queria e a sua maneira de consegui-las eram... inflexíveis. Aquele homem jamais poderia ter escapado de Blackheath. Este Aiden Bishop na minha frente é diferente. Acho que você está mais perto do que nunca, mas já achei isso antes e me enganei. A verdade é que você ainda precisa ser testado, mas isso está a caminho, e se você mudou, se mudou de verdade, então quem sabe pode haver esperança para você.

Abaixando-se sob o batente, ele caminha para o corredor com a vela.

— Você tem quatro hospedeiros depois de Edward Dance, incluindo o que restar do dia do mordomo e de Donald Davies. Seja cuidadoso, Sr. Bishop, o lacaio não vai descansar até que todos estejam mortos, e não sei se você pode se dar ao luxo de perder um só deles que seja.

Com isso, ele fecha a porta.

40
DIA SEIS
(CONTINUAÇÃO)

Os anos de Dance caem sobre mim como uma centena de pequenos pesos. Michael e Stanwin estão falando atrás de mim, Sutcliffe e Pettigrew dão risadas estrondosas com bebidas em suas mãos.

Rebecca passa por mim com uma bandeja de prata, um último copo de conhaque à disposição.

— Rebecca — digo com carinho, quase estendendo uma mão para tocar o rosto da minha esposa.

— Não, senhor, é Lucy, senhor, Lucy Harper — diz a empregada, preocupada. — Perdão por ter lhe acordado, fiquei preocupada que o senhor fosse cair do muro.

Eu pisco os olhos, afastando a lembrança da falecida esposa de Dance, praguejando contra mim por essa tolice. Que erro ridículo. Felizmente, a lembrança da bondade de Lucy com o mordomo diminui a minha irritação de ser flagrado num momento de tal sentimentalismo.

— Gostaria de uma bebida, senhor? — ela pergunta. — Para se aquecer?

Olho atrás dela para ver a camareira de Evelyn, Madeline Aubert, recolhendo copos usados e garrafas de conhaque pela metade em um cesto. As duas devem ter trazido isso de Blackheath, chegando quando eu estava dormindo. Devo ter cochilado por mais tempo do que imaginei, já que estão se aprontando para ir embora.

— Acho que já estou bem trôpego — digo.

Ela bate o olhar por cima do meu ombro em direção a Ted Stanwin, cuja mão está segurando o ombro de Michael Hardcastle. A incerteza escreve-se em letras maiúsculas em seu rosto, o que não é de se admirar, considerando o tratamento que ele dispensou a ela na hora do almoço.

— Não se preocupe, Lucy, eu levo para ele — digo, levantando-me e pegando o copo de conhaque da bandeja. — Eu preciso mesmo falar com ele.

— Obrigada, senhor — ela diz com um largo sorriso, partindo antes que eu possa mudar de ideia.

Stanwin e Michael estão calados quando me aproximo deles, mas posso ouvir o que não está sendo dito e o desconforto que ocupa o seu lugar.

— Michael, posso falar em particular com o Sr. Stanwin? — pergunto.

— Claro — diz Michael, inclinando a cabeça e retirando-se.

Entrego a bebida a Stanwin, ignorando a desconfiança com que ele olha para o copo.

— É coisa rara você se rebaixar e vir falar comigo, Dance — diz Stanwin, estudando-me como um boxeador faria com o seu adversário no ringue.

— Pensei que poderíamos ajudar um ao outro — eu digo.

— Estou sempre interessado em fazer novos amigos.

— Eu preciso saber o que você viu na manhã do assassinato de Thomas Hardcastle.

— É história antiga — ele diz, contornando a borda do copo com a ponta do dedo.

— Mas que vale a pena ouvir direto da fonte — digo.

Ele olha por cima do meu ombro, observando Madeline e Lucy partirem com o cesto. Tenho a impressão de que ele procura uma distração. Há algo em Dance que o deixa agitado.

— Não custa nada, acho — ele diz com um grunhido, voltando sua atenção a mim. — Eu era o guarda-caça de Blackheath naquela época. Estava fazendo a vigia ao redor do lago, como fazia sempre de manhã, quando vi Carver e outro desgraçado com as costas viradas para mim esfaqueando o menino. Eu dei um tiro nele, mas ele fugiu para a floresta quando eu estava brigando com Carver.

— E foi por isso que Lord e Lady Hardcastle deram uma plantação para você? — digo.

— Sim. Não que eu tivesse pedido — ele torce o nariz.

— Alf Miller, o cavalariço, diz que Helena estava com Carver naquela manhã, minutos antes do ataque. O que você acha disso?

— Que ele é um bêbado e um mentiroso dos infernos — Stanwin responde tranquilamente.

Eu procuro por algum tremor, algum sinal de desconforto, mas este sujeito é um farsante talentoso, a sua agitação é controlada agora que ele sabe o que eu quero. Posso sentir a balança pendendo em sua direção, a sua confiança aumentando.

Julguei isso mal.

Achei que poderia intimidá-lo como fiz com o cavalariço e com Dickie, mas o nervosismo de Stanwin não era um sintoma de medo, era a inquietação de um homem que encontra uma pergunta solitária em sua pilha de respostas.

— Diga-me, Sr. Dance — ele diz, aproximando-se perto o bastante para sussurrar em meu ouvido. — Quem é a mãe do seu filho? Eu sei que não era a sua saudosa Rebecca. Não me leve a mal, eu tenho algumas teorias, mas me pouparia o trabalho de confirmá-las se você me adiantasse. Posso até dar um desconto no seu pagamento mensal depois, por serviços prestados.

O meu sangue gela. Este segredo está no âmago de Dance. É sua maior vergonha, sua única fraqueza, e Stanwin acaba de agarrá-lo, fechando o punho.

Eu não poderia responder mesmo se quisesse.

Afastando-se de mim, Stanwin atira o conhaque intocado nos arbustos movimentando o pulso.

— Da próxima vez que você quiser negociar, traga alguma coisa...

Uma espingarda explode atrás de mim.

Algo respinga em meu rosto, o corpo de Stanwin dá um solavanco para trás antes de atingir o chão em uma massa mutilada. Meus ouvidos estão zunindo e, tocando a minha face, vejo sangue na ponta dos meus dedos.

O sangue de Stanwin.

Alguém dá um grito estridente, os outros se engasgam e gritam por socorro.

Ninguém dá um passo, e então todos se movem.

Michael e Herrington correm na direção do corpo, gritando para que alguém vá buscar o Doutor Dickie, mas é óbvio que o chantagista está morto. Seu peito rompeu-se ao meio, a malícia que o movimentava fugiu do seu corpo. Um olho intacto aponta em minha direção, com uma acusação lá dentro. Quero dizer a ele que não foi minha culpa, que eu não fiz isso. De repente, isso parece a coisa mais importante do mundo.

É o choque.

Os arbustos se movem, Daniel sai de trás deles, a fumaça saindo do cano de sua espingarda. Ele olha para o corpo com tão pouca emoção que eu quase conseguiria acreditar que ele é inocente do crime.

— O que você fez, Coleridge? — grita Michael, verificando o pulso de Stanwin.

— Exatamente o que eu prometi ao seu pai que faria — ele responde sem rodeios. — Eu garanti que Ted Stanwin nunca mais chantagearia nenhum de vocês de novo.

— Você o matou!

— Sim — diz Daniel, encarando seu olhar apavorado. — Matei.

Colocando a mão no bolso, Daniel me entrega um lenço de seda.

— Limpe o rosto, meu velho — ele diz.

Eu o pego sem pensar, até mesmo agradecendo. Estou estupefato, desnorteado. Nada disso parece real. Limpando o sangue de Stanwin do rosto, eu olho fixo para a mancha vermelha no lenço, como se ela pudesse explicar o que está acontecendo. Eu falava com Stanwin e em seguida ele morreu e não entendo como pode uma coisa dessas. Certamente deveria haver algo mais? Uma perseguição, medo, alguma forma de aviso. Não deveríamos simplesmente morrer. Parece uma trapaça. Pagou-se muito, muito foi pedido.

— Isso é a nossa ruína — Sutcliffe lamenta, apoiando-se contra uma árvore. — Stanwin sempre disse que, se alguma coisa acontecesse com ele, nossos segredos viriam a público.

— Essa é a sua preocupação? — grita Herrington, indo na direção dele. — Coleridge assassinou um homem na nossa frente!

— Um homem que todos odiávamos — Sutcliffe rebate. — Não finja que você não estava pensando na mesma coisa. Não finjam vocês! Stanwin sugou nosso sangue em vida e ele vai nos destruir na morte.

— Não, não vai — diz Daniel, repousando a espingarda no seu ombro.

Ele é o único que está calmo, o único que não está agindo como uma pessoa completamente diferente. Nada disso significa coisa alguma para ele.

— Tudo o que ele sabe a nosso respeito... — diz Pettigrew.

— Está escrito num livro que agora pertence a mim — interrompe Daniel, tirando um cigarro da cigarrilha de prata.

Sua mão não está sequer tremendo. A minha mão. Que diabos Blackheath está fazendo comigo?

— Eu contratei uma pessoa para roubá-lo para mim — ele continua casualmente, acendendo o cigarro. — Seus segredos são meus segredos e jamais vão ver a luz do dia. Agora, acho que cada um de vocês me deve uma promessa. É esta: vocês não vão mencionar isso para ninguém pelo resto do dia. Está claro? Se alguém perguntar, Stanwin resolveu ficar quando viemos embora. Ele não disse o porquê disso, e essa foi a última vez que nós o vimos.

Rostos impassíveis olham um para o outro, todos desconcertados demais para falar. Não consigo dizer se estão aterrorizados pelo que testemunharam ou simplesmente arrebatados pela boa sorte que tiveram.

De minha parte, o choque está desaparecendo, o horror dos atos de Daniel finalmente sendo assimilado. Há meia hora, eu o elogiava por mostrar uma quantidade módica de bondade para com Michael. Agora estou coberto pelo sangue de outro homem, percebendo o quanto subestimei o seu desespero.

O *meu* desespero. É o meu futuro que estou vendo, e isso me deixa doente.

— Preciso escutar suas vozes, cavalheiros — diz Daniel, soprando fumaça do canto da boca. — Digam-me que vocês entenderam o que se passou aqui.

As afirmações chegam em uma algaravia, silenciosas mas sinceras. Apenas Michael parece perturbado.

Observando o olhar pasmo dele, Daniel fala com frieza.

— E não se esqueçam, eu tenho todos os seus segredos nas minhas mãos. — Ele dá tempo para que a frase seja assimilada. — Agora eu acho que vocês deveriam voltar antes que alguém venha nos procurar.

A sugestão é recebida com um murmúrio de concordância e todos somem, voltando à floresta. Sinalizando para que eu fique, Daniel espera até que eles não possam mais ouvir sua voz antes de falar.

— Me ajude a revistar os bolsos dele — ele diz, arregaçando as mangas. — Os outros caçadores vão retornar em breve, e eu não quero que eles nos vejam com o corpo.

— O que você fez, Daniel? — eu sussurro.

— Ele vai estar vivo amanhã — ele diz, abanando a mão com desdém. — Eu derrubei um espantalho.

— Temos que resolver um assassinato, não cometer um.

— É só dar um trem elétrico para um garotinho que ele imediatamente vai tentar descarrilá-lo — ele diz. — O ato não diz respeito ao caráter dele, nem o julgamos por isso.

— Você acha que isso é um jogo? — eu disparo, apontando para o corpo de Stanwin.

— Um quebra-cabeça com peças descartáveis. Resolva e nós vamos para a casa. — Ele franze o rosto para mim como se eu fosse um estranho que pediu direções para um lugar que não existe. — Não entendo a sua preocupação.

— Se resolvermos o assassinato de Evelyn da maneira que você está sugerindo, nós não merecemos ir para casa! Você não vê que estas máscaras que usamos estão nos traindo? Elas revelam quem somos.

— Você está gastando saliva — ele diz, vasculhando os bolsos de Stanwin.

— Nós nunca somos tão verdadeiros como no instante em que achamos que não estão nos observando, você não entende isso? Não importa se Stanwin vai estar vivo amanhã, você o matou hoje. Matou um homem a sangue frio, e isso vai manchar a sua alma pelo resto da sua vida. Não sei por que estamos aqui, Daniel, ou por que isso está acontecendo conosco, mas devemos provar que é uma injustiça, não nos tornarmos dignos dela.

— Você está equivocado — ele diz, o desdém tomando conta da sua voz. — Não podemos maltratar essas pessoas mais do que a sombra delas na parede. Não entendo o que você está querendo de mim.

— Estou pedindo para mantermos um padrão mais elevado — digo, levantando a voz. — Para sermos homens melhores que os nossos hospedeiros! Matar Stanwin foi ideia de Daniel Coleridge, mas não deveria ser a sua. Você é um bom homem, e não pode perder isso de vista.

— Um bom homem — ele zomba. — Evitar atitudes desagradáveis não faz um homem ser bom. Olhe onde nós estamos, o que fizeram conosco. Escapar deste lugar exige fazer o que é necessário, mesmo que a nossa natureza nos obrigue a fazer o contrário. Eu sei que isso lhe deixa desconfortável, que você não tem estômago para aguentar. Eu também era assim, mas não tenho mais tempo para caminhar pisando em ovos para não desagradar a minha ética. Posso acabar com isso hoje e estou falando sério, então não me avalie pelo quanto eu me mantenho fiel à minha bondade, me avalie pelo quanto eu estou disposto a sacrificar para que você possa seguir fiel à sua bondade. Se eu fracassar, você sempre pode tentar de outro jeito.

— E como você vai viver consigo mesmo quando tiver acabado? — eu questiono.

— Vou olhar nos rostos dos meus familiares e saber que o que eu perdi aqui não é nem de perto tão importante quanto a minha recompensa por sair deste lugar.

— Não é possível que você acredite nisso — digo.

— Acredito, e você também vai acreditar depois de mais alguns dias neste lugar — ele diz. — Agora, por favor, me ajude a revistá-lo antes que os caçadores nos vejam aqui. Não tenho nenhuma intenção de desperdiçar a minha noite respondendo as perguntas de um policial.

Não adianta discutir com ele, há cortinas fechadas atrás dos seus olhos.

Eu suspiro, aproximando-me do corpo.

— O que estamos procurando? — pergunto.

— Respostas, como sempre — ele diz, desabotoando a jaqueta ensanguentada do chantagista. — Stanwin reuniu cada mentira em Blackheath, incluindo a última peça do quebra-cabeça, a razão de Evelyn ter sido assassinada. Cada recorte de conhecimento que ele tem está num livro escrito em código, com um livro separado de cifras que é necessário para fazer a leitura. Eu tenho o primeiro, o segundo fica com Stanwin o tempo todo.

Este era o livro que Derby roubou do quarto de Stanwin.

— Você pegou o de Derby? — pergunto. — Eu levei uma pancada na cabeça assim que consegui pôr a mão nisso.

— Claro que não — ele diz. — Coleridge já tinha contratado alguém para conseguir o livro antes de eu assumir o controle dele. Eu nem sabia que ele estava interessado no negócio de chantagens de Stanwin antes de me entregarem o livro. Se serve de consolo, eu pensei em avisar você.

— E por que não avisou?

Ele dá de ombros.

— Derby é um cão raivoso, parecia melhor para todos deixá-lo dormir por umas horas. Agora me ajude aqui, não temos tempo.

Com arrepios, eu me ajoelho ao lado do corpo. Isso não é forma de um homem morrer, mesmo um homem como Stanwin. Seu peito virou carne moída, e o sangue empapou as suas roupas. Ele flui pelos meus dedos quando coloco as mãos nos bolsos da sua calça.

Eu trabalho devagar, mal podendo olhar.

Daniel não tem os mesmos pudores, apalpando a camisa e a jaqueta de Stanwin, aparentemente inabalável diante da carne dilacerada que aparece. Após terminarmos, revelamos uma cigarrilha, um canivete e um isqueiro, mas nenhum livro com cifras.

Olhamos um para o outro.

— Temos que virá-lo — diz Daniel, dando voz ao meu pensamento.

Stanwin era um homem grande, e é necessária uma boa dose de esforço para deixá-lo de bruços. Vale a pena. É muito mais confortável revistar um corpo que não está olhando para mim.

Enquanto Daniel corre as mãos pelas calças de Stanwin, eu levanto a sua jaqueta, identificando um volume no forro cercado por uma costura feita às pressas.

Uma onda de empolgação me deixa envergonhado. A última coisa que quero é justificar os métodos de Daniel, mas, agora que estamos prestes a fazer uma descoberta, fico cada vez mais exaltado.

Usando o canivete do morto, eu fatio as costuras, deixando o livro cair na palma da minha mão. Tão logo ele sai, observo que há algo mais ali. Colocando a mão dentro, retiro um pequeno medalhão de prata com a corrente removida. Há uma pintura dentro, e, embora esteja envelhecida e rachada, ela é obviamente de uma garotinha de cerca de sete ou oito anos de idade com cabelo ruivo.

Eu a estendo para Daniel, mas ele está ocupado demais folheando o livro para prestar atenção.

— É isso — ele diz empolgado. — Isso é a chave para a nossa saída.

— Assim espero — digo. — Pagamos um preço alto por isso.

Ele ergue os olhos do livro como um homem diferente daquele que começou a leitura. Este não é nem o Daniel de Bell, nem o de Ravencourt. Não é nem mesmo o homem de alguns minutos atrás, defendendo a necessidade dos seus atos. Este é um homem vitorioso, com um pé já do lado de fora.

— Não tenho orgulho do que fiz — ele diz. — Mas não havia como fazer de outro jeito, você tem que acreditar nisso.

Ele pode não ter orgulho, mas tampouco tem vergonha. Isso fica evidente e me faz lembrar do aviso do Médico da Peste.

O Aiden Bishop que chegou primeiro em Blackheath... As coisas que ele queria e sua maneira de consegui-las eram inflexíveis. Aquele homem jamais poderia ter escapado de Blackheath.

No seu desespero, Daniel está cometendo os mesmos erros que eu sempre cometi, exatamente como o Médico da Peste me avisou que eu faria.

Seja o que acontecer, não posso permitir que eu me transforme nisso.

— Está pronto para ir? — diz Daniel.

— Você sabe o caminho de casa? — digo, percorrendo a floresta com os olhos e percebendo que não faço ideia de como viemos parar aqui.

— É para o leste — ele diz.

— E em que lado fica isso?

Enfiando a mão no bolso, ele tira a bússola de Bell.

— Tomei emprestado dele hoje de manhã — ele diz, colocando-a na palma da sua mão. — Engraçado como as coisas se repetem, não?

41

Nós chegamos à casa um tanto inesperadamente, as árvores dando lugar ao jardim enlameado, as janelas brilhando com a luz das velas. Devo admitir que fico agradecido ao vê-la. Apesar da espingarda, passei o trajeto inteiro cuidando o lacaio por sobre o ombro. Se o livro de cifras for tão valioso quanto Daniel acredita ser, devo deduzir que nosso inimigo também está atrás dele.

Ele virá até nós em breve.

Silhuetas passam de lá para cá nas janelas do alto, caçadores arrastam-se subindo os degraus que levam ao brilho dourado do hall de entrada, onde boinas e jaquetas são tiradas e descartadas, a água suja empoçando no mármore. Uma empregada circula entre nós com uma bandeja com taças de xerez, da qual Daniel retira duas, passando uma delas para mim.

Brindando, ele entorna a taça, enquanto Michael para do nosso lado. Assim como o restante de nós, ele parece ter saído da arca de Noé, seu cabelo negro colado no rosto pálido por causa da chuva. Batendo o olhar no seu relógio, descubro que são seis horas e sete minutos.

— Mandei alguns criados de confiança buscar Stanwin — ele sussurra, pegando uma taça de xerez da bandeja. — Disse a eles que topei com o corpo dele voltando da caçada e passei instruções para que o enterrassem num dos velhos galpões de jardinagem. Ninguém vai encontrá-lo, e não vou chamar a polícia até amanhã de manhã. Lamento, mas não vou deixá-lo apodrecer na floresta mais do que for preciso.

Ele segura uma taça de xerez pela metade. Ainda que a bebida tenha dado um pouco de cor na sua face, nem de longe chega a ser suficiente.

A aglomeração no hall está se dispersando agora. Algumas empregadas já aparecem com baldes de água ensaboada e aguardam nas alas com esfregões e cenhos franzidos, tentando constranger a todos para que saiam e as deixem trabalhar.

Esfregando os olhos, Michael olha diretamente para nós dois pela primeira vez.

— Vou honrar a promessa do meu pai — ele diz. — Mas não gosto disso.

— Michael... — Daniel diz, estendendo a mão, mas Michael se afasta.

— Não, por favor — ele diz, o seu senso de traição é palpável. — Vamos conversar outro dia, mas não agora, não hoje à noite.

Ele vira as costas para nós, subindo as escadas rumo ao seu quarto.

— Não dê importância para ele — Daniel diz. — Ele acha que eu agi por ganância. Não entende como isso é importante. As respostas estão na agenda, eu sei disso!

Ele está entusiasmado como um garoto com um novo estilingue.

— Estamos quase lá, Dance — ele diz. — Estamos quase livres.

— E o que acontece depois? — pergunto. — *Você* vai sair daqui? *Eu* vou sair? Não podemos escapar os dois, somos o mesmo homem.

— Eu não sei — ele diz. — Eu suponho que Aiden Bishop acorda de novo, com a memória intacta. Com sorte, ele não se lembrará de nenhum de nós. Somos sonhos ruins, é melhor nos esquecer. — Ele consulta o relógio. — Não vamos pensar nisso agora. Anna marcou um encontro com Bell no cemitério hoje à noite. Se ela estiver certa, o lacaio ouviu falar e vai aparecer com certeza. Ela precisa da nossa ajuda para capturá-lo. Isso nos dá quatro horas para tirar o que precisamos deste livro. Por que você não troca de roupa e passa no meu quarto? Vamos fazer isso juntos.

— Estarei lá — digo.

Sua alegria é um raro estímulo. Hoje à noite vamos lidar com o lacaio e entregar a resposta ao Médico da Peste. Em algum lugar na casa, meus outros hospedeiros estão certamente refinando seus planos para salvar a vida de Evelyn, o que significa que só preciso descobrir um jeito de salvá-la também. Não consigo acreditar que ela esteve mentindo para mim o tempo todo, e não consigo imaginar sair deste lugar sem ela ao meu lado, não depois de tudo o que ela fez para me ajudar.

As tábuas do assoalho ecoam quando volto ao meu quarto, a casa resmunga sob o peso dos que retornaram. Todos estarão se aprontando para o jantar.

Eu os invejo pela sua noite, pois um plano mais sombrio está à minha frente.

Muito mais sombrio, o lacaio não vai desistir fácil.

— Aí está você — digo, olhando ao redor para ter certeza de que ninguém está ouvindo. — É verdade que você é o que sobrou do Aiden Bishop original?

Minha pergunta é recebida com silêncio, e em algum lugar do meu interior posso sentir Dance zombando de mim. Só consigo imaginar o que o velho advogado diria sobre um homem falando sozinho desta maneira.

Com exceção da luz fraca do fogo, meu quarto está na penumbra, os criados se esqueceram de acender as velas antes da minha chegada. Sinto uma pontada de desconfiança. Levanto a espingarda para o meu ombro. Um guarda-caça tentou recolhê-la quando entramos, mas eu o ignorei, insistindo que fazia parte da minha coleção pessoal.

Acendendo o lampião ao lado da porta, vejo Anna parada no canto do quarto, os braços caídos na vertical, o semblante impassível.

— Anna — digo surpreso, abaixando a espingarda. — O que...

A madeira range atrás de mim, a dor arde no lado do meu corpo. Uma mão rude me puxa com força para trás, tapando a minha boca. Sou virado, o que me deixa cara a cara com o lacaio. Há um sorriso em seus lábios, os seus olhos arranham o meu rosto, como se procurassem por algo enterrado debaixo dele.

Aqueles olhos.

Eu tento gritar, mas ele aperta a minha mandíbula, fechando-a.

Ele ergue a sua faca. Muito lentamente, ele corre a ponta de cima a baixo em meu peito antes de enfiá-la no meu estômago, a dor de cada golpe ofuscando a que vem depois, até a dor ser a única coisa que resta.

Nunca me senti tão frio, nunca me senti tão quieto.

Minhas pernas se dobram, os seus braços recebem o meu peso, deitando-me cuidadosamente no chão. Ele mantém seus olhos nos meus, absorvendo a vida que se esvai deles.

Eu abro minha boca para gritar, mas nenhum som sai dela.

— Corra, coelho — ele diz, seu rosto próximo do meu. — Corra.

42
DIA DOIS
(CONTINUAÇÃO)

Eu grito, levantando-me da cama do mordomo, apenas para ser empurrado de volta pelo lacaio.

— É este aqui? — ele diz, olhando por sobre o ombro para Anna, que está parada na janela.

— Sim— ela diz, um tremor na sua voz.

O lacaio se aproxima, a voz rouca, o hálito quente impregnado de cerveja na minha face.

— Não pulou muito longe, coelho — ele diz.

A lâmina adentra a lateral do meu corpo, meu sangue derrama-se sobre os lençóis, levando junto a minha vida.

43
DIA SETE

Eu grito na escuridão sufocante, as minhas costas contra a parede, os meus joelhos dobrados sob o meu queixo. Instintivamente corro a mão para o local em que o mordomo foi esfaqueado, praguejando contra a minha estupidez. O Médico da Peste falava a verdade. Anna me traiu.

Eu me sinto doente, a minha mente luta por uma explicação razoável, mas eu mesmo a vi. Ela tem mentido para mim por todo esse tempo.

Ela não é a única culpada disso.

— Cale a boca — digo com raiva.

Meu coração dispara, minha respiração acelera. Eu preciso me acalmar ou não ajudarei ninguém. Tomando um minuto, tento pensar em qualquer coisa menos em Anna, mas é surpreendentemente difícil. Eu não havia percebido o quanto a minha mente havia procurado por ela em silêncio.

Ela era minha segurança, meu conforto.

Ela era minha amiga.

Mudando de posição, tento descobrir onde acordei e se estou em perigo imediato. À primeira vista, não parece ser o caso. Meus ombros estão tocando as paredes que estão em ambos os meus lados, uma lasca de luz penetra por uma fenda perto da minha orelha direita, há caixas de papelão empoeiradas à minha esquerda e garrafas aos meus pés.

Eu levo o meu relógio de pulso para a luz, descobrindo ser dez horas e treze minutos. Bell ainda não chegou em casa.

— Ainda é manhã — digo para mim, aliviado. — Ainda tenho tempo.

Meus lábios estão secos, minha língua está rachada, o ar está tão denso de mofo que parece que um pano sujo foi enfiado na minha garganta. Uma bebida seria bom, algo frio, qualquer coisa com gelo. Parece que faz muito tempo desde que acordei debaixo de lençóis de algodão, os tormentos do dia fazem fila aguardando por um banho quente.

Eu não sabia quando estava bem.

Meu hospedeiro deve ter dormido nesta posição a noite toda, porque é uma agonia se mexer. Felizmente, a placa à minha direita está solta e se abre sem muito esforço, meus olhos lacrimejam ao serem expostos ao brilho agressivo da sala no outro lado.

Estou em uma longa galeria que se estende pelo comprimento da casa, teias de aranha penduradas no teto. As paredes são de madeira escura, o chão está repleto de peças de móveis antigos cobertos de pó e quase ocos pelos carunchos. Tirando a poeira do meu corpo, eu me levanto, dando um pouco de vida aos meus membros enferrujados. Descubro que meu hospedeiro passou a noite em um armário debaixo de um pequeno lance de escadas que leva a um palco. Uma partitura amarelada repousa diante de um violoncelo empoeirado. Ao observá-la, me sinto como se tivesse dormido durante uma grande calamidade, o juízo final tendo começado e acabado enquanto eu estive metido naquele armário.

Que diabos eu estava fazendo ali embaixo?

Com dores, cambaleio até uma das janelas perfiladas na galeria. Está coberta de sujeira, mas, quando limpo uma parte com a manga da camisa, ela revela os jardins de Blackheath logo abaixo. Estou no andar mais alto da casa.

Por força do hábito, começo a revistar os bolsos buscando alguma pista sobre minha identidade, mas percebo que não preciso. Sou Jim Rashton. Sou um policial de vinte e sete anos e meus pais, Margaret e Henry, enchem-se de orgulho sempre que contam isso a alguém. Tenho uma irmã, tenho um cachorro e estou apaixonado por uma mulher chamada Grace Davies, que é o motivo pelo qual estou nesta festa.

Qualquer barreira que existia entre eu e os meus hospedeiros está quase que inteiramente derrubada. Eu mal posso separar a vida de Rashton da minha. Infelizmente, a lembrança de como vim parar no armário está ofuscada pela garrafa de uísque que Rashton bebia na noite passada. Me lembro de contar histórias velhas, de rir e dançar, de soltar minhas rédeas em uma noite que não tinha qualquer outro propósito a não ser o prazer.

O lacaio estava aqui? Ele fez isso?

Me esforço para lembrar, mas a noite passada é um borrão embriagado. A agitação instintivamente leva a minha mão à cigarrilha de couro que Rashton guarda em seu bolso, mas só há um cigarro dentro. Sinto a tentação de acendê-lo para acalmar os nervos, mas, considerando as circunstâncias, um temperamento desgastado pode ser mais útil para mim, principalmente se tiver que lutar para sair daqui. O lacaio me seguiu de Dance até o mordomo, então é de se duvidar que encontrarei um local seguro em Rashton.

A cautela será minha amiga mais verdadeira agora.

Procurando por uma arma ao meu redor, encontro uma estátua de Atlas feita de bronze. Vou me arrastando em frente, segurando-a sobre a minha cabeça, caminhando cuidadosamente entre paredes com brasões e gigantescas tramas de cadeiras entrelaçadas até chegar a uma desgastada cortina preta que se estende pelo comprimento da peça. Árvores de papelão estão escoradas nas paredes, próximas a araras de roupas cheias de fantasias. Entre elas há seis ou sete trajes de médico da peste negra, chapéus e máscaras amontoados em uma caixa no chão. Parece que a família costumava fazer peças aqui.

Uma tábua do assoalho range, a cortina treme. Alguém está se mexendo lá atrás.

Eu fico tenso. Erguendo Atlas sobre minha cabeça, eu...

Anna surge de trás, com a face corada.

— Ah, graças a Deus — ela diz ao me ver.

Ela está sem fôlego, círculos negros rodeiam os seus olhos castanhos avermelhados. Seu cabelo ruivo está solto e embaraçado, sua touca apertada na sua mão. O caderno de desenhos que narra a história de cada um dos hospedeiros faz volume em seu avental.

— Você é Rashton, certo? Venha, só temos mais meia hora para salvar os outros — ela diz, avançando para pegar a minha mão.

Eu dou um passo para trás, a estátua ainda erguida, mas a falta de fôlego em sua apresentação me desequilibrou, assim como a ausência de culpa em sua voz.

— Não vou com você a lugar nenhum — digo, segurando Atlas um pouco mais firme.

A confusão desenha-se em seu rosto, seguida pelo despertar de uma compreensão.

— Isso é pelo que aconteceu com Dance e o mordomo? — ela pergunta. — Não sei nada sobre isso, nada mesmo. Não faz muito tempo que estou acordada. Só sei que você está em oito hospedeiros diferentes, um lacaio está matando todos e precisamos salvar os que sobraram.

— Você espera que eu confie em você? — digo, perplexo. — Você distraiu Dance enquanto o lacaio o assassinou. Você estava no quarto quando ele matou o mordomo. Você está ajudando o lacaio, eu vi!

Ela balança a cabeça.

— Não seja idiota — ela exclama. — Ainda não fiz nada disso, e mesmo quando eu fizer, não vai ser porque estou traindo você. Se eu quisesse te matar, teria pego os seus hospedeiros antes deles acordarem. Você não iria me ver, e eu com certeza não iria trabalhar com um homem que é garantido que vai se virar contra mim assim que eu terminar.

— Então o que você está fazendo aqui? — eu a interpelo.

— Eu não sei, não vivi esta parte ainda — ela rebate. — Você, outro você, digo, estava esperando por mim quando eu acordei. Ele me deu um caderno que dizia para eu encontrar Derby na floresta e depois vir aqui salvar você. Esse é o meu dia. É tudo que eu sei.

— Não é o suficiente — digo sem rodeios. — Não fiz nada disso, então não sei se você está falando a verdade.

Largando a estátua, passo por ela, caminhando em direção à cortina preta por onde ela entrou.

— Não posso confiar em você, Anna — digo.

— Por que não? — ela diz, agarrando a minha mão. — Eu estou confiando em *você*.

— Isso não é...

— Você se lembra de alguma coisa dos seus ciclos anteriores?

— Só do seu nome — digo, descendo o meu olhar para seus dedos entrelaçados nos meus, a minha resistência já desmoronando. Quero tanto acreditar nela.

— Mas não lembra como nenhum deles terminou?

— Não — digo sem paciência. — Por que está me perguntando isso?

— Porque eu lembro — ela diz. — O motivo de eu saber o seu nome é porque eu me lembro de ter chamado por você na portaria. Nós marcamos de nos encontrarmos lá. Você se atrasou, e eu fiquei preocupada. Fiquei tão feliz ao ver você, aí vi o seu olhar.

Seus olhos encontram os meus, as pupilas grandes, escuras e ousadas. São sinceros. Ela certamente não poderia ter...

Todos nesta casa estão usando uma máscara.

— Você me matou lá mesmo — ela diz, tocando minha face, estudando o rosto que eu ainda não vi. — Quando você me encontrou esta manhã, fiquei com tanto medo que quase fugi, mas você estava tão desanimado... tão assustado. Todas as suas vidas caíram em cima de você. Você não conseguia separar uma da outra, nem sabia quem você era. Colocou este caderno nas minhas mãos e disse que sentia muito. Você ficou repetindo. Falou que não era mais aquele homem e que não iríamos sair disso cometendo os mesmos erros novamente. Foi a última coisa que você disse.

Lembranças estão despertando devagar, tão distantes que me sinto como um homem estendendo a mão sobre um rio para prender uma borboleta entre os dedos.

Ela pressiona a peça de xadrez na palma da minha mão, fechando os meus dedos ao redor dela.

— Isso aqui pode ajudar — ela diz. — Nós utilizamos estas peças no último ciclo para nos identificarmos. Um bispo para você, Aiden Bishop, e um peão para mim. A criada irá proteger, assim como agora.

Eu me lembro da culpa, da tristeza. Me lembro do arrependimento. Não são imagens, não são nem mesmo uma lembrança. Não importa. Posso sentir a verdade no que ela está dizendo, como senti a força de nossa amizade na primeira vez que nos encontramos e a agonia do luto que me trouxe a Blackheath. Ela está certa.

Eu a assassinei.

— Você lembra agora? — ela pergunta.

Eu concordo com a cabeça, envergonhado e com o estômago embrulhado. Eu não queria machucá-la, sei disso. Nós estivemos trabalhando juntos como hoje, mas algo mudou... Eu me desesperei. Vi a minha liberdade escapulir e entrei em pânico. Prometi a mim mesmo que encontraria uma forma de tirá-la daqui depois da minha saída. Expressei a minha traição com intenções nobres e fiz algo horrível.

Eu estremeço, ondas de repulsa quebram sobre mim.

— Não sei de qual ciclo é a lembrança — diz Anna. — Mas acho que eu me agarrei a ela como um aviso para mim. Um aviso para não confiar em você de novo.

— Perdão, Anna — digo. — Eu... Eu me deixei esquecer o que eu fiz. Eu me prendi ao seu nome em vez disso. Foi uma promessa para mim, e para você, de que eu faria melhor da próxima vez.

— E você está mantendo essa promessa — ela diz suavemente.

Eu gostaria que isso fosse verdade, mas sei que não é. Eu vi meu futuro. Eu falei com ele, eu o ajudei nos seus estratagemas. Daniel está cometendo os mesmos erros que eu cometi no meu último ciclo. O desespero o tornou impiedoso e, a menos que eu o impeça, ele vai sacrificar Anna novamente.

— Por que você não me contou a verdade quando nos conhecemos pela primeira vez? — pergunto, ainda envergonhado.

— Porque você já sabia — ela diz, enrugando a testa. — Da minha perspectiva, nos conhecemos há duas horas, e você sabe tudo sobre mim.

— Na primeira vez que falei com você, eu era Cecil Ravencourt — respondo.

— Então estamos nos conhecendo no meio, porque eu ainda não sei quem é essa pessoa — ela diz. — Não importa, no entanto. Eu não vou contar para ele, nem para os outros, porque não importa. Não éramos nós naqueles ciclos. Seja quem eles foram, fizeram escolhas diferentes, erros diferentes. Estou escolhendo confiar em você, Aiden, e preciso que você confie em mim, porque este lugar é... Você sabe como ele funciona. Independentemente do que você pensar que eu estava fazendo quando o lacaio matou você, não é tudo. Não é a verdade.

Ela pareceria confiante, não fosse a nervosa palpitação na sua garganta, a forma como o seu pé inquieta-se no chão. Posso sentir sua mão tremer contra a minha face, o esforço na sua voz.

Por trás de toda a bravata, ela ainda tem medo de mim, do homem que eu era, do homem que ainda pode estar à espreita.

Não consigo imaginar a coragem necessária para trazê-la aqui.

— Não sei como fazer para nos tirar daqui, Anna.

— Eu sei.

— Mas eu vou fazer isso, não vou sair daqui sem você, eu prometo.

— Eu também sei.

É quando ela me dá um tapa.

— Isso foi por me matar — ela diz, ficando na ponta dos pés para dar um beijo no lugar da ferroada. — Agora vamos lá, e não deixe o lacaio te matar de novo.

44

A madeira range, a estreita e sinuosa escadaria fica mais escura conforme descemos, até finalmente afundarmos na escuridão.

— Sabe por que eu estava naquele armário? — pergunto para Anna, que está na minha frente, caminhando rápido o bastante para fugir de uma tempestade.

— Não faço ideia, mas salvou a sua vida — ela diz, me olhando por cima do seu ombro. — O caderno dizia que o lacaio iria atrás de Rashton por volta dessa hora. Se ele tivesse dormido no seu quarto ontem à noite, o lacaio o teria encontrado.

— Talvez devêssemos *deixar* que ele me encontre — digo, sentindo um surto de entusiasmo. — Venha, eu tenho uma ideia.

Eu passo por Anna e começo a descer as escadas, dois degraus de cada vez.

Se o lacaio estiver vindo ao encontro de Rashton esta manhã, há grandes chances de que ele ainda esteja à espreita nos corredores. Ele estará esperando um homem dormindo em sua cama, o que significa que estou em vantagem pela primeira vez. Com um pouco de sorte, posso acabar com isso aqui mesmo.

Os degraus terminam abruptamente em uma parede pintada com cal. Anna ainda está na metade do caminho e me chama para ir mais devagar. Um policial de habilidade considerável — como ele diria em uma autodefinição livre —, Rashton não é um estranho às coisas ocultas. Meus dedos habilmente localizam uma lingueta disfarçada que me permite entrar num corredor escuro do lado de fora. As velas bruxuleiam nos candeeiros, o solário vazio está à minha esquerda. Saí no andar térreo, a porta por onde vim já se mistura com a parede.

O lacaio está a menos de vinte metros de distância. Está de joelhos, arrombando a fechadura do que instintivamente sei se tratar do meu quarto.

— Está me procurando, desgraçado? — eu disparo, indo para cima dele antes que ele tenha a oportunidade de pegar a sua faca.

Ele fica em pé mais rápido do que eu poderia ter imaginado, se lançando para trás e desferindo um pontapé que atinge o meu tórax, deixando-me sem ar. Eu caio desajeitadamente, apertando minhas costelas, mas ele não se mexe. Ele fica em pé esperando, limpando a saliva do canto da boca com o dorso da mão.

— Coelho corajoso — ele diz sorrindo. — Vou estripar você devagar.

Me levantando e tirando a poeira, mostro os punhos na postura de um boxeador, percebendo subitamente o quão pesados estão os meus braços. Aquela noite no armário não ajudou em nada, e minha confiança diminui a cada segundo. Desta vez, eu me aproximo dele devagar, fintando para a esquerda e para a direita, trabalhando em uma abertura que nunca acontece. Um soco acerta o meu queixo, jogando minha cabeça para trás. Eu sequer vejo o segundo soco que golpeia minha barriga, tampouco o terceiro, que me leva ao chão.

Estou desorientado, tonto, lutando para respirar enquanto o lacaio agiganta-se sobre mim, puxando-me pelo cabelo e alcançando sua faca.

— Ei! — Anna grita.

É a menor das distrações, mas é o suficiente. Escapando do domínio do lacaio, dou um pontapé no seu joelho e então lanço o meu ombro contra o seu rosto, quebrando o seu nariz, salpicando de sangue a minha camisa. Cambaleando para trás pelo corredor, ele agarra um busto e o arremessa na minha direção com uma mão, forçando-me a saltar para o lado enquanto ele foge dobrando o corredor.

Quero ir atrás dele, mas não tenho forças. Eu deslizo pela parede até sentar no chão, abraçando minhas costelas doloridas. Estou abalado e enervado. Ele foi rápido demais, forte demais. Se aquela briga continuasse, eu estaria morto, tenho certeza.

— Seu idiota! — Anna grita, fuzilando-me com o olhar. — Você quase se matou.

— Ele chegou a ver você? — digo, cuspindo o sangue da minha boca.

—Acho que não — ela diz, estendendo uma mão para me ajudar a levantar. — Eu fiquei nas sombras, e duvido que ele estivesse enxergando direito depois que você quebrou o nariz dele.

— Desculpe, Anna — digo. — Eu sinceramente achei que podíamos pegá-lo.

— É bom mesmo pedir desculpas — ela diz, surpreendendo-me com um abraço ardente com o corpo trêmulo. — Você precisa tomar cuidado, Aiden. Graças àquele desgraçado, você só tem mais alguns hospedeiros. Se você errar, vamos ficar presos aqui.

A compreensão me atinge como uma pedrada.

— Só tenho mais três hospedeiros — repito, desconcertado.

Sebastian Bell desmaiou depois de ver o coelho morto na caixa. O mordomo, Dance e Derby foram assassinados, e Ravencourt pegou no sono no salão de baile depois de ver Evelyn cometer suicídio. Com isso sobram Rashton, Davies e Gregory Gold. Em meio aos dias divididos e às idas e vindas, eu perdi a conta.

Eu deveria ter pensado nisso imediatamente.

Daniel alegou ser o meu último hospedeiro, mas isso não pode ser verdade. O cobertor quente da vergonha estende-se sobre o meu corpo. Não posso acreditar que fui tão facilmente enganado. Tão voluntariamente enganado.

A culpa não foi apenas sua.

O Médico da Peste me avisou que Anna me trairia. Por que ele faria isso quando era Daniel quem mentia para mim? E por que ele me disse que havia apenas três pessoas tentando escapar desta casa quando, na verdade, há quatro? Ele fez de tudo para esconder a dissimulação de Daniel.

— Estou sendo tão cego — eu digo, sentindo um vazio.

— Qual é o problema? — Anna diz, afastando-se e olhando para mim com preocupação.

Eu fraquejo, a minha mente põe-se em movimento enquanto o constrangimento dá lugar ao cálculo frio. As mentiras de Daniel eram elaboradas, mas o seu propósito continua obscuro. Eu conseguiria entender se ele tentasse ganhar a minha confiança por querer lucrar com a minha investigação, mas esse não é o caso. Ele mal perguntou sobre isso. Pelo contrário: deu-me uma vantagem dizendo que era Evelyn quem seria assassinada no baile e me avisou sobre o lacaio.

Eu não posso mais chamá-lo de amigo, mas tampouco posso ter certeza de que ele é um inimigo. Preciso saber onde ele se encaixa, e a melhor maneira de fazer isso é manter a ilusão da ignorância até que ele revele suas verdadeiras intenções.

Eu tenho que começar com Anna.

Que Deus nos ajude se ela deixou alguma coisa escapar para Derby ou Dance. A primeira reação de ambos a um problema é se jogar em cima dele, mesmo se estiver coberto de espinhos.

Anna me observa, aguardando uma resposta.

— Eu sei de uma coisa — digo, olhando em seus olhos. — Algo que é importante para nós dois, mas não posso lhe dizer o que é.

— Você está preocupado que isso vá alterar o dia — ela diz, como se fosse a coisa mais óbvia do mundo. — Não se preocupe, este caderno está cheio de coisas que eu não posso contar para você. — Ela sorri, sua preocupação se dissipando. — Eu confio em você, Aiden. Não estaria aqui se não confiasse.

Estendendo a mão, ela me ajuda a levantar do chão.

— Não podemos ficar neste corredor — ela diz. — Só estou viva porque ele não sabe quem eu sou. Se ele nos vir juntos, não vou ficar viva por muito tempo para ajudar você. — Ela alisa o avental e endireita a touca, abaixando o queixo o suficiente para parecer tímida. — Eu vou na frente. Me encontre no lado de fora do quarto de Bell em dez minutos e fique atento. Assim que o lacaio estiver curado, ele vai estar procurando você.

Eu concordo, mas não tenho nenhuma intenção de esperar neste corredor frio. Tudo o que aconteceu hoje tem as impressões digitais de Helena Hardcastle. Preciso falar com ela, e esta pode ser minha última chance.

Ainda afagando meu orgulho e minhas costelas feridas, procuro por ela na sala de visitas, encontrando apenas alguns madrugadores fofocando sobre Derby ter sido levado à força pelo capanga de Stanwin. De fato, o seu prato de ovos e rins está repousando sobre a mesa onde ele o deixou. Ainda está quente, ele não pode ter saído há muito tempo. Acenando com a cabeça para eles, sigo para o quarto de Helena, mas bater na porta traz apenas o silêncio. Sem tempo, abro-a com um pontapé, arrombando a fechadura.

É a resolução do mistério de quem invadiu o quarto.

As cortinas estão fechadas, os lençóis enrolados da cama de dossel rastejam do colchão até o assoalho. O quarto tem o aspecto maculado de um sono perturbado, tem o suor de pesadelos que ainda não foi lavado pelo ar fresco. O guarda-roupa está aberto, uma penteadeira está coberta pelo pó branco de uma lata grande, os cosméticos foram abertos e deixados de lado, dando a entender que Lady Hardcastle fez a toalete um tanto às pressas. Colocando a mão na cama, vejo que está fria. Ela já saiu há algum tempo.

Assim como na vez em que visitei este quarto com Millicent Derby, a escrivaninha está aberta, a página de hoje rasgada da sua agenda e o estojo laqueado sem os revólveres que deveria conter. Evelyn deve ter levado ambos muito cedo na manhã de hoje, provavelmente após receber o bilhete obrigando-a a cometer suicídio. Ela não teria dificuldade em entrar aqui pela porta contígua ao seu quarto após sua mãe sair.

Mas se ela deseja atirar em si mesma com o revólver, então por que usou a pistola de prata que Derby roubou do Doutor Dickie? E por que ela pegaria os dois revólveres do estojo? Sei que ela deu um deles para Michael usar na caçada, mas não consigo imaginar que isso era uma prioridade na sua mente depois de descobrir que a sua vida e a vida da amiga estavam ameaçadas.

Meu olhar é desviado para a agenda e sua página arrancada. Isso também seria trabalho de Evelyn ou alguém mais é responsável? Millicent suspeitava ser de Helena Hardcastle.

Correndo a ponta do meu dedo ao longo da página arrancada, deixo a preocupação tomar conta de mim.

Eu vi os compromissos de Helena na agenda de Lord Hardcastle, então sei que a página faltante refere-se aos compromissos dela com Cunningham, Evelyn, Millicent Derby, o cavalariço e Ravencourt. O único que posso ter certeza que Helena cumpriu foi o de Cunningham. Ele admitiu a Dance, e as marcas dos seus dedos sujos de tinta estão por todas as páginas.

Eu fecho a agenda, agitado. Há tanto que não entendo e estou ficando sem tempo.

Ideias me atormentam quando subo as escadas até Anna, que está andando de um lado para o outro no lado de fora do quarto de Bell, examinando o caderno nas suas mãos. Posso ouvir vozes abafadas do outro lado da porta. Daniel deve estar lá dentro conversando com Bell, o que significa que o mordomo está na cozinha com a Sra. Drudge. Ele estará a caminho em breve.

— Você viu Gold? Ele já deveria estar aqui — Anna diz, olhando as sombras, talvez tentando esculpi-lo na escuridão com o fio do seu olhar.

— Não vi — digo, olhando nervoso ao meu redor. — Por que estamos aqui?

— O lacaio irá matar o mordomo e Gold hoje de manhã. Se não levarmos os dois para um lugar seguro, não poderei protegê-los — ela diz.

— Um lugar seguro, como a portaria.

— Exatamente. Só que não podemos dar a impressão de estar fazendo isso. Se isso acontecer, o lacaio vai saber quem eu sou e vai me matar também. Se ele achar que eu sou só uma empregada, e com os dois feridos demais para ser uma ameaça, ele vai nos deixar em paz por um tempo, e é isso que nós queremos. O caderno diz que eles ainda têm um papel a desempenhar nisso, se conseguirmos mantê-los com vida.

— Então para quê você precisa de mim?

— Eu sei lá. Não tenho tanta certeza assim do que eu deveria estar fazendo. O caderno diz para trazer você aqui neste horário, mas... — ela suspira, balançando a cabeça. — Essa foi a única instrução clara, todo o resto é bobagem. É como eu disse, você não estava exatamente lúcido quando me entregou o caderno. Eu passei a maior parte da última hora tentando decifrar as páginas, sabendo que, se eu as lesse errado ou chegasse tarde demais, você morreria.

Eu me arrepio, desconcertado por esse breve vislumbre do meu futuro.

O caderno deve ter sido entregue a Anna por Gregory Gold, meu último hospedeiro. Ainda me lembro do seu delírio sobre a carruagem na porta do quarto de Dance. Me lembro de pensar no quanto ele era digno de pena, no quanto era assustador. Aqueles olhos negros doidos e perdidos.

Não quero que amanhã chegue.

Cruzando meus braços, eu me recosto na parede ao lado dela, os nossos ombros encostados um no outro. Saber que você matou alguém numa vida passada tende a estreitar possíveis vias de afeto.

— Você fez um trabalho melhor do que o meu — digo. — Na primeira vez que alguém me mostrou o futuro, eu acabei perseguindo uma camareira chamada Madeline Aubert no meio da floresta achando que eu estava salvando a vida dela. Quase matei a pobre coitada de medo.

— Este dia deveria vir com instruções — ela diz desanimada.

— Faça o que parecer natural.

— Não sei se correr e nos esconder vai nos ajudar — ela diz, sua frustração atravessada pelo som de passos apressados na escadaria.

Sem dizer uma palavra, dispersamos. Anna desaparece dobrando o corredor, enquanto eu me escondo em um quarto com a porta aberta. A curiosidade me obriga a manter uma fresta aberta, permitindo que eu veja o mordomo mancando pelo corredor na nossa direção, seu corpo queimado ainda mais miserável em movimento. Ele parece ter sido amassado em uma bola e jogado fora, uma coleção de ângulos agudos sob um roupão cor de rato e pijamas.

Tendo revivido tantos desses momentos desde aquela primeira manhã, eu teria imaginado que ficaria entorpecido, mas posso sentir a frustração e o medo do mordomo enquanto ele corre para confrontar Bell sobre esse novo corpo no qual está preso.

Gregory Gold está saindo de um quarto, o mordomo está preocupado demais para perceber. A essa distância, com suas costas viradas para mim, o artista parece estranhamente disforme, menos um homem e mais um longo vulto projetado na parede. Há um atiçador de lareira na sua mão e, sem qualquer aviso, ele começa a atacar o mordomo com o objeto.

Eu me lembro desse ataque, dessa dor.

A pena toma conta de mim, um revoltante sentimento de impotência enquanto o sangue voa do atiçador, pontilhando as paredes.

Estou com o mordomo quando ele se contorce no chão, implorando por misericórdia e estendendo a mão pelo socorro que não virá.

É quando a razão lava as suas mãos dentro de mim.

Pegando um vaso do aparador, eu saio em disparada pelo corredor, avançando contra Gold com uma fúria infernal, arrebentando-o em sua cabeça, os estilhaços de porcelana caindo ao seu redor enquanto ele desaba no chão.

O silêncio solidifica-se no ar enquanto seguro o bocal quebrado do vaso e olho os dois homens inconscientes aos meus pés.

Anna aparece atrás de mim.

— O que aconteceu? — ela diz, fingindo surpresa.

— Eu...

Há uma multidão aglomerando-se no fim do corredor, homens seminus e mulheres sobressaltadas despertados das suas camas pelo alvoroço. Seus olhos percorrem o sangue nas paredes e os corpos no chão, prendendo-se em mim com indecorosa curiosidade. Se o lacaio estiver entre eles, agachou-se para não ser visto.

É provavelmente melhor assim.

Estou furioso o bastante para tentar algo temerário novamente.

O Doutor Dickie sobe correndo as escadas e, ao contrário dos outros convidados, ele já está vestido, seu imenso bigode habilmente esfregado em óleo, sua cabeça calva brilhando com uma loção.

— Mas o que é que aconteceu aqui? — ele exclama.

— Gold ficou louco — digo, trazendo um tremor de emoção à minha voz. — Ele começou a atacar o mordomo com o atiçador, assim eu...

Eu balanço o vaso na direção dele.

— Vá buscar minha maleta, garota — Dickie diz para Anna, que se posicionou no seu raio de visão. — Está perto da minha cama.

Fazendo o que ele pede, Anna começa a encaixar as peças do futuro em seu lugar sem jamais aparentar assumir o controle. O médico precisa de um local quente e sossegado para tratar o mordomo, então Anna recomenda a portaria, ao mesmo tempo em que se oferece para administrar os medicamentos. Pelo simples recurso de não haver um lugar para prendê-lo, fica decidido que Gold também deverá ser levado para a portaria, com sedativos a serem administrados regularmente até que um criado possa trazer um policial da vila — um criado que Anna se oferece a achar.

Eles descem a escadaria com o mordomo em uma maca improvisada, Anna dá um sorriso aliviado para mim enquanto sai. Eu o recebo com um perplexo cenho franzido. Com todo esse esforço, ainda não sei o que conquistamos. O mordomo ficará isolado na cama, tornando-o um alvo fácil para o lacaio hoje à noite. Gregory Gold ficará sedado e amarrado. Ele vai sobreviver, mas sua mente está inutilizada.

Isso dificilmente é um pensamento tranquilizador, considerando as instruções que seguimos. Gold deu a Anna esse caderno e, embora ele seja o último dos meus hospedeiros, não tenho ideia do que ele tenta conseguir. Eu não posso nem ter certeza de que ele saiba. Não depois de tudo o que ele sofreu.

Eu vasculho as minhas lembranças procurando as partes do futuro que vislumbrei, mas que ainda não vivi. Ainda preciso saber o que significa a mensagem com os dizeres "Todas elas" que Cunningham entrega a Derby, e por que ele lhe informa que reuniu algumas pessoas. Eu não sei por que Evelyn pega a pistola prateada de Derby quando ela já tem o revólver preto do quarto de sua mãe, ou por que ele acaba marcando lugar em uma pedra enquanto ela tira a própria vida.

É frustrante. Eu posso ver as migalhas de pão largadas na minha frente, mas, até onde sei, elas me levam para a beira de um precipício. Infelizmente, não há outro caminho a seguir.

45

Livre da idade avançada de Edward Dance, também esperava me livrar das suas dores persistentes, mas a minha noite no armário enrolou os meus ossos em espinhos. Cada estiramento, cada dobra, cada torcida traz uma pontada de dor e um estremecimento, empilhando uma nova reclamação no monte. O trajeto até o meu quarto revelou-se inesperadamente oneroso. Evidentemente, Rashton causou uma impressão e tanto ontem à noite, porque minha passagem pela casa é pontuada por efusivos apertos de mão e tapas nas costas. Saudações são espalhadas pelo meu rastro como pedras atiradas, sua boa vontade dando-me confiança na forma de machucados.

Ao chegar ao meu quarto, deixo de lado o riso forçado. Há um envelope branco no chão, algo volumoso selado dentro dele. Alguém deve ter passado por baixo da minha porta. Abrindo-o, olho para os dois lados do corredor por algum sinal de quem o deixou aqui.

Você deixou aqui.

É como começa o bilhete dentro dele, que está enrolado em uma peça de xadrez quase idêntica àquela que Anna carrega consigo.

Tome comprimidos de nitrito de amila, nitrito de sódio e tiossulfato de sódio.
NÃO OS PERCA.

GG.

— Gregory Gold — eu suspiro, lendo as iniciais.

Ele deve ter deixado aqui antes de atacar o mordomo.

Agora eu sei como Anna se sente. As instruções mal são legíveis e inclusive incompreensíveis mesmo depois de conseguir decifrar a sua horrorosa caligrafia.

Jogando o bilhete e a peça de xadrez no aparador, tranco a minha porta e a protejo com uma cadeira. Normalmente, eu iria imediatamente às posses de Rashton ou a um espelho para examinar este novo rosto, mas eu já sei o que está em suas gavetas e como ele se parece. Preciso apenas estender o meu pensamento a uma questão para encontrar a sua resposta, motivo pelo qual sei que há um par de soqueiras escondidas na gaveta das meias. Ele as confiscou de um brigão há alguns anos, e elas vieram a calhar mais de uma vez. Eu as visto, pensando apenas no lacaio e em como ele desceu seu rosto até o meu, inspirando a minha última respiração e suspirando de prazer quando me acrescentou a uma contagem particular.

Minhas mãos estão tremendo, mas Rashton não é Bell. O medo o motiva ao invés de incapacitá-lo. Ele quer rastrear o lacaio e pôr um fim nele para retomar qualquer dignidade perdida em nosso último confronto. Olhando em retrospecto para nossa briga nesta manhã, tenho certeza de que foi Rashton quem me mandou descer as escadas e entrar no corredor. Era sua raiva, seu orgulho. Ele tinha controle e eu nem percebi.

Isso não pode acontecer novamente.

A imprudência de Rashton nos matará, e eu não posso desperdiçar o hospedeiro. Se eu quiser tirar Anna e eu desta confusão, preciso estar um passo à frente do lacaio, ao invés de ficar sempre atrás dele, e acho que conheço alguém que pode ajudar, embora não seja fácil convencer essa pessoa.

Tirando as soqueiras, eu encho a pia e começo a me lavar em frente ao espelho.

Rashton é um homem jovem — embora não tão jovem quanto se enxerga — alto, forte e com uma notável beleza. Sardas espelham-se pelo seu nariz, olhos cor de mel e cabelo loiro curto revelando um rosto que parece ter brotado do sol. Talvez o único traço de imperfeição seja uma antiga cicatriz deixada por uma bala em seu ombro, a linha dentada tendo desbotado há muito tempo. A lembrança se revelaria caso eu perguntasse, mas já tenho dor demais sem convidar o sofrimento de outro homem à minha mente.

Estou enxugando o peito quando a maçaneta da porta chacoalha, fazendo com que eu pegue as soqueiras.

— Jim, você está aí? Alguém trancou a porta.

É a voz de uma mulher, rouca e seca.

Vestindo uma camisa limpa, puxo a cadeira e destranco a porta, encontrando uma mulher jovem de semblante confuso do outro lado. Olhos azuis me espiam por trás de longos cílios, um toque de batom vermelho é a única cor neste rosto glacial. Ela tem vinte e poucos anos, bastos cabelos negros caindo sobre uma camisa branca dentro de calças de montaria. Sua presença imediatamente faz o sangue de Rashton correr.

— Grace... — Meu hospedeiro enfia o nome na minha língua e várias outras coisas depois. Estou fervendo em um caldo de adoração, arrebatamento, excitação e inadequação.

— Você ouviu o que o idiota do meu irmão fez? — ela diz, passando por mim.

— Eu suspeito que ouvirei.

— Ele pegou emprestado um dos carros ontem à noite — ela diz, atirando-se na cama. — Acordou o cavalariço às duas da manhã vestido feito um arco-íris e se mandou para a vila.

Ela entendeu tudo errado, mas não tenho como salvar a reputação do seu irmão. Foi minha decisão pegar o carro, fugir desta casa e ir para a vila. Neste momento, o pobre Donald Davies está dormindo na estrada de terra onde eu o abandonei, e meu hospedeiro tenta me arrastar porta afora para que eu vá atrás dele.

Sua lealdade é quase esmagadora, e, ao buscar um motivo para isso, sou imediatamente acossado por horrores. O afeto de Rashton por Donald Davies foi forjado na lama e no sangue das trincheiras. Foram à guerra como tolos e voltaram irmãos, cada um despedaçado em lugares que apenas o outro poderia ver.

Posso sentir a sua raiva com o tratamento que dei ao seu amigo.

Ou talvez eu apenas esteja bravo comigo mesmo.

Estamos tão misturados um ao outro que não sei mais dizer.

— É culpa minha — diz Grace, cabisbaixa. — Ele ia comprar mais daquele veneno do Bell, então eu ameacei contar ao papai. Eu sabia que ele estava bravo comigo, mas não achei que ele fosse fugir. — Ela suspira, desamparada. — Você não acha que ele fez algo idiota, acha?

— Ele está bem — digo, tranquilizando-a, sentando ao lado dela. — Ele ficou muito nervoso, só isso.

— Queria que nunca tivéssemos conhecido aquele médico maldito — ela diz, alisando as dobras da minha camisa com a mão aberta. — Donald não foi mais o mesmo desde que Bell apareceu com aquele baú de segredos. É o maldito láudano, aquilo tomou conta dele. Eu mal consigo falar com ele. Queria que houvesse algo que nós pudéssemos...

As suas palavras deparam-se com uma ideia. Posso vê-la se distanciar dela com os olhos arregalados, acompanhando-a do início ao fim como um cavalo em que apostou no páreo.

— Preciso falar uma coisa com Charles — ela diz abruptamente, beijando-me nos lábios antes de disparar para o corredor.

Ela sai antes que eu possa responder, deixando a porta aberta.

Eu me levanto para fechá-la, acalorado, incomodado e um tanto confuso. Em geral, as coisas eram mais simples quando eu estava naquele armário.

46

Devagar, passo a passo, eu sigo para o corredor, colocando a cabeça em todos os quartos antes de me permitir entrar. Estou usando as soqueiras, pulando a cada ruído e sombra, atento ao ataque que eu sei que está por vir, sabendo que não posso vencer o lacaio caso ele me pegue desprevenido.

Afastando a cortina de veludo que bloqueia o corredor, eu passo para a abandonada ala leste de Blackheath, um vento cortante agita panos que batem nas paredes como pedaços de carne no balcão de um açougueiro.

Eu não paro até chegar ao quarto infantil.

O corpo inconsciente de Derby não é imediatamente óbvio, já que foi arrastado para um canto do quarto, longe da linha de visão da porta e atrás de um cavalinho de balanço. Sua cabeça é uma confusão de sangue coagulado e de cerâmica quebrada, mas ele está vivo e bem escondido. Considerando que foi atacado saindo do quarto de Stanwin, o responsável obviamente teve consciência suficiente para evitar que o chantagista o encontrasse e o matasse, mas não para levá-lo a um local mais seguro.

Eu rapidamente revisto os seus bolsos, mas tudo o que ele pegou de Stanwin foi roubado. Não esperava outra coisa, mas como ele é o arquiteto de tantos mistérios da casa, não custava tentar.

Deixando-o adormecido, sigo aos quartos de Stanwin no final da passagem. É certo que apenas o medo poderia ter lhe empurrado para este canto miserável da casa, tão longe dos escassos confortos oferecidos pelo resto de Blackheath. Por esse critério, no entanto, ele escolheu bem. As tábuas do assoalho são seus espiões, anunciando aos berros a minha aproximação a cada passo, e o longo corredor oferece apenas uma entrada e saída. O chantagista claramente acredita que está cercado de inimigos, um fato que eu talvez possa explorar.

Passando pela sala de recepção, eu bato na porta do quarto de Stanwin. Sou recebido por um estranho silêncio, o vozerio de alguém tentando se aquietar.

— É o Policial Jim Rashton — chamo por trás da madeira, guardando as soqueiras. — Preciso falar com você.

A declaração é recebida com uma algazarra. Passos leves pelo quarto, o arranhar de uma gaveta, algo sendo erguido e movimentado antes de uma voz finalmente se infiltrar pelas frestas da porta.

— Entre — diz Ted Stanwin.

Ele está sentado em uma cadeira, uma mão enfiada na sua bota esquerda, que ele escova com o vigor de um soldado. Eu estremeço um pouco, abalado por uma poderosa sensação de estranhamento. Na última vez que vi este homem, ele estava morto no solo da floresta e eu revistava os seus bolsos. Blackheath o pegou e tirou a poeira do seu corpo, girando sua corda para que ele possa fazer tudo de novo. Se isso não for o inferno, o diabo certamente está tomando nota.

Eu olho para trás dele. O seu guarda-costas está em um sono profundo na cama, respirando ruidosamente pelo seu nariz enfaixado. Fico surpreso ao ver que Stanwin não o mexeu, e mais surpreso ainda ao ver que o chantagista direcionou sua cadeira de frente para a cama, da mesma maneira que Anna fez com o mordomo. Claramente, Stanwin sente algum afeto por este sujeito.

Eu me pergunto como ele irá reagir ao saber que Derby esteve na peça ao lado durante todo esse tempo.

— Ah, o homem no centro de tudo — diz Stanwin, a sua escova para enquanto ele me avalia.

— Agora você me deixou perdido — digo, confuso.

— Eu não seria um chantagista muito bom se não deixasse — ele diz, apontando uma frágil cadeira de madeira próxima da lareira. Aceitando o seu convite, eu a arrasto para perto da cama, cuidando para evitar o jornal sujo e a graxa de sapatos jogada ao chão.

Stanwin usa a adaptação de um homem rico para a libré de um cavalariço, o que significa que a camisa branca de algodão está passada e as calças pretas estão impecáveis. Olhando para ele agora, vestido normalmente, escovando suas botas e agachado num canto deteriorado de uma casa que já foi grandiosa, não consigo ver o que dezenove anos de chantagem renderam a ele. Vasos sanguíneos estourados crivam sua face e seu nariz, enquanto olhos afundados, de um vermelho cru e famintos por sono vigiam os monstros à sua porta.

Monstros que ele convidou.

Por trás de toda sua bravata está uma alma reduzida a cinzas, o fogo que uma vez o motivou já se apagou há tempos. Estas são as pontas esfarrapadas de um homem derrotado, seus segredos são o único calor que lhe resta. Nesta altura, ele tem tanto medo das suas vítimas como elas têm medo dele.

A pena me faz sentir uma pontada. Há algo na situação de Stanwin que parece terrivelmente familiar, e no fundo, por baixo dos meus hospedeiros, onde o verdadeiro Aiden Bishop reside, posso sentir uma lembrança despertar. Eu vim aqui por causa de uma mulher. Eu queria salvá-la, e não pude. Blackheath era a minha chance de... o quê... tentar de novo?

O que eu vim fazer aqui?

Deixe para lá.

— Vamos deixar os fatos bem claros — diz Stanwin, olhando para mim fixamente. — Você está ligado a Cecil Ravencourt, Charles Cunningham, Daniel Coleridge e mais alguns outros. Vocês estão fuçando um assassinato que aconteceu há dezenove anos.

Meus pensamentos anteriores se perdem.

— Ah, não fique tão chocado — ele diz, examinando um ponto opaco em sua bota. — Cunningham veio fazer perguntas hoje de manhã em nome daquele patrão gordo dele, e Daniel Coleridge veio fuçar minutos depois. Os dois queriam saber sobre o homem em quem eu atirei quando corri o assassino do patrão. Agora você está aqui. Não é difícil ver qual é o seu objetivo, não para quem tem um par de olhos e um cérebro.

Ele olha para mim, sua fachada de indiferença cai para revelar o cálculo na sua fundação. Ciente dos seus olhos pousados em mim, eu procuro as palavras certas, qualquer coisa para repudiar a sua suspeita, mas o silêncio se estica, tornando-se extenso.

— Queria saber como você aceitaria isso — Stanwin resmunga, colocando a bota no jornal e limpando as mãos com um trapo.

Quando ele fala novamente, sua voz é baixa e suave, a voz de alguém contando histórias.

— Me parece que essa repentina sede de justiça provavelmente tem um dos dois motivos — ele diz, tirando a sujeira das unhas com um canivete. — Ou Ravencourt sentiu cheiro de escândalo e está pagando você para dar uma olhada, ou você acha que tem um grande caso aguardando resolução que vai lhe colocar nos jornais e fazer sua fama.

Ele zomba do meu silêncio.

— Olhe, Rashton, você não me conhece e nem sabe qual é o meu negócio, mas eu conheço homens como você. Você é um guardinha de classe operária saindo com uma mulher rica que não pode bancar. Não tem nada de errado em subir de vida, eu mesmo fiz isso, mas você vai precisar de dinheiro para pegar essa escada e eu posso te ajudar. A informação vale muito, o que significa que nós podemos ajudar um ao outro.

Ele olha fixo para mim, mas não se sente confortável. O seu pescoço pulsa violentamente, o suor acumula-se na sua testa. Há risco nessa abordagem, e ele sabe disso. Mesmo assim, posso sentir a sedução de sua oferta. Não há nada que Rashton gostaria mais do que bancar o seu relacionamento com Grace. Ele gostaria de comprar roupas melhores e pagar o jantar mais de uma vez por mês.

A questão é que ele gosta mais de ser policial.

— Quantas pessoas sabem que Lucy Harper é sua filha? — digo com indiferença.

Agora é a minha vez de ver o *seu* rosto cair.

Minhas suspeitas surgiram quando eu o vi ameaçar Lucy no almoço, tudo porque ela cometeu a temeridade de chamá-lo pelo seu primeiro nome quando pediu para lhe dar licença. Não pensei muito quando vi pelos olhos de Bell. Stanwin é um brutamontes e um chantagista, assim parecia apenas natural. Foi só quando testemunhei a cena novamente como Dance que captei o afeto na voz de Lucy e o medo em seu rosto. Uma sala cheia de homens que enfiariam uma faca em suas costelas com o maior prazer e lá estaria ela, fazendo de tudo menos contar a eles que gosta dele. Ela poderia até mesmo ter pintado um alvo nas costas. Não é de surpreender que ele tenha se descontrolado. Ele precisava que ela saísse daquela sala o mais rápido possível.

— Que Lucy? — ele diz, o trapo torcendo-se com força em suas mãos.

— Não me insulte negando isso, Stanwin — interrompo. — Ela tem o seu cabelo ruivo e você tem um medalhão com a foto dela no seu paletó, junto com um livro de cifras detalhando o seu negócio de chantagens. Seriam objetos estranhos para guardar juntos, não fossem as únicas coisas com as quais você se importa. Você precisava ver como ela defendeu você para Ravencourt.

Cada fato da minha boca é como uma martelada.

— Não é muito difícil de perceber — digo. — Não para um homem com um par de olhos e um cérebro.

— O que você quer? — ele pergunta calmamente.

— Preciso saber o que aconteceu na manhã em que Thomas Hardcastle foi assassinado.

A sua língua perambula em seus lábios enquanto sua mente começa a trabalhar, engrenagens e rodas lubrificadas por mentiras.

— Charlie Carver e outro homem levaram Thomas para o lago, e então o esfaquearam — ele diz, pegando a bota novamente. — Eu parei Carver, mas o outro fugiu. Tem mais alguma história velha que você queira ouvir?

— Se eu estivesse interessado em mentiras, teria perguntado para Helena Hardcastle — digo, inclinando-me para frente com as mãos cruzadas entre os joelhos. — Ela estava lá, não? Como Alf Miller falou. Todo mundo acredita que a família deu uma plantação para você por tentar salvar o garotinho, mas eu sei que não foi o que aconteceu. Você tem chantageado Helena Hardcastle pelos últimos dezenove anos, desde que o menino morreu. Você viu algo naquela manhã, algo que você usou contra ela todo esse tempo. Ela disse que o dinheiro do marido era para manter o verdadeiro pai de Cunningham em segredo, mas não foi só isso, não? É algo maior.

— E se eu não contar para você o que eu vi, o quê? — ele rosna, jogando a bota para o lado. — Você vai falar por aí que o velho da Lucy Harper é o infame Ted Stanwin e esperar para ver quem vai matá-la primeiro?

Eu abro a boca para responder, só para me confundir quando nenhuma palavra sai. É claro que esse era o meu plano, mas, sentado ali, me lembro daquele momento na escadaria quando Lucy levou um mordomo confuso à cozinha para que ele não se encrencasse. Ao contrário do pai, ela tem um bom coração, amarrado pela ternura e pela incerteza — perfeito para homens como eu pisarem em cima. Não surpreende que Stanwin tenha sido ausente, deixando a mãe criá-la. Ele provavelmente enviou dinheiro à sua família ao longo dos anos, no intuito de deixá-los em conforto até que pudesse colocar todos permanentemente longe do alcance de seus poderosos inimigos.

— Não — digo, tanto para mim como para Stanwin — Lucy foi boa para mim quando eu precisei de bondade, não vou colocá-la em risco, mesmo para isso.

Ele me surpreende com um sorriso, o arrependimento por trás dele.

— Você não vai longe nesta casa com esse sentimentalismo — ele diz.

— E o bom senso? — pergunto. — Evelyn Hardcastle vai ser assassinada hoje à noite e eu acho que é por causa de alguma coisa que aconteceu há dezenove anos. Me parece que é do seu interesse manter Evelyn viva para que ela possa se casar com Ravencourt e você possa continuar recebendo dele.

Ele assovia.

— Se isso for verdade, o troco a ganhar é maior sabendo quem foi o responsável, mas você está olhando para isso de um jeito errado — ele diz enfaticamente. — Eu não preciso continuar recebendo dele. Para mim acabou. Eu tenho um grande pagamento a caminho, aí vou vender o meu negócio e cair fora. É por isso que eu vim a Blackheath, em primeiro lugar, para pegar Lucy e fechar o negócio. Ela volta comigo.

— Para quem você vai vender?

— Daniel Coleridge.

— Coleridge planeja matar você na caçada dentro de duas horas. Quanto vale essa informação?

Stanwin me olha com uma ardente desconfiança.

— Me matar? — ele diz. — Fizemos um acordo justo, eu e ele. Vamos fechar o negócio lá na floresta.

— O negócio está em dois livros, não é? — digo. — Todos os nomes, crimes e pagamentos em um, escrito em código, é claro. E a chave para decifrar no outro. Você mantém os dois separados e acha que isso lhe dá segurança, mas não dá, e, havendo ou não acordo justo, você vai estar morto em... — Eu arregaço a manga da camisa para verificar o relógio — ... quatro horas, quando então Coleridge vai ter os dois livros sem gastar um centavo.

Pela primeira vez, Stanwin parece incerto.

Estendendo a mão para a gaveta em sua mesa de cabeceira, ele retira um cachimbo e uma pequena bolsa de tabaco, que deposita no fornilho. Raspando o excesso, ele circunda o fósforo aceso pelas folhas, dando algumas tragadas para atiçar a chama. No momento em que sua atenção retorna para mim, o tabaco está queimando, a fumaça cria um halo sobre sua indigna cabeça.

— Como ele vai fazer? — pergunta Stanwin com o canto da boca, o cachimbo preso entre os seus dentes amarelados.

— O que você viu na manhã em que Thomas Hardcastle foi morto? — pergunto.

— É isso, não é? Um assassinato por um assassinato?

— Um acordo justo — digo.

Ele cospe na mão.

— Aperte aqui então — ele diz.

Eu faço o que ele pede, e então acendo o meu último cigarro. A necessidade de tabaco veio devagar até mim, da mesma forma como a maré toca uma ribanceira, e deixo a fumaça encher minha garganta, os olhos molhados de prazer.

Coçando sua barba rala, Stanwin começa a falar com uma voz pensativa.

— Aquele dia foi esquisito, desde o começo foi estranho — ele diz, ajeitando o cachimbo na boca. — Os convidados tinham chegado para a festa, mas já havia um clima ruim no lugar. Discussões na cozinha, brigas nos estábulos, até os convidados estavam assim. Não se passava por uma porta fechada sem se ouvir bate boca lá dentro.

Ele agora demonstra exaustão, o sentimento de um homem que esvazia um baú cheio de objetos afiados.

— Não houve muita surpresa quando Charlie foi demitido — ele diz. — Ninguém mais lembrava há quanto tempo ele vinha tendo um caso com Lady Hardcastle. No início foi segredo. Depois foi óbvio. Óbvio demais, se quer saber minha opinião. Eles queriam ser pegos, creio. Não sei quem pegou os dois no final, mas a conversa se espalhou na cozinha feito um incêndio quando Charlie foi mandado embora por Lord Hardcastle. Achamos que ele ia lá embaixo se despedir, mas não ouvimos um pio, e então, horas depois, uma das empregadas me procura e diz ter acabado de ver Charlie bêbado feito um lorde andando pelos quartos das crianças.

— Os quartos das crianças, tem certeza?

— Foi o que ela disse. Ele estava abrindo as portas e metendo a cabeça, um por um, como se estivesse procurado alguma coisa.

— Tem ideia do que era?

— Ela achou que ele estava querendo se despedir, mas estavam todas lá fora brincando. De qualquer maneira, ele saiu com uma sacola grande de couro em cima do ombro.

— E ela não sabia o que tinha dentro?

— Não fazia ideia. O que quer que fosse, ninguém o incomodou. Ele era popular, o Charlie, todos nós gostávamos dele.

Stanwin suspira, erguendo o rosto para o teto.

— O que aconteceu depois? — eu pressiono, sentindo sua relutância em continuar.

— Charlie era meu amigo — ele diz lentamente. — Assim, eu fui atrás dele para me despedir, acima de tudo. Na última vez que alguém viu Charlie, ele estava indo para o lago, então foi para lá que eu fui, mas ele não estava lá. Ninguém estava lá, pelo menos era o que parecia num primeiro momento. Eu teria ido embora, mas vi o sangue na terra.

— Você seguiu o sangue? — pergunto.

— Sim, até a beira do lago... Foi quando eu vi o menino — ele engole em seco, passando a mão em frente ao rosto. A lembrança escondeu-se na escuridão da sua mente por tanto tempo que não me surpreende a dificuldade que ele tem para arrastá-la até a luz. Tudo que ele se tornou cresceu a partir desse fruto envenenado.

— O que você viu, Stanwin? — pergunto.

Descendo a mão do rosto, ele olha para mim como se eu fosse um padre exigindo uma confissão.

— No início, só Lady Hardcastle — ele diz. — Ela estava ajoelhada na lama, aos prantos. Tinha sangue por tudo. Eu não vi o menino, ela o segurava tão firme... Mas ela se virou quando me ouviu. Ela tinha esfaqueado a garganta dele, quase arrancou a cabeça dele fora, foi o que ela fez.

— Ela confessou? — pergunto.

Posso ouvir a empolgação em minha voz. Descendo o meu olhar, vejo que minhas mãos estão fechadas, o meu corpo está tenso. Estou sentado na beirada da cadeira, a respiração presa na garganta.

Imediatamente sinto vergonha de mim.

— Mais ou menos — diz Stanwin. — Só ficou repetindo que foi um acidente. Foi isso, várias vezes. Foi um acidente.

— E onde Carver entra nisso? — pergunto.

— Ele chegou depois.

— Quanto tempo depois?

— Eu não sei...

— Cinco minutos, vinte minutos? — pergunto. — É importante, Stanwin.

— Não foram vinte, foram dez, talvez, não pode ter sido muito tempo.

— Ele tinha a sacola?

— A sacola?

— A sacola de couro marrom que a empregada disse que ele levou da casa. Ele estava com ela?

— Não, não tinha sacola. — Ele aponta o cachimbo para mim. — Você sabe de algo, não é?

— Acho que sei, sim. Termine a história, por favor.

— Carver veio e me chamou para um canto. Ele estava sóbrio, totalmente sóbrio, do jeito que um homem fica quando está em estado de choque. Ele me pediu para esquecer tudo o que eu tinha visto, para dizer a todo mundo que ele tinha feito aquilo. Eu disse que não ia fazer isso, não por ela, não para os Hardcastle, mas ele disse que a amava, que tinha sido um acidente e que era a única coisa que ele podia fazer por ela, a única coisa que ele podia dar a ela. Ele acreditava que não tinha futuro, de qualquer forma, não depois de ter sido despedido de Blackheath e de ter que se afastar de Helena. Ele me fez jurar que eu guardaria o segredo dela.

— O que você fez, mas pediu para que ela pagasse por isso — digo.

— E você teria feito diferente, não é, seu guarda? — ele diz, furioso. — Colocaria umas algemas nela lá mesmo e trairia o seu amigo. Ou deixaria que ela se safasse, impune?

Eu balanço a cabeça. Não tenho uma resposta para ele, mas não estou interessado na sua penosa autojustificação. Só há duas vítimas nesta história: Thomas Hardcastle e Charlie Carver, uma criança assassinada e um homem que foi ao cadafalso para proteger a mulher que amava. É tarde demais para que eu os ajude, mas não vou deixar a verdade permanecer enterrada por mais tempo.

Isso já fez estrago suficiente.

47

Os arbustos agitam-se, gravetos estalam sob os pés. Daniel está caminhando pela floresta rapidamente, sem qualquer tentativa de ser furtivo. Ele não precisa. Meus outros hospedeiros estão todos ocupados, e quase todos os outros ou estão na caçada, ou no solário. Meu coração está batendo. Ele saiu da casa depois de falar com Bell e Michael no escritório, e estive seguindo-o pelos últimos quinze minutos, trilhando o meu caminho silenciosamente pelas árvores. Lembro que ele perdeu o início da caçada e teve que alcançar Dance, e estou curioso para saber o que o atrasou. Espero que esta jornada lance mais luz sobre os seus planos.

As árvores param subitamente, dando lugar a uma feia clareira. Não estamos muito longe do lago, e já consigo avistar a água mais longe à minha direita. O lacaio está andando em círculos como um animal enjaulado, e tenho que me agachar atrás de um arbusto para evitar ser visto.

— Seja rápido — Daniel diz, se aproximando dele.

O lacaio dá um soco em seu queixo.

Cambaleando para trás, Daniel apruma-se, convidando um segundo golpe após acenar com a cabeça. Este esmaga o seu estômago, e é seguido por um cruzado que o leva ao chão.

— Mais? — pergunta o lacaio em cima dele.

— Isso já basta — diz Daniel, tocando em seu lábio rachado. — Dance precisa acreditar que brigamos, não que você quase me matou.

Eles estão trabalhando juntos.

— Você consegue alcançá-los? — pergunta o lacaio, ajudando Daniel a se levantar do chão. — Os caçadores estão muito na frente.

— São um monte de pernas velhas. Não podem ter ido muito longe. Conseguiu pegar Anna?

— Ainda não. Estive ocupado.

— Bom, corra então, o nosso amigo está ficando sem paciência.

Então é isso. Eles querem Anna.

Foi por isso que Daniel disse para eu me encontrar com ela quando fui Ravencourt, e por isso que ele pediu a Derby para que a trouxesse à biblioteca quando fez os seus planos de capturar o lacaio. Eu que deveria entregá-la a ele. Uma ovelha para o abatedouro.

Com a cabeça girando, eu os observo trocarem algumas palavras finais antes do lacaio partir em direção à casa. Daniel está limpando o sangue do rosto, mas não se mexe, e um segundo depois eu vejo o porquê. O Médico da Peste está entrando na clareira. Este deve ser o "amigo" que Daniel mencionou.

É como eu temia. Eles estão trabalhando juntos. Daniel fez uma parceria com o lacaio, e eles estão caçando Anna em nome do Médico da Peste. Não consigo imaginar o que está abastecendo essa inimizade, mas explica por que o Médico da Peste passou o dia tentando me colocar contra ela.

Colocando uma mão no ombro de Daniel, ele o leva para as árvores, longe da minha vista. A intimidade desse gesto me deixa desconcertado. Não consigo me lembrar de uma única vez em que o Médico da Peste tenha tocado em mim ou chegado perto o suficiente para que isso acontecesse.

Mantendo-me abaixado, corro atrás deles, parando em uma fileira de árvores para escutar suas vozes, mas não consigo ouvir nada. Praguejando, sigo mais fundo na floresta, parando periodicamente, esperando pegar algum sinal deles. Não adianta. Eles foram embora.

Sentindo-me como um homem num sonho, volto pelo caminho por onde vim.

De todas as coisas que vi naquele dia, quantas eram reais? Será que alguém era quem alegava ser? Eu acreditei que Daniel e

Evelyn eram meus amigos, que o Médico da Peste era um louco e que eu era um médico chamado Sebastian Bell, cujo maior problema era a perda da memória. Como eu poderia saber que essas eram apenas as posições na linha de largada em uma corrida que ninguém me avisou que eu disputaria?

Você deveria estar mais preocupado com a linha de chegada.

— O cemitério — eu digo em voz alta.

Daniel acredita que vai capturar Anna lá, e eu não tenho dúvida de que levará o lacaio junto quando tentar. É onde isso vai terminar, e preciso estar pronto.

Chego ao poço dos desejos, onde Evelyn recebeu o bilhete de Felicity naquela primeira manhã. Estou ansioso para pôr o meu plano em prática, mas, em vez de ir para a casa, eu viro à esquerda, em direção ao lago. Isso é uma decisão de Rashton. É o instinto. O instinto de um policial. Ele quer ver a cena do crime enquanto o testemunho de Stanwin ainda está fresco na minha mente.

A trilha está coberta de mato, as árvores inclinam-se em ambos os lados, as raízes torcendo-se sobre o solo. Os espinhos prendem-se no meu sobretudo, a chuva derrama-se das folhas, até que finalmente chego às margens lamacentas do lago.

Até então, só havia visto o lago de longe, mas ele é bem maior de perto, com água da cor de rochas cobertas de musgos e alguns esqueletais barcos a remo amarrados a uma casa de barcos que está desabando até virar lenha na margem direita mais distante. Um coreto repousa em uma ilha ao centro, com seu telhado azul-turquesa descascando e esquadrias de madeira castigadas pelo vento e pela chuva.

Não surpreende que os Hardcastle tenham decidido sair de Blackheath. Algo perverso aconteceu aqui e continua a assombrar o lago. Minha aflição é tal que quase dou a volta, mas uma parte mais forte de mim precisa entender o que aconteceu aqui há dezenove anos, então caminho pela extensão do lago, circundando-o duas vezes, mais ou menos como um legista circundaria um cadáver em sua mesa de necropsia.

Uma hora passa. Meus olhos estão ocupados, mas não se prendem a nada.

A história de Stanwin parece ser assunto encerrado, porém, não explica por que o passado tenta tomar mais um filho dos Hardcastle. Não explica quem está por trás disso ou o que pretende ganhar. Pensei que vir aqui traria alguma iluminação, mas, seja quais forem as recordações deste lago, ele tem pouco interesse em compartilhá-las. Ao contrário de Stanwin, não posso negociar com ele e, ao contrário do cavalariço, não posso intimidá-lo.

Molhado e com frio, posso me sentir tentado a desistir, mas Rashton já está me puxando para o espelho d'água. Os olhos do policial não são frágeis como os dos meus outros hospedeiros. Eles buscam os limites, as ausências. Minhas lembranças deste lugar não são suficientes para ele; ele precisa ver tudo mais uma vez. Assim, com as mãos enfiadas em meus bolsos, posiciono-me na beira da água, que está alta o bastante para tocar a sola dos meus sapatos. Uma chuva leve agita a superfície, ricocheteando sobre pedaços grossos de musgo flutuante.

Pelo menos a chuva é constante. Ela bate no rosto de Bell enquanto ele caminha com Evelyn e nas janelas da portaria onde o mordomo dorme e Gold está amarrado. Ravencourt a escuta em sua antessala, perguntando-se onde Cunningham foi, e Derby... Bom, Derby ainda está inconsciente, o que é o melhor para ele. Davies está caído na estrada ou talvez retornando. De qualquer forma, está se molhando. Assim como Dance, que perambula pela floresta com uma espingarda sobre o ombro, desejando estar em qualquer outro lugar.

Quanto a mim, estou parado exatamente onde Evelyn estará hoje à noite, onde ela apertará uma pistola prateada contra a barriga e puxará o gatilho.

Estou vendo o que ela irá ver.

Tentando compreender.

O assassino encontrou uma maneira de obrigar Evelyn a cometer suicídio, mas por que não fazê-la se suicidar no próprio quarto sem ninguém ver? Por que trazê-la aqui, no meio da festa?

Para que todos vejam.

— Então por que não na pista de dança ou no palco? — eu murmuro.

Tudo isso é teatral demais.

Rashton trabalhou em dezenas de assassinatos. Eles não são montados, são atos imediatos e impulsivos. Os homens afogam-se em copos de bebida depois um dia duro de trabalho, despertando a amargura que estava inerte no fundo. Brigas acontecem, as esposas se cansam de seus olhos roxos e pegam a faca mais próxima na cozinha. A morte acontece em becos e em salas tranquilas com toalhas postas sobre as mesas. As árvores caem, as pessoas são esmagadas, as ferramentas escorregam. Pessoas morrem do jeito que sempre morreram, com rapidez, impaciência ou azar; não aqui, não na frente de uma centena de pessoas com vestidos de baile e smokings.

Que tipo de mente faz teatro com um assassinato?

Virando-me para a casa, tento lembrar a rota de Evelyn rumo ao espelho d'água, lembrando-me de como ela se afastou das chamas em direção à escuridão, bamboleando como se estivesse bêbada. Lembro-me da pistola de prata cintilando em sua mão, do tiro, do silêncio e então dos fogos de artifício quando ela tombou na água.

Por que levar duas armas quando uma já é suficiente?

Um assassinato que não parece um assassinato.

É como o Médico da Peste descreveu... Mas e se... Minha mente tateia as bordas de um pensamento, fisgando-o em meio à escuridão. Uma ideia surge, a mais insólita das ideias.

A única que faz sentido.

Tenho um sobressalto com um toque em meu ombro que quase me faz tropeçar no espelho d'água. Felizmente, Grace me segura, puxando-me de volta aos seus braços. Não é, devo admitir, um apuro desagradável, principalmente quando me viro para ver aqueles olhos azuis me observando com um misto de amor e divertimento.

— O que é que você está fazendo aqui fora? — ela pergunta. — Estive procurando por você em toda parte. Você perdeu o almoço.

Há preocupação em sua voz. Ela fica me encarando, buscando os meus olhos, ainda que eu não faça ideia o que ela está procurando.

— Vim dar um passeio — digo, tentando escapar da sua preocupação — e comecei a imaginar como este lugar devia ser no seu auge.

Há um vislumbre de incerteza em seu rosto, mas ele desaparece com uma piscada dos seus gloriosos olhos enquanto ela desliza o seu braço no meu, o calor do seu corpo me aquecendo.

— É difícil lembrar agora — ela diz. — Todas as lembranças que eu tenho desse lugar, mesmo as felizes, estão manchadas pelo que aconteceu com Thomas.

— Você estava aqui quando aconteceu?

— Eu nunca contei isso para você? — ela pergunta, repousando a cabeça em meu ombro. — Acho que não contei, eu era apenas uma criança. Sim, eu estava aqui, quase todo mundo aqui estava.

— Você viu acontecer?

— Graças a Deus, não — ela diz aterrorizada. — Evelyn organizou uma caça ao tesouro para as crianças. Eu não devia ter mais do que sete anos, a mesma idade de Thomas. Evelyn tinha dez. Ela era a grandona do grupo, então éramos responsabilidade dela naquele dia.

Ela fica cada vez mais distante, distraída por uma lembrança que ganha asas.

— Claro, agora eu sei que ela só queria ir andar de pônei e não ter que cuidar de nós, mas naquela época nós a achamos boa demais. Era uma diversão só na floresta, nós íamos atrás um do outro procurando as pistas quando, de repente, Thomas saiu correndo. Nós nunca mais o vimos.

— Saiu correndo? Ele disse por que ia embora ou aonde estava indo?

— Você parece o policial que me interrogou — ela diz, me abraçando mais forte. — Não, ele não ficou lá esperando perguntas. Ele perguntou as horas e foi embora.

— Perguntou as horas?

— Sim, era como se ele tivesse que estar em algum lugar.

— E ele não te disse aonde estava indo?

— Não.

— Ele não estava agindo estranho, chegou a dizer algo esquisito?

— Na verdade, nós mal conseguíamos fazer o menino falar — ela diz. — Ele andava em um estado de espírito estranho a semana inteira, me ocorreu agora. Fechado, rabugento, bem diferente de como ele costumava ser.

— Como ele era normalmente?

Ela dá de ombros.

— Um pestinha na maior parte do tempo. Ele estava naquela idade. Gostava de puxar nossos rabos de cavalo e dar sustos. Ele nos seguia pela floresta e saltava quando nós menos esperávamos.

— Mas ele vinha agindo estranho por uma semana? — pergunto. — Você tem certeza que foi todo esse tempo?

— Bom, foi o tempo que nós ficamos aqui em Blackheath antes da festa, então sim. — Ela estremece e me examina. — O que você está matutando aí na sua cabeça, Sr. Rashton? — ela pergunta.

— Matutando?

— Estou vendo esta ruguinha — ela toca no ponto entre as minhas sobrancelhas. — Você fica assim quando tem algo te incomodando.

— Eu ainda não sei ao certo.

— Bom, tente não fazer isso quando você conhecer a minha avó.

— Enrugar a minha testa?

— Pensar, seu bobo.

— Mas por que não?

— Ela não gosta muito de homens jovens que pensam demais. Ela acha que é sinal de preguiça.

A temperatura está baixando rápido. A pouca cor que restava no dia foge das nuvens negras e tempestuosas que intimidam o céu.

— Vamos entrar? — diz Grace, batendo os pés para se aquecer. — Eu não gosto de Blackheath, como qualquer outra mulher, mas não a ponto de congelar até a morte para não ter que estar lá dentro.

Eu lanço um olhar um tanto penoso para o espelho d'água, mas não posso dar continuidade à minha ideia sem falar com Evelyn primeiro, e ela está lá fora passeando com Bell. Seja lá o que eu estiver matutando — para usar a expressão de Grace —, isso terá que aguardar até que ela retorne em algumas horas.

Além disso, a ideia de passar tempo com alguém que não esteja atolada nas muitas tragédias de hoje é cativante.

Com nossos ombros encostados um no outro, voltamos para a casa, chegando ao hall de entrada a tempo de ver Charles Cunningham descer rapidamente os degraus. Ele está com o cenho franzido, perdido em pensamentos.

— Está tudo bem com você, Charles? — diz Grace, chamando sua atenção. — Sinceramente, o que há com os homens desta casa hoje? Vocês estão todos nas nuvens.

Um sorriso surge no rosto dele, a sua alegria em nos ver um tanto em desacordo com a seriedade com a qual ele normalmente me cumprimenta.

— Ah, minhas duas pessoas favoritas — ele diz grandiosamente, saltando do terceiro degrau para bater em nossos ombros. — Perdão, eu estava com a cabeça em outro lugar.

A afeição desenha um enorme sorriso no meu rosto.

Até agora, o valete era simplesmente alguém que ia e voltava no meu dia, alguém ocasionalmente prestativo, mas que sempre buscava um objetivo próprio, o que o tornava impossível de confiar. Vê-lo através dos olhos de Rashton é como ver um desenho de carvão ser colorido.

Grace e Donald Davies veranearam em Blackheath, crescendo lado a lado com Michael, Evelyn, Thomas e Cunningham. Apesar de ter sido criado pela Sra. Drudge, a cozinheira, todos acreditavam que ele era filho de Peter Hardcastle de nascimento, e isso o elevou para além da cozinha. Encorajando essa percepção, Helena Hardcastle instruiu a governanta a educar Cunningham com os filhos dos Hardcastle. Ele pode ter se tornado um criado, mas nem Grace nem Donald o veriam como tal, não importando o que os seus pais falassem. Os três são praticamente uma família, razão pela qual Cunningham foi uma das primeiras pessoas que Donald Davies apresentou a Rashton quando eles voltaram da guerra. Os três são tão próximos quanto irmãos.

— Ravencourt está te chateando? — Grace pergunta. — Você não esqueceu a segunda porção de ovos dele de novo, esqueceu? Você sabe como isso o deixa desagradável.

— Não, não, não é isso. — Cunningham balança a cabeça, pensativo. — Sabe quando o seu dia começa de um jeito e então, do nada, vira algo diferente? Ravencourt me contou uma coisa um tanto espantosa que, para dizer a verdade, ainda não entrou na minha cabeça.

— O que ele disse? — Grace pergunta, empertigando a cabeça.

— Que ele não é... — Ele diminui a voz, coçando o nariz. Pensando melhor, ele suspira, descartando toda a linha de diálogo. — É melhor eu contar para você hoje à noite com um conhaque, quando tudo já tiver passado. Não sei se eu tenho as palavras agora.

— Você sempre faz isso, Charles — ela diz, batendo o pé. — Você gosta de histórias picantes, mas nunca as termina.

— Bom, talvez isso irá te animar.

Do seu bolso, ele retira uma chave de prata com uma etiqueta de papelão identificando-a como sendo de Sebastian Bell. Da última vez que vi essa chave, estava no bolso do perverso Derby, logo antes de alguém lhe acertar na cabeça do lado de fora do quarto de Stanwin e roubá-la.

Posso me sentir como se estivesse sendo encaixado no lugar, uma engrenagem em um gigantesco relógio, impulsionando um mecanismo que sou pequeno demais para compreender.

— Você encontrou para mim? — diz Grace, juntando as mãos.

Ele olha para mim, radiante.

— Grace me pediu para surrupiar uma cópia da chave do quarto de Bell na cozinha para que nós pudéssemos roubar as drogas dele — ele diz, deixando a chave pendurada no dedo. — Eu fui além e encontrei a chave do baú dele.

— É infantil, mas eu quero que Bell sofra como Donald está sofrendo — ela diz, os olhos faiscando perversamente.

— E como você encontrou a chave? — pergunto a Cunningham.

— Durante as minhas tarefas — ele diz com um pouco de desconforto. — Estou com a chave do quarto dele no meu bolso. Todos aqueles vidrinhos jogados no lago, dá para acreditar?

— No lago, não — diz Grace, fazendo uma careta. — Voltar para Blackheath já é ruim demais, mas não quero nem chegar perto daquele lugar horrível.

— Tem o poço — digo — perto da portaria. É velho e fundo. Se jogarmos as drogas lá embaixo, nunca vão encontrá-las.

— Perfeito — diz Cunningham esfregando as mãos, eufórico. — Bom, o doutor foi dar um passeio com a Srta. Hardcastle, então eu diria que agora é uma boa hora. Quem quer fazer um roubo em plena luz do dia?

48

Grace vigia a porta enquanto Cunningham e eu entramos no quarto de Bell, a nostalgia pintando tudo com cores alegres. Depois de brigar com as personalidades dominadoras dos meus outros hospedeiros, minha atitude em relação a Bell abrandou-se consideravelmente. Ao contrário de Derby, Ravencourt ou Rashton, Sebastian Bell era uma tela em branco, um homem em um retiro, até de si mesmo. Eu me derramei nele, preenchendo os espaços vazios tão completamente que sequer percebi que ele tinha um formato errado.

De um jeito estranho, ele parece um velho amigo.

— Onde você acha que ele guarda as coisas? — Cunningham pergunta, fechando a porta.

Embora eu saiba perfeitamente bem onde está o baú de Bell, finjo ignorância, dando a mim mesmo a oportunidade de perambular em sua ausência por um tempo, desfrutando da sensação de voltar a viver uma vida que já habitei.

Cunningham, no entanto, descobre o baú em pouco tempo, contando com a minha ajuda para tirá-lo do guarda-roupa, fazendo um barulho terrível ao arranhá-lo sobre as tábuas de madeira do assoalho. É bom que todos estejam caçando, pois o barulho poderia acordar até os mortos.

A chave se encaixa perfeitamente, o fecho abre suas dobradiças bem lubrificadas revelando um interior repleto de frascos marrons e garrafas dispostas em organizadas fileiras.

Cunningham trouxe um saco de algodão e, ajoelhando-se dos dois lados do baú, começamos a enchê-lo com o estoque de Bell.

Há tinturas e preparações de toda espécie, não somente aquelas desenvolvidas para causar um sorriso bobo no rosto. Entre os duvidosos prazeres está um frasco de estricnina pela metade, os grânulos brancos parecendo-se em todos os aspectos como grandes torrões de sal.

O que ele está fazendo com isso agora?

— Bell vende de tudo para quem quiser, não é? — Cunningham diz com um muxoxo, tirando o frasco da minha mão e colocando-o no saco. — Não por muito tempo, no entanto.

Pegando as garrafas do baú, me lembro do bilhete que Gold passou por baixo da minha porta e das três coisas que ele exigiu que eu roubasse.

Felizmente, Cunningham está tão extasiado com a sua tarefa que não percebe quando eu coloco as garrafas em meu bolso ou quando jogo uma peça de xadrez no baú. Em meio a todas essas tramas, parece algo inconsequente para se incomodar, mas ainda me lembro do conforto que isso me trouxe, da força que me deu. Era um ato de bondade quando eu mais precisava, e fico animado por ser aquele que o realizará.

— Charles, preciso que você me fale a verdade sobre uma coisa — começo.

— Já lhe disse que não vou me meter entre você e Grace — ele diz reservadamente, enchendo seu saco com cuidado. — Seja lá o que vocês estiverem discutindo esta semana, admita que está errado e agradeça quando ela aceitar as suas desculpas.

Ele ensaia um sorriso, que se evapora quando ele vê meu semblante grave.

— Qual é o problema? — ele pergunta.

— Onde você encontrou a chave do baú? — eu devolvo.

— Se você precisa mesmo saber, um dos criados entregou para mim — ele diz, evitando meu olhar enquanto continua ensacando.

— Não entregou, não — digo, coçando o pescoço. — Você pegou de Jonathan Derby depois de dar uma pancada na cabeça dele. Daniel Coleridge contratou você para roubar o registro de chantagens de Stanwin, não foi?

— Qu... Que bobagem — ele diz.

— Por favor, Charles — digo, a voz grave pela emoção. — Já falei com Stanwin.

Rashton contou com a amizade e o aconselhamento de Cunningham muitas vezes ao longo dos anos, e vê-lo se contorcer à luz do meu questionamento é insuportável.

— Eu... Eu não quis bater nele — Cunningham diz, envergonhado. — Eu tinha acabado de pôr Ravencourt no banho e ia tomar café da manhã quando ouvi um tumulto nas escadarias. Vi Derby correndo para o escritório com Stanwin atrás dele. Achei que conseguiria entrar no quarto de Stanwin para pegar a agenda enquanto todo mundo estava distraído, mas o guarda-costas estava lá, então me escondi em um dos quartos em frente, esperando o que iria acontecer.

— Você viu Dickie dar um sedativo para o guarda-costas, e depois viu Derby encontrar a agenda — digo. — Você não podia permitir que ele fosse embora com aquilo. Era valioso demais.

Cunningham concorda com a cabeça, ansioso.

— Stanwin sabe o que aconteceu naquela manhã, ele sabe quem realmente matou Thomas — ele diz. — Ele está mentindo durante todo esse tempo. Isso está naquela agenda dele. Coleridge vai decifrar para mim e então todos vão saber que o meu pai, o meu pai verdadeiro, é inocente.

O medo enche os seus olhos.

— Stanwin sabe do acordo que eu fiz com Coleridge? — ele pergunta de repente. — É por isso que você falou com ele?

— Ele não sabe de nada — digo com delicadeza. — Fui falar com ele sobre o assassinato de Thomas Hardcastle.

— E ele contou para você?

— Ele ficou em dívida comigo por ter salvo a vida dele.

Cunningham ainda está de joelhos, as mãos apertando meus ombros.

— Você é um milagreiro, Rasher — ele diz. — Não faça suspense comigo.

— Ele viu Lady Hardcastle coberta de sangue e embalando Thomas nos braços — digo, observando-o atentamente. — Stanwin teve a conclusão óbvia, mas Carver chegou minutos depois e insistiu para que Stanwin colocasse a culpa nele.

Cunningham fica me encarando enquanto tenta identificar as lacunas de uma resposta que há muito procura. Quando ele fala novamente, há uma amargura em sua voz.

— Claro — ele diz, prostrando-se ao chão. — Passei anos tentando provar que meu pai era inocente, então naturalmente descubro que a minha mãe é a culpada.

— Há quanto tempo você sabe quem são os seus pais de verdade? — eu pergunto, fazendo o melhor que posso para soar consolador.

— Minha mãe me contou quando fiz vinte e um anos — ele diz. — Ela disse que o meu pai não era o monstro que o acusavam de ser, mas nunca me explicava o porquê. Gastei cada dia desde então tentando descobrir o que ela queria dizer com isso.

— Você a viu hoje de manhã, não?

— Eu levei chá para ela — ele diz delicadamente. — Ela bebeu na cama enquanto nós conversamos. Eu costumava fazer a mesma coisa quando era criança. Ela perguntava se eu estava feliz, perguntava sobre meus estudos. Era boa para mim. Era a minha parte predileta do dia.

— E na manhã de hoje? Ela não mencionou nada de suspeito, imagino?

— Sobre matar Thomas? Não, não chegamos a tocar no assunto — ele diz, sarcástico.

— Pergunto se houve alguma coisa que não estava de acordo com a personalidade dela, alguma coisa incomum.

— Que não estava de acordo com a personalidade dela — ele zomba. — Já faz um ano, ou mais, que ela mal consegue manter uma personalidade. É impossível acompanhá-la. Uma hora está eufórica, outra hora está aos prantos.

— Um ano — digo pensativo. — Desde que ela visitou Blackheath no aniversário da morte de Thomas?

Foi depois daquela visita que ela apareceu na porta da casa de Michael divagando sobre roupas.

— Sim... Talvez — ele diz, puxando o lóbulo da orelha. — Me diga, você não acha que isso tudo fez com que ela surtasse? Eu me refiro à culpa. Isso explicaria por que ela está agindo de um jeito tão esquisito. Talvez esteja reunindo a coragem para finalmente confessar. Certamente faria sentido, considerando o ânimo dela hoje de manhã.

— Por quê? Sobre o que vocês conversaram?

— Ela estava calma, na verdade. Um pouco distante. Falou sobre corrigir as coisas e como ela lamentava eu ter que crescer com vergonha do nome do meu pai. — O seu rosto fica cabisbaixo. — É isso, não é? Ela quer confessar na festa hoje à noite. É por isso que ela teve todo este trabalho de reabrir Blackheath e convidar as mesmas pessoas que estavam naquela festa.

— Talvez — digo, incapaz de deixar a minha dúvida transparecer. — Por que as marcas dos seus dedos estavam na agenda dela? O que você estava procurando?

— Quando eu a pressionei por mais informações, ela me pediu para ver quando seria a reunião dela com o cavalariço. Ela disse que poderia me contar mais depois disso e que eu deveria passar nos estábulos. Eu esperei, mas ela não veio. Procurei por ela o dia todo, mas ninguém a viu. Talvez ela tenha ido à vila.

Eu ignoro isso.

— Me fale sobre o garoto dos estábulos que desapareceu — digo. — Você perguntou sobre ele para o cavalariço.

— Não há nada a dizer, na verdade. Alguns anos atrás eu me embebedei com o inspetor que investigava o assassinato de Thomas. Ele nunca acreditou que o meu pai — Carver, eu digo — cometeu o crime, principalmente porque esse outro garoto, Keith Parker, tinha desaparecido uma semana antes enquanto o meu pai estava em Londres com Lord Hardcastle, e ele não gostou dessa coincidência. O inspetor perguntou por aí pelo garoto, mas não conseguiu nada. Pelo que todos dizem, Parker fugiu sem dar notícia para ninguém e nunca mais voltou. Nunca encontraram um corpo, então não puderam desmentir o boato de que ele tinha fugido.

— Você o conhecia?

— Vagamente, ele às vezes brincava conosco, mas mesmo os filhos dos criados tinham trabalhos para fazer em casa. Ele trabalhava nos estábulos na maior parte do tempo. Nós raramente o víamos.

Percebendo o meu ânimo, ele olha para mim com um ar interrogativo.

— Você acha mesmo que a minha mãe é uma assassina? — ele pergunta.

— É isso que vou precisar da sua ajuda para descobrir — digo. — Sua mãe te deixou aos cuidados da Sra. Drudge, correto? Isso significa que elas eram próximas?

— Muito próximas, a Sra. Drudge era a única pessoa que sabia sobre o meu pai verdadeiro antes de Stanwin descobrir.

— Ótimo, vou precisar de um favor.

— Que tipo de favor?

— Dois favores, na verdade — digo. — Preciso que a Sra. Drudge... Ah!

Eu acabei de alcançar o meu passado. A resposta a uma pergunta que eu estava prestes a fazer já foi dada a mim. Agora preciso garantir que isso aconteça novamente.

Cunningham abana a mão em frente ao meu rosto.

— Você está bem, Rasher? Você parece ter ficado meio estranho.

— Desculpe, meu velho, eu me distraí — digo, afastando sua confusão. — Como eu estava dizendo, eu preciso que a Sra. Drudge esclareça uma coisa para mim, e então vou precisar que você reúna algumas pessoas. Quando terminar, encontre Jonathan Derby e conte tudo o que você descobriu.

— Derby? O que aquele canalha tem a ver com isso?

A porta se abre, Grace põe sua cabeça dentro do quarto, espiando.

— Pelo amor de Deus, por que vocês estão demorando tanto? — ela pergunta. — Se tivermos que esperar mais, vamos ter que preparar um banho para Bell e fingir que somos criados.

— Só mais um minuto — digo, colocando a mão no braço de Cunningham. — Vamos consertar isso, eu prometo. Agora preste bem atenção, isto é importante.

49

O saco de algodão tilinta enquanto caminhamos, o seu peso conspira com o chão acidentado para me fazer tropeçar continuamente. Grace contorce o rosto em solidariedade a cada vacilo meu.

Cunningham correu para fazer o meu favor, Grace recebendo a sua partida repentina com um silêncio perplexo. Sinto vontade de explicar, mas Rashton conhece essa mulher bem o bastante para saber que isso não é o esperado. Dez minutos depois de Donald Davies ter apresentado à sua grata família o homem que salvou sua vida durante a guerra, ficou claro para qualquer pessoa com olhos e um coração que Jim Rashton e Grace Davies estariam casados um dia. Sem temer suas diferentes origens, eles passaram aquele primeiro jantar construindo uma ponte de farpas carinhosas e perguntas investigativas, o amor desabrochando nos dois lados de uma mesa cheia de talheres que Rashton não sabia identificar. O que nasceu naquele dia só cresceu desde então, os dois passando a habitar um mundo criado por eles próprios. Grace sabe que vou contar a história quando ela estiver concluída, quando estiver apoiada por fatos fortes o bastante para sustentar o relato. Enquanto isso, caminhamos juntos em um silêncio companheiro, felizes por estarmos na companhia um do outro.

Estou usando minhas soqueiras após mencionar vagamente uma ameaça dos cúmplices de Bell e do Doutor Dickie. É uma mentira frágil, mas é o suficiente para manter Grace de olhos bem abertos, a jovem mulher fitando desconfiada cada folha pingando. Assim nos deparamos com o poço, com Grace afastando um galho de árvore para que eu possa aparecer na clareira sem ser atrapalhado. Eu imediatamente deixo cair o saco no poço, onde ele atinge o fundo com um tremendo estrondo.

Balançando meus braços, tento expulsar a dor dos meus músculos, enquanto Grace observa a escuridão do poço.

— Algum desejo? — ela pergunta.

— Que eu não tenha que carregar o saco de volta — digo.

— Meu Deus, isso funciona mesmo — ela diz. — Você acha que eu posso fazer mais um desejo?

— Isso me parece trapaça.

— Bom, ninguém usa isso há anos, provavelmente tem alguns sobrando.

— Posso fazer uma pergunta? — eu rebato.

— Nunca achei que você seria tímido na hora de perguntar — ela diz, inclinando-se tão fundo no poço que seus pés estão no ar.

— Na manhã do assassinato de Thomas, quando você participou da caça ao tesouro, quem estava com você?

— Por favor, Jim, isso foi há dezenove anos — ela diz, a voz abafada pelas pedras.

— Charles estava lá?

— Charles? — ela retira a cabeça do poço. — Sim, é provável.

— Provavelmente ou certamente? É importante, Grace.

— Eu estou vendo — ela diz, afastando-se do poço e limpando as mãos. — Ele fez algo errado?

— Eu realmente espero que não.

— Eu também — ela diz, refletindo a minha preocupação. — Deixe eu me lembrar. Espere um pouquinho, sim, ele estava lá! Ele roubou um bolo de frutas inteiro da cozinha, lembro que ele deu um pedaço para mim e para o Donald. Deve ter deixado a Sra. Drudge furiosa.

— E Michael Hardcastle, ele estava lá?

— Michael? Pois eu não sei...

Uma mão sobe para um cacho de cabelo, enrolando-o no dedo enquanto ela pensa. É um gesto familiar, que enche Rashton de um amor tão irresistível que é quase o suficiente para me pôr de lado completamente.

— Ele estava na cama, eu acho — ela diz finalmente. — Doente com uma coisa ou outra, uma destas coisas de criança.

Ela pega a minha mão com as suas, prendendo-me naqueles lindos olhos azuis.

— Você está fazendo alguma coisa perigosa, Jim? — ela pergunta.

— Sim.

— Está fazendo pelo Charles?

— Em parte.

— E você vai me contar?

— Sim, quando eu souber o que precisa ser dito.

Ficando na ponta dos pés, ela beija o meu nariz.

— Então é melhor você ir andando — ela diz, limpando o batom da minha pele. — Eu sei como você é quando tem que desenterrar um osso. Você não vai sossegar até encontrar.

— Obrigado.

— Agradeça com a história, e faça isso logo.

— Vou fazer — digo.

É Rashton quem a beija agora. Quando arranco este corpo de volta dele, fico corado e constrangido, Grace sorri para mim com um brilho pecaminoso em seus olhos. É tudo o que posso fazer para deixá-la ali, mas, pela primeira vez desde que isso começou, tenho minhas mãos na verdade e, se não cravar os dedos, temo que ela irá escapar. Preciso falar com Anna.

Eu sigo o caminho de pedras fazendo a volta pelos fundos da portaria, sacudindo a chuva do meu sobretudo antes de pendurá-lo no cabide da cozinha. Os passos ecoam pelo piso, batimentos cardíacos na madeira. Um burburinho vem da sala de estar à minha direita, o lugar onde Dance e seus camaradas reuniram-se com Peter Hardcastle hoje de manhã. Minha primeira dedução é que um deles retornou, mas, ao abrir a porta, encontro Anna sobre Peter Hardcastle, que está caído na mesma cadeira onde eu o encontrei antes.

Ele está morto.

— Anna — digo em voz baixa.

Ele vira-se para me cumprimentar, o choque em seu rosto.

— Eu ouvi um barulho e desci aqui... — ela diz, gesticulando para o corpo. Ao contrário de mim, ela não passou o dia caminhando em meio a sangue, e encontrar um corpo teve um forte impacto sobre ela.

— Por que você não vai lavar o rosto? — digo, tocando-a delicadamente no braço. — Vou dar uma olhada.

Ela acena agradecida com a cabeça, lançando um último olhar demorado ao corpo antes de sair às pressas da sala. Não posso dizer que a culpo. Os traços faciais dele, antes bonitos, estão assustadoramente retorcidos, seu olho direito mal se abre, seu olho esquerdo está completamente exposto. Suas mãos agarram-se aos braços da cadeira, as suas costas estão arqueadas dolorosamente. O que quer que tenha acontecido aqui levou sua dignidade e sua vida ao mesmo tempo.

Meu primeiro pensamento seria o de um ataque cardíaco, mas os instintos de Rashton me fazem ser cauteloso.

Eu estendo a mão para fechar seus olhos, mas não consigo tocá-lo. Com tão poucos hospedeiros, prefiro não atrair o olhar da morte para mim.

Há uma carta dobrada saindo do bolso de seu paletó. Pegando-a, eu leio a mensagem.

Não poderia me casar com Ravencourt e não poderia perdoar a minha família por me forçar a me casar com ele. Eles provocaram isso para si mesmos.

Evelyn Hardcastle

Uma corrente de ar sopra de uma janela aberta. A lama mancha a esquadria, dando a entender que alguém escapou por ela. Praticamente o único sinal de desordem que posso ver é uma gaveta que foi deixada aberta. É aquela na qual mexi quando fui Dance, e a agenda de Peter não está ali. Primeiro alguém arrancou uma página da agenda de Helena e agora levaram a agenda de Peter. Algo que Helena fez hoje vale cometer um assassinato para encobrir. Isso é uma informação útil. Hedionda, mas útil.

Guardando a carta em meu bolso, coloco a cabeça para fora da janela, procurando por alguma evidência da identidade do assassino. Não há muito para se ver, com exceção de algumas pegadas na terra que já começam a ser enxaguadas pela chuva. Considerando o formato e o tamanho, quem fugiu da portaria era uma mulher usando botas de salto, o que pode dar alguma credibilidade à mensagem, não fosse o fato de eu saber que Evelyn está com Bell.

Ela não poderia ter feito isso.

Me sento em frente a Peter Hardcastle, como Dance fez hoje de manhã. Apesar da hora tardia, a lembrança desse encontro ainda paira na sala. Os copos que bebemos não foram retirados da mesa e a fumaça do charuto permanece no ar. Hardcastle veste as mesmas roupas da última vez que o vi, o que significa que ele nunca se trocou para a caçada, então é provável que ele esteja morto há algumas horas. Um por um, coloco meu dedo no resto das bebidas, provando cada uma delas com a ponta da língua. Estão boas, exceto pela bebida de Lord Hardcastle. Por trás do defumado uísque, há um gosto amargo sutil.

Rashton o reconhece imediatamente.

— Estricnina — digo, olhando para o rosto contorcido e sorridente da vítima. Ele parece encantado com as notícias, como se estivesse sentado aqui todo esse tempo esperando que alguém lhe contasse como ele morreu. Provavelmente também gostaria de saber quem o matou. Tenho uma ideia quanto a isso, mas no momento é apenas uma ideia.

— Ele está lhe indicando algo? — Anna pergunta, passando-me uma toalha.

Ela ainda está um pouco pálida, mas sua voz é mais forte, dando a entender que ela está recuperada de seu choque inicial. Mesmo assim, ela mantém distância do cadáver, os braços apertados ao redor do corpo.

— Alguém o envenenou com estricnina — digo. — Bell forneceu o veneno.

— Bell? O seu primeiro hospedeiro? Você acha que ele está envolvido nisso?

— Não por vontade própria — digo, secando meus cabelos. — Ele é covarde demais para se envolver num assassinato. A estricnina é normalmente vendida em pequenas quantidades como veneno de rato. Se o assassino for alguém da casa, poderia pedir uma quantia significativa sob a prerrogativa de manter Blackheath em ordem. Bell não teria motivo para desconfiar até os corpos começarem a aparecer. Isso provavelmente explica por que alguém tentou matá-lo.

— Como você sabe tudo isso? — Anna pergunta, desconcertada.

— Rashton sabe — digo, batendo na minha testa. — Ele trabalhou num caso envolvendo estricnina há alguns anos. Um negócio sórdido. Questão de herança.

— E você simplesmente... se lembra?

Eu concordo com a cabeça, ainda pensando nas implicações do envenenamento.

— Alguém atraiu Bell para a floresta na noite passada com a intenção de silenciá-lo — digo a mim mesmo. — Mas o médico conseguiu escapar com apenas ferimentos nos braços, despistando seu algoz na escuridão. É um sujeito sortudo.

Anna olha para mim de um jeito estranho.

— O que houve? — pergunto, franzindo o rosto.

— É o jeito como você está falando. — Ela hesita — Não era... Eu não reconheci você. Aiden, o quanto de *você* ainda está aí dentro?

— O suficiente — digo impaciente, entregando-lhe a carta que encontrei no bolso de Hardcastle. — Você precisa ver isso. Alguém quer nos fazer acreditar que é obra de Evelyn. O assassino está tentando deixar tudo bem amarrado.

Ela desvia o olhar do meu rosto e lê a carta.

— E se nós estivermos olhando para tudo isso de um jeito totalmente errado? — ela pergunta após terminar a leitura. — E se alguém quer apagar toda a família Hardcastle e Evelyn for apenas a primeira?

— Você acha que Helena está se escondendo?

— Se ela tiver algum juízo, é exatamente isso que ela está fazendo.

Deixo a minha mente refletir sobre a ideia por um tempo, tentando vê-la por todos os ângulos. Ou pelo menos eu tento. É muito pesada. Muito grave. Não consigo ver o que poderia estar do outro lado.

— O que vamos fazer depois? — ela pergunta.

— Eu preciso que você diga a Evelyn que o mordomo está acordado e que ele precisa falar com ela em particular — eu digo, ficando em pé.

— Mas o mordomo não está acordado, e ele não quer falar com ela.

— Não, mas eu quero, e eu prefiro ficar longe da mira do lacaio, se puder.

— Claro, eu vou falar com ela, mas você precisa cuidar do mordomo e de Gold em meu lugar — ela diz.

— Vou fazer isso.

— E o que você vai dizer a Evelyn quando ela vier aqui?

— Vou dizer a ela como ela vai morrer.

50

São cinco horas e quarenta e dois minutos e Anna ainda não retornou.

Já se passaram três horas desde que ela saiu. Três horas de inquietação e preocupação, a espingarda em meu colo, pulando para minhas mãos com o menor ruído, tornando-a uma presença quase constante em meus braços. Não sei como Anna conseguiu.

Este lugar nunca está em sossego. O vento entra arranhando pelas frestas das janelas, uivando pelo corredor. A madeira range, as tábuas do assoalho esticam-se, mexendo-se sob o próprio peso como se a portaria fosse um velho homem tentando se erguer da cadeira. De tempos em tempos ouço passos se aproximarem, para então abrir a porta e ver que fui enganado pelas batidas de uma veneziana frouxa ou de um galho de árvore raspando na janela.

Mas esses barulhos pararam de provocar qualquer reação em mim, pois não acredito mais que minha amiga voltará. Depois de uma hora na minha vigília, eu me tranquilizei dizendo que ela estava simplesmente lutando para localizar Evelyn após seu passeio com Bell. Depois de duas horas, concluí que ela poderia estar cumprindo tarefas — uma teoria que tentei confirmar ao reconstruir o seu dia com base em nossos encontros anteriores. Segundo o seu relato, ela encontrou Gold primeiro, Derby na floresta, e então Dance, depois de me buscar no sótão. Após isso, ela falou com o mordomo pela primeira vez na carruagem no caminho para cá, deixou um bilhete para Bell na cabana do cavalariço e procurou Ravencourt em seu gabinete. Houve outra conversa com o mordomo depois disso, mas não a vi novamente até o lacaio atacar Dance à noite.

Por seis dias ela tem desaparecido às tardes, e eu não percebi.

Agora, passando minha terceira hora neste quarto, a escuridão pressionando contra o vidro, tenho certeza de que ela está em apuros e de que o lacaio está à espreita por trás disso. Ao vê-la com o nosso inimigo, sei que está viva, embora isso seja um consolo escasso. O que o lacaio fez com Gold arruinou a sua mente e não consigo suportar a ideia de Anna passar por um tormento semelhante.

Com a espingarda na mão, eu ando de um lado do quarto para o outro, tentando superar o meu pavor por tempo suficiente para engendrar um plano. O mais fácil seria esperar aqui, sabendo que o lacaio virá atrás do mordomo, no fim das contas, mas, se eu fizer isso, desperdiçarei as horas necessárias para solucionar o assassinato de Evelyn. E qual é o sentido de salvar Anna se não consigo libertá-la desta casa? Por mais desesperado que eu me sinta, preciso primeiro me dedicar a Evelyn e ter a confiança de que Anna cuidará de si mesma enquanto faço isso.

O mordomo geme, seus olhos abrem-se tremelicando.

Por um momento, nós simplesmente olhamos um para o outro, trocando culpa por confusão.

Ao deixar o mordomo e Gold desprotegidos, estou condenando-os à loucura e à morte, mas não vejo outra saída.

Quando ele volta a dormir, deixo a espingarda na cama ao seu lado. Eu o vi morrer, mas não preciso aceitar isso. Minha consciência exige que eu lhe dê uma chance de lutar, pelo menos.

Apanhando o meu sobretudo da cadeira, eu parto em direção a Blackheath sem olhar para trás. O quarto bagunçado de Evelyn está exatamente como eu o deixei, o fogo queima tão baixo que quase não há luz para enxergar. Acrescentando um pouco de lenha, começo a minha busca.

Minha mão está tremendo, embora desta vez não seja o desejo de Derby agindo, e sim o meu próprio entusiasmo. Se eu encontrar o que estou procurando, saberei quem é responsável pela morte de Evelyn. A liberdade estará ao alcance das minhas mãos.

Derby pode ter revistado o quarto anteriormente, mas ele não tinha nem o treinamento de Rashton, nem a sua experiência. As mãos do policial imediatamente buscam locais de esconderijo atrás de armários e ao redor da cama, meus pés tateiam as tábuas do assoalho procurando algo solto. Mesmo assim, depois de uma busca minuciosa, saio de mãos vazias.

Não há nada.

Dando a volta, meus olhos varrem o mobiliário, procurando por algo que deixei passar. Não posso estar errado sobre o suicídio, nenhuma outra explicação faz sentido. É quando o meu olhar ilumina uma peça de tapeçaria ocultando a porta contígua ao quarto de Helena. Pegando uma lamparina a óleo, eu passo pela porta, repetindo minha busca.

Minhas esperanças já estão quase no fim quando levanto o colchão da cama e encontro um saco de pano amarrado a uma das barras. Afrouxando o cordão, encontro duas armas dentro. Uma delas é uma inofensiva pistola de festim, símbolo das festas de vilarejos em todos os lugares. O outro é o revólver preto que Evelyn pegou no quarto de sua mãe, o que ela tinha na floresta hoje de manhã e que levará para o cemitério hoje à noite. Está carregado. Falta uma única bala no tambor. Há também uma ampola de sangue e uma pequena seringa com um líquido claro.

Meu coração bate forte.

— Eu tinha razão — murmuro.

É o movimento das cortinas que salva a minha vida.

A brisa da porta aberta toca o meu pescoço um instante antes de passos soarem atrás de mim. Jogando-me ao chão, ouço uma faca cortar o ar. Rolando sobre as minhas costas, eu levanto o revólver a tempo de ver o lacaio fugir pelo corredor.

Deixando a minha cabeça cair sobre o assoalho, repouso a arma sobre minha barriga e agradeço aos céus. Se eu tivesse percebido um segundo depois, tudo estaria acabado.

Eu me dou a chance de recuperar o fôlego e depois fico em pé, colocando de volta as duas armas e a seringa na bolsa, mas levando a ampola de sangue. Saindo cautelosamente do quarto, pergunto por Evelyn até que alguém me aponta para o salão de baile, que está ecoando com um barulho alto, um palco sendo finalizado por construtores. A porta dupla foi aberta na esperança de evacuar os vapores da tinta e a poeira, as empregadas varrendo a sua juventude junto com a sujeira do chão.

Eu localizo Evelyn ao lado do palco falando com o maestro da banda. Ela ainda está com o vestido verde que usou durante o dia, mas Madeline Aubert está atrás dela com uma boca cheia de alfinetes, fincando-os apressadamente em mechas de cabelo que escapam, tentando criar o modelo que ela usará hoje à noite.

— Srta. Hardcastle — eu chamo, atravessando o salão.

Dispensando o maestro com um sorriso amigável e um aperto em seu braço, ela se vira para mim.

— Evelyn, por favor — ela diz, estendendo a mão. — E você é?

— Jim Rashton.

— Ah, sim, o policial — ela diz, o sorriso desaparecendo. — Está tudo bem? Você está um pouco corado.

— Não estou acostumado com todo o agito da alta sociedade — digo. Eu aperto a mão dela suavemente, surpreso com o quão fria ela é.

— Como posso lhe ajudar, Sr. Rashton? — ela pergunta.

A sua voz é reservada, quase irritada. Eu me sinto como um inseto esmagado que ela encontrou na sola do seu sapato.

Assim como Ravencourt, fico impressionado com o desdém com que Evelyn se arma. De todos os truques de Blackheath, ser exposto a cada faceta desagradável de uma pessoa que uma vez consideramos amiga com certeza é o mais cruel.

O pensamento me faz hesitar.

Evelyn foi boa para Bell, e a memória daquela bondade me motivou desde então, mas o Médico da Peste disse que experimentou diferentes combinações de hospedeiros ao longo de muitos ciclos diferentes. Se Ravencourt fosse o meu primeiro hospedeiro, como certamente ele foi, em algum momento, eu não saberia nada sobre Evelyn além do seu desprezo. Derby provocou apenas raiva, e duvido que ela dispensaria qualquer gentileza para criados como o mordomo ou Gold. Isso significa que houve ciclos nos quais assisti a essa mulher morrer e não senti quase nada, tendo como única preocupação resolver o assassinato em vez de tentar desesperadamente evitá-lo.

Eu quase os invejo.

— Posso falar com você — eu olho para Madeline — em particular?

— Estou realmente muito ocupada — ela diz. — Sobre o que seria?

— Eu prefiro falar em particular.

— E eu prefiro terminar de arrumar o salão antes de cinquenta pessoas chegarem aqui e ver que não há lugar nenhum para dançar — ela diz, mordaz. — Você deve imaginar para qual preferência eu dou um peso maior.

Madeline sorri e prende mais uma mecha do cabelo solto de Evelyn no lugar.

— Ótimo — digo, apresentando a ampola de sangue que encontrei no saco de pano. — Vamos falar sobre isso.

É como se eu tivesse dado um tapa em seu rosto, mas o choque some da sua face tão rapidamente que tenho dificuldade em crer que alguma vez esteve lá.

— Vamos terminar isso depois, Maddie — Evelyn diz, encarando-me com um olhar frio. — Vá lá embaixo na cozinha fazer um lanche.

O olhar de Madeline é igualmente desconfiado, mas ela põe os alfinetes no avental antes de fazer uma cortesia e se retirar do salão.

Pegando o meu braço, Evelyn me leva para o canto do salão, longe dos ouvidos dos criados.

— O senhor tem o hábito de mexer nos pertences dos outros, Sr. Rashton? — ela pergunta, pegando um cigarro.

— Ultimamente, sim — digo.

— Talvez o senhor precise de um hobby.

— Eu tenho um hobby, estou tentando salvar sua vida.

— Minha vida não precisa ser salva — ela diz com frieza. — Talvez o senhor devesse tentar jardinagem.

— Ou talvez eu deveria forjar um suicídio para não ter que me casar com Lord Ravencourt? — digo, parando para desfrutar o colapso da sua expressão arrogante. — Parece que isso está lhe mantendo ocupada ultimamente. É muito inteligente; infelizmente, alguém vai usar esse falso suicídio para lhe assassinar, o que é muito mais inteligente.

Sua boca está aberta, seus olhos azuis estão revoltados com a surpresa.

Desviando o olhar, ela tenta acender o cigarro entre seus dedos, mas sua mão está tremendo. Eu pego o fósforo dela e acendo eu mesmo, o fogo chamuscando a ponta dos meus dedos.

— Quem lhe deixou a par disso? — ela sussurra.

— Do que você está falando?

— Meu plano — ela diz, tirando a ampola de sangue da minha mão. — Quem contou para você?

— Por quê? Quem mais está envolvido? — eu pergunto. — Sei que você convidou uma mulher chamada Felicity para a casa, mas ainda não sei quem ela é.

— Ela é... — Ela balança a cabeça. — Nada, eu nem deveria estar falando com você.

Ela se vira em direção à porta, mas eu a pego pelo pulso, puxando-a de volta com um pouco mais de força do que era minha intenção. A raiva faísca em seu rosto e eu imediatamente a solto, erguendo minhas mãos.

— Ted Stanwin me contou tudo — digo desesperado, tentando evitar que ela saia intempestivamente do salão.

Preciso de uma explicação plausível para as coisas que sei, e Derby ouviu Stanwin e Evelyn discutir hoje de manhã. Se eu tiver muita sorte, há o dedo do chantagista nisso tudo. Não é sonhar alto demais. O dedo dele está em tudo mais que aconteceu hoje.

Evelyn está parada, vigilante, como um cervo na floresta que acabou de ouvir um galho estalar.

— Ele disse que você planejava se matar no espelho d'água hoje à noite, mas isso não faz sentido — eu sigo em frente, confiando na formidável reputação de Stanwin para vender a história. — Perdoe-me a minha indelicadeza, Srta. Hardcastle, mas, se quisesses realmente terminar com sua vida, já estaria morta, e não fazendo as vezes de anfitriã zelosa para as pessoas que você despreza. Minha segunda teoria é que você queria que todos vissem acontecer, mas então por que não fazer no salão de baile, durante a festa? Não conseguia entender até que eu fiquei à beira do espelho d'água e percebi como ele era escuro, como poderia ocultar facilmente algo que fosse jogado ali.

O desprezo brilha em seus olhos.

— E o que você quer, Sr. Rashton? Dinheiro?

— Estou tentando lhe ajudar — insisto. — Sei que você planeja ir ao espelho d'água às onze da noite, empurrar um revólver contra a barriga e cair na água. Sei que você não vai puxar o gatilho do revólver preto e que uma pistola de festim vai fazer o barulho de tiro que todos vão ouvir, assim como eu sei que você planeja jogar a pistola de festim na água quando terminar. A ampola de sangue vai estar pendurada em um longo cordão no seu pescoço e vai se romper quando você o atingir com o revólver, o que vai causar o derramamento de sangue. O meu palpite é que a seringa que eu achei no saco está cheia de uma combinação de relaxante muscular e sedativo para ajudá-la a fingir-se de morta, facilitando para que o Doutor Dickie — o qual eu imagino estar sendo muito bem remunerado por todo esse trabalho — torne oficial a certidão de óbito, evitando a necessidade de um desagradável inquérito. Imagina-se que uma ou duas semanas depois da sua morte, você vai estar de volta na França desfrutando de uma boa taça de vinho branco.

Algumas empregadas carregam baldes de água suja em direção às portas, suas fofocas chegam a um final abrupto quando percebem nossa presença. Elas passam com reverências incertas, Evelyn me leva mais para o canto.

Pela primeira vez, vejo medo em seu rosto.

— Eu admito que não quero me casar com Ravencourt e sabia que não podia impedir que a minha família me obrigasse a isso a menos que eu desaparecesse, mas por que alguém iria querer me matar? — ela pergunta, o cigarro ainda tremendo em sua mão.

Eu estudo o seu rosto procurando uma mentira, mas eu poderia estar apontando um microscópio para um nevoeiro. Esta mulher está mentindo para todo mundo há dias. Eu não reconheceria a verdade mesmo se ela conseguisse escapar dos seus lábios.

— Tenho algumas suspeitas, mas preciso de provas — digo. — É por isso que eu preciso que você leve o seu plano adiante.

— Levar adiante, você está louco? — ela exclama, abaixando a voz quando todos os olhos se voltam na nossa direção. — Por que eu levaria isso adiante depois do que você me contou?

— Por que você não estará segura até nós revelarmos os conspiradores, e para isso precisamos que eles acreditem que o plano deles deu certo.

— Eu vou estar segura quando eu estiver a mais de cem quilômetros daqui.

— E como vai chegar lá? — eu pergunto. — O que vai acontecer se o chofer da carruagem for parte do esquema, ou um criado? Os cochichos voam nesta casa, e, quando o assassino ouvir falar que você está tentando ir embora, ele vai levar o plano adiante e matar você. Pode acreditar em mim, fugir só vai atrasar o inevitável. Eu posso dar um fim nisso aqui e agora, mas só se você mantiver o plano. Aponte uma arma para a barriga e se finja de morta por meia hora. Quem sabe, você pode até continuar morta e escapar de Ravencourt conforme o planejado.

Ela está com a mão pressionando a testa, os olhos fechados com força num esforço de concentração. Quando ela fala novamente, é com uma voz mais calma, de certa forma mais vazia.

— Eu estou entre a cruz e a espada, não estou? — ela diz. — Ótimo, eu vou fazer, mas tem uma coisa que eu preciso saber primeiro. Por que você está me ajudando, Sr. Rashton?

— Eu sou um policial.

— Sim, mas não é santo e somente um santo se envolveria com isso.

— Então considere isso um favor a Sebastian Bell — digo.

A surpresa suaviza a expressão em seu rosto.

— Bell? Mas o que o médico tem a ver com isso?

— Eu ainda não sei, mas ele foi atacado ontem à noite e duvido que seja uma coincidência.

— Talvez, mas por que isso é da sua conta?

— Ele quer ser uma pessoa melhor — digo. — É uma coisa rara nesta casa. Eu admiro isso.

— Eu também — ela diz, parando para avaliar o homem à sua frente. — Ótimo, me diga qual é o seu plano, mas primeiro quero a sua palavra de que eu estarei a salvo. Estou colocando a minha vida em suas mãos, e isso não é algo que eu vou aceitar sem uma garantia.

— Como você sabe que minha palavra vale alguma coisa?

— Eu estive perto de homens indignos durante toda a minha vida — ela diz com simplicidade. — Você não é um deles. Agora, me dê sua palavra.

— Você tem a minha palavra.

— E uma bebida — ela continua. — Vou precisar de um pouco de coragem para fazer isso.

— Mais do que um pouco — digo. — Quero que você faça amizade com Jonathan Derby. Ele tem a pistola de prata de que vamos precisar.

51

O jantar está sendo servido, os convidados ocupam os seus lugares à mesa enquanto eu me abaixo nos arbustos perto do espelho d'água. É cedo, mas meu plano depende de ser a primeira pessoa a alcançar Evelyn quando ela sair da casa. Não posso correr o risco do passado me dar uma rasteira.

A chuva goteja das folhas, gelada em meu rosto.

O vento agita-se, minhas pernas ficam com cãibras.

Mudando de posição sob meu peso, percebo que não comi e nem tomei nada o dia inteiro, o que não é uma preparação ideal para a noite que se aproxima. Estou tonto e, sem nada para me distrair, posso sentir cada um dos meus hospedeiros prensados um contra o outro dentro da minha cabeça. Suas lembranças povoam as extremidades da minha mente, o peso delas é quase insuportável. Quero tudo o que eles querem. Sinto as suas dores e torno-me medroso pelos seus medos. Não sou mais um homem, sou um coro.

Alheios à minha presença, dois criados saem da casa, os braços carregados de madeira para os braseiros, lamparinas penduradas em suas cintas. Um por um, eles acendem os braseiros, desenhando uma linha de fogo na noite escura como breu. O último está ao lado da estufa, as chamas refletem nos painéis de vidro de tal forma que toda a construção parece estar em chamas.

Enquanto o vento uiva e as árvores derramam água, Blackheath bruxuleia e altera-se, acompanhando os convidados ao passo em que eles saem da sala de jantar para os seus quartos e finalmente para o salão de baile, onde a banda assumiu o palco e os convidados da noite aguardam. Os criados abrem a porta dupla, a música explode para fora, tombando pelo chão em direção à floresta.

— Agora você os vê como eu vejo — diz o Médico da Peste com uma voz baixa. — Atores em uma peça, fazendo a mesma coisa noite após noite.

Ele está parado atrás de mim, em grande parte ocultado pelas árvores e pelos arbustos. Sob a luz incerta do braseiro, sua máscara parece flutuar na escuridão tentando livrar-se do seu corpo.

— Você contou ao lacaio sobre Anna? — eu sussurro.

Isso está exigindo cada dose de autocontrole que possuo para não saltar em cima dele e esganá-lo.

— Não tenho interesse em nenhuma dessas pessoas — ele diz impassível.

— Eu te vi do lado de fora da portaria com Daniel, e então novamente no lago, e agora Anna está desaparecida — digo. — Você contou para ele onde encontrá-la?

Pela primeira vez, o Médico da Peste soa incerto.

— Eu posso lhe garantir que não estava em nenhum desses locais, Sr. Bishop.

— Eu te vi — digo rosnando. — Você falou com ele.

— Não era... — ele hesita e, quando fala novamente, há um lampejo de compreensão na sua voz. — Então é assim que ele faz. Eu me perguntava como ele sabia tanto.

— Daniel mentiu para mim desde o início, e você guardou o segredo dele.

— Não é a minha função interferir. Eu sabia que você descobriria a verdade sobre ele no fim.

— Então por que avisá-lo sobre Anna?

— Porque eu fiquei preocupado que você não a avisaria.

A música para bruscamente e, consultando meu relógio, percebo que faltam alguns minutos para as onze da noite. Michael Hardcastle interrompeu a orquestra para perguntar se alguém viu sua irmã. Há uma movimentação ao lado da casa, a escuridão agita a escuridão enquanto Derby assume seu lugar na pedra, seguindo as instruções de Anna.

— Eu não estava naquela clareira, Sr. Bishop, eu juro — diz o

Médico da Peste. — Explicarei tudo em breve, mas, no momento, tenho que fazer a minha própria investigação.

Ele parte rapidamente, deixando apenas perguntas em seu rastro. Se este fosse qualquer outro hospedeiro, eu sairia correndo atrás dele, mas Rashton é uma criatura mais sutil, lenta para assustar, rápida para pensar. No momento, Evelyn é minha única preocupação. Eu deixo o Médico da Peste fora dos meus pensamentos e me aproximo do espelho d'água. Felizmente, as folhas e galhos estão tão desmoralizados pela chuva que caiu mais cedo que não têm a coragem de gritar sob os meus pés.

Evelyn está se aproximando, soluçando, procurando por mim nas árvores. Qualquer que seja o seu envolvimento nisto, ela está claramente com medo, o seu corpo todo treme. Já deve ter tomado o relaxante muscular, pois bamboleia ligeiramente, como se fosse movida por uma música que apenas ela pode ouvir.

Eu balanço um arbusto nas proximidades para avisá-la que eu estou aqui, mas a droga está fazendo efeito, e ela mal consegue ver, muito menos me encontrar na escuridão. Mesmo assim, ela continua caminhando, a pistola de prata cintilando na sua mão direita e a pistola de festim na esquerda. Está pressionada contra a sua perna, onde não pode ser vista.

Ela tem coragem, isso eu admito.

Chegando à beira do espelho d'água, Evelyn hesita, e, sabendo o que vem depois, penso se talvez a pistola de prata não é muito pesada para ela agora, o peso do seu plano sendo demais.

— Que Deus nos ajude — ela diz, calma, virando a arma para o estômago e puxando o gatilho da pistola de festim em sua perna.

O tiro é tão alto que faz um estalo no mundo, a pistola de festim desliza da mão de Evelyn e cai na água negra como tinta do espelho d'água ao mesmo tempo em que a pistola de prata toca a grama.

O sangue se espalha pelo seu vestido.

Ela olha, confusa, e então tomba na água.

A angústia me paralisa, uma combinação do disparo e do semblante de Evelyn ao cair desloca uma antiga lembrança.

Você não tem tempo para isso.

Está tão perto. Posso quase ver outro rosto, ouvir outra súplica. Outra mulher que não consegui salvar, que me fez vir a Blackheath para... fazer o quê?

— Por que eu vim aqui? — eu balbucio em voz alta, lutando para resgatar a lembrança da escuridão.

Vá salvar Evelyn, ela está se afogando!

Piscando os olhos, eu olho para o espelho d'água, onde Evelyn flutua com o rosto para baixo. O pânico elimina a dor e eu me coloco em pé, saltando pelos arbustos e entrando na água gelada. Seu vestido se alastrou pela superfície, tão pesado quanto um saco encharcado, e a base do espelho d'água está coberta de um musgo escorregadio.

Não consigo ter qualquer contato com o seu corpo.

Há uma agitação no salão de baile. Derby briga com Michael Hardcastle, chamando quase tanta atenção quanto a mulher moribunda na água.

Os fogos de artifício espocam no ar, manchando tudo com luz vermelha, lilás, amarela e laranja.

Eu coloco meus braços em volta do torso de Evelyn, erguendo-a para fora da água e colocando-a sobre a grama.

Prostrado na lama, eu recupero o meu fôlego, verificando se Cunningham segurou Michael firme, conforme pedi para ele fazer.

Ele segurou.

O plano está funcionando. Não graças a mim. A antiga lembrança que o barulho do tiro despertou quase me paralisou. Outra mulher e outra morte. Foi o medo no rosto de Evelyn. Foi o que causou. Eu reconheci aquele medo. Foi o que me trouxe a Blackheath, tenho certeza disso.

O Doutor Dickie corre até mim. Ele está corado, ofegante, uma fortuna incendiando-se atrás dos olhos. Evelyn me contou que ele havia sido pago para forjar a certidão de óbito. O jovial mercenário tem um império do crime a todo vapor.

— O que aconteceu? — ele pergunta.

— Ela disparou a arma contra o estômago — respondo, vendo a esperança desabrochar em seu rosto. — Vi tudo acontecer, mas não pude fazer nada.

— Você não deve se culpar. — Ele bate no meu ombro. — Escute, por que não pega um conhaque enquanto eu a examino? Pode deixar que eu assumo, certo?

Enquanto ele se ajoelha ao lado do corpo, eu recolho a pistola de prata do chão e vou até Michael, que ainda está sendo imobilizado por Cunningham. Olhando para os dois, não imaginaria ser possível. Michael é baixo e atarracado, um touro amarrado pelos braços de Cunningham, que são como cordas. Mesmo assim, a contorção de Michael está apenas intensificando o aperto de Cunningham. Um pé-de-cabra e um cinzel não poderiam libertá-lo neste momento.

— Eu sinto muito, Sr. Hardcastle — digo, pousando uma mão solidária no braço do homem que se debate. — Sua irmã se suicidou.

A luta dele cessa quase que imediatamente, lágrimas se acumulam em seus olhos enquanto seu olhar angustiado mira o espelho d'água.

— Você não tem como saber disso — ele diz, se esforçando para ver atrás de mim. — Ela ainda pode estar...

— O médico confirmou, eu sinto muito — digo, pegando a pistola de prata do meu bolso e colocando-a na palma da sua mão. — Ela usou essa arma, você a reconhece?

— Não.

— Bom, você deveria ficar com ela por enquanto — eu sugiro. — Pedi para alguns lacaios levarem o corpo dela para o solário, longe de... — Eu gesticulo para o grupo reunido — Bom, todos aqui. Se você quiser ficar alguns minutos a sós com sua irmã, posso providenciar.

Ele está olhando fixamente para a pistola, emudecido, como se tivesse recebido um objeto do futuro distante.

— Sr. Hardcastle?

Sacudindo a cabeça, seus olhos vazios encontram os meus.

— O quê... Sim, claro — ele diz, os dedos fechando-se em volta da arma. — Obrigado, inspetor.

— Sou só um policial, senhor — digo, chamando Cunningham com um aceno.

— Charles, você poderia acompanhar o Sr. Hardcastle ao solário? Não o deixe ficar perto das multidões.

Cunningham atende ao meu pedido com um breve assentimento, colocando a mão nas costas de Michael e guiando-o gentilmente em direção à casa. Não é a primeira vez que fico feliz de ter o valete do meu lado. Ao vê-lo partir, sinto uma pontada de tristeza por esta ser provavelmente a última vez em que nos encontraremos. Em meio a toda a desconfiança e às mentiras, eu acabei me afeiçoando a ele nessa semana que passou.

Dickie terminou seu exame, o velho vai se colocando lentamente em pé. Sob seu olhar atento, os lacaios carregam o corpo de Evelyn para uma maca. Ele veste a sua tristeza como um terno alugado. Eu não sei como não vi isso antes. Isso é assassinato como uma pantomima e em todos os lugares que eu olho a cortina está se mexendo.

Enquanto Evelyn é erguida do chão, eu corro pela chuva até o solário, no lado mais distante da casa, entrando pela porta dupla que destranquei antes e escondendo-me atrás de um biombo oriental. A avó de Evelyn me observa da pintura sobre a lareira. Na luz bruxuleante, eu poderia jurar que ela está sorrindo. Talvez ela saiba o que eu sei. Talvez sempre soube e foi forçada a assistir dia após dia enquanto o resto de nós errávamos aqui, alheios à verdade.

Não surpreende que ela estivesse fazendo uma careta antes.

A chuva bate nas janelas enquanto os lacaios chegam com a maca. Eles se movem devagar, tentando não balançar o corpo que agora está coberto pelo paletó de Dickie. Em pouquíssimo tempo eles já estão dentro, transferindo o corpo para o aparador, levando as boinas ao peito em sinal de respeito antes de partirem, fechando a porta dupla ao sair.

E os observo indo embora, vendo o meu reflexo no vidro, as mãos nos bolsos e o rosto tranquilamente competente de Rashton indicando nada mais do que a certeza.

Até o meu reflexo mente para mim.

A certeza foi a primeira coisa que Blackheath tirou de mim.

A porta abre-se, a corrente de ar do corredor golpeia as chamas das velas. Pelas frestas do biombo, posso ver Michael, pálido e trêmulo, apoiando-se no batente da porta, lágrimas nos olhos. Cunningham está atrás dele e, depois de lançar um olhar furtivo ao biombo onde estou escondido, fecha a porta e sai.

No momento em que está sozinho, Michael sai do seu pesar, aprumando os ombros e endurecendo o olhar, a tristeza se transformando em algo mais feroz no todo. Correndo para o corpo de Evelyn, ele procura um buraco de bala em seu ventre ensanguentado, murmurando para si ao não encontrar.

Franzindo o cenho, ele remove o carregador da arma que eu lhe dei no lado de fora, encontrando-a carregada. Evelyn deveria ter levado um revólver preto para a piscina, não esta pistola de prata. Ele deve estar pensando o que a fez mudar de plano, e se ela realmente levou a trama adiante.

Satisfeito por ela ainda estar viva, ele se afasta, os dedos tocando os seus lábios enquanto examina a pistola. Ele parece estar em comunhão com ela, franzindo as sobrancelhas e mordendo o lábio como se estivesse navegando por uma série de perguntas capciosas. Eu o perco de vista quando ele caminha para o canto do solário, forçando-me a me esgueirar um pouco para fora do meu esconderijo a fim de que eu possa ver melhor. Ele pega uma almofada bordada de uma das cadeiras e a leva até Evelyn, pressionando-a contra a barriga dela, supostamente para abafar o som da pistola enfiada contra ela.

Não há sequer uma pausa, nenhuma forma de adeus. Virando o rosto, ele puxa o gatilho.

A pistola dá um estalo impotente. Ele tenta novamente, mais de uma vez, até que saio de trás do biombo, colocando um fim a essa charada.

— Não vai funcionar — digo. — Eu travei o pino de disparo.

Ele não se vira. Sequer solta a pistola.

— Vou lhe deixar rico se o senhor me deixar matá-la, inspetor — ele diz, um tremor em sua voz.

— Não posso fazer isso e, como eu lhe disse lá fora, sou um policial.

— Ah, não por muito tempo com uma mente dessas, eu tenho certeza.

Ele está tremendo, a pistola ainda está posicionada firmemente contra o corpo de Evelyn. O suor corre pela minha espinha, a tensão no local é tão pesada que poderia ser retirada com uma pá.

— Largue a arma e vire-se, Sr. Hardcastle. Devagar, por favor.

— Não é preciso ter medo de mim, inspetor — ele diz, largando a pistola em um vaso de plantas e virando-se com as mãos ao alto. — Não desejo machucar ninguém.

— Não deseja? — digo, surpreso pela tristeza em seu rosto. — Você tentou colocar cinco balas na sua própria irmã.

— E cada uma delas seria uma gentileza, posso lhe garantir.

Com as mãos ainda erguidas para o alto, ele gesticula com o dedo médio para uma poltrona próxima à mesa de xadrez onde encontrei Evelyn pela primeira vez.

— Posso me sentar? — ele pergunta. — Estou me sentindo tonto.

— Fique à vontade — digo, observando-o atentamente enquanto ele se deixa cair na poltrona. Uma parte de mim teme que ele sairá correndo em direção à porta, mas, para dizer a verdade, ele parece um homem que teve toda combatividade arrancada de si. Está pálido e inquieto, os braços flácidos nos lados do corpo, as pernas retesadas para frente. Se eu tivesse que adivinhar, diria que foi necessário reunir toda sua força para puxar o gatilho.

O assassinato não veio naturalmente para este homem.

Eu o deixo se acomodar, e então puxo uma cadeira de balanço ao lado da janela para me sentar em frente a ele.

— Como você sabia o que eu planejava fazer? — ele pergunta.

— Foram os revólveres — digo, afundando um pouco mais na almofada.

— Os revólveres?

— Dois revólveres pretos idênticos foram levados do quarto da sua mãe de manhã cedo. Evelyn tinha um, e você tinha o outro. Eu não entendia por quê.

— Não estou acompanhando.

— O único motivo óbvio que Evelyn teria para roubar uma arma seria ela achar que estava em perigo — uma explicação um tanto redundante para alguém prestes a cometer suicídio — ou então porque ela planejava usá-la no suicídio. Sendo a última hipótese mais provável, que motivo ela poderia ter para levar os dois revólveres? Certamente, um daria conta do recado.

— E onde essas teorias o levaram?

— A lugar nenhum, até Dance notar que você carregava o segundo revólver na caçada. O que tinha sido estranho, agora era bastante peculiar. Uma mulher contemplando o suicídio, em seu pior momento, teve premeditação suficiente para se lembrar da aversão do irmão à caça e roubar uma segunda arma para ele?

— Minha irmã me ama muito, inspetor.

— Talvez, mas você contou a Dance que não sabia onde iria caçar até o meio-dia, e os revólveres sumiram do quarto da sua mãe de manhã cedo, bem antes dessa decisão ser tomada. Não era possível que Evelyn tivesse pego a segunda arma pelo motivo que você sugeriu. Quando eu ouvi sobre o golpe do suicídio forjado de sua irmã, percebi que você estava mentindo, e dali em diante tudo ficou mais claro. Evelyn não pegou os revólveres do quarto da sua mãe. Você pegou. Você ficou com um deles e deu o outro para Evelyn usar como um acessório.

— Evelyn lhe contou sobre o suicídio forjado? — ele pergunta, num tom dúbio.

— Parcialmente — eu digo. — Ela explicou como você concordou em ajudá-la indo até o espelho d'água e arrastando-a para a grama, como um irmão em luto naturalmente faria. Foi quando vi como você poderia cometer o crime perfeito e por que precisava de dois revólveres idênticos. Antes de tirá-la do espelho d'água, tudo o que você precisava fazer era atirar na barriga dela usando os fogos de artifício para encobrir o segundo tiro. A arma do crime sumiria na água escura e a bala combinaria com a arma idêntica que ela havia deixado cair na grama. Assassinato por suicídio. Foi brilhante, realmente.

— Por isso você a fez usar a pistola de prata — ele diz, a compreensão surgindo em sua voz. — Você precisava que eu mudasse o meu plano.

— Eu tinha que atirar a isca.

— Muito inteligente — ele diz, fazendo aplausos em mímica.

— Não foi tão inteligente assim — digo, surpreso pela sua calma. — Eu ainda não consigo entender como você poderia levar isso adiante. De tempos em tempos, me falaram hoje sobre o quanto você e Evelyn eram próximos. O quanto você se importa com ela. Era tudo mentira?

A raiva o faz endireitar sua postura na poltrona.

— Eu amo minha irmã mais do que qualquer coisa neste mundo — ele diz, me encarando. — Faria qualquer coisa por ela. Por que você acha que ela veio pedir ajuda para mim? Por qual outro motivo eu teria concordado?

Sua paixão me desconcertou. Coloquei esse plano em prática acreditando que eu saberia a história que Michael contaria, mas não foi o que aconteceu. Eu esperava ouvir como sua mãe o colocou nesse caminho enquanto ela orquestrava eventos em outros lugares. Não é a primeira vez que tenho a sensação inconfundível de ter errado a leitura do mapa.

— Se você ama sua irmã, por que traí-la? — pergunto, confuso.

— Porque o plano dela não ia funcionar! — ele diz, dando um tapa no braço da poltrona. — Nós não podíamos pagar a quantia que Dickie queria para falsificar a certidão de óbito. Ele concordou em nos ajudar mesmo assim, mas ontem Coleridge descobriu que Dickie planejava vender nosso segredo para meu pai nesta noite, mais tarde. Está vendo? Depois de tudo isso, Evelyn teria acordado em Blackheath presa na mesma vida de que ela queria desesperadamente fugir.

— Você contou isso a ela?

— Como eu poderia? — ele pergunta lastimosamente. — Este plano era a única chance que ela tinha de ser livre, de ser feliz. Como eu poderia tirar isso dela?

— Você poderia ter matado Dickie.

— Coleridge disse a mesma coisa, mas quando? Eu precisava que ele confirmasse a morte de Evelyn, e ele tinha a intenção de se encontrar com o meu pai logo depois. — Ele balança a cabeça. — Tomei a única decisão que eu podia.

Há dois copos de uísque ao lado da sua cadeira, um pela metade, sujo de batom, o outro sem marcas, com um pouco de álcool restando no fundo. Ele alcança lentamente o copo sujo de batom, mantendo seus olhos em mim.

— Se importa se eu beber? — ele pergunta. — É da Evelyn. Nós fizemos um brinde aqui antes do baile começar. Desejando boa sorte e essas coisas.

Há um nó na sua garganta. Qualquer outro hospedeiro poderia considerá-lo arrependido, mas Rashton pode identificar o medo a quilômetros de distância.

— Claro.

Ele pega o copo, agradecido, e toma um grande gole. Pelo menos serve para acalmar suas mãos trêmulas.

— Eu conheço minha irmã, inspetor — ele diz, sua voz rouca. — Ela sempre odiou ser obrigada a fazer as coisas, mesmo quando éramos crianças. Ela não suportava a humilhação de uma vida com Ravencourt, sabendo que as pessoas estariam rindo pelas suas costas. Veja o que ela estava disposta a fazer para evitar isso. Eu queria poupá-la desse sofrimento.

Sua face está corada, seus olhos verdes embaçados. Estão repletos de uma tristeza tão doce e sincera que eu quase acredito nele.

— E o dinheiro, eu suponho, não tem nada a ver com isso? — digo, impassível.

Uma careta mancha a sua tristeza.

— Evelyn me contou que seus pais ameaçaram tirá-lo do testamento se ela não fizesse o que eles queriam — eu continuo. — Você era um trunfo, e funcionou. A ameaça foi a razão de ela ter obedecido às ordens deles antes de mais nada, mas quem pode dizer que ela faria o mesmo caso soubesse que o seu plano de fuga foi por água abaixo? Com Evelyn morta, essa incerteza está enterrada.

— Olhe ao seu redor, inspetor — ele diz, gesticulando à sala com seu copo. — Você realmente acha que vale a pena matar por isso aqui?

— Agora que o seu pai não pode mais desperdiçar a fortuna da família, eu imagino que suas expectativas melhoraram imensuravelmente.

— Meu pai só é bom em desperdiçar fortunas — ele zomba, terminando a bebida.

— É por isso que você o matou?

Seu rosto se contorce ainda mais. Ele está com os lábios comprimidos, pálido.

— Eu encontrei o corpo dele, Michael. Sei que você o envenenou, provavelmente quando foi buscá-lo para a caçada. Você deixou um bilhete culpando Evelyn. A marca da bota no lado de fora da janela foi particularmente diabólica. — Seu semblante mostra um lampejo de incerteza. — Ou talvez tenha sido outra pessoa? — eu digo, devagar. — Felicity, talvez? Vou admitir, eu ainda não desatei esse nó. Ou foi a sua mãe? Onde ela está, Michael? Ou você a matou também?

Seus olhos arregalam-se e o choque contorce o seu rosto, o seu copo resvala da sua mão e cai no chão.

— Você nega? — pergunto, com uma súbita incerteza.

— Não... Eu... Eu...

— Onde está sua mãe, Michael? Ela te envolveu nisso?

— Ela... Eu...

No início, eu confundo seus espasmos com remorso, o seu engasgar com as respirações curtas de um homem procurando as palavras certas. É somente quando seus dedos agarram o braço da poltrona, uma espuma branca escorrendo pelos seus lábios, que percebo que ele foi envenenado.

Dou um pulo e fico em pé, sobressaltado, mas não faço ideia do que fazer.

— Alguém nos ajude — eu grito.

As suas costas ficam arqueadas, os músculos tensionam-se, os olhos ficam vermelhos enquanto os vasos sanguíneos estouram. Gorgolejando, ele cai de frente no chão. Atrás de mim, há um som de batidas. Girando, eu encontro Evelyn tendo convulsões no aparador, a mesma espuma branca borbulhando em seus lábios.

A porta se escancara, Cunningham entra em cena, boquiaberto.

— O que está acontecendo? — ele pergunta.

— Eles foram envenenados — digo, olhando primeiro um e depois o outro. — Vá buscar Dickie.

Ele sai antes que as palavras deixem os meus lábios. Com a mão em minha testa, olho impotente para ambos. Evelyn se contorce no aparador como se estivesse possuída, enquanto os dentes cerrados de Michael estalam em sua boca.

Os remédios, seu idiota.

Minha mão mergulha em meu bolso, retirando os três frascos que fui instruído a roubar do baú de Bell quando Cunningham e eu o saqueamos na tarde de hoje. Desenrolando o bilhete, procuro pelas instruções que sei que não estão ali. Presume-se que devo misturar tudo, mas não sei o quanto dar a eles. Eu nem sei se tenho o suficiente para duas doses.

— Eu não sei quem salvar — eu grito, olhando para Michael e depois para Evelyn.

Michael sabe mais do que nos contou.

— Mas eu dei a Evelyn a minha palavra que a protegeria — digo.

Os espasmos de Evelyn na mesa são tão violentos que ela cai no chão, enquanto Michael continua debatendo-se, seus olhos tão revirados que somente o branco pode ser visto.

— Maldição — digo, correndo para o bar.

Esvaziando os três frascos num copo de uísque, adiciono a água de uma jarra e misturo tudo até efervescer. As costas de Evelyn estão arqueadas, seus dedos cavoucam o felpudo tecido de um tapete. Virando sua cabeça para trás, despejo toda aquela criação imunda na sua goela, ainda que Michael esteja sufocando atrás de mim.

As convulsões de Evelyn terminam tão abruptamente quanto começaram. O sangue escorre dos seus olhos, e ela dá inspirações profundas e roucas. Dando um suspiro de alívio, eu encosto meus dedos em seu pescoço, verificando o seu pulso. Está frenético, mas firme. Ela sobreviverá, ao contrário de Michael.

Eu lanço um olhar culpado para o corpo do jovem. Ele parece exatamente como seu pai na sala de estar da portaria. Claramente foram envenenados pela mesma mão, usando a estricnina que Sebastian Bell trazia contrabandeada para a casa. Devia estar no uísque que ele bebeu. O uísque de Evelyn. Seu copo estava pela metade. A julgar pelo tempo que levou para afetá-la, ela só pode ter bebericado um ou dois goles. Michael, pelo contrário, terminou tudo em menos de um minuto. Ele sabia que a bebida estava envenenada? O sobressalto que vi em seu rosto aponta que não.

Isso foi obra de outra pessoa.

Há outro assassino em Blackheath.

— Mas quem? — eu questiono, enraivecido comigo por ter permitido isso acontecer. — Felicity? Helena Hardcastle? Com quem Michael estava trabalhando? Ou era outra pessoa, de quem ele nada sabia?

Evelyn está despertando, a cor já retorna ao seu rosto. O que quer que seja aquela mistura, está agindo rápido, embora ela ainda esteja fraca. Seus dedos tateiam a manga da minha camisa, seus lábios formam sons vazios.

Eu abaixo meu rosto até a sua boca.

— Eu não... — Ela engole — Millicent foi... Assassinato.

Bastante fraca, ela leva as mãos à garganta, puxando a corrente que estava escondida pelo seu vestido. Há um anel de sinete na ponta com o emblema da família Hardcastle, se não estou enganado.

Eu pisco para ela, sem entender.

— Espero que você tenha conseguido tudo que precisava — diz uma voz que vem da porta dupla. — Não vai servir para muita coisa, no entanto.

Olhando por sobre o ombro, vejo o lacaio surgir da escuridão, sua faca reluzindo à luz das velas enquanto ela toca a ponta em sua coxa. Ele está usando o seu libré vermelho e branco, o paletó pontilhado por manchas de gordura e sujeira, como se sua essência estivesse de alguma forma vazando para as roupas. Um saco limpo e vazio está amarrado à sua cintura, e com crescente horror eu me lembro de como ele atirou o saco cheio aos pés de Derby com um material tão ensopado de sangue que atingiu o chão como um tapa desferido com a mão molhada.

Eu olho para o relógio. Derby vai estar lá fora agora, sentado perto do calor de um braseiro, vendo a festa se dissolver ao seu redor. Seja o que o lacaio colocar no saco, ele planeja destrinchar Rashton.

O lacaio sorri para mim, seus olhos cintilando com a expectativa.

— Você achou que eu me cansaria de matar você, não? — ele pergunta.

A pistola de prata ainda está no vaso de plantas onde Michael a deixou. Não vai disparar, mas o lacaio não precisa saber disso. Se eu puder alcançá-la, posso conseguir blefar e fazê-lo fugir. Será uma disputa apertada, mas há uma mesa em seu caminho. Devo chegar lá antes dele.

— Vou fazer devagar — ele diz, tocando no nariz quebrado. — Eu lhe devo essa.

O medo não surge fácil em Rashton, mas ele está com medo agora, e eu também. Tenho dois hospedeiros sobrando depois do dia de hoje, mas Gregory Gold vai passar a maior parte do dia pendurado na portaria e Donald Davies está isolado em uma estrada de terra, a quilômetros daqui. Se eu morrer agora, não há como dizer quantas chances mais terei de escapar de Blackheath.

— Não dê importância para a arma — diz o lacaio. — Você não vai precisar dela.

Confundindo o que ele quis dizer, a esperança arde em meu peito, murchando novamente quando vejo seu sorriso.

— Ah, não, bonitão, eu vou matar você — ele diz, balançando a faca na minha direção. — Só quis dizer que você não vai brigar comigo — ele acrescenta, se aproximando. — Veja só, eu tenho Anna, e se você não quer que ela morra de um jeito feio, vai ter que se entregar para mim e vai ter que trazer quem sobrar para o cemitério hoje à noite.

Abrindo a palma da mão, ele revela a peça de xadrez de Anna suja de sangue. Com um movimento rápido da mão, ele a atira no fogo, as chamas consumindo-a imediatamente.

Ele dá mais um passo à frente.

— O que vai ser? — ele pergunta.

Minhas mãos estão fechadas ao lado do meu corpo, minha boca está seca. Até onde consegue se lembrar, Rashton esperava morrer jovem. Num beco escuro ou num campo de batalha, um lugar longe da luz e do conforto, longe da amizade, em uma situação desesperadora. Ele sabia o quão afiadas as pontas de sua vida haviam se tornado, e fez as pazes com isso, pois sabia que morreria lutando. Por mais fútil que isso tenha sido, por mais fraco que possa ter sido, ele esperava entrar na escuridão com os punhos erguidos.

E agora o lacaio tirou-lhe até mesmo isso. Estou prestes a morrer sem uma briga e me sinto envergonhado.

— Qual é a resposta? — o lacaio pergunta, ficando cada vez mais impaciente.

Eu não consigo dizer as palavras, admitir o quanto eu estou absolutamente derrotado. Mais uma hora neste corpo e eu teria solucionado o crime, e esse conhecimento me faz querer gritar.

— Sua reposta! — ele exige.

Eu acabo assentindo com a cabeça enquanto ele se aproxima, o seu fedor enrolando-se em mim enquanto ele afunda a lâmina no local habitual entre as minhas costelas, o sangue enchendo a minha garganta e minha boca.

Pegando o meu queixo, ele levanta o meu rosto, olhando-me nos olhos.

— Só mais dois — ele diz, e com isso torce a faca.

52
DIA TRÊS
(CONTINUAÇÃO)

A chuva martela o telhado, os cavalos fazem barulho com os cascos sobre as pedras. Estou em uma carruagem, duas mulheres em vestido de baile acomodadas no assento à minha frente. Estão falando em murmúrios, seus ombros vão batendo um contra o outro com o balanço da carruagem.

Não saia da carruagem.

O medo corre em minha espinha. Este é o momento sobre o qual Gold me avisou. O momento que o levou à loucura. Lá fora, no escuro, o lacaio está aguardando com sua faca.

— Ele está acordado, Audrey — diz uma delas ao perceber que desperto.

Talvez por achar que minha audição é deficiente, a segunda mulher inclina-se perto de mim.

— Nós o encontramos dormindo na estrada — ela diz com a voz mais alta, colocando uma mão no meu joelho. — O seu automóvel estava alguns quilômetros à frente.

— Eu sou Donald Davies — digo, sentindo uma onda de alívio.

Na última vez que fui este homem, dirigi um carro durante a noite até o amanhecer, abandonando-o quando o combustível acabou. Caminhei por horas ao longo daquela estrada interminável para a vila, caindo exausto sem sequer me aproximar do meu destino. Ele deve ter dormido o dia todo, o que o salvou da fúria do lacaio.

O Médico da Peste me contou que eu retornaria a Davies quando ele acordasse novamente. Jamais poderia imaginar que ele havia sido resgatado e devolvido a Blackheath quando isso aconteceu.

Finalmente um pouco de sorte.

— Que mulher maravilhosa você é — digo, colocando as mãos na face da minha salvadora e dando um beijo estalado nos seus lábios. — Você não sabe o que você fez.

Antes que ela possa responder, eu coloco a cabeça para fora da janela. É noite, as luzes que balançam na carruagem iluminam suavemente a escuridão, ao invés de afugentá-la. Estamos em uma de três carruagens que rodam em direção à casa partindo da vila, e há mais ou menos outras doze estacionadas em ambos os lados da estrada, seus cocheiros roncando ou conversando em pequenos grupos, compartilhando um cigarro solitário entre si. Posso ouvir música na direção da casa, risadas estridentes subindo o suficiente para perfurar a distância entre nós. A festa está a todo vapor.

A esperança surge dentro de mim.

Evelyn ainda não foi para o espelho d'água, o que significa que ainda pode haver tempo para questionar Michael e descobrir se ele estava agindo com mais alguém. Mesmo que seja tarde demais para isso, ainda posso emboscar o lacaio quando ele vier buscar Rashton e descobrir onde ele escondeu Anna.

Não saia da carruagem.

— Chegaremos em Blackheath em alguns minutos, senhoras — o cocheiro grita de algum lugar sobre nós.

Eu olho pela janela novamente. A casa está diretamente à nossa frente, e os estábulos, seguindo a estrada à nossa direita. É onde guardam as espingardas. Eu seria um idiota se atacasse o lacaio sem uma delas.

Destrancando a porta, salto da carruagem, aterrissando cheio de dores sobre as pedras molhadas. As senhoras estão gritando, o cocheiro berra atrás de mim enquanto eu me levanto e cambaleio em direção às luzes distantes. O Médico da Peste contou-me que o padrão deste dia foi ditado pelo caráter daqueles que o vivenciaram. Só posso torcer para que isso seja verdade e para que o destino esteja com uma disposição magnânima, porque, se não estiver, eu condenei tanto Anna quanto a mim mesmo.

Sob o brilho dos braseiros, os garotos dos estábulos estão desfazendo os arreios que ligam os cavalos às carruagens, levando as bestas relinchantes para o abrigo. Eles trabalham rapidamente, mas parecem acabados, como se mal conseguissem falar. Eu me aproximo do sujeito mais próximo, que, apesar da chuva, está usando apenas uma camisa de algodão com as mangas enroladas.

— Onde vocês guardam as espingardas? — pergunto.

Ele está apertando um arreio, rangendo os dentes enquanto puxa a cinta esticada até a última fivela. Ele olha para mim com desconfiança, apertando os olhos sob a boina.

— É um pouco tarde para caçar, não é? — ele diz.

— E muito cedo para uma impertinência dessas — eu disparo, subjugado pelo desprezo elitista do meu hospedeiro. — Onde ficam essas porcarias de espingardas, ou preciso trazer Lord Hardcastle aqui para lhe perguntar?

Depois de me olhar de cima a baixo, ele gesticula sobre o ombro para uma pequena construção de tijolos vermelhos, uma luz tênue passando pela janela. As espingardas estão organizadas em uma prateleira de madeira, as caixas de cartuchos guardadas em uma gaveta próxima. Eu pego uma delas e carrego-a cuidadosamente, largando alguns cartuchos extras no meu bolso.

A arma é pesada, um frio bastão de coragem que me lança para o jardim em direção a Blackheath. Os empregados do estábulo trocam olhares quando eu me aproximo, abrindo caminho para me deixar passar. Sem dúvida me consideram um lunático rico com uma conta a acertar, mais uma fofoca para acrescentar à pilha da manhã seguinte. Certamente não sou alguém por quem valha a pena arriscar uma lesão corporal. Fico feliz por isso. Se eles se aproximassem mais, poderiam notar o quanto os meus olhos estão cheios, o quanto os meus hospedeiros anteriores acotovelam-se por uma visão melhor. De uma forma ou de outra, o lacaio prejudicou cada um deles, e todos apareceram para sua execução. Eu mal consigo pensar em meio ao clamor deles.

No meio do caminho pela estrada, percebo uma luz balançar na minha direção, e minhas mãos seguram firme a região do gatilho.

— Sou eu — grita Daniel em meio ao ruído da tempestade.

Há um lampião na sua mão, a luz cerosa descendo pelo seu rosto e pela parte de cima do seu corpo. Ele parece um gênio saído de uma lâmpada.

— Temos que correr, o lacaio está no cemitério — diz Daniel.
— Ele está com Anna.
Ele ainda acha que nos engana com sua encenação.
Meu dedo alisa a espingarda enquanto olho para trás, na direção de Blackheath, tentando decidir qual é o melhor plano de ação. Michael pode estar no solário enquanto falamos, mas tenho certeza de que Daniel sabe onde Anna está sendo mantida, e não terei uma oportunidade melhor para obter a informação dele. Dois caminhos e dois finais, e, de alguma forma, eu sei que um deles leva ao fracasso.
— É a nossa chance — grita Daniel, enxugando a chuva dos olhos. — Era isso que estávamos esperando. Ele está lá, agora mesmo, à espera. Ele nem sabe que nós nos encontramos. Podemos colocá-lo na armadilha, podemos acabar com isso juntos.
Por tanto tempo eu lutei para mudar meu futuro, para alterar o dia. Agora que consegui, estou arruinado, atormentado pela futilidade das minhas escolhas. Eu salvei Evelyn e sabotei Michael, duas coisas que só importam se Anna e eu vivermos tempo suficiente para falar com o Médico da Peste às onze da noite. A partir deste momento, tomarei as decisões às cegas, e, com apenas um hospedeiro sobrando, toda decisão é importante.
— E se fracassarmos? — eu grito de volta, minhas palavras mal chegando aos seus ouvidos. O estrépito da chuva sobre a pedra é quase ensurdecedor, o vento rasga e corta a floresta, uivando pelas árvores como uma criatura selvagem que fugiu da sua jaula.
— Que escolha nós temos? — Daniel berra, agarrando a minha nuca. — Temos um plano, o que significa que pela primeira vez temos uma vantagem sobre ele. Temos que ir atrás.
Eu me lembro da primeira vez que encontrei este homem, de como ele parecia calmo, como era paciente e razoável. Não há nada disso nele agora. Tudo foi enxaguado pelas intermináveis tempestades de Blackheath. Ele tem os olhos de um fanático, ansiosos e suplicantes, loucos e desesperados. Ele controla tanto as rédeas do resultado deste momento quanto eu.
Ele tem razão. Precisamos dar um fim nisso.
— Que horas são? — pergunto.

Ele franze o rosto.
— Que importância tem isso?
— Eu só vou saber depois — digo. — As horas, por favor?
Ele olha o seu relógio, impaciente.
— São nove e quarenta e seis — ele diz. — Vamos, agora?
Assentindo, eu o sigo pelo gramado.

As estrelas acovardam-se, fechando os seus olhos enquanto nos aproximamos do cemitério, e, no momento em que Daniel empurra o portão para abri-lo, nossa única luz é o ardor bruxuleante do seu lampião. Estamos protegidos pelas árvores, as quais silenciam a tempestade que chega até nós em rajadas cortantes, adagas de vento deslizando pelas fendas na armadura da floresta.

— Temos que nos esconder — sussurra Daniel, pendurando o lampião no braço do anjo. — Vamos chamar Anna quando ela chegar.

Erguendo a espingarda em meu ombro, eu aponto os dois canos para a parte de trás da sua cabeça.

— Pode parar com a encenação, Daniel, sei que não somos o mesmo homem — digo, os meus olhos percorrendo o bosque, buscando algum sinal do lacaio. Infelizmente, a luz do lampião é tão intensa que ofusca a maior parte do que deveria revelar.

— Mãos para o alto, vire-se — digo.

Ele faz o que eu peço, me encarando, fuzilando, procurando por algo quebrado. Não sei se ele encontrou ou não, mas, depois de um longo silêncio, um sorriso charmoso irrompe em seu rosto bonito.

— Não poderia durar para sempre, suponho — ele diz, gesticulando para o bolso em seu peito. Eu aceno para que ele continue e ele retira lentamente uma cigarrilha, batendo um cigarro na palma da mão.

Eu segui esse homem ao cemitério sabendo que, se eu não o confrontasse, sempre estaria olhando por cima do meu ombro, esperando até que ele atacasse de novo, mas, agora que estou aqui, diante da sua calma, a minha convicção começa a ceder.

— Onde ela está, Daniel? Onde está Anna? — pergunto.

— Ora, essa ia ser a minha pergunta para você — ele diz, colocando o cigarro entre os lábios. — Era exatamente isso, onde *está* Anna? Eu venho tentando fazer você me dizer isso o dia todo, até achei que tinha conseguido quando Derby concordou em me ajudar a pegar o lacaio no subterrâneo da casa. Você tinha que ver o seu rosto, tão disposto a ajudar.

Protegendo o cigarro do vento, ele o acende na terceira tentativa, iluminando um rosto de olhos tão vazios como as estátuas ao seu lado. Eu tenho uma arma apontada para ele e, de alguma forma, ele ainda está em vantagem.

— Onde está o lacaio? — pergunto, a espingarda ficando pesada em meus braços. — Eu sei que vocês são parceiros.

— Ah, não é nada disso. Infelizmente você está totalmente equivocado — ele diz, ignorando o sujeito com um aceno. — Ele não é como você, eu ou Anna. Ele é um dos sócios de Coleridge. Há, na verdade, alguns deles pela casa. São uns sujeitos indecentes, essa turma, mas enfim, Coleridge está num negócio indecente. O lacaio, como você o chama, era o mais brilhante deles, então eu expliquei o que estava acontecendo em Blackheath. Não acho que ele acreditou em mim, mas matar é a sua especialidade, então ele nem pestanejou quando eu apontei para os seus hospedeiros. Ele provavelmente gostou, para dizer a verdade. Ajuda uma enormidade o fato de eu ter feito dele um homem muito rico, é claro.

Soprando fumaça pelas narinas, ele sorri como se compartilhássemos uma piada interna. Ele se movimenta com segurança, com a confiança de um homem que vive num mundo de premonições. Um contraste desanimador para as minhas mãos trêmulas e coração palpitante. Ele tem algo planejado e, a menos que eu saiba o que é, não posso fazer nada a não ser esperar.

— Você é como Anna, não é? — digo. — Tem um dia e depois se esquece de tudo e começa de novo.

— Não parece justo, não é? Não quando se tem oito vidas e oito dias. Entregaram todos os presentes para você. Por que isso?

— Estou vendo que o Médico da Peste não lhe contou tudo a meu respeito.

Ele sorri de novo. É como gelo escorrendo pela minha espinha.

— Por que você está fazendo isso, Daniel? — pergunto, surpreso com a minha tristeza. — Nós poderíamos ter ajudado um ao outro.

— Mas, meu caro amigo, você *me ajudou* — ele diz. — Eu tenho os dois livros de chantagem de Stanwin comigo. Se Derby não bisbilhotasse o quarto dele, eu talvez jamais o encontraria, e estaria tão longe da resposta como estava hoje de manhã. Em duas horas, vou levar o que eu aprendi para o lago e me livrar deste lugar, e foi por sua causa. Certamente isso deve lhe servir de consolo.

Há um som de passos molhados. Uma espingarda é aprontada, o metal frio é pressionado nas minhas costas. Um bandido passa por mim, assumindo seu lugar à luz ao lado de Daniel. Ao contrário do seu amigo atrás de mim, ele não está armado, embora não precise, pelo andar das coisas. Ele tem o rosto de um brigão de bar, o nariz quebrado e a bochecha decorada com uma feia cicatriz. Ele está esfregando os punhos, passando a língua pelos lábios em expectativa. Nenhuma ação me deixa confiante com o que está por vir.

— Seja querido e abaixe a arma — diz Daniel.

Suspirando, eu deixo a espingarda cair no chão, erguendo as mãos para o alto. Por mais tolo que possa parecer, meu pensamento predominante é o desejo de que elas não estivessem tremendo tanto.

— Você pode sair agora — diz Daniel com a voz mais alta.

Há uma agitação nos arbustos à minha esquerda, o Médico da Peste entra na piscina de luz lançada pelo lampião. Estou prestes a disparar um insulto a ele quando percebo uma única lágrima prateada pintada no lado esquerdo da sua máscara. Está reluzindo sob a luz, e, agora que começo a avaliar, percebo que há outras diferenças. A casaca é melhor, mais escura, as barras não estão tão desgastadas. Rosas bordadas serpenteiam nas suas luvas e vejo que esta pessoa é mais baixa, com uma postura mais ereta.

Este não é o Médico da Peste de jeito nenhum.

— Você era aquele conversando com Daniel no lago — eu digo.

Daniel assobia, lançando um olhar para o seu companheiro.

— Como é que ele viu isso? — ele pergunta para Lágrima Prateada. — Você não escolheu aquele lugar para que ninguém nos visse juntos?

— Eu também vi você do lado de fora da portaria — digo.

— Cada vez mais curioso — diz Daniel, divertindo-se imensamente às custas do seu cúmplice. — Achei que você soubesse cada segundo do dia dele. — Ele adota um ar pomposo. — Nada acontece aqui que eu não possa ver, Sr. Coleridge — ele bufa.

— Se isso fosse verdade, eu não precisaria de sua ajuda para capturar Annabelle — diz Lágrima Prateada. A voz dela é majestosa, muito distante da voz do Médico da Peste. — As ações do Sr. Bishop interromperam o fluxo habitual dos acontecimentos. Ele mudou o destino de Evelyn Hardcastle e contribuiu para a morte de seu irmão, desamarrando os nós que mantêm a coesão deste dia durante o processo. Ele manteve sua aliança com Annabelle por muito mais tempo do que já havia feito, o que significa que as coisas estão acontecendo fora de ordem, demorando-se ou apressando-se, isso quando acontecem. Nada está exatamente onde deveria estar.

A máscara vira-se na minha direção.

— O senhor deveria ser condecorado, Sr. Bishop — ela diz. — Há décadas não vejo Blackheath em tamanha desordem.

— Quem é você? — pergunto.

— Eu poderia perguntar o mesmo para o senhor — ela diz, ignorando minha pergunta. — Não farei isso porque não o conheço e há questões mais urgentes. Basta dizer que fui enviada pelos meus superiores para retificar o erro do meu colega. Agora, por favor, conte ao Sr. Coleridge onde ele pode encontrar Annabelle.

— Annabelle?

— Ele a chama de Anna — Daniel diz.

— O que você quer com Anna? — pergunto.

— Isso não é da sua conta — diz Lágrima Prateada.

— Está começando a ser — digo. — Você deve querer causar muito mal a ela se está disposta a fazer um acordo com uma pessoa como Daniel.

— Estou restaurando o equilíbrio — ela diz. — O senhor acha que é uma coincidência estar habitando os hospedeiros que habita, os homens mais próximos do assassinato de Evelyn? Não está curioso para saber por que acordou em Donald Davies precisamente quando mais precisava dele? Meu colega vem privilegiando os seus favoritos desde o começo, e isso é proibido. Ele deveria assistir sem interferir, aparecer no lago e esperar uma resposta. Nada mais. Pior ainda, ele abriu a porta para uma criatura que jamais poderia ter a permissão de sair desta casa. Eu não posso deixar isso continuar.

— Então é por isso que você está aqui — diz o Médico da Peste, surgindo das sombras, a água da chuva escorrendo como pequenos riachos em sua máscara.

Daniel torna-se tenso, observando o intruso com cautela.

— Peço desculpas por não me apresentar antes, Josephine — continua o Médico da Peste, sua atenção voltada para Lágrima Prateada. — Não tinha certeza se você me contaria a verdade caso eu perguntasse diretamente, considerando o quanto você se esforçou para ficar escondida. Eu jamais teria descoberto que você estava em Blackheath se o Sr. Rashton não tivesse lhe visto.

— Josephine? — interrompe Daniel. — Vocês se conhecem?

Lágrima Prateada o ignora.

— Eu esperava que não chegasse a este ponto — ela diz, dirigindo-se ao Médico da Peste. Seu tom de voz tornou-se mais suave, caloroso. Há uma vibração de arrependimento. — A minha intenção era completar a minha tarefa e partir sem que você soubesse.

— Não consigo entender por que você está aqui, afinal. Blackheath está sob minha vigia, e tudo está em ordem.

— Não é possível que você acredite nisso! — ela diz, exasperando-se. — Veja como Aiden e Annabelle ficaram próximos, como estão perto de escapar. Ele está disposto a se sacrificar por ela. Está vendo? Se deixarmos isso continuar, em pouco tempo ela vai estar na sua frente com uma resposta, e o que você vai fazer então?

— Estou confiante de que isso não irá acontecer.

— Eu estou confiante de que irá — ela bufa. — Diga-me sinceramente, você vai deixá-la sair?

A pergunta o deixa em silêncio por um momento, uma ligeira inclinação em sua cabeça transmitindo a sua indecisão. Meus olhos deslizam em direção a Daniel, que os observa, o rosto arrebatado. Imagino que ele se sinta como eu, como uma criança vendo os pais discutirem, entendendo apenas metade das coisas que são ditas.

Quando o Médico da Peste volta a falar, a sua voz é firme, embora ensaiada, com uma convicção nascida da repetição e não da fé.

— As regras de Blackheath são muito claras e eu estou empenhado em cumpri-las, assim como você — ele diz. — Se ela me trouxer o nome do assassino de Evelyn Hardcastle, não posso me recusar a ouvir o caso dela.

— Independentemente das regras, você sabe o que nossos superiores farão se Annabelle escapar de Blackheath.

— Eles enviaram você para me substituir?

— Claro que não — ela suspira, soando magoada. — Você acha que eles teriam uma reação tão comedida? Eu vim como sua amiga para arrumar esta bagunça antes que eles descubram o quanto você esteve perto de cometer um erro grave. Eu vou remover Annabelle discretamente, assegurando que você não terá que tomar uma decisão da qual vai se arrepender.

Ela faz um sinal a Daniel.

— Sr. Coleridge, poderia persuadir o Sr. Bishop a revelar a localização de Annabelle? Confio que o senhor entenderá o que está em jogo.

Esmagando o cigarro com o pé, Daniel gesticula com a cabeça para o brigão, que segura os meus braços, imobilizando-me no local. Eu tento lutar, mas ele é forte demais.

— Isso é proibido, Josephine — o Médico da Peste diz, chocado. — Nós não realizamos ações diretas. Não damos ordens. Nós com certeza não revelamos informações que eles não precisam saber. Você está quebrando todas as regras que prometeu defender.

— Você tem a audácia de me repreender? — Lágrima Prateada escarnece. — Tudo o que você fez foi interferir.

O Médico da Peste balança a cabeça com veemência.

— Eu expliquei ao Sr. Bishop qual é o seu objetivo aqui e dei incentivo a ele em seus momentos de vacilo. Ao contrário de Daniel e Anna, ele não acordou com as regras gravadas dentro dele. Ele estava livre para duvidar, para se desviar do objetivo. Eu nunca dei a ele conhecimento que não tivesse merecido, como você fez com Daniel. Busquei trazer equilíbrio, não dar vantagem. Eu lhe imploro, não faça isso. Deixe os acontecimentos seguirem o seu fluxo natural. Ele está muito perto de resolver.

— E, por causa disso, Annabelle também está — ela diz com uma voz mais forte. — Lamento, eu preciso decidir entre o bem-estar de Aiden Bishop e o seu. Prossiga, Sr. Coleridge.

— Não! — o Médico da Peste grita, estendendo a mão aberta. O bandido com a espingarda aponta a arma para ele. Ele está nervoso, o dedo segurando o gatilho um pouco firme demais. Não sei se o Médico da Peste pode ser ferido por estas armas, mas não posso deixá-lo se arriscar. Preciso dele vivo.

— Apenas saia — digo para ele. — Não há mais nada que você possa fazer aqui.

— Isso está errado — ele protesta.

— Então corrija. Os meus outros hospedeiros precisam de você. — Eu paro, com seriedade. — Eu não preciso.

Não sei se foi minha entonação ou se ele simplesmente assistiu a este momento se desenrolar antes, mas, finalmente e a contragosto, ele cede, encarando Josephine antes de desaparecer no cemitério.

— Altruísta, como sempre — diz Daniel, caminhando na minha direção. — Quero que você saiba que eu sempre admirei essa qualidade, Aiden. A forma como você lutou para salvar a mulher cuja morte ia lhe libertar. Seu afeto por Anna, que com certeza lhe trairia se eu não fizesse isso primeiro. Porém, no final, lamento dizer que tudo foi em vão. Só um de nós pode sair desta casa, e eu não tenho nenhum interesse que seja você.

Corvos agrupam-se nos galhos sobre mim. Eles chegam como que por convite, planando com asas silenciosas, suas penas lustrosas devido à chuva recente. Há dezenas deles, amontoados como enlutados em um funeral, observando-me com uma curiosidade que faz minha pele arrepiar.

— Até uma hora atrás, tínhamos Anna em nossa custódia. De alguma forma, ela conseguiu escapar — continua Daniel. — Para onde ela iria, Aiden? Diga-me onde ela está se escondendo e vou instruir os meus homens para que a sua morte seja rápida. Só sobraram você e Gold agora. Dois tiros e você vai acordar em Bell, bater na porta da frente de Blackheath e começar tudo de novo sem que eu o atrapalhe. Você é um sujeito inteligente, tenho certeza de que vai resolver o assassinato de Evelyn logo, logo.

Seu rosto é monstruoso sob a luz do lampião, retorcido pela necessidade.

— Quanto medo você tem, Daniel? — digo devagar. — Você matou os meus hospedeiros futuros, então não sou uma ameaça, mas você não faz ideia de onde Anna está. Isso tem te atormentando o dia todo, não? O medo de que ela vai resolver isso antes de você.

É o meu sorriso que o deixa assustado, a mais ligeira ideia de que posso não estar tão encurralado quanto ele imaginou.

— Se você não me der o que eu quero, vou começar a cortar — Daniel diz, traçando uma linha pela minha face com a ponta do dedo. — Vou retalhar você pedaço por pedaço.

— Eu sei, eu me vi depois do que você fez — digo, olhando fixo para ele. — Você me deixa tão perturbado que eu levo a loucura para Gregory Gold. Ele corta os próprios braços e fica balbuciando avisos para Edward Dance. É terrível. E minha resposta continua sendo não.

— Diga-me onde ela está — ele diz, levantando a voz. — Coleridge está com a metade dos criados desta casa na sua folha de pagamento, e eu tenho uma carteira suficientemente forrada para comprar a outra metade. Posso cercar o lago duas vezes. Você não entende? Eu já ganhei. De que adianta ser teimoso agora?

— Prática — eu digo, rosnando. — Não vou contar nada para você, Daniel. Cada minuto em que eu frustrar você é um minuto a mais que Anna tem para chegar ao Médico da Peste com a resposta. Você precisaria de uma centena de homens para vigiar o lago numa noite totalmente escura como esta, e eu duvido que a Lágrima Prateada vá lhe ajudar com isso.

— Você vai sofrer — ele sussurra.

— Uma hora até as vinte e três — digo. — Qual de nós dois você acha que aguenta por mais tempo?

Daniel me atinge forte o bastante para arrancar o ar dos meus pulmões e me colocar de joelhos. Quando olho para cima, ele está acima de mim, esfregando seus punhos com escoriações. A raiva cintila nos cantos do seu rosto como uma tempestade surgindo num céu sem nuvens. O agradável jogador de outrora sumiu e foi substituído por um vigarista briguento, seu corpo contorcendo-se com uma raiva incandescente.

— Vou matar você devagar — ele vocifera.

— Não sou o que morre aqui, Daniel — digo, deixando escapar um assobio estridente. Os pássaros saem voando das árvores, a vegetação rasteira agita-se em movimento. Na negra escuridão da floresta, um lampião resplandece com vida. É acompanhado por outro a alguns metros de distância, e então mais um.

Daniel gira em seu lugar, seguindo os lampiões. Ele não percebeu Lágrima Prateada, que está recuando para a floresta, mostrando-se incerta.

— Você machucou muita gente — digo, enquanto as luzes se aproximam. — E agora você vai vê-las.

— Como? — ele gagueja, confuso com a inversão da sua sorte.

— Matei todos os seus hospedeiros futuros.

— Você não matou os amigos deles — digo. — Quando Anna me contou sobre o seu plano de atrair o lacaio para este lugar, eu resolvi que precisaríamos de mais pessoas e pedi a Cunningham para ajudar. Depois que percebi que você e o lacaio estavam trabalhando juntos, ampliei meus esforços de recrutamento. Não foi difícil encontrar os seus inimigos.

Grace Davies aparece primeiro, a espingarda levantada. Rashton quase arrancou a língua fora para me impedir de pedir a ajuda dela, mas eu tinha poucas opções. O restante dos meus hospedeiros estão ocupados ou mortos, e Cunningham está no baile com Ravencourt. A segunda luz pertence a Lucy Harper, que foi facilmente trazida para a minha causa pela revelação de que Daniel assassinou seu pai, e, finalmente, vem o guarda-costas de Stanwin, a cabeça completamente enfaixada, sem contar aqueles olhos frios e severos. Embora estejam todos armados, nenhum deles parece muito confiante, e eu não confiaria em nenhum deles para acertar o que estão mirando.

Não importa. Nesta altura, são os números que contam e eles são suficientes para balançar Daniel e Lágrima Prateada, cuja máscara move-se para frente e para trás em busca de uma fuga.

— Acabou, Daniel — digo com a voz firme. — Renda-se e vou levá-lo de volta a Blackheath ileso.

Ele me fuzila com o olhar desesperado e, depois, os meus amigos.

— Eu sei o que este lugar pode fazer conosco — continuo. — Mas você foi gentil com Bell naquela primeira manhã, e vi a sua afeição por Michael na caçada. Seja um bom homem de novo e mande o lacaio parar. Deixe eu e Anna irmos com a sua bênção.

Seu semblante é de hesitação, o tormento surge em seu rosto, mas não é suficiente. Blackheath o envenenou completamente.

— Matem todos — ele diz de modo selvagem.

Uma espingarda explode atrás de mim, e eu instintivamente me atiro ao chão. Meus aliados se dispersam enquanto o homem de Daniel avança sobre eles, disparando tiro atrás de tiro na escuridão. O homem desarmado atalha pela esquerda, mantendo-se abaixado enquanto tenta pegá-los de surpresa.

Não consigo dizer se é a minha raiva ou a do meu hospedeiro que me impulsiona a atacar Daniel. Donald Davies está enfurecido, embora sua fúria seja devido à classe, ao invés do crime. Ele está injuriado que alguém possa tratá-lo de uma forma tão rasteira.

Minha raiva é de todo mais pessoal.

Daniel tem bloqueado o meu caminho desde aquela primeira manhã. Ele buscou escapar de Blackheath passando por cima de mim, desfazendo os meus planos para benefício dos seus. Ele veio a mim como um amigo, sorrindo enquanto mentia, gargalhando enquanto me traía, e é isso que faz eu me lançar sobre ele como uma lança em sua barriga.

Ele desvia para o lado, acertando-me no estômago com um gancho. Curvando-me, acerto-o na virilha e então agarro o seu pescoço, arrastando-o para o chão.

Vejo a bússola tarde demais.

Ele a arrebenta contra a minha bochecha, o vidro se estilhaça, o sangue pinga do meu queixo. Meus olhos estão lacrimejando, folhas encharcadas são esmagadas pelas minhas mãos. Daniel avança, mas um tiro passa zunindo por ele, atingindo Lágrima Prateada, que grita, colocando a mão no ombro e caindo sem se mover.

Olhando para a arma trêmula na mão de Lucy Harper, Daniel sai correndo em direção a Blackheath. Colocando-me em pé, eu saio atrás dele.

Corremos como gato e cachorro, atravessando o gramado em frente à casa, seguindo pelo caminho que leva à vila e passando em disparada pela portaria. Estou quase convencido de que ele está fugindo para a vila quando ele finalmente vira à esquerda, seguindo a trilha para o poço e depois para o lago.

Está escuro como o breu, a lua ronda as nuvens como um cão atrás de uma velha cerca de madeira, e eu logo perco a minha presa de vista. Temendo uma emboscada, diminuo a velocidade da perseguição, ouvindo atentamente. As corujas piam, a chuva pinga pelas folhas das árvores. Os galhos me agarram enquanto eu me abaixo e caminho em zigue-zague, deparando-me com Daniel curvado na beira do lago com as mãos nos joelhos, ofegante e com um lampião aos seus pés.

Ele não tem mais para onde fugir.

Minhas mãos estão tremendo, o medo se contorce em meu peito. A raiva me deu coragem, mas também fez de mim um tolo. Donald Davies é baixo e franzino, mais mole que o colchão onde dorme. Daniel é mais alto e mais forte. É um predador para essas pessoas. Toda vantagem numérica que eu tinha no cemitério deixei lá atrás, o que significa que, pela primeira vez desde que cheguei em Blackheath, nenhum de nós sabe o que vai acontecer depois.

Observando minha aproximação, Daniel acena para mim, gesticulando por um minuto para que ele possa recuperar o fôlego. Eu concedo, usando o tempo para escolher uma pedra pesada que possa ser utilizada como arma. Depois da bússola, estamos longe de uma luta justa.

— O que quer que você faça, eles não vão deixar a sua amiga ir embora — ele diz, forçando as palavras entre a respiração. — Lágrima Prateada me contou tudo sobre você em troca da promessa de que eu encontraria e mataria Anna. Ela me contou sobre seus hospedeiros, onde eles acordam e quando acordam. Você não entende? Nada disso importa, Aiden. Eu sou o único que pode escapar.

— Você poderia ter me dito isso antes — digo. — Não precisava terminar assim.

— Tenho uma esposa e um filho — ele diz. — Esta é a memória que eu trouxe comigo. Você consegue imaginar como é sentir isso? Saber que eles estão lá, esperando por mim? Ou que estavam esperando?

Dou um passo na sua direção com a pedra ao meu lado.

— Como você vai olhar no rosto deles sabendo o que fez para fugir deste lugar? — pergunto.

— Sou apenas o que Blackheath fez de mim — ele diz ofegante, cuspindo na grama.

— Não, Blackheath é o que nós fizemos — digo, avançando um pouco mais. Ele ainda está encurvado, ainda está cansado. Mais alguns passos e tudo isso acabará. — Nossas decisões nos trouxeram aqui, Daniel. Se isto é o inferno, então nós mesmos o criamos.

— E o que você quer que a gente faça? — ele diz, erguendo o olhar para mim. — Ficar sentado aqui e se arrepender até que alguém decida abrir as portas?

— Me ajude a salvar Evelyn e podemos levar o que sabemos para o Médico da Peste juntos — digo, passional. — Nós três: você, eu e Anna. Temos uma chance de sair deste lugar como pessoas melhores do que entramos.

— Eu não posso arriscar — ele diz com uma voz monocórdia e sem vida. — Não vou deixar passar esta oportunidade de fugir. Não por culpa e não para ajudar pessoas que há muito tempo não merecem mais ser ajudadas.

Sem aviso, ele chuta o lampião para longe.

A noite inunda os meus olhos.

Ouço o ruído molhado dos seus passos antes do seu ombro atingir o meu estômago, me deixando sem ar.

Vamos ao chão com um baque. A pedra cai das minhas mãos.

Tudo o que posso fazer é jogar os braços para o alto para me proteger, mas eles são finos e frágeis, e seus socos os atravessam com facilidade.

O sangue acumula-se em minha boca. Estou amortecido, tanto dentro quanto fora, mas os golpes continuam chegando até que seus punhos começam a resvalar nas minhas faces ensanguentadas.

O seu peso recua quando ele se desvencilha de mim.

Ele está ofegante, seu suor pinga em meu corpo.

— Tentei evitar isso — ele diz.

Dedos fortes agarram o meu tornozelo, arrastando-me pela lama até a água. Eu tento alcançá-lo com a mão, mas o seu ataque tirou a minha força, e eu desabo.

Ele para, enxugando o suor do seu cenho. O luar martela as nuvens, alvejando os seus traços. Seu cabelo torna-se prata, sua pele fica branca como neve recém-caída. Ele desce os olhos para mim com a mesma pena que mostrou a Bell naquela primeira manhã, quando cheguei.

— Não precisamos... — digo, tossindo sangue.

— Você não devia ter me atrapalhado — ele diz, me puxando para frente mais uma vez. — Foi a única coisa que eu lhe pedi.

Ele entra no lago me arrastando junto, a água fria subindo pelas minhas pernas, encharcando meu peito e minha cabeça. O choque disso faz despertar um espírito de luta em mim, e eu tento me esforçar para voltar à margem, mas Daniel puxa meu cabelo, empurrando o meu rosto na água gelada.

Eu arranho a sua mão e esperneio, mas ele é forte demais.

Meu corpo se agita, desesperado por ar.

Ainda assim, ele me mantém debaixo d'água.

Eu vejo Thomas Hardcastle, morto pelos últimos dezenove anos, saindo das turvas profundezas e nadando até mim. Ele tem cabelo loiro e olhos arregalados, perdido aqui embaixo, mas pega na minha mão e aperta os meus dedos, implorando para que eu seja corajoso.

Incapaz de segurar a minha respiração por mais tempo, minha boca se abre, engolindo a água gelada e lamacenta.

Meu corpo tem espasmos.

Thomas tira o meu espírito desta carne morta e nós flutuamos lado a lado na água, assistindo a Donald Davies se afogar.

É algo sereno e tranquilo. Surpreendentemente quieto.

Então, algo entra na água.

Mãos mergulham da superfície, puxando o corpo de Donald Davies, arrastando-o para cima, e, um segundo depois, eu o acompanho.

Os dedos do garoto morto ainda estão entrelaçados nos meus, mas não consigo tirá-lo do lago. Ele morreu aqui, logo, está preso aqui, assistindo tristemente enquanto sou levado para um local seguro.

Estou deitado na lama tossindo água, o meu corpo feito chumbo.

Daniel flutua com a cara no lago.

Alguém dá um tapa em mim.

E mais um, desta vez mais forte.

Anna circula sobre mim, mas tudo está embaçado. O lago está com as mãos em meus ouvidos, me puxando de volta.

A escuridão me chama.

Ela se inclina mais perto de mim, um borrão em forma de pessoa.

— ...me encontre — grita Anna, as palavras desfalecendo — às sete horas e doze minutos no hall de entrada...

No fundo do lago, Thomas gesticula para que eu volte, e, fechando os olhos, eu me junto ao garoto afogado.

53
DIA OITO

Minha face está repousando sobre a curvatura das costas de uma mulher. Estamos nus, enrolados em lençóis suados sobre um colchão sujo, a chuva serpenteando pelas esquadrias apodrecidas da janela, correndo pela parede e acumulando-se sobre o assoalho descoberto.

Ela desperta junto comigo, Madeline Aubert rolando para o lado para me ver. Os olhos verdes da empregada brilham com uma carência doentia, seus cabelos negros grudados à sua face úmida. Ela se parece tanto com Thomas Hardcastle em meu sonho, afogado e desesperado, agarrando-se a qualquer mão.

Ao me encontrar deitado do seu lado, ela deixa a cabeça cair no travesseiro com um suspiro decepcionado. Um desdém tão óbvio deveria causar desconforto em mim, mas qualquer irritação é suavizada pela lembrança do nosso primeiro encontro: a vergonha da nossa carência mútua e a avidez com a qual ela veio aos meus braços quando tirei um dos frascos de láudano de Bell do bolso.

Meus olhos com preguiça procuram mais drogas na cabana. Meu trabalho para os Hardcastle está completo, seus novos retratos estão pendurados na longa galeria. Não fui convidado para a festa e não me esperam na casa, o que me dá uma manhã livre neste colchão, o mundo girando ao meu redor como tinta descendo por um ralo.

O meu olhar para na touca e no avental de Madeline que estão pendurados em uma cadeira.

Como se tomasse um tapa, imediatamente retorno a mim, o uniforme invocando o rosto de Anna, sua voz e seu toque, o perigo da nossa situação.

Apegando-me a essa lembrança, consigo enxotar a personalidade de Gold para o lado.

Estou tão ocupado com suas esperanças e medos, seus desejos e paixões, que Aiden Bishop pareceu um sonho na luz da manhã.

Eu acreditei que não era mais do que isso.

Na beira do colchão, derrubo uma pilha de frascos vazios de láudano, que rolam pelo chão como camundongos em fuga. Chutando-os para o lado, vou até a lareira, onde uma chama solitária lambe as brasas, inchando-se quando acrescento uma isca de fogo e mais lenha à pilha. Peças de xadrez perfilam sobre o lintel, cada uma feita artesanalmente, algumas delas pintadas, embora salpicadas de tinta seja uma descrição melhor. Estão apenas parcialmente acabadas, e, deitada ao lado delas, está a faca que Gold usa para esculpi-las. Essas são as peças de xadrez que Anna passará o dia carregando por aí, e a lâmina é uma combinação perfeita para os cortes que vi nos braços de Gold ontem.

O destino está enviando sinais de fumaça novamente.

Madeline recolhe suas roupas, que estão jogadas pelo chão. Tamanha pressa remete a uma paixão desenfreada, embora somente a vergonha esteja atuando nela agora. Ela se veste com as costas viradas para mim, seus olhos na parede oposta. O olhar de Gold não é tão casto, refestelando-se com a visão do seu corpo pálido, dos seus cabelos que descem pelas costas.

— Você tem um espelho? — ela pergunta, arrumando-se, um leve toque de sotaque francês nas suas palavras.

— Acho que não — digo, desfrutando do calor do fogo na minha pele despida.

— Eu devo estar horrível — ela diz distraída.

Um cavalheiro discordaria respeitosamente, mas Gold não é nenhum cavalheiro e Madeline não é nenhuma Grace Davies. Eu nunca a havia visto sem maquiagem e estou surpreso com o quão doentia é sua aparência. Seu rosto é de uma magreza desesperadora, a pele amarelada e marcada e os olhos irritados e abatidos.

Margeando a parede mais distante para ficar o mais longe possível de mim, ela abre a porta para sair, o ar frio roubando o calor da cabana. É cedo, ainda faltam algumas horas até o amanhecer, e há nevoeiro sobre o chão. Blackheath está emoldurada pelas árvores, a noite ainda drapejada em seus ombros. Pelo ângulo que a vejo, esta cabana deve ficar perto do cemitério da família.

Eu observo Madeline correndo pelo caminho que leva até a casa, um xale enrolado firmemente em seus ombros. Se os acontecimentos tivessem seguido seu curso original, teria sido eu quem sairia cambaleando pela noite. Levado à loucura pela tortura do lacaio, eu levaria a faca de entalhar à minha própria carne antes de subir as escadas de Blackheath para bater na porta do quarto de Dance, dando o meu aviso aos gritos. Ao perceber a traição de Daniel e superá-lo no cemitério, evitei esse destino. Eu reescrevi o dia.

Agora preciso garantir que ele tenha um final feliz.

Fechando a porta após Madeline sair, acendo uma lamparina a óleo, refletindo sobre meu próximo passo enquanto a escuridão esgueira-se para os cantos. Ideias estão arranhando o meu crânio, um último monstro malformado que ainda espera ser arrastado para a luz. E pensar que, quando acordei naquela primeira manhã como Bell, fiquei atormentado por ter pouquíssimas lembranças. Agora preciso lutar contra uma abundância delas. Minha mente é um baú lotado que preciso desfazer, mas, para Gold, o mundo só faz sentido na tela, e é lá que preciso encontrar minha resposta. Se Rashton e Ravencourt me ensinaram alguma coisa foi valorizar os talentos de meus hospedeiros ao invés de lamentar as suas limitações.

Pegando a lamparina, vou para o estúdio na parte de trás da cabana para procurar um pouco de tinta. As telas estão empilhadas contra as paredes, com pinturas semiacabadas ou cortadas num rompante de fúria. Garrafas de vinho foram chutadas, derramando o líquido pelo chão sobre centenas de esboços a lápis, amassados e jogados em um canto. A terebintina escorre pela parede, borrando uma paisagem. Gold parece ter começado a obra num frenesi e abandonado num rompante de raiva.

Empilhados no centro da imundice, como uma pira à espera de uma tocha, há dezenas de velhos retratos de família, suas molduras carcomidas pelos caruanchos arrancadas e deixadas de lado. A maioria dos retratos foi destruída pela terebintina, embora alguns membros pálidos tenham conseguido sobreviver ao expurgo. Evelyn me disse que Gold tinha sido contratado para retocar as obras de arte em Blackheath. Parece que ele não ficou demasiadamente impressionado com o que encontrou.

Olhando fixo para a pilha, uma ideia começa a se formar.

Vasculhando as estantes, apanho uma barra de carvão e volto para a sala em frente, colocando a lamparina no chão. Não há uma tela à mão, então risco os meus pensamentos pela parede, trabalhando dentro da pequena porção de luz bruxuleante projetada pela lamparina. Eles chegam em um frenesi, um solavanco de conhecimento que transforma o bastão num pequeno toco em minutos, forçando-me a voltar à escuridão para buscar outro.

Trabalhando de cima para baixo a partir de uma copa de nomes agrupados perto do teto, desenho febrilmente um tronco das ações de todos ao longo do dia, as raízes estendendo-se por dezenove anos, penetrando um lago com um menino morto ao fundo. Em algum momento, acabo sem querer abrindo um corte antigo na minha mão, manchando a minha árvore de vermelho. Rasgando a manga da minha camisa, eu enfaixo o ferimento da melhor maneira que posso antes de retornar ao trabalho. Os primeiros raios da nova alvorada rastejam pelo horizonte quando dou um passo para trás, a barra de carvão caindo da minha mão e quebrando-se nas tábuas do assoalho. Exausto, eu me sento em frente à obra com o braço tremendo.

Com informação de menos, você é cego. Com informação de mais, é cegado.

Eu olho de soslaio para o modelo. Há dois nós na árvore representando dois redemoinhos na história. Duas questões que explicarão tudo: o que Millicent Derby sabia e onde está Helena Hardcastle?

A porta da cabana se abre, trazendo o aroma do orvalho.

Estou cansado demais para olhar. Sou como cera derretida, disforme e usada, esperando que alguém me tire do chão com raspadas. Eu só quero dormir, fechar meus olhos e me livrar de qualquer pensamento, mas este é meu último hospedeiro. Se eu falhar, tudo começará de novo.

— Você está aqui? — o Médico da Peste diz, sobressaltado. — Você nunca está aqui. A esta altura, você está normalmente delirando. Como que... o que é isso? — Ele passa por mim com a sobrecasaca zunindo. A fantasia é absolutamente ridícula à luz de um novo dia, o pássaro aterrorizante revela-se um mendigo teatral. Não surpreende ele fazer a maior parte das suas aparições à noite.

Ele para a centímetros da parede, correndo a sua mão enluvada pela curva da árvore, manchando os nomes.

— Notável — ele murmura, olhando de cima a baixo.

— O que aconteceu com a Lágrima Prateada? — pergunto. — Vi que ela foi baleada no cemitério.

— Eu a tranquei no ciclo — ele diz com tristeza. — Era a única forma de salvar a vida dela. Ela vai acordar em algumas horas pensando que acabou de chegar e repetirá tudo o que fez ontem. Meus superiores vão perceber sua ausência em algum momento e virão libertá-la. Infelizmente vou ter que responder algumas perguntas difíceis em breve.

Enquanto ele permanece em comunhão com minha árvore pintada, eu abro a porta da frente, a luz do sol passando em meu rosto, o calor espalhando-se pelo meu pescoço e pelos meus braços nus. Desviando o olhar do clarão, respiro em sua luz dourada. Nunca estive acordado tão cedo assim antes, nunca vi o sol nascer neste lugar.

É milagroso.

— Esta pintura diz o que eu acho que ela diz? — o Médico da Peste pergunta, a voz embargada pela expectativa.

— O que você acha que ela diz?

— Que Michael Hardcastle tentou matar a própria irmã.

— Então, sim, é o que ela diz.

Os pássaros estão cantando, três coelhos pulam pelo pequeno jardim da cabana, o pelo transformado em ferrugem pela luz do sol. Se eu soubesse que o paraíso estava do outro lado de uma alvorada, jamais teria desperdiçado uma noite de sono.

— Você resolveu, Sr. Bishop, você foi o primeiro a resolver — ele diz, o entusiasmo crescente em sua voz. — Você está livre! Depois de todo esse tempo, está finalmente livre! — Ele retira uma garrafa de bolso prateada das dobras do seu manto e a aperta em minha mão.

Não consigo identificar o líquido na garrafa, mas ele põe fogo em meus ossos, despertando-me num solavanco.

— Lágrima Prateada estava certa em se preocupar — digo, ainda observando os coelhos. — Não vou embora sem Anna.

— Essa escolha não é sua — ele diz, recuando para ver melhor a árvore.

— O que você vai fazer, me arrastar até o lago? — pergunto.

— Não vou precisar fazer isso — ele diz. — O lago era simplesmente um ponto de encontro. A resposta era só o que importava. Você resolveu o assassinato de Evelyn e me convenceu da solução. Agora que eu a aceitei, nem mesmo Blackheath pode manter você trancado aqui. Na próxima vez que você dormir, vai estar livre!

Quero ficar bravo, mas não consigo me estimular para isso. O sono me puxa com mãos leves e, cada vez que fecho os olhos, torna-se muito mais difícil abri-los novamente. Voltando à porta aberta, eu deslizo as costas no batente até estar sentado no chão, metade do meu corpo no escuro, a outra metade na luz do sol. Não consigo abandonar o calor e o canto dos pássaros, as bênçãos de um mundo que há tanto tempo me foi negado.

Tomo outro gole da garrafa, forçando-me a ficar acordado.

Ainda tenho tanta coisa a fazer.

Tanta coisa que você não pode fazer.

— Não foi uma competição justa — digo. — Tive oito hospedeiros enquanto Anna e Daniel tiveram apenas um. Eu podia me lembrar da semana e eles não.

Ele hesita, me estudando.

— Você teve isso porque escolheu vir a Blackheath — ele diz em voz baixa, como se estivesse com medo de que o escutassem.

— Eles não, e é só o que eu posso dizer sobre este assunto.

— Se eu escolhi vir aqui uma vez, posso escolher vir de novo — digo. — Não vou deixar Anna para trás.

Ele começa a caminhar de um lado para o outro, lançando olhares para mim e para a pintura.

— Você está com medo — digo, surpreso.

— Sim, estou com medo — ele dispara. — Meus superiores, eles não... Você não deveria desafiá-los. Eu lhe prometo, depois que você sair, vou dar a Anna toda a assistência que eu tiver a meu dispor.

— Um dia, um hospedeiro. Ela nunca vai escapar de Blackheath, você sabe disso — digo. — Eu não teria conseguido isso sem a inteligência de Ravencourt e a sagacidade de Dance. Foi só por causa de Rashton que comecei a olhar para as pistas como evidências. Que diabos, até Derby e Bell tiveram o seu papel. Ela vai precisar de todas as suas habilidades, como eu precisei.

— Seus hospedeiros ainda vão continuar em Blackheath.

— Mas eles não vão ser controlados por mim! — insito. — Eles não vão ajudar uma empregada. Eu estaria a abandonando a este lugar.

— Esqueça ela! Isso já foi longe demais — ele diz, virando-se para me confrontar, passando a mão no ar.

— O que já foi longe demais?

Ele olha para a mão enluvada, assustado com a própria perda de controle.

— Só você pode me deixar bravo desse jeito — ele diz com uma voz mais baixa. — Sempre foi a mesma coisa. Ciclo após ciclo, hospedeiro após hospedeiro. Vi você trair amigos, fazer alianças e morrer por princípios. Vi tantas versões de Aiden Bishop que você provavelmente jamais se reconheceria nelas, mas o que nunca mudou foi a sua teimosia. Você escolhe um caminho e vai até o fim, não importando em quantos buracos você cairá durante o percurso. Seria impressionante se não fosse irritante de uma forma tão intensa.

— Irritante ou não, tenho que saber por que Lágrima Prateada fez tanto para tentar matar Anna.

Ele lança um olhar demorado e avaliativo para mim, e então suspira.

— Você sabe como podemos dizer quando um monstro está apto para andar livre pelo mundo novamente, Sr. Bishop? — ele diz, contemplativo. — Quando ele está realmente recuperado e não apenas dizendo o que você quer ouvir? — Ele dá outro gole na garrafa de bolso. — Damos a ele um dia sem consequências e assistimos ao que ele faz com isso.

Minha pele fica arrepiada, meu sangue gela.

— Era tudo um teste? — digo devagar.

— Nós preferimos chamar de reabilitação.

— Reabilitação... — repito, a compreensão crescendo dentro de mim como o sol sobre a cabana. — Isto é uma prisão?

— Sim, com a exceção de que, ao invés de deixar nossos prisioneiros apodrecendo em uma cela, damos a eles a chance de provarem que merecem ser soltos a cada dia. Consegue ver a beleza disso? O assassinato de Evelyn Hardcastle nunca foi resolvido, e provavelmente jamais teria sido resolvido. Ao trancar prisioneiros dentro do assassinato, damos a eles a chance de expiar os seus crimes ao resolver o crime de outra pessoa. É tanto um serviço quanto um castigo.

— Há outros lugares como este? — digo, tentando fazer isso entrar na minha cabeça.

— Milhares — ele diz. — Vi uma vila que acorda toda manhã com três corpos decapitados na praça da cidade e uma série de assassinatos em um navio de passageiros. Deve ter quinze prisioneiros tentando resolver aquilo lá.

— O que faz de você o quê? Um carcereiro?

— Um assessor. Eu decido se você é digno de ser solto.

— Mas você disse que eu escolhi vir a Blackheath. Por que eu escolheria ir para uma prisão?

— Você veio por Anna, mas ficou preso, e, vários ciclos depois, Blackheath o despedaçou até que você se esqueceu de quem era, e era esse o intuito. — Sua voz está embargada de raiva, suas mãos estão fechadas. — Meus superiores jamais deviam ter deixado você entrar. Por uma eternidade eu achei que o homem inocente que entrava aqui estava perdido, sacrificado em um gesto fútil, mas você encontrou o caminho de volta. É por *isso* que eu tenho lhe ajudado. Eu dei a você o controle de diferentes hospedeiros, buscando aqueles que estavam melhores equipados para resolver o assassinato dela, finalmente acertando as contas no oitavo, hoje. Eu fiz experiências com a ordem para garantir que você teria o melhor de cada um deles. Eu até providenciei para deixar Rashton dentro daquele armário para que ele ficasse vivo. Estou distorcendo cada regra possível para que você possa finalmente escapar. Está entendendo agora? Você precisa ir embora enquanto ainda é a pessoa que quer ser.

— E Anna... — digo hesitante, odiando a questão que estou prestes a perguntar.

Nunca me permiti acreditar que Anna pertencia a este lugar, preferindo pensar neste local como o equivalente a estar em um naufrágio ou ser atingido por um raio. Ao considerá-la uma vítima, eu eliminei a irritante dúvida de haver ou não merecimento aí, mas, sem esse conforto, o meu medo cresce.

— O que Anna fez para merecer Blackheath? — pergunto.

Ele sacode a cabeça, passando-me a garrafa.

— Isso eu não posso responder. Apenas saiba que o peso da punição é igual ao crime. Os prisioneiros sobre quem falei para você, aqueles na vila e no navio, receberam sentenças mais leves que Anna ou Daniel. Aqueles lugares são bem menos angustiantes que este aqui. Blackheath foi feita para dobrar demônios, não ladrões de galinhas.

— Está dizendo que Anna é um demônio?

— Estou dizendo que milhares de crimes são cometidos todos os dias, mas apenas *duas* pessoas foram enviadas para este lugar. — Sua voz está ficando mais alta, repleta de emoção. — Anna é uma delas, e ainda assim você arriscou sua vida tentando ajudá-la a escapar. É loucura.

— Qualquer mulher que inspire uma lealdade dessas deve valer alguma coisa.

— Você não está me ouvindo — ele diz, seus punhos fechados como esferas.

— Eu estou lhe ouvindo, mas não vou deixá-la aqui — digo. — Mesmo que você me faça ir embora hoje, vou dar um jeito de voltar amanhã. Eu fiz isso uma vez e vou fazer de novo.

— Pare de ser tão idiota! — Ele golpeia o batente da porta com força suficiente para fazer poeira cair sobre nossas cabeças. — Não foi por lealdade que você veio a Blackheath, foi por vingança.

Você não veio aqui *resgatar* Anna, veio aqui dar o troco. Ela está segura em Blackheath. Trancafiada, mas segura. Você não queria que ela ficasse trancafiada, queria que ela sofresse — muitas pessoas lá fora querem que ela sofra, mas ninguém estava disposto a fazer o que você fez, porque ninguém odiava essa mulher tanto quanto você. Você a seguiu até Blackheath e por trinta anos se dedicou a torturá-la, como o lacaio tortura você hoje.

O silêncio nos esmaga.

Abro a boca para responder, mas o meu estômago afundou até meus pés, a minha cabeça gira. O mundo foi jogado para o alto, e, ainda que eu esteja sentado no chão, posso sentir que estou caindo cada vez mais.

— O que ela fez? — sussurro.

— Os meus superiores...

— Abriram as portas de Blackheath para um homem inocente querendo cometer um assassinato — digo. — São tão culpados quanto qualquer um aqui dentro. Agora me diga o que ela fez.

— Eu não posso — ele diz sem forças, sua resistência praticamente esgotada.

— Você me ajudou até aqui.

— Sim, porque o que aconteceu com você foi errado — ele diz, dando um longo gole na garrafa, seu pomo de adão quicando para cima e para baixo em sua garganta. — Ninguém se opôs quando ajudei você a escapar, porque você não deveria estar aqui mesmo, mas, se eu começar a contar coisas que você não deveria saber, haverá repercussões. Para nós dois.

— Eu não posso sair sem saber por que estou indo embora, e não posso prometer que não vou voltar até ter certeza da razão que me fez vir aqui em primeiro lugar — digo. — Por favor, é assim que vamos dar um fim nisso.

A máscara com bico vira-se na minha direção devagar, e, por um minuto inteiro, ele fica lá parado, pensativo. Eu me sinto sendo avaliado, as minhas qualidades pesadas e deixadas de lado, minhas falhas levadas à luz para que possam ser julgadas melhor.

Não é você quem ele está avaliando.

Como assim?

Ele é um bom homem. É assim que ele descobre o quão bom ele é.

Curvando a cabeça, o Médico da Peste surpreende-me tirando sua cartola, revelando as tiras de couro marrom que seguram a máscara de bico no lugar. Uma por uma, ele começa a desamarrá-las, grunhindo com o esforço enquanto seus dedos grossos erguem as presilhas. Quando o último fecho se solta, ele retira a máscara e puxa o capuz, revelando uma cabeça calva por baixo. Ele é mais velho do que eu imaginara, mais perto dos sessenta que dos cinquenta, certamente, o rosto de um homem decente e atribulado. Seus olhos estão avermelhados, a sua pele tem cor de papel velho. Se meu cansaço pudesse tomar forma, teria essa aparência.

Alheio à minha preocupação, ele vira o rosto para pegar a luz matinal que entra pela janela.

— Bom, está feito — ele diz, atirando a máscara na cama de Gold. Livre da porcelana, sua voz é quase, mas não exatamente, igual à que eu conheço.

— Não achei que você pudesse fazer isso — eu gesticulo para a máscara.

— Tem sido uma lista e tanto — ele responde, sentando-se em um degrau em frente à porta, posicionando-se de tal forma que todo o seu corpo está banhado pela luz do sol. — Eu venho aqui todas as manhãs antes de começar a trabalhar — ele diz, respirando fundo. — Adoro esta hora do dia. Dura dezessete minutos, e então as nuvens aparecem e dois lacaios recomeçam uma briga da noite passada, que termina em uma troca de socos nos estábulos. — Ele tira as luvas, dedo por dedo. — É uma pena que esta seja a primeira vez que você consegue desfrutar disso, Sr. Bishop.

— Aiden — digo, estendendo a mão.

— Oliver — ele diz enquanto a aperta.

— Oliver — repito, pensativo. — Nunca achei que você teria um nome.

— Talvez eu devesse contar isso a Donald Davies quando enfrentá-lo na estrada — ele diz, um leve sorriso nos lábios. — Ele vai estar muito bravo. Isso pode acalmá-lo.

— Você ainda vai lá? Por quê? Já tem a resposta.

— Até você escapar, é meu dever conduzir aqueles que seguem você, para dar a eles a mesma chance que você teve.

— Mas você sabe quem matou Evelyn Hardcastle agora — digo. — Isso não vai mudar nada?

— Você está insinuando que vou achar a minha tarefa mais difícil porque sei mais do que eles? — ele balança a cabeça. — Eu sempre soube mais do que eles. Eu sabia mais que você. O conhecimento nunca foi o meu problema. É contra a ignorância que eu luto.

Seu rosto torna-se novamente grave, a leveza escapa do seu tom de voz.

— É por isso que tirei minha máscara, Aiden. Preciso que você veja meu rosto, ouça minha voz e saiba que o que eu estou lhe dizendo é a verdade absoluta. Não pode mais haver dúvidas entre nós.

— Eu entendo — digo. É só o que consigo fazer. Sinto-me como um homem esperando a queda.

— O nome Annabelle Caulker, a mulher que você conhece como Anna, é uma praga em toda língua em que é pronunciado — ele diz, paralisando-me com seu olhar. Ela foi a líder de um grupo que semeou destruição e morte por metade das nações do mundo e que certamente continuaria se ela não tivesse sido capturada há trinta anos. É essa pessoa que você quer libertar.

Eu deveria estar surpreso. Deveria estar chocado ou com raiva. Deveria protestar, mas não sinto nenhuma dessas coisas. Isso não parece uma revelação, parece mais uma enumeração de fatos com os quais sempre estive familiarizado. Anna é feroz e destemida, até mesmo brutal quando precisa ser. Vi sua expressão na portaria quando ela se aproximou de Dance com a espingarda sem perceber que era eu. Ela teria puxado o gatilho sem nenhum arrependimento. Ela matou Daniel quando eu não fui capaz disso, e casualmente sugeriu que nós mesmos matássemos Evelyn como uma forma de responder à pergunta do Médico da Peste. Ela afirmou ser uma piada, mas mesmo agora eu não tenho certeza.

E, no entanto, Anna só matou aquelas pessoas para me proteger, ganhando tempo para que eu pudesse resolver este mistério. Ela é forte, gentil e se manteve fiel, mesmo quando meu desejo de salvar Evelyn ameaçou minar nossa investigação de seu assassinato.

De todas as pessoas da casa, ela é a única que nunca escondeu quem realmente era.

— Ela não é mais essa pessoa — argumento. —Você disse que Blackheath foi feita para reabilitar pessoas, para dobrar suas antigas personalidades e testar novas. Bom, vi Anna de perto esta semana. Ela me ajudou, salvou minha vida mais de uma vez. É minha amiga.

— Ela assassinou sua irmã — ele diz sem rodeios.

Meu mundo se esvazia.

— Ela a torturou, humilhou e fez o mundo assistir — ele continua. — Essa é Anna, e pessoas assim não mudam, Aiden.

Eu fico de joelhos, apertando minhas têmporas enquanto antigas lembranças entram em erupção.

Minha irmã chamava-se Juliette. Tinha cabelos castanhos e um sorriso brilhante. Foi encarregada de capturar Annabelle Caulker, e fiquei muito orgulhoso dela.

Cada recordação é como um estilhaço de vidro que rasga a minha mente.

Juliette era determinada e inteligente e achava que justiça era algo que precisava ser defendido e não apenas esperado. Ela me fazia rir. Ela achava que era algo que valia a pena fazer. As lágrimas escorrem pela minha face.

Os homens de Annabelle Caulker vieram à noite e levaram Juliette de sua casa. Executaram seu marido com uma única bala na cabeça. Ele teve sorte. A bala de Juliette só veio depois de sete dias. Torturaram-na e fizeram todos assistir.

Disseram que era justiça pela sua perseguição.

Disseram que devíamos ter esperado por isso.

Não sei mais nada sobre mim ou sobre o resto da minha família. Não mantive recordações felizes. Apenas aquelas que poderiam me ajudar, apenas o ódio e o luto.

Foi o assassinato de Juliette que me trouxe a Blackheath. Foram os telefonemas semanais que pararam. As histórias que paramos de compartilhar. Foi o espaço em que ela deveria estar e onde jamais estaria novamente. Foi a forma como finalmente capturaram Annabelle.

Sem sangue. Sem dor.
Totalmente sem incidentes.

E a mandaram para Blackheath, onde a assassina de minha irmã passaria uma eternidade resolvendo o assassinato de uma irmã que foi assassinada. Eles chamaram isso de justiça. Deram tapinhas nas costas um do outro pela sua criatividade, achando que eu estaria tão satisfeito quanto eles. Achando que era suficiente.

Eles estavam enganados.

A injustiça fez um corte em mim naquela noite e me acompanhou durante o dia. Ela me entalhou até se tornar a única coisa na qual eu conseguia pensar.

Eu a segui pelos portões do inferno. Eu persegui, aterrorizei e torturei Annabelle Caulker até esquecer as razões que me levaram a isso. Até esquecer Juliette. Até Annabelle virar Anna e eu só conseguir ver uma garota apavorada à mercê de monstros.

Eu me tornei o que odiava e transformei Annabelle naquilo que amo.

E culpei Blackheath.

Eu olho para cima, para o Médico da Peste, com os olhos avermelhados pelas lágrimas. Ele olha direto em meu rosto, examinando a minha reação. Fico me perguntando o que ele vê, porque não tenho ideia do que pensar. Tudo isso está acontecendo comigo por causa da pessoa que eu tento salvar.

É culpa de Anna.

Annabelle.

— O quê? — pergunto, surpreso ao ver o quanto a voz em minha cabeça soa insistente.

É culpa de Annabelle Caulker, não de Anna. É ela que nós odiávamos.

— Aiden? — o Médico da Peste pergunta.

— Annabelle Caulker está morta — repito devagar, recebendo o olhar assustado do Médico da Peste.

Ele balança a cabeça.

— Você está errado.

— Levou trinta anos — digo. — E não foi feito com violência e não foi feito com ódio. Foi feito com perdão. Annabelle Caulker está morta.

— Você está enganado.

— Não, você é quem está — digo, ganhando confiança. — Você me pediu para escutar a voz na minha cabeça, e eu estou escutando. Pediu para eu acreditar que Blackheath podia reabilitar pessoas, e eu acreditei. Agora você precisa fazer o mesmo, porque está tão cegado por quem Anna costumava ser que ignora a pessoa que ela se tornou. E se você não está disposto a aceitar que ela mudou, então de que adianta isto aqui?

Frustrado, ele chuta a terra com a ponta da sua bota.

— Eu jamais devia ter tirado a máscara — ele diz rosnando, ficando em pé e saindo em passadas largas pelo jardim, afugentando os coelhos que comiam a grama. Com as mãos nos quadris, ele olha para Blackheath à distância e, pela primeira vez, percebo que ela é tanto a sua senhora quanto a minha. Enquanto eu estava livre para fazer consertos e mudanças, ele tem sido forçado a assistir assassinatos, estupros e suicídios, envolto em mentiras suficientes para enterrar todo o lugar. Ele teve que aceitar o que o dia lhe trouxe, não importa o quão horrível foi. E, ao contrário de mim, não tinha permissão para esquecer. Poderia levar um homem à loucura. A maioria dos homens iria, a menos que tivessem fé. A menos que acreditassem que os fins justificavam os meios.

Como se estivesse a par dos meus pensamentos, o Médico da Peste vira-se para mim.

— O que você espera que eu faça, Aiden?

— Venha ao lago às onze da noite — digo com firmeza. — Vai haver um monstro lá, e posso garantir que não será Anna. Cuide dela, dê a ela uma chance para provar quem é. Você vai ver quem ela realmente é e vai ver que eu estou certo.

Ele parece incerto.

— Como você pode saber isso? — ele pergunta.

— Porque eu vou estar em perigo.

— Mesmo se você me convencer que ela está reabilitada, você já solucionou o mistério da morte de Evelyn — ele diz. — As regras são claras: o primeiro prisioneiro a explicar quem matou Evelyn Hardcastle será solto. Foi você. Não foi Anna. Qual é sua solução para isso?

Ficando em pé, eu cambaleio até o desenho da árvore, batendo nos nós, nos buracos em meu conhecimento.

— Eu ainda não solucionei tudo — digo. — Se Michael Hardcastle planejava atirar na sua irmã em frente ao espelho d'água, por que ele também a envenenaria? Não acho que ele tenha feito isso. Não acho que ele soubesse que havia veneno na bebida que o matou. Acho que outra pessoa o colocou lá, caso Michael fracassasse.

O Médico da Peste me acompanha, entrando na cabana.

— Esse é um raciocínio raso, Aiden.

— Ainda temos muitas perguntas a fazer para ter algo melhor — digo, recordando o rosto pálido de Evelyn depois de salvá-la no solário e as mensagens que ela se esforçou tanto para entregar. — Se isso estiver encerrado, por que Evelyn me disse que Millicent Derby foi assassinada? Aonde isso nos leva?

— Talvez Michael também a assassinou?

— E qual foi o motivo dele? Não, estamos deixando alguma coisa passar.

— Que tipo de coisa? — ele pergunta, sua convicção diminuindo.

— Acho que Michael Hardcastle estava trabalhando com outra pessoa, uma pessoa que ficou escondida durante todo esse tempo — digo.

— Um segundo assassino — ele diz, tomando um segundo para pensar. — Estou aqui há trinta anos, e nunca suspeitei... Ninguém jamais suspeitou. Não pode ser, Aiden. É impossível.

— Tudo sobre hoje é impossível — digo, batendo na minha árvore de carvão. — Há um segundo assassino, eu sei que há. Tenho uma ideia de quem pode ser e, se eu estiver correto, essa pessoa matou Millicent Derby para encobrir o seu rastro. Ela está tão implicada no assassinato quanto Michael, e isso significa que você precisa de duas respostas. Se Anna entregar o cúmplice de Michael, isso seria suficiente para libertá-la? — pergunto.

— Meus superiores não querem que Annabelle Caulker saia de Blackheath — ele diz. — E não sei ao certo se eles podem ser convencidos de que ela mudou. Mesmo se puderem, vão dar um jeito de achar uma desculpa para mantê-la presa aqui, Aiden.

— Você me ajudou porque eu não pertenço a este lugar — digo. — Se eu estiver certo sobre Anna, o mesmo agora vale para ela.

Passando a mão na cabeça, ele anda para frente e para trás, lançando olhares ansiosos para mim e para o desenho.

— Só posso prometer que vou estar no lago hoje à noite com a mente aberta — ele diz.

— É o suficiente — digo, dando um tapa em seu ombro. — Me encontre na casa de barcos às onze da noite e você vai ver que estou certo.

— E posso lhe perguntar o que você vai fazer nesse meio-tempo?

— Vou encontrar quem matou Millicent Derby.

54

Mantendo-me nas árvores, eu me aproximo de Blackheath sem ser visto, minha camisa molhada pelo nevoeiro, meus sapatos cobertos de lama. O solário está a poucos passos de distância, e, agachado entre os arbustos que gotejam, eu procuro por qualquer movimentação lá dentro. Ainda é cedo, mas não sei quando Daniel acorda ou quando ele é recrutado por Lágrima Prateada. Por questão de segurança, devo pressupor que ele e seus espiões ainda são uma ameaça, o que significa que devo permanecer escondido até que ele esteja boiando no lago com o rosto n'água, todos os seus planos afogados com ele.

Após a primeira incursão do sol, ele nos abandonou à escuridão, o céu transformado em uma confusão de tons cinzas. Eu procuro nos canteiros de flores por salpicos de vermelho, indícios de roxo, rosa ou branco. Procuro por um mundo mais radiante por trás deste aqui, imaginando Blackheath iluminada, vestindo uma coroa de chamas e uma capa de fogo. Vejo o céu cinzento incendiar, cinzas negras caírem como neve. Imagino o mundo refeito, mesmo que apenas por um instante.

Eu paro, de repente, incerto do meu objetivo. Eu olho ao redor, não reconhecendo nada, pensando no porquê de eu ter deixado a cabana sem meus pincéis e meu cavalete. Com certeza vim para pintar, mas não morro de amores pela luz da manhã aqui. É muito lúgubre, muito quieta, uma gaze estendida diante da paisagem.

— Não sei por que estou aqui — digo para mim mesmo, olhando para minha camisa suja de carvão.

Anna. Você está aqui por Anna.

O nome dela me tira da confusão de Gold. Minhas memórias retornam em uma enxurrada.

Está piorando.

Respirando fundo o ar frio, aperto a peça de xadrez que estava sobre o lintel em minha mão, criando uma muralha entre Gold e eu ao usar cada lembrança que tenho de Anna. Faço tijolos com seu riso, seu toque, sua gentileza e seu carinho, e somente quando fico contente com a altura da minha muralha é que retomo meu estudo do solário, entrando ao me convencer de que a casa dorme.

O amigo embriagado de Dance, Philip Sutcliffe, está dormindo em um dos sofás, o paletó sobre o rosto. Ele desperta por um breve momento, estalando os lábios e olhando sonolento para mim. Ele murmura algo, muda de lugar e volta a dormir.

Eu espero, escutando. Suando. Respirando profundamente.

Nada mais se mexe.

A avó de Evelyn me observa do retrato sobre a lareira. Seus lábios estão apertados. O artista capturou sua expressão exatamente durante o momento da reprimenda.

Sinto um arrepio em meu pescoço.

Eu me vejo franzindo o cenho enquanto observo a pintura, desanimado com a suavidade com a qual ela foi reproduzida. Minha mente a pinta novamente, com curvas tão agressivas quanto cicatrizes, o óleo empilhado como montanhas. Torna-se um mau humor espalhado em tela. Um péssimo humor. Tenho certeza de que a velha briguenta teria preferido essa honestidade.

Uma risada estridente soa pela porta aberta, um punhal cravado na história de alguém. Os convidados devem ter começado a descer para o café da manhã.

Meu tempo está acabando.

Fechando os olhos, eu tento me lembrar do que Millicent conversou com o seu filho, o que a fez sair tão depressa e vir aqui, mas tudo é um emaranhado. Há muitos dias, muitas conversas.

Um gramofone ganha vida no fim do corredor, cortando o silêncio com notas aleatórias. Há uma batida, a música raspando até parar, vozes sussurradas discutindo e culpando umas às outras.

Estávamos do lado de fora do salão de baile, foi onde começou. Millicent estava triste, envolvida em suas lembranças. Falamos do passado; das suas visitas a Blackheath quando criança e do tempo em que trouxe os filhos para cá quando já tinham idade suficiente. Estava decepcionada com eles, e então brava comigo. Ela me viu olhar Evelyn pela janela do salão de baile e confundiu minha preocupação com desejo.

"*Você sempre quer as fracas, não é?*", ela disse. "*Sempre as...*"

Ela viu algo que a fez perder o fio da meada.

Fechando os olhos com força, tento lembrar o que era.

Quem mais estava lá com Evelyn?

Meio segundo depois, estou disparando pelo corredor em direção à galeria.

Uma lamparina solitária está queimando na parede, sua chama doentia estimulando as sombras em vez de afastá-las. Pegando-a do gancho, eu a seguro em frente às pinturas da família, examinando uma por uma.

Blackheath diminui ao meu redor, encolhendo-se como uma aranha tocada pelo fogo.

Em algumas horas, Millicent vai ver algo no salão de baile que a deixará tão assustada a ponto de deixar o seu filho e correr para esta galeria. Enrolada em cachecóis e armada com as suas suspeitas, ela vai identificar as novas pinturas de Gold entre as mais antigas. Em qualquer outra ocasião, ela passaria reto. Provavelmente o fez em uma centena de outros ciclos, mas não agora. Desta vez o passado vai segurar sua mão e apertá-la.

A memória irá assassiná-la.

55

São sete horas e doze minutos e o hall de entrada está uma bagunça. Decânteres quebrados espalham-se pelo chão de mármore, retratos estão pendurados em ângulos estranhos, beijos de batom plantados nas bocas de homens que morreram há muito tempo. Gravatas borboletas estão penduradas no candelabro como morcegos adormecidos e ao centro de tudo isso está Anna, de pés descalços em sua camisola branca, olhando fixamente para as mãos como se fossem um enigma que ela não conseguisse compreender.

Ela não percebeu minha presença durante os poucos segundos em que eu a observo e tento reconciliar a minha Anna com as histórias do Médico da Peste sobre Annabelle Caulker. Eu me pergunto se Anna está ouvindo a voz de Caulker agora, da mesma forma que eu ouvi Aiden Bishop naquela primeira manhã. Algo ressecado e distante, uma parte dela, mas, ao mesmo tempo, separado, impossível de ignorar.

Vergonhosamente, a fé que tenho em minha amiga vacila. Depois de me esforçar tanto para convencer o Médico da Peste de que Anna era inocente, agora sou eu quem a olha atravessado, questionando se alguma parte do monstro que matou minha irmã sobreviveu e aguarda para reaparecer.

Annabelle Caulker está morta. Agora ajude-a.

— Anna — digo com delicadeza, subitamente cauteloso com a minha aparência. Gold passou a maior parte da noite em um abafamento regado a láudano, a minha única concessão à higiene foi um pouco de água em meu rosto antes de sair da cabana em disparada. Só Deus sabe como me pareço para ela ou como cheiro.

Ela olha para mim, sobressaltada.

— Eu lhe conheço? — ela pergunta.

— Vai conhecer — digo. — Isso pode ajudar.

Eu atiro a peça de xadrez que peguei da cabana, a qual ela apanha com uma mão. Abrindo a palma, ela olha fixamente, a lembrança ilumina o seu rosto.

Sem aviso, ela se joga em meus braços, lágrimas molhando a minha camisa.

— Aiden — ela diz, sua boca contra o meu peito. Ela tem cheiro de sabão leitoso e alvejante, seu cabelo prende-se em meus bigodes. — Eu me lembro de você, eu me lembro...

Sinto seu corpo tenso, seus braços caírem soltos.

Desvencilhando-se, ela me empurra, pegando um pedaço de vidro quebrado no chão para usar como arma. Ele treme em sua mão.

— Você me matou — ela rosna, pegando o vidro com força suficiente para fazê-la sangrar.

— Sim, matei — digo, o conhecimento do que ela fez à minha irmã pendendo em meus lábios.

Annabelle Caulker está morta.

— E eu lamento ter feito isso — continuo, metendo as mãos nos bolsos. — Eu prometo que não vai acontecer de novo.

Por um segundo, só o que ela faz é piscar para mim.

— Não sou mais o homem de que você se lembra — digo. — Era uma vida diferente, um conjunto diferente de escolhas. Muitos erros eu tentei não cometer de novo, e não cometi, por sua causa, acho.

— Não... — ela diz, apontando o vidro em minha direção quando dou um passo na sua direção. — Eu não posso... Eu me lembro de coisas, eu *sei* de coisas.

— Há regras — digo. — Evelyn Hardcastle vai morrer e vamos salvá-la juntos. Eu sei um jeito de nos tirar daqui.

— Não podemos escapar juntos, não é permitido — ela insiste. — É uma das regras, não é?

— Seja permitido ou não, vamos fazer — digo. — Você tem que confiar em mim.

— Não posso — ela diz com firmeza, enxugando uma lágrima perdida na bochecha com o polegar. — Você me matou. Eu me lembro. Ainda sinto o tiro. Eu fiquei tão empolgada ao ver você, Aiden. Achei que nós iríamos finalmente sair deste lugar. Você e eu juntos.

— Nós vamos sair.

— Você me matou!

— Não foi a primeira vez — digo, minha voz entrecortada pelo arrependimento. — Nós dois machucamos um ao outro, Anna, e nós dois pagamos por isso. Eu nunca mais vou lhe trair, prometo. Pode confiar em mim. Você *já* confiou em mim, apenas não consegue se lembrar.

Erguendo as minhas mãos como se estivesse me rendendo, avanço lentamente pela escadaria. Afastando um par de óculos quebrados e uma porção de confete, eu me sento no carpete vermelho. Cada hospedeiro aplica sua força sobre de mim, as suas lembranças deste salão amontoam-se nos cantos da minha mente, o peso deles é quase insuportável. Com a mesma clareza da manhã em que aconteceu...

Esta é a manhã em que aconteceu.

...eu me lembro da conversa com o mordomo na porta e de como nós dois estávamos amedrontados. Minha mão pulsa com a dor da bengala de Ravencourt enquanto ele caminhava com dificuldade até a biblioteca, logo depois de Jim Rashton sair pela porta da frente carregando um saco de drogas roubadas. Ouço os passos leves de Donald Davies sobre o mármore enquanto ele foge de casa depois do primeiro encontro com o Médico da Peste, e ouço o riso dos amigos de Edward Dance, ainda que ele permaneça quieto.

São tantas recordações e segredos, tantos fardos. Cada vida é tão pesada. Não sei nem como alguém consegue carregar uma só.

— O que há com você? — Anna pergunta, aproximando-se, o pedaço de vidro um pouco mais solto em sua mão. — Você não parece bem.

— Tenho oito pessoas diferentes balançando aqui dentro — digo, tocando na minha têmpora.

— Oito?

— Oito versões de hoje também — digo. — Cada vez que eu acordo, sou um convidado diferente. Este é o meu último. Ou resolvo isso hoje, ou vai começar tudo de novo amanhã.

— Isso não... As regras não permitem. Nós só temos um dia para resolver o assassinato, e você não pode ser mais ninguém. Isso... não está certo.

— As regras não se aplicam a mim.

— Por quê?

— Porque eu decidi vir aqui — digo, esfregando meus olhos cansados. — Eu vim aqui por sua causa.

— Você está tentando me resgatar? — ela pergunta incrédula, o estilhaço de vidro pendendo ao seu lado, esquecido.

— É por aí.

— Mas você me matou.

— Eu nunca disse que era bom nisso.

Talvez seja meu tom de voz ou a forma como estou prostrado no degrau, mas Anna deixa o caco de vidro cair no chão e senta-se ao meu lado. Posso sentir o seu calor, a sua solidez. Ela é a única coisa real neste mundo de ecos.

— Ainda está tentando? — ela pergunta, espiando-me com seus grandes olhos castanhos, a pele pálida e inchada, manchada de lágrimas. — Me resgatar, digo.

— Estou tentando resgatar você e eu, mas não posso fazer isso sem sua ajuda — digo. — Você tem que acreditar em mim, Anna, não sou o homem que te machucou.

— Eu quero... — ela vacila, balançando a cabeça. — Como posso confiar em você?

— Basta começar a acreditar — digo, dando de ombros. — Não temos tempo para mais nada.

Ela assente, assimilando o que falei.

— E o que você precisa que eu faça, se já posso começar a confiar em você?

— Vários pequenos favores e dois grandes — digo.

— Quais são os grandes?

— Preciso que você salve a minha vida. Duas vezes. Isso vai ajudar.

Do meu bolso, tiro o caderno de desenhos, uma coisa surrada repleta de páginas amassadas, as capas de couro presas com barbantes. Eu o encontrei no paletó de Gold quando saí da cabana. Depois de tirar os desenhos um tanto anárquicos de Gold, anotei tudo que conseguia lembrar sobre a rotina dos meus hospedeiros, deixando anotações e instruções por tudo.

— O que é isso? — ela pergunta, tirando-o de mim.

— É um livro sobre mim — digo. — E é a única vantagem que nós temos.

56

— Você viu Gold? Ele já deveria estar aqui.

Estou sentado no quarto vazio de Sutcliffe, a porta está com uma fresta aberta. Daniel está ocupado falando com Bell no quarto em frente e Anna está lá fora, andando de um lado para o outro furiosamente.

Não é minha intenção deixá-la angustiada, mas, depois de espalhar cartas pela casa, incluindo a carta na biblioteca revelando os pais de Cunningham, retirei-me aqui com um decânter de uísque da sala de visitas. Estou bebendo consistentemente há uma hora, tentando enxaguar a vergonha do que está por vir, e, embora eu esteja bêbado, estou longe de estar bêbado o bastante.

— Qual é o nosso plano? — ouço Rashton dizer a Anna.

— Precisamos impedir que o lacaio mate o mordomo e Gold hoje de manhã — ela diz. — Eles ainda têm uma função nisso, supondo que vamos deixá-los com vida por tempo suficiente.

Dou outro gole no uísque, escutando a conversa deles.

Gold não tem uma gota de violência em si, e seria necessário um grande esforço para fazê-lo machucar um homem inocente. Não tenho tempo para isso, então espero entorpecê-lo.

Não estou tendo sorte até agora.

Gold leva as esposas dos outros para a cama, trapaceia nos dados e geralmente se porta como se o céu pudesse desabar a qualquer momento, mas não esmagaria nem mesmo um maribondo se o picasse. Ele ama demais a vida para causar dor aos outros, o que é uma pena, porque a dor é a única coisa que manterá o mordomo vivo por tempo suficiente para encontrar Anna na portaria.

Ouvindo os seus passos arrastados do outro lado da porta, respiro fundo e caminho para o corredor, obstruindo seu caminho. Pelos olhos estranhos de Gold, ele é uma linda visão. Seu rosto queimado é uma alegria, muito mais cativante que a simetria sem graça da maioria das pessoas.

Ele tenta se afastar de mim com uma desculpa apressada, mas eu agarro o seu pulso. Ele olha para mim, confundindo-se com o meu ânimo. Ele vê raiva quando só o que eu sinto é angústia. Não tenho nenhuma vontade de machucar este homem, mas, mesmo assim, eu preciso.

Ele tenta desviar, mas eu bloqueio sua passagem.

Eu desprezo o que preciso fazer, desejando poder explicar, mas não há tempo. Mesmo assim, não consigo erguer o atiçador e atacar um homem inocente. Continuo vendo o mordomo deitado na cama, envolto em lençóis brancos, coberto de hematomas, lutando para respirar.

Se você não fizer isso, Daniel vence.

Apenas o nome é suficiente para despertar o meu ódio, os meus punhos se fechando do lado do corpo. Penso na sua dissimulação, soprando as chamas da minha raiva ao lembrar-me de cada mentira que ele me contou, afogando-me mais uma vez com o garotinho no lago. Me lembro da sensação da faca do lacaio deslizando entre as costelas de Derby e cortando a garganta de Dance. Da rendição que ele impôs a Rashton.

Com um rugido, descarrego a minha raiva, atacando o mordomo com o atiçador que peguei da lareira, acertando-o nas costas e nos ombros, fazendo com que ele se estatele na parede e então no chão.

— Por favor — ele diz, tentando arrastar-se para fugir de mim. — Eu não...

Ele respira ofegante pedindo ajuda, estendendo uma mão suplicante. É a mão que me empurra ao limite. Daniel fez algo semelhante no lago, voltando a minha própria pena contra mim. Agora é Daniel quem vejo no chão, e minha raiva pega fogo, fervendo em minhas veias.

Dou um pontapé nele.

Primeiro um, depois muitos e muitos outros. A razão me abandona, a raiva preenche o espaço. Cada traição, cada dor e tristeza, cada arrependimento, cada decepção, cada humilhação, cada angústia, cada mágoa... Tudo isso me preenche.

Eu mal consigo respirar, mal consigo enxergar. Estou soluçando enquanto o chuto repetidas vezes.

Eu tenho pena deste homem.

Eu tenho pena de mim.

Ouço Rashton um instante antes dele me atingir na cabeça com o vaso. A batida ecoa dentro do meu crânio enquanto vou caindo sem parar, o chão me apanhando em seus braços firmes.

57
DIA DOIS
(CONTINUAÇÃO)

— Aiden!

A voz é distante, correndo sobre meu corpo como água ondeando uma praia.

— Meu Deus do céu, acorde. Por favor, acorde!

Exausto, muito exausto, eu abro os olhos.

Estou olhando para uma parede rachada, minha cabeça repousando em um travesseiro branco sujo de sangue vermelho. O cansaço tenta me pegar, ameaçando me arrastar de volta.

Para minha surpresa, sou o mordomo novamente, deitado naquela cama na portaria.

Fique acordado. Fique parado. Estamos em perigo.

Eu mexo uma fração do meu corpo, a dor no lado salta até minha boca antes de eu prendê-la nos dentes, trancando um grito em minha garganta. Pelo menos serve para me acordar.

O sangue ensopou os lençóis onde o lacaio me esfaqueou antes. A agonia deve ter sido suficiente para me deixar inconsciente, mas não suficiente para me matar. Isso com certeza não é um acidente. O lacaio conduziu várias pessoas para o além e duvido que ele tenha se perdido desta vez. A ideia me causa um arrepio. Achei que nada fosse mais assustador do que alguém tentando me matar. Acontece que é mais uma questão de quem irá lhe matar, e, quando este alguém é o lacaio, ser deixado vivo é muito mais aterrorizante.

— Aiden, está acordado?

Eu me viro dolorosamente para ver Anna no canto do quarto, as pernas e as mãos amarradas por uma corda que está presa a um velho aquecedor. Sua bochecha está inchada, e um hematoma roxo brota em seu rosto como uma flor na neve.

A noite aparece pela janela sobre ela, mas não faço ideia de que horas são. Até onde sei, já são onze da noite e o Médico da Peste está nos esperando no lago.

Ao me ver acordado, Anna deixa escapar um soluço de alívio.

— Achei que ele tinha matado você — ela diz.

— Então somos dois — eu digo rouco.

— Ele me agarrou quando saí de casa, disse que ia me matar se eu não viesse com ele — ela diz, lutando contra as amarras. — Eu sabia que Donald Davies estava seguro dormindo naquela estrada, e que ele não podia alcançá-lo, então fiz o que ele pediu. Me desculpe, Aiden, mas não consegui pensar em outra solução.

Ela vai trair você.

Foi isso que o Médico da Peste me avisou, a decisão que Rashton confundiu com evidência da dissimulação de Anna. Aquela falta de confiança quase sabotou todo o nosso trabalho ao longo do dia. Eu me pergunto se o Médico da Peste sabia das circunstâncias da "traição" de Anna, ocultando-as para seus próprios fins, ou se ele genuinamente acreditava que esta mulher se voltaria contra mim.

— Não é culpa sua, Anna — digo.

— Ainda assim peço desculpas — Ela lança um olhar amedrontado para a porta, e então abaixa a voz. — Você consegue alcançar a espingarda? Ele a colocou no aparador.

Eu olho para a arma. Está a apenas alguns metros, mas não faria muita diferença se estivesse na lua. Eu mal consigo rolar na cama, muito menos me levantar.

— Acordado? — interrompe o lacaio, que surge na porta, cortando pedaços de uma maçã com seu canivete. — É uma pena, eu queria acordar você de novo.

Há outro homem atrás dele. É o bandido do cemitério, o que segurou meus braços enquanto Daniel tentava arrancar de mim o paradeiro de Anna na base do soco.

O lacaio se aproxima da cama.

— Na última vez que nos encontramos, eu deixei você viver — ele diz. — Tinha que ser feito, mas ainda assim... não me satisfez.
— Ele limpa a garganta, e sinto saliva atingir minha bochecha. O nojo ecoa dentro de mim, mas não tenho a coragem de erguer o meu braço e limpá-la.

— Não vai acontecer mais uma vez — ele diz. — Não gosto de gente acordando de novo. Parece um trabalho feito pela metade. Quero Donald Davies, e quero que você me diga onde eu posso pôr as mãos nele.

Minha mente rodopia, conectando as gigantescas peças do quebra-cabeça da minha vida.

Daniel me encontrou na estrada depois de eu ter pulado fora da carruagem e me convenceu a acompanhá-lo até o cemitério. Eu nunca questionei como ele sabia onde eu estaria, mas aqui está minha resposta, de qualquer maneira. Em poucos minutos, vou contar ao lacaio.

Se eu não estivesse com tanto medo, daria um sorriso pela ironia.

Daniel acredita que estou traindo Davies, entregando-o à morte, mas sem o confronto de ambos no cemitério jamais irei descobrir que Lágrima Prateada está em Blackheath ou brigar com Daniel no lago, permitindo que Anna finalmente acabe com ele.

É uma armadilha, certamente. Uma armadilha construída por Rashton, armada por Davies e acionada por mim. É tão bom quanto parece, com a exceção de que, ao contar para o lacaio o que ele quer saber, ele vai destrinchar Anna e eu como gado.

Colocando a faca e a maçã no aparador ao lado da espingarda, o lacaio pega as pílulas para dormir, a jarra sacudindo enquanto ele balança uma pílula em sua mão. Eu quase posso ouvi-lo franzir a testa por conta disso, seus pensamentos se debatendo de um lado para o outro. O seu companheiro ainda está na porta, com os braços cruzados e sem expressão.

A jarra sacode novamente. Uma, duas, três vezes.

— Quantas coisas destas são necessárias para matar um aleijado queimado que nem você, hein? — ele pergunta, pegando o meu queixo e forçando o meu rosto contra o seu.

Eu tento virar o rosto, mas ele aperta a mão, seus olhos prendem-se nos meus. Posso sentir o seu calor; sua malícia é algo arrepiante e quente percorrendo a minha pele. Eu poderia ter acordado atrás desse olhar. Poderia ter compartilhado esse cérebro feito um labirinto de ratos, caminhando por lembranças e impulsos que eu jamais poderia esquecer.

Talvez eu o tenha feito em um ciclo passado.

De repente, até o odioso Derby parece uma bênção.

Seus dedos de ferro me soltam, minha cabeça cai para o lado, gotas de transpiração brotam na minha testa.

Não sei mais quanto tempo tenho.

— A julgar por essas queimaduras, você teve uma vida difícil — ele diz, afastando-se um pouco. — Vida difícil exige uma morte fácil, acho. É o que eu ofereço. Vá dormir com o estômago cheio de pílulas ou fique se contorcendo por umas horas, enquanto eu sigo errando as partes importantes com a minha faca.

— Deixe-o em paz! — Anna grita do canto, a madeira range enquanto ela se esforça para se soltar.

— Melhor ainda — ele diz, balançando a faca na direção dela. — Posso levar a minha faca para a garota aqui. Preciso dela viva. O que não significa que ela não possa gritar um pouquinho antes.

Ele dá um passo em direção a ela.

— Estábulos — eu digo em voz baixa.

Ele para imediatamente, olhando-me por cima do ombro.

— O que você disse?

Ele volta até mim.

Feche os olhos, não deixe que ele veja o seu medo. É o que ele deseja. Ele não vai te matar, a menos que você abra os olhos.

Fechando-os com força, sinto a cama afundar quando ele senta. Alguns segundos depois, a ponta da sua lâmina acaricia o meu rosto.

O medo me manda abrir os olhos para ver o mal que está por vir.

Apenas respire, espere pelo seu momento.

— Donald Davies vai estar nos estábulos? — ele sussurra. — Foi isso que você disse?

Eu concordo com a cabeça, tentando repelir o pânico.

— Deixe-o em paz! — Anna grita novamente do canto, batendo no assoalho com os calcanhares e puxando violentamente as cordas que a restringem.

— Cale-se! — o lacaio grita antes de voltar a atenção a mim.

— Quando?

Minha boca está tão seca que nem sei se ainda consigo falar.

— Quando? — ele insiste, a lâmina encostando na minha face, fazendo sangrar.

— Vinte para as dez — digo, lembrando o horário que Daniel me informou.

— Vá! Faltam dez minutos — ele diz para o homem à porta, os passos cada vez mais baixos marcando a saída do bandido pelo corredor.

A lâmina passa pelo canto dos meus lábios, traçando os contornos do meu nariz até eu sentir uma pressão mínima em minha pálpebra fechada.

— Abra seus olhos — ele sussurra.

Eu me pergunto se ele pode ouvir a batida do meu coração. Como não poderia? Ele bate como uma metralhadora, esgotando o pouco que restava de coragem em mim.

Eu começo a tremer, muito lentamente.

— Abra os olhos — ele repete, a saliva atingindo minha face.

— Abra os olhos, coelhinho. Deixe que eu veja o que tem dentro.

A madeira estala e Anna grita.

Eu não consigo não olhar. Ela conseguiu arrancar o aquecedor de um dos suportes, libertando as mãos, mas não as pernas. A faca recua quando o lacaio fica em pé, as molas da cama rangendo ao serem aliviadas de seu peso.

Agora. Mexa-se agora!

Eu me atiro nele. Não há habilidade, não há força, apenas o desespero e o ímpeto. Uma centena de outras vezes eu fracassaria e meu corpo o acertaria como um pedaço de pano, mas há algo no ângulo em que ele está e na maneira como ele segura a faca. Eu pego o cabo perfeitamente, virando-o e empurrando a lâmina na sua barriga, o sangue escorrendo pelos meus dedos enquanto nós vamos ao chão num emaranhado de braços e pernas.

Ele se engasga, desnorteado, até mesmo ferido, mas não fatalmente. Já está se recompondo.

Eu olho para a faca, apenas o cabo podendo ser visto agora, e sei que isso não vai ser suficiente. Ele é muito forte e eu sou fraco demais.

— Anna! — eu grito, arrancando a faca e deslizando-a pelo chão na direção dela, desesperado ao vê-la parar a alguns centímetros da sua mão, que se esforça para alcançá-la.

O lacaio agarra-se a mim, as suas unhas raspam as minhas faces enquanto ele busca desesperadamente a minha garganta. O peso do meu corpo prende sua mão direita, meu ombro esmaga seu rosto, deixando-o às cegas. Ele está se contorcendo, grunhindo, tentando se desvencilhar de mim.

— Eu não consigo segurá-lo! — grito para Anna.

Sua mão encontra a minha orelha e ele a puxa, os meus olhos enchendo-se de uma dor intensa e cegante. Eu me afasto com um solavanco, batendo no aparador, derrubando a espingarda no chão.

A mão do lacaio se solta debaixo de mim. Ele me empurra para longe, e, assim que encosto nas tábuas do assoalho, vejo Anna pegar a espingarda, a corda recém-partida ainda pendendo em seu pulso. Nossos olhos se encontram, a fúria encobre o seu rosto.

As mãos do lacaio se enrolam em meu pescoço e o apertam. Eu acerto seu nariz quebrado, fazendo com que ele dê um uivo de dor, mas ele não larga. Ele aperta com mais força ainda, sufocando-me.

A espingarda explode, assim como o lacaio, e seu corpo decapitado desmorona ao meu lado, o sangue vertendo do seu pescoço e espalhando-se pelo chão.

Olho para a espingarda tremendo nas mãos de Anna. Se ela não tivesse caído naquele momento... Se a faca não tivesse chegado até ela ou se ela demorasse mais alguns segundos para se desamarrar...

Eu sinto um arrepio, horrorizado pelos limites entre a vida e a morte.

Anna está falando comigo, está preocupada comigo, mas estou tão exausto que só ouço metade do que ela está dizendo, e a última coisa que sinto antes da escuridão que me leva é a mão dela na minha, o toque suave de seus lábios quando eles beijam minha testa.

58
DIA OITO
(CONTINUAÇÃO)

Lutando contra a densa bruma do sono, eu me apresento com uma tossida, assustando Anna, que está na ponta dos pés, o corpo pressionado contra o meu enquanto tenta me libertar com uma faca de cozinha. Estou de volta em Gold, amarrado ao teto pelos punhos.

— Vou tirar você num segundinho — Anna diz.

Ela deve ter vindo direto do quarto ao lado, pois seu avental está coberto de sangue do lacaio. Com o cenho franzido, ela serra a corda, sua pressa atrapalhando-a. Praguejando, ela diminui o ritmo, mas, depois de alguns minutos, minhas amarras estão suficientemente frouxas para que eu possa soltar as minhas mãos.

Eu caio como uma pedra, atingindo o chão com um ruído surdo.

— Calma — Anna diz, ajoelhando-se do meu lado. — Você ficou amarrado o dia todo. Não há mais força em você.

— Que... — Uma tosse seca toma conta de mim, mas não há água na jarra para aliviá-la. O Médico da Peste gastou tudo para me manter acordado mais cedo. Minha camisa ainda está molhada onde ele me acertou.

Eu espero a tosse passar e então começo a falar novamente.

— Que horas... — eu me esforço, sentindo-me como se estivesse empurrando pedras pela minha garganta.

— São nove e quarenta e cinco — Anna diz.

Se você matou o lacaio, ele não pode matar Rashton ou Derby. Eles estão vivos. Eles podem ajudar.

— Não preciso deles — digo, a voz arranhando.

— De quem? — Anna pergunta.

Eu balanço a cabeça, gesticulando a ela para que me ajude a me levantar.

— Temos que...

Mais uma tossida dolorosa, mais um olhar de empatia de Anna.

— Fique sentado por um minuto, pelo amor de Deus — ela diz, entregando-me um papel dobrado que caiu do bolso da camisa.

Se ela olhasse dentro, veria a frase "Todas elas" escrita na caligrafia tenebrosa de Gold. Essas palavras são a chave para tudo o que está acontecendo, e elas me seguem desde que Cunningham entregou a mensagem a Derby três dias atrás.

Colocando o bilhete de volta em meu bolso, eu gesticulo para que Anna me ajude a manter o equilíbrio.

Em algum lugar na escuridão, o Médico da Peste está indo em direção ao lago, onde ele espera que Anna lhe dê uma resposta que ela ainda não tem. Após oito dias de perguntas, agora temos pouco mais de uma hora para apresentar nosso caso.

Com meu braço ao redor dos ombros de Anna e os braços dela ao redor da minha cintura, nós cambaleamos pela porta feito bêbados, quase caindo nas escadas. Estou fraco demais, mas o problema maior está na dormência dos meus braços e pernas. Sinto-me como uma marionete de madeira ao fim de barbantes enrolados.

Nós partimos da portaria sem olhar para trás, entrando de imediato no ar frio da noite. A rota mais rápida para o lago seria passando o poço dos desejos, mas as chances de nos depararmos com Daniel e Donald Davies são grandes demais ao seguir por esse caminho. Não tenho nenhuma vontade de perturbar qualquer equilíbrio delicado que conquistamos ao cometer um erro num acontecimento que já foi resolvido em meu favor.

Vamos ter que fazer o caminho mais longo.

Formigando de suor, com os pés pesados e me engasgando, eu cambaleio pelo pátio em direção a Blackheath. Meu coro vem comigo, Dance, Derby e Rashton à frente, Bell, Collins e Ravencourt com dificuldades atrás. Sei que são invenções da minha mente fraturada, mas posso vê-los com a mesma clareza de reflexos, a forma de caminhar de cada um, a avidez e o desdém que tinham pela tarefa diante de nós.

Desviando do pátio, seguimos a estrada de pedras até os estábulos.

Está calmo lá agora que a festa está em pleno vapor, alguns funcionários dos estábulos aquecendo-se ao redor dos braseiros, esperando a última das carruagens chegar. Eles parecem acabados, mas, sem ter certeza sobre quem está a serviço de Daniel, puxo Anna para longe da luz e a levo para o padoque, seguindo a pequena trilha que leva até o lago. Uma chama moribunda cintila no final do caminho, seu brilho quente passando pelas frestas entre as árvores. Chegando mais perto, vejo que é o lampião caído de Daniel, que queima os seus últimos suspiros na terra.

Desviando os olhos para a escuridão, vejo o seu dono no lago, segurando Donald Davies com o rosto para baixo na água, o homem mais jovem esperneando ao tentar escapar.

Pegando uma pedra do chão, Anna dá um passo em direção a eles, mas eu seguro o seu braço.

— Diga a ele... sete e doze da manhã — eu digo, esperando que a intensidade do meu olhar possa transmitir uma mensagem que minha garganta não tem condições de elaborar.

Ela corre na direção de Daniel, levantando a pedra sobre sua cabeça no caminho.

Virando as costas, eu pego o lampião caído, atiçando a chama doente com um sopro rouco. Não tenho nenhum desejo de ver alguém morrer, não importa o quanto mereça. O Médico da Peste alegou que Blackheath foi feita para nos reabilitar, mas grades não podem construir homens melhores, e a desgraça só pode quebrar o que resta de bondade. Este lugar tira a esperança das pessoas com uma pinça, e, sem essa esperança, de que serve o amor, a compaixão ou a gentileza? Seja qual tenha sido a intenção por trás da sua criação, Blackheath fala para o monstro que está dentro de nós, e não tenho nenhuma intenção de ceder ao meu monstro por mais tempo. Ele teve as rédeas soltas por tempo demais.

Erguendo o lampião no ar, eu me desgarro rumo à casa de barcos. Durante todo o dia andei procurando Helena Hardcastle, acreditando ser ela a responsável pelos acontecimentos desta casa.

É estranho pensar que eu estava provavelmente certo, embora não da forma como imaginei.

Independentemente de ela ter tido ou não a intenção, Helena é a pessoa responsável por tudo o que está acontecendo.

A casa de barcos é pouco mais do que um galpão caindo sobre a água. As palafitas na extensão do lado direito desabaram, retorcendo toda a construção em um formato estranho. As portas estão trancadas, mas a madeira está tão podre que desmorona com o meu toque. Elas abrirão com força mínima, mas, ainda assim, eu hesito. Minha mão está tremendo, a luz balança para cima e para baixo. Não é o medo que me faz parar, o coração de Gold está imóvel como uma pedra. É a expectativa. Algo procurado há muito tempo está prestes a ser encontrado e, quando isso acontecer, tudo acabará.

Estaremos livres.

Respirando fundo, eu empurro as portas, perturbando alguns morcegos que fogem da casa de barcos num coral de guinchos indignados. Um par de esqueletais barcos a remo estão amarrados dentro da casa. Apenas um deles está tapado com um cobertor mofado, no entanto.

Ajoelhando-me, eu puxo o cobertor, revelando o rosto pálido de Helena Hardcastle. Seus olhos estão abertos, as pupilas tão opacas quanto sua pele. Ela parece surpresa, como se a morte chegasse trazendo flores nas mãos.

Por que aqui?

— Porque a história se repete — eu murmuro.

— Aiden? — Anna grita, um leve tom de pânico em sua voz.

Tento gritar de volta, mas minha garganta ainda está rouca, o que me força a sair para a chuva. Eu levanto minha boca para a água que cai, engolindo as gotas geladas.

— Aqui — eu a chamo. — Na casa de barcos.

Voltando para dentro, percorro o lampião de cima a baixo no corpo de Helena. Seu longo casaco está desabotoado, revelando uma jaqueta de lã cor de ferrugem e uma saia, com uma blusa de algodão branco embaixo. Seu chapéu foi jogado no barco ao seu lado. Ela foi esfaqueada na garganta há tempo suficiente para o sangue coagular.

Se estou certo, ela está morta desde a manhã.

Anna chega por trás de mim, prendendo a respiração quando vê o corpo no barco.

— Esta é...

— Helena Hardcastle — digo.

— Como você sabia que ela estaria aqui? — ela pergunta.

— Este foi o último compromisso que ela marcou — explico.

O rasgo em seu pescoço não é grande, mas tem tamanho suficiente, exatamente do tamanho de uma faca de ferradura, ao que tudo indica. A mesma arma usada para matar Thomas Hardcastle dezenove anos atrás. Aqui, finalmente, está o que realmente importa. Todas as outras mortes foram um eco desta. Um assassinato que ninguém ouviu.

Minhas pernas doem com o esforço de me agachar, então eu me levanto e as estico.

— Será que Michael fez isso? — Anna pergunta, agarrando o meu casaco.

— Não, não foi Michael — digo. — Michael Hardcastle tinha medo. Ele virou um assassino por desespero. Este assassinato foi outra coisa; exigiu paciência e prazer. Helena foi atraída até aqui e esfaqueada na porta, caindo no lado de dentro, sem ser vista. O assassino escolheu um lugar a menos de seis metros de onde Thomas Hardcastle foi morto exatamente no aniversário da sua morte. O que isso lhe diz?

Enquanto falo, imagino Lady Hardcastle caindo, ouvindo a madeira ranger ao tombar no barco. Um vulto paira em meus pensamentos, lançando um cobertor sobre o corpo antes de entrar na água.

— A pessoa que a assassinou estava coberta de sangue — digo, percorrendo o lampião no local. — Essa pessoa se lavou na água, sabendo que estava escondida pelas paredes da casa de barcos. Ela tinha roupas limpas à espera.

Há um velho saco no canto e, desfazendo as amarras, descubro uma pilha de roupas femininas ensanguentadas dentro dele. As roupas da assassina.

Isso foi planejado...

Há muito tempo, para outra vítima.

— Quem fez isso, Aiden? — Anna pergunta, o medo crescente em sua voz.

Eu saio da casa de barcos, percorrendo os olhos na escuridão até enxergar um lampião no outro lado do lago.

— Está esperando companhia? — ela pergunta, o olhar fixo na luz que cresce.

— É a assassina — digo, sentindo-me estranhamente calmo. — Mandei Cunningham espalhar um boato de que estávamos vindo aqui para... Bem, para usar a casa de barcos, por assim dizer.

— Por quê? — Anna pergunta, apavorada. — Se você sabe quem ajudou Michael, conte ao Médico da Peste!

— Eu não posso — digo. — Você tem que explicar o resto.

— O quê? — ela sussurra, lançando-me um olhar penetrante. — Nós tínhamos um trato: eu te deixo vivo; você descobre quem matou Evelyn.

— O Médico da Peste precisa ouvir de você — digo. — Ele não vai deixar você ir de outra maneira. Confie em mim, você tem todas as peças, só precisa juntá-las. Aqui, pegue isso...

Colocando a mão em meu bolso, entrego a ela o papel. Desdobrando-o, ela lê em voz alta.

— "Todas elas" — ela diz, enrugando a testa. — O que quer dizer?

— É a resposta a uma pergunta que pedi para Cunningham fazer à Sra. Drudge.

— Qual pergunta?

— Se havia mais alguma criança do casal Hardcastle que era filha de Charlie Carver. Queria saber a quem ele daria a vida.

— Mas estão todos mortos agora.

O lampião misterioso balança no ar, aproximando-se cada vez mais. A pessoa que o segura está correndo, sem qualquer tentativa de discrição. A hora dos subterfúgios já passou.

— Quem é aquela pessoa? — pergunta Anna, protegendo os olhos e desviando o olhar da luz que se aproxima.

— Sim, quem sou eu? — diz Madeline Aubert, abaixando o lampião e revelando uma arma apontada diretamente em nossa direção.

Ela descartou seu uniforme de empregada para usar calças e uma camisa de linho folgada, com um cardigã bege sobre os ombros. Seus cabelos negros estão molhados, sua pele marcada está carregada de pó. Com a máscara da servidão removida, ela tem o olhar da sua mãe, os mesmos olhos ovalados e sardas serpenteando uma tez branca como leite. Só posso esperar que Anna enxergue isso.

Anna olha para mim e para Madeline novamente, a confusão abrindo caminho para o pânico em seu rosto.

— Aiden, me ajude — ela suplica.

— Tem que ser você — digo, buscando sua mão fria na escuridão. — Todas as peças estão na sua frente. Quem estava em condições de matar Thomas Hardcastle e Lady Hardcastle exatamente da mesma forma, num intervalo de dezenove anos? Por que Evelyn disse "eu não" e "Millicent foi assassinada" depois de eu salvá-la? O que Millicent sabia que a fez ser morta? Por que Gregory Gold foi pago para pintar novos retratos da família quando o resto da casa estava desabando? Helena Hardcastle e Charlie Carver mentiram para proteger quem?

A iluminação chega ao rosto de Anna como o nascer do sol, seus olhos se abrem quando ela olha do papel para o semblante expectante de Madeline.

— Evelyn Hardcastle — ela diz em voz baixa. Então, mais alto:
— Você é Evelyn Hardcastle.

59

Não tenho certeza de que reação eu esperava de Evelyn, mas ela me surpreendeu ao bater as mãos encantada, dando pulos como se fôssemos animais apresentando novos truques.

— Eu sabia que valia a pena seguir vocês dois — ela diz, colocando seu lampião no chão e costurando sua luz à nossa. — As pessoas não saem para caminhar nesta escuridão sem um pouquinho de conhecimento para iluminar o caminho. Embora, devo confessar, não sei por que isso é do interesse de vocês.

Ela abandonou o sotaque francês e, com ele, qualquer traço da empregada zelosa na qual ela se escondia. Os ombros que certa vez andavam caídos agora aprumam-se, o pescoço empertigado, empurrando seu queixo para o alto de tal forma que ela parece nos examinar do alto de um majestoso penhasco.

Seu olhar interrogativo passa entre nós, mas minha atenção está fixada na floresta. Tudo isso não servirá para nada se o Médico da Peste não estiver aqui para ouvir, mas, além da luz emitida pelos dois lampiões, está escuro como o breu. Ele poderia estar a dez metros de distância e eu jamais saberia.

Confundindo o meu silêncio com obstinação, Evelyn me dá um largo sorriso. Ela está se divertindo conosco. Ela irá nos saborear.

Precisamos mantê-la entretida até o Médico da Peste chegar.

— Foi isso que você planejou para Thomas anos atrás, não foi? — digo, apontando para o corpo de Helena na casa de barcos.
— Perguntei para o cavalariço, que me disse que você foi andar de pônei na manhã da morte dele, mas isso era apenas um álibi. Você

combinou de encontrar Thomas aqui, então só precisava passar pela portaria, amarrar o pônei e atalhar direto pela floresta. Eu mesmo contei. Você poderia ter chegado em meia hora sem que ninguém a visse, dando tempo suficiente para você matar Thomas tranquilamente na casa de barcos, lavar-se na água, trocar as roupas e voltar ao pônei antes que alguém desse falta do garoto. Você roubou do cavalariço a arma do crime e o cobertor para cobrir o corpo. Era ele quem ia levar a culpa quando Thomas fosse encontrado, só que o plano deu errado, não deu?

— Tudo deu errado — ela diz, estalando a língua. — A casa de barcos era uma emergência para o caso da minha primeira ideia não funcionar. Minha intenção era deixar Thomas tonto com uma pedrada e então afogá-lo e deixá-lo boiando na água para que alguém o encontrasse. Um acidente trágico, e todos seguiríamos com as nossas vidas. Infelizmente, não consegui executar nenhum dos dois planos. Eu acertei Thomas na cabeça, mas a força não chegou nem perto. Ele começou a gritar e eu entrei em pânico, então o esfaqueei lá mesmo, à luz do dia.

Ela soa irritada, mas não demasiadamente. É como se não estivesse descrevendo nada mais sério do que um piquenique arruinado pelo tempo ruim, e eu me vejo olhando fixo para ela. Eu havia deduzido a maior parte da história antes de vir até aqui, mas ouvi-la ser passada tão cruelmente, sem qualquer tipo de arrependimento, é horripilante. Ela é desalmada, inescrupulosa. Mal posso crer que é uma pessoa.

Observando que eu vacilo, Anna assume a conversa.

— E foi quando Lady Hardcastle e Charlie Carver toparam com você. — Ela analisa cada palavra, colocando-as em frente aos pensamentos correntes. — De alguma forma você conseguiu convencê-los de que a morte de Thomas foi um acidente.

— Eles mesmos fizeram a maior parte do trabalho. — Evelyn reflete. — Eu achei que estava tudo acabado quando eles apareceram naquela trilha. Eu fui até a metade dizendo para eles que estava tentando tirar a faca de Thomas, quando Carver preencheu o resto para mim. Acidente, brincadeira de criança, essas coisas. Ele me deu uma história pronta de presente.

— Você sabia que Carver era seu pai? — pergunto, recompondo-me.

— Não, mas eu era criança. Eu simplesmente aceitei a sorte que tive e fui andar de pônei, como disseram para eu fazer. Só quando fui mandada para Paris foi que a minha mãe disse a verdade. Acho que ela queria que eu tivesse orgulho dele.

— Então Carver vê a filha coberta de sangue na margem do lago — Anna continua, falando devagar, tentando pôr tudo em ordem. — Ele percebe que você vai precisar de roupas limpas, e vai até a casa para buscá-las enquanto Helena fica com Thomas. Foi o que Stanwin viu quando seguiu Carver até o lago, foi por isso que ele achou que Helena tinha matado o próprio filho. Foi por isso que ele deixou o amigo levar a culpa.

— Isso e muito dinheiro — Evelyn diz, torcendo o lábio e revelando a ponta dos dentes. Seus olhos verdes são apáticos, vazios. Totalmente sem empatia, intolerante ao remorso. — Minha mãe lhe pagou muito bem ao longo dos anos.

— Charlie Carver não sabia que você tinha premeditado o assassinato e já tinha uma muda de roupas esperando na casa de barcos — digo, lutando para não procurar pelo Médico da Peste entre as árvores. — As roupas ficaram lá, escondidas, por dezenove anos, até que sua mãe as encontrou quando visitou Blackheath no ano passado. Ela sabia o que elas significavam imediatamente. Até contou para Michael, provavelmente para testar a reação dele.

— Ela deve ter pensado que ele sabia sobre o assassinato — Anna diz, com pena. — Você consegue imaginar isso? Ela não podia confiar em nenhum dos dois filhos.

Uma brisa movimenta-se, a chuva goteja em nossos lampiões. Há um ruído na floresta, indistinto e distante, mas é o suficiente para chamar a atenção de Evelyn por um instante.

— *Faça ela ficar parada* — eu movimento os lábios para Anna, enquanto tiro meu casaco e o coloco sobre seus ombros magros, ganhando um sorriso agradecido.

— Deve ter sido terrível para Lady Hardcastle — Anna diz, apertando o casaco com mais força. — Perceber que a filha por quem ela deixou o amante ir para a forca assassinou o próprio irmão a sangue frio. — Sua voz diminui. — Como você pôde fazer isso, Evelyn?

— Acho que uma pergunta melhor é por que ela fez isso — digo, olhando para Anna. — Thomas gostava de seguir as pessoas. Ele sabia que ia se encrencar caso fosse pego, então ficou muito bom em não chamar a atenção. Um dia, ele seguiu Evelyn na floresta, onde ela se encontrou com um menino dos estábulos. Não sei por que eles estavam se encontrando ou se isso foi planejado. Talvez fosse uma coincidência, mas acho que houve um acidente. Eu espero que tenha sido um acidente — digo, lançando um olhar na direção de Evelyn, que me examina como se eu fosse uma mariposa que pousou em sua roupa. Todo o nosso futuro está escrito nas rugas ao redor dos seus olhos; aquele rosto pálido é uma bola de cristal que tem apenas horrores em seu reflexo.

— Não importa, no entanto — eu continuo, percebendo que ela não vai me responder. — De qualquer forma, ela o matou. É provável que Thomas não tivesse entendido o que viu, ou ele voltaria correndo e contaria para a mãe, mas, em algum momento, Evelyn percebeu que ele sabia. Ela tinha duas escolhas: calar Thomas antes que ele contasse para alguém ou confessar o que tinha feito. Ela escolheu a primeira opção e preparou a tarefa metodicamente.

— Muito bem — diz Evelyn, o rosto se iluminando. — Tirando um ou outro detalhe, é quase como se você estivesse lá de corpo presente. Você é encantador, Sr. Gold, sabe disso? Bem mais divertido do que a criatura com quem eu lhe confundi na noite passada.

— O que aconteceu com o garoto dos estábulos? — Anna pergunta. — O cavalariço disse que ele nunca foi encontrado.

Evelyn a analisa por um longo tempo. Primeiramente acho que é porque está decidindo se responde ou não a pergunta, e então percebo a verdade. Ela está invocando a memória. Há anos não pensa no assunto.

— Foi uma coisa muito curiosa — Evelyn diz com frieza. — Ele me levou para ver umas cavernas que ele tinha encontrado. Eu sabia que os meus pais não iam me deixar, então fomos escondidos, mas ele era uma companhia muito tediosa. Nós estávamos explorando e ele caiu num buraco profundo. Nada muito sério, eu poderia ter buscado ajuda facilmente. Eu disse a ele que ia fazer isso e então me dei conta. Eu não precisava buscar ajuda. Não precisava fazer nada. Eu poderia deixá-lo lá. Ninguém sabia que ele tinha sumido ou que eu estava com ele. Parecia o destino.

— Você simplesmente o abandonou — Anna diz, espantada.

— E quer saber? Eu até que gostei. Ele era o meu emocionante segredinho até Thomas me perguntar por que eu tinha ido às cavernas naquele dia. — Mantendo a arma apontada para nós, ela ergue o lampião da lama. — E o resto vocês sabem. Foi uma pena, mesmo.

Ela arma o cão da espingarda, mas Anna se coloca na minha frente.

— Espere! — ela diz, estendendo a mão.

— Por favor, não implore — Evelyn diz, exasperada. — Eu admiro tanto vocês, vocês realmente não fazem ideia. Com exceção da minha mãe, ninguém deu importância para a morte de Thomas em quase vinte anos, e então, do nada, vocês dois aparecem com praticamente tudo amarrado com um lacinho. Deve ter exigido muita determinação dos dois, e eu admiro isso, mas não existe nada mais indecoroso que a falta de orgulho.

— Não vou implorar, mas a história não está terminada — Anna diz. — Nós merecemos escutar o resto.

Evelyn sorri, seu semblante lindo e frágil e completamente louco.

— Vocês pensam que sou uma idiota — ela diz, enxugando a chuva dos olhos.

— Eu acho que você vai nos matar — Anna diz com calma, do jeito que alguém falaria com uma criança. — E acho que se você fizer aqui fora, muita gente vai ouvir. Você precisa nos levar a algum lugar mais silencioso, então por que não falar no caminho?

Evelyn dá alguns passos em direção a ela, segurando o lampião contra o seu rosto para que possa examiná-la melhor. Sua cabeça está empertigada, os lábios levemente separados.

— Garota inteligente — diz Evelyn, murmurando de admiração. — Ótimo, vire-se e comece a andar.

Eu escuto esse diálogo com um pânico cada vez maior, esperando desesperadamente que o Médico da Peste saia da escuridão e finalmente dê um fim nisso. Ele certamente deve ter evidências suficientes para defender a liberdade de Anna agora.

A menos que tenham feito ele se atrasar.

A ideia me enche de pavor. Anna está tentando nos manter vivos, mas não servirá para nada se o Médico da Peste não souber onde nos encontrar.

Eu estendo a mão para pegar o lampião, mas Evelyn o chuta para longe, nos conduzindo à floresta na mira da sua arma.

Caminhamos lado a lado com Evelyn alguns passos atrás, cantarolando com suavidade. Eu me arrisco a olhar por sobre o ombro, mas ela está suficientemente longe para que uma tentativa de apanhar a arma seja um esforço impossível. Mesmo se eu conseguisse, de nada adiantaria. Não estamos aqui para capturar Evelyn, estamos aqui para provar que Anna não é como ela, e a melhor forma de fazer isso é estar em perigo.

Nuvens densas embotam as estrelas, e, com apenas a chama desmaiada de Evelyn para nos guiar, temos que nos mover com cuidado para não tropeçar. É como tentar navegar em meio a tinta, e, ainda assim, não há sinal do Médico da Peste.

— Se sua mãe sabia há um ano o que você fez, por que ela não contou a todos? — Anna pergunta, lançando um olhar para Evelyn. — Por que marcar esta festa, por que convidar todas estas pessoas?

Há uma curiosidade genuína no seu tom de voz. Se ela está com medo, guarda num lugar onde eu não possa ver. Evidentemente, Evelyn não é a única atriz da casa. Só posso esperar que eu esteja atuando tão bem quanto. Meu coração está batendo com força suficiente para quebrar uma costela.

— Ganância — diz Evelyn. — Meus pais precisavam de dinheiro mais do que a minha mãe precisava me mandar para a forca. Eu só posso deduzir que o casamento demorou para ser arranjado, porque minha mãe me enviou uma carta mês passado dizendo que se eu não permitisse o casamento com aquele odioso Ravencourt, eles me entregariam. A humilhação da festa de hoje era uma última palavra, uma migalha de justiça para Thomas.

— Então você os matou por vingança? — Anna pergunta.

— Meu pai foi uma troca. Michael matou Felicity, e eu matei meu pai. Meu irmão queria a sua herança enquanto ainda havia uma herança. Ele está comprando o negócio de chantagens de Stanwin com Coleridge.

— Então realmente foram as pegadas das suas botas que eu vi do lado de fora da janela na portaria — digo. — E você deixou o bilhete assumindo a responsabilidade.

— Bom, eu não podia deixar o pobre Michael levar a culpa, isso inviabilizaria completamente o plano — ela diz. — Eu não tenho a intenção de usar o meu nome quando sair daqui, então por que não fazer um bom uso dele?

— E a sua mãe? — Anna pergunta. — Por que matá-la?

— Eu estava em Paris — Evelyn diz, a raiva esquentando suas palavras pela primeira vez. — Se ela não tivesse me vendido para Ravencourt, ela nunca me veria de novo. No que me diz respeito, ela cometeu suicídio.

As árvores param subitamente, revelando a portaria. Chegamos pelos fundos da casa, em frente à porta trancada que a falsa Evelyn mostrou a Bell na primeira manhã.

— Onde você encontrou a outra Evelyn? — pergunto.

— O nome dela é Felicity Maddox. Ela era uma espécie de vigarista, pelo que eu entendi — Evelyn diz, incerta. — Stanwin arranjou tudo. Michael contou para ele que a família queria que Felicity se casasse com Ravencourt em meu lugar, quando então iam pagar a ele a metade do dote para ficar quieto.

— Stanwin sabia o que você planejava fazer? — Anna pergunta.

— Talvez, mas por que ele daria importância? — Evelyn dá de ombros, gesticulando para que eu abra a porta. — Felicity era um inseto. Um policial tentou ajudá-la hoje à tarde e sabe o que ela fez? Em vez de admitir tudo para ele, ela foi direto para Michael e pediu mais dinheiro para ficar quieta. Realmente, uma pessoa como essa é uma mancha no mundo. Eu considero o assassinato dela um serviço público.

— E Millicent Derby? A morte dela também foi um serviço público?

— Ah, Millicent — Evelyn diz, a lembrança se tornando mais clara. — Sabe, no passado ela era tão ruim quanto o filho. Ela só não conservou a energia para seguir assim nos últimos anos.

Passamos pela cozinha e entramos no corredor. A casa está quieta, todos os seus habitantes mortos. Apesar disso, uma lamparina queima intensamente na parede, indicando que Evelyn sempre teve a intenção de retornar a este lugar.

— Millicent reconheceu você, não foi? — digo, arranhando a ponta dos dedos no papel de parede. Eu me sinto como se estivesse fracassando. Nada disso se parece real. Preciso encostar em algo sólido para saber que não estou sonhando. — Ela viu você no salão de baile ao lado de Felicity — continuo, lembrando quando a senhora deixou Derby às pressas. — Ela viu você crescer e não ia ser enganada por um uniforme de empregada e pelos novos retratos de Gold na parede. Millicent soube imediatamente quem era você.

— Ela desceu até a cozinha, exigindo saber o que eu ia fazer — Evelyn diz. — Disse a ela que íamos pregar uma peça no baile e a velhinha acreditou em mim.

Eu olho ao meu redor, procurando por alguma pista indicando a presença do Médico da Peste, mas minha esperança está desaparecendo. Não há motivo para ele saber que estamos aqui, então ele não fará nem ideia de como Anna está sendo corajosa ou de como ela resolveu este enigma. Estamos caminhando em direção à morte acompanhados por uma mulher insana, e tudo isso para nada.

— Como você a matou? — pergunto, tentando desesperadamente manter Evelyn falando enquanto penso em um novo plano.

— Eu roubei um frasco de veronal da maleta do Doutor Dickie e triturei alguns comprimidos no chá dela — ela diz. — Quando ela desmaiou, coloquei um travesseiro no rosto dela até ela parar de respirar, e então eu fui chamar Dickie.

Há uma alegria em sua voz, como se isso fosse uma antiga e feliz lembrança compartilhada entre amigos na mesa de jantar.

— Ele viu o veronal da sua maleta na mesa de cabeceira e imediatamente viu que estava incriminado — ela diz. — Isso é o que é bonito nos homens corruptos: você sempre pode confiar neles para serem corruptos.

— Então ele pegou o frasco e disse que era um ataque cardíaco para cobrir o próprio rastro — digo, deixando escapar um pequeno suspiro.

— Ah, não fique aflito, meu amor — ela diz, cutucando-me nas costas com o cano da espingarda. — Millicent morreu como viveu, com elegância e cálculo. Foi um presente, pode acreditar em mim. Todos nós devíamos ter a sorte de um fim tão significativo assim.

Minha preocupação é que ela esteja nos levando para a sala onde Lord Hardcastle está sentado, contorcido em seu assento, mas, em vez disso, ela nos guia até a porta em frente. É uma pequena sala de jantar, com quatro cadeiras e uma mesa quadrada no centro. A luz do lampião de Evelyn se espalha pelas paredes, iluminando dois sacos de lona no canto, cada um deles cheio até quase arrebentar com joias, roupas e o que mais ela conseguiu roubar de Blackheath.

Sua nova vida começará onde a nossa terminará.

Sempre um artista, Gold consegue pelo menos apreciar a simetria.

Colocando o lampião sobre a mesa, Evelyn gesticula para que nos ajoelhemos no chão. Seus olhos cintilam, o seu rosto fica corado.

Uma janela dá para a estrada, mas não vejo sinal do Médico da Peste.

— Infelizmente o tempo de vocês acabou — ela diz, erguendo a arma.

Ainda temos uma jogada.

— Por que você matou Michael? — pergunto rapidamente, lançando a acusação contra ela.

Evelyn fica tensa, seu sorriso evapora.

— Do que você está falando?

— Você o envenenou — digo, observando a confusão se desenhar em seu rosto. — Durante todo o dia eu ouvi falar sobre o quanto vocês eram próximos um do outro, o quanto você o amava. Ele não sabia que você matou Thomas ou sua mãe, sabia? Você não queria que ele pensasse mal de você. E ainda assim, quando a hora chegou, você o matou com a mesma facilidade das suas outras vítimas.

O seu olhar oscila entre eu e Anna, a arma vacilando em sua mão. Pela primeira vez, ela parece ter medo.

— Você está mentindo, eu nunca faria mal para Michael — ela diz.

— Eu o vi morrer, Evelyn — digo. — Eu estava em cima dele quando...

Ela me atinge com a arma, o sangue escorre do meu lábio.

Meu plano era pegar a sua espingarda, mas ela foi rápida demais e já deu um passo para trás, afastando-se de nós.

— Não minta para mim — ela choraminga, os olhos ardendo, a respiração escapando da sua boca em rápidos sopros.

— Ele não está mentindo — Anna protesta, envolvendo os braços nos meus ombros, em proteção.

Lágrimas correm pelas faces de Evelyn, seu lábio treme. O seu amor é fanático, pulsante e vil, mas é sincero. De alguma forma, isso só a deixa ainda mais monstruosa.

— Eu não... — Ela está puxando o cabelo, puxando com força suficiente para arrancá-lo da raiz. — Ele sabia que eu não podia me casar... Ele queria ajudar. — Ela nos olha em súplica. — Ele a matou por mim, para que eu pudesse ser livre... Ele me amava...

— Você precisava ter certeza, no entanto — digo. — Não podia correr o risco de ele perder a coragem e de Felicity acordar de novo, então deu a ela um copo de uísque envenenado antes que ela fosse até o espelho d'água.

— Mas você não contou para Michael — Anna continua. — E ele bebeu o que restou enquanto Rashton o interrogava.

A arma de Evelyn está abaixada e eu fico tenso, preparando-me para saltar na direção dela, mas Anna aperta os braços ao meu redor com mais força.

— Ele está aqui — ela sussurra no meu ouvido, acenando para a janela com a cabeça.

Uma vela solitária queima na estrada, iluminando uma máscara de porcelana com bico. Ele nem consegue ouvir o que está sendo dito.

O que ele está esperando?

— Ah, não — Anna diz, soando nauseada.

Seu rosto também olha para o Médico da Peste, mas, em vez da minha confusão, há horror nele. Ela ficou pálida, seus dedos fincam a minha manga.

— Nós não resolvemos — ela diz, falando baixo. — Ainda não sabemos quem mata Evelyn Hardcastle, a verdadeira Evelyn Hardcastle. E o nosso grupo de suspeitos diminuiu para duas pessoas.

Sinto um frio cair sobre mim.

Eu esperava que, se Anna desmascarasse Evelyn, isso seria o suficiente para garantir a sua liberdade, mas ela tem razão. Mesmo com todo o discurso do Médico da Peste sobre redenção e reabilitação, ele ainda precisa que mais uma vida pague a conta, e ele espera que um de nós o faça.

Evelyn ainda caminha de um lado para outro, ainda puxa os cabelos, ainda está distraída pela morte de Michael, mas está longe demais para sofrer uma emboscada. Talvez Anna ou eu pudéssemos arrancar a arma da sua mão, mas não sem que um de nós tomasse um tiro fatal.

Nós fomos iludidos.

O Médico da Peste ficou longe de propósito, para não ter que ouvir a resposta de Anna e ser confrontado pela boa mulher que ela se tornou. Ele não sabe que eu estava enganado quanto a Michael.

Ou ele não se importa.

Ele tem o que queria. Se eu morrer, ele vai me libertar. Se ela morrer, ela continua presa aqui, exatamente como os seus superiores queriam. Vão mantê-la aqui para sempre, não importa o que ela faça.

Não conseguindo mais conter o meu desespero, eu corro até a janela e bato no vidro.

— Não é justo! — eu grito ao vulto distante do Médico da Peste.

A minha fúria assusta Anna, que pula afastando-se, com medo. Evelyn avança na minha direção com a arma levantada, confundindo a minha raiva com pânico.

O desespero me sufoca.

Eu contei ao Médico da Peste que não abandonaria Anna, que daria um jeito de voltar a Blackheath caso me libertassem, mas não posso passar mais nenhum dia neste lugar. Não posso deixar que me levem para o abate mais uma vez. Não posso assistir ao suicídio de Felicity ou ser traído por Daniel Coleridge. Não posso mais viver nada disso de novo, e uma parte de mim, uma parte muito maior do que achava ser possível, está pronta para apressar Evelyn e acabar com tudo, independentemente do que acontecer com minha amiga.

Cegado pela tristeza, não percebo Anna vir até mim. Ignorando Evelyn, que a observa da forma que uma coruja deve observar a dança de um camundongo, Anna pega minhas mãos e fica na ponta dos pés, beijando-me na bochecha.

— Não ouse voltar por minha causa — ela diz, apertando sua testa contra a minha.

Ela age rápido, virando-se e saltando em direção a Evelyn num movimento fluido.

O tiro é ensurdecedor e, por alguns segundos, o seu eco é só o que resta. Gritando, eu corro para o lado de Anna, mesmo quando a arma cai no chão, o sangue molhando a camisa de Evelyn sobre os seus quadris.

A sua boca abre e fecha quando ela cai de joelhos, uma súplica silenciosa naqueles olhos vazios.

Felicity Maddox está parada na soleira da porta, um pesadelo que ganha vida. Ainda está usando o vestido azul de baile, agora encharcado e coberto de lama, a maquiagem escorrendo pela sua face pálida, arranhada por uma fuga às pressas pelas árvores. Seu batom está manchado, os cabelos desgrenhados, o revólver preto firme em sua mão.

Ela nos lança um rápido olhar, mas duvido que ela nos veja. A raiva a deixou meio louca. Apontando o revólver para a barriga de

Evelyn, ela puxa o gatilho. O som do tiro é tão alto que tenho que cobrir os ouvidos quando o sangue respinga no papel de parede. Não satisfeita, ela puxa de novo, Evelyn tombando no chão.

Caminhando até ela, Felicity descarrega a última das suas balas no corpo sem vida de Evelyn.

60

O rosto de Anna está pressionado contra o meu peito, mas não consigo desviar o olhar de Felicity. Não sei se isso é justiça ou não, mas me sinto desesperadamente agradecido da mesma forma. O sacrifício de Anna me libertaria, mas a culpa jamais me deixaria ir embora.

A sua morte faria de mim um estranho para mim mesmo.

Felicity me salvou.

Seu revólver está sem balas, mas ela continua apertando o gatilho, enterrando Evelyn com um coro de estalos vazios. Achei que ela fosse continuar fazendo isso para sempre, mas ela é interrompida pela chegada do Médico da Peste. Ele gentilmente retira a arma da sua mão e, como se um feitiço fosse quebrado, seus olhos ficam claros, a vida volta aos seus braços. Ela parece cansada ao extremo e esgotada, exigida a um nível inimaginável.

Demorando-se com um último olhar para o corpo de Evelyn, ela acena com a cabeça para o Médico da Peste antes de passar por ele e desaparecer no lado de fora, sem nem ao menos um lampião para guiá-la. Um instante depois, a porta se abre, o som da chuva inclemente preenchendo o ar.

Eu solto Anna e fico prostrado no carpete, a cabeça em minhas mãos.

— Você contou a Felicity que íamos estar aqui, não contou? — digo por trás dos meus dedos.

Sai como uma acusação, ainda que eu tenha certeza de que quis sinalizar minha gratidão. A esta altura, depois de tudo o que aconteceu, não há como separar as duas coisas.

— Dei uma escolha a ela — ele diz, ajoelhando-se perto dos olhos ainda abertos de Evelyn. — A natureza dela se encarregou do resto, assim como a sua.

Ele olha para Anna ao dizer isso, mas o seu olhar rapidamente passa por sobre ela, percorrendo as paredes manchadas de sangue antes de voltar ao corpo deitado a seus pés. Uma parte de mim se pergunta se ele não está admirando a sua obra, a ruína indireta de um ser humano.

— Desde quando você sabia quem era a verdadeira Evelyn? — pergunta Anna, que está olhando para o Médico da Peste de cima a baixo, examinando-o com o alumbramento de uma criança.

— Precisamente desde o momento em que você soube — ele diz. — Eu vim ao lago conforme solicitado, e eu a vi ser desmascarada em primeira mão. Quando ficou aparente o lugar para onde ela a levaria, voltei a Blackheath para passar a informação à atriz.

— Mas por que nos ajudar? — Anna pergunta.

— Justiça — ele diz com simplicidade, sua máscara de bico virando-se na direção dela. — Evelyn merecia morrer e Felicity merecia matá-la. Vocês dois provaram que mereciam a liberdade, e eu não poderia deixá-los vacilar no obstáculo final.

— É isso, terminamos então? — pergunto, a voz trêmula.

— Quase — ele diz. — Ainda preciso que Anna responda formalmente à pergunta: quem matou Evelyn Hardcastle?

— E quanto a Aiden? — ela pergunta, colocando a mão no meu ombro. — Ele culpou Michael.

— O Sr. Bishop resolveu os assassinatos de Michael, Peter e Helena Hardcastle, além da tentativa de assassinato de Felicity Maddox, um crime ocultado de maneira tão inteligente que nem eu, nem meus superiores tínhamos qualquer conhecimento — o Médico da Peste diz. — Não posso culpá-lo por responder perguntas que nunca pensamos em perguntar, nem vou punir um homem que arriscou tanto para salvar a vida de outra pessoa. A resposta dele continua. Agora preciso da sua. Quem matou Evelyn Hardcastle, Anna?

— Você não disse nada sobre os outros hospedeiros de Aiden — ela diz, teimosa. — Também vai deixá-los ir? Alguns ainda estão vivos. Se nós formos agora, ainda podemos salvar o mordomo. E quanto ao pobre Sebastian Bell? Ele simplesmente acordou hoje de manhã. O que ele vai fazer sem a minha ajuda?

— Aiden *é* o Sebastian Bell que acordou hoje de manhã — o Médico da Peste diz, gentilmente. — Eles nunca foram nada mais do que um truque de luzes, Anna. Sombras projetadas na parede. Agora você vai embora com a chama que os projetou, e, quando isso acontecer, eles vão desaparecer.

Ela pisca os olhos para ele.

— Confie em mim, Anna — ele diz. — Me diga quem matou Evelyn Hardcastle e todos vão estar livres. De uma forma ou de outra.

— Aiden?

Ela olha para mim incerta, esperando minha aprovação. Eu só posso acenar com a cabeça. Uma torrente de emoção jorra dentro de mim, esperando pela libertação.

— Felicity Maddox — ela declara.

— Você está livre — ele diz, levantando-se. — Blackheath não vai mais prender vocês aqui.

Meus ombros estão tremendo. Incapaz de me segurar, começo a soluçar desgraçadamente, oito dias de medo e tristeza derramando-se como veneno. Anna me segura, mas não posso parar, estou no limite dos meus nervos, aliviado e exausto, aterrorizado com a possibilidade de estarmos sendo enganados.

Tudo mais em Blackheath era uma mentira, por que não também isso?

Eu olho fixo para o corpo de Evelyn e vejo Michael debatendo-se no solário e o semblante embasbacado de Stanwin quando Daniel atirou nele na floresta. Peter e Helena, Jonathan e Millicent, Dance, Davies, Rashton. O lacaio e Coleridge. Os mortos empilhados.

Como alguém pode escapar disso tudo?

Dizendo um nome...

— Anna — murmuro.

— Estou aqui — ela diz, apertando-me firme. — Vamos para casa, Aiden. Você conseguiu, você manteve sua palavra.

Ela olha para mim, não há qualquer traço de dúvida em seus olhos. Ela está sorrindo, exultante. Um dia e uma vida, achei que não seria suficiente para escapar deste lugar, mas talvez seja a *única* maneira de escapar.

Mantendo-se agarrada a mim, ela olha para o Médico da Peste.

— O que vai acontecer agora? — ela pergunta. — Ainda não consigo me lembrar de mais nada antes da manhã de hoje.

— Você vai lembrar — o Médico da Peste diz. — Você cumpriu a sua sentença, então todas as suas posses vão ser devolvidas a você, incluindo sua memória. Se você quiser. A maioria escolhe deixá-la para trás e continuar como estão. Isso pode ser algo sobre o que valha a pena refletir.

Anna digere isso e percebo que ela ainda não sabe quem é ou o que fez. Será uma conversa difícil, mas não uma conversa que tenho forças para encarar agora. Preciso guardar Blackheath longe, em uma escuridão profunda, onde moram os meus pesadelos, e não me livrarei dela por um longo tempo. Se eu puder poupar Anna de um sofrimento semelhante, mesmo que por pouco tempo, é isso que farei.

— Vocês precisam ir — diz o Médico da Peste. — Acho que já ficaram aqui tempo demais.

— Está pronto? — Anna pergunta.

— Estou — digo, deixando que ela me ajude a ficar em pé.

— Obrigada por tudo — ela diz ao Médico da Peste, fazendo uma reverência antes de sair da casa.

Ele a observa partir, e então me alcança o lampião de Evelyn.

— Vão estar atrás dela, Aiden — ele sussurra. — Não confie em ninguém, e não se permita lembrar. Na melhor das hipóteses, as lembranças vão lhe incapacitar, na pior... — Ele deixa no ar. — Assim que você estiver livre, comece a correr e não pare. É sua única chance.

— O que vai acontecer com você? — pergunto. — Duvido que seus superiores vão ficar felizes quando descobrirem o que você fez.

— Ah, eles vão ficar furiosos — ele diz alegremente. — Mas hoje parece ser um bom dia, e Blackheath não tem um desses há muito tempo. Acho que vou aproveitar um pouco e me preocupar com o sacrifício amanhã. Vai chegar logo, sempre chega.

Ele estende a sua mão.

— Boa sorte, Aiden.

— Para você também — digo, apertando-a e saindo na tempestade.

Anna está esperando na estrada, os olhos fixos em Blackheath. Ela parece tão jovem, tão despreocupada, mas é uma máscara. Há outra face atrás desta, a da mulher que odiou meio mundo, e eu ajudei a libertá-la. A incerteza lampeja dentro de mim, mas o que quer que ela tenha feito, o que quer que esteja nos esperando, vamos superar juntos. Aqui e agora, é tudo o que importa para mim.

— Para onde vamos agora? — Anna pergunta, enquanto percorro a floresta escura com a cálida luz do lampião.

— Não sei — digo. — Não acho que seja importante.

Ela pega a minha mão, apertando-a gentilmente.

— Então vamos caminhando e ver aonde vamos chegar.

E assim fizemos, com um pé em frente ao outro, enfrentando a escuridão com apenas a mais tênue das luzes a nos guiar.

Eu tento imaginar o que me espera.

A família que eu abandonei? Netos que cresceram ouvindo histórias do que eu fiz? Ou apenas outra floresta, outra casa afogada em segredos? Espero que não. Espero que o meu mundo seja outra coisa completamente diferente. Algo desconhecido e incompreensível, algo que eu sequer possa imaginar nos limites da mente de Gold. Afinal, não é de Blackheath que estou escapando. É deles. É de Bell e do mordomo, Davies, Ravencourt, Dance e Derby. É de Rashton e de Gold. Blackheath era a prisão, mas eles eram os grilhões.

E as chaves.

Devo minha liberdade a cada um deles.

E quanto a Aiden Bishop? O que devo a ele? O homem que me trancou aqui para que eu pudesse torturar Annabelle Caulker. Não devolverei suas lembranças, tenho certeza disso. Amanhã, vou ver seu rosto no espelho e, de alguma forma, terei que torná-

-lo meu. Para fazer isso, preciso começar de novo, livre do passado, livre dele e dos erros que ele cometeu.

Livre da sua voz.

— Obrigado — eu murmuro, sentindo-o finalmente se afastar.

Parece um sonho, muito para se esperar. Amanhã não haverá nenhum lacaio para derrotar. Nenhuma Evelyn Hardcastle para salvar ou Daniel Coleridge para superar. Nenhum relógio trabalhando sobre a casa de um quebra-cabeça. Em vez do impossível, precisarei somente me preocupar com o comum. O luxo de acordar na mesma cama por dois dias seguidos ou chegar à próxima vila caso eu queira. O luxo da luz do sol. O luxo da honestidade. O luxo de viver uma vida sem um assassinato no final.

O amanhã poderá ser o que eu quiser, o que significa que, pela primeira vez em décadas, posso aguardá-lo com expectativa. Em vez de ser algo a temer, pode ser uma promessa que faço para mim. Uma oportunidade de ser mais corajoso ou mais bondoso, de corrigir o que fiz errado. De ser melhor do que sou hoje.

Cada dia depois deste é uma dádiva.

Só preciso continuar caminhando até chegar lá.

AGRADECIMENTOS

As *sete mortes de Evelyn Hardcastle* não existiria sem o meu agente, Harry Illingworth. Ele sabia o que esta história poderia ser antes que eu soubesse e me ajudou a desenterrá-la. Você é um cavalheiro, Illington.

Pela sua sabedoria e seu bisturi de palavras, gostaria de agradecer à minha editora, Alison Hennessey, também conhecida como a glamorosa assassina (de parágrafos). Eu escrevi a história, Alison a transformou em um livro.

Também devo muito a Grace Menary-Winefield, minha editora nos Estados Unidos, por fazer as questões que nunca pensei em perguntar e por ter me ajudado a ir mais fundo neste mundo que criei.

E aproveitando o momento, não posso ignorar o restante da equipe da Raven Books e da Sourcebooks, que deram um baile em mim com seu talento, entusiasmo e graça. Destes, gostaria de destacar Marigold Atkey em especial, a qual aguentou o meu pânico — e minhas edições de última hora — com bom humor e sabedoria. Não tenho dúvida de que alguém, em algum lugar, a ouviu aos gritos, mas não fui eu. E, por isso, sou muito agradecido.

Uma menção especial deve ser dada aos meus primeiros leitores, David Bayon, Tim Danton e Nicole Kobie, que leram esta história em sua fase "David Lynch" e com muita gentileza apontaram que pistas, correção gramatical e lembretes para certas partes da trama não são um sinal de fraqueza.

E finalmente, agradeço à minha esposa, Maresa. Se você vai fazer algo estúpido (como passar três anos escrevendo um romance de mistério com viagens no tempo e mudanças de corpo), precisa ter sua melhor amiga ao seu lado durante todo o trajeto. Ela esteve lá e continua. Eu não teria conseguido sem ela.